MEDICAL

LAW

COMMENTARY

의료법 해설
醫療法 解說

쟁점과 판례 중심

변호사 **홍영균**

군자출판사

약 력

- 서강대학교 법과대학 졸업
- 행정고시 2차 합격
- 사법시험 합격
- 법무법인 한강 수석변호사(前)
- 한국경제TV 「홍영균의 TV 의료법정」 진행(前)
- 동국대학교 불교대학원 겸임교수(前)
- 사법연수원, 서울대 병원, 연대 보건대학원 등 특강
- 각종 개원의협의회 강연
- 법률사무소 힐링 대표변호사 겸 의료법 연구소 소장(現)
- (사) 사랑의 장기은행 이사(現)
- 기업은행 「중소기업법률지원단」 자문위원(現)
- 한국소비자원 자문변호사(現)
- 금융소비자연맹 자문변호사(現)
- 국민연금공단 자문변호사(現)
- 금융감독원 전문위원(現)
- 한국환경공단 석면피해구제심사위원회 심사위원(現)
- 한국의료분쟁조정중재원 감정위원(現)
- 대한변호사협회 의료 전문 변호사(現)
- 대한비뇨기과의사회 법률고문단 단장(現)

web : http://www.medibar.kr
e-mail : nahongc@hanmail.net

의료법 해설
쟁점과 판례 중심

첫째판 1쇄 인쇄 ｜ 2017년 10월 17일
첫째판 1쇄 발행 ｜ 2017년 10월 27일

저　　　자 홍영균
기　　　획 김도성
발　행　인 장주연
편집디자인 김영선
표지디자인 이상희
제　　　작 신상현
발　행　처 군자출판사(주)
　　　　　 등록 제 4-139호(1991. 6. 24)
　　　　　 본사 (10881) **파주출판단지** 경기도 파주시 회동길 338(서패동 474-1)
　　　　　 전화 (031) 943-1888　팩스 (031) 955-9545
　　　　　 홈페이지 ｜ www.koonja.co.kr

ISBN 979-11-5955-242-7
정가 45,000원

의료법 해설

醫療法 解說

쟁점과 판례 중심

머리말

의료소송과 의료법 전문 변호사로 법률가 생활의 대부분을 보냈다. 의료과오를 원인으로 한 손해배상 소송, 위법한 행정처분에 대한 행정소송, 의료법 위반에 대한 형사소송, 동업 의료인간의 민사 분쟁 그리고 기소유예 처분에 대한 헌법소원이 주된 업무이다. 의료형법을 공저하면서 형법보다는 의료법이 실무에 더 중요함을 절실하게 느꼈고 전문 변호사 연차가 두 자리 숫자에 접어들면서 그 동안에 축적한 노하우와 체험한 실무례를 정리할 필요성을 느꼈다. 그러나 강의, 상담과 문서 작성 그리고 재판이라는 반복되는 일정을 핑계로 지금에서야 일관성 있는 논리와 해설로 정리된 의료법 해설서를 완결하였다.

대법원과 하급심 판결 그리고 헌법재판소와 검찰 결정을 모두 반영하여 해설하였다. 그리고 재판실무를 잘못 해설하거나 의료법 조문 상호간의 유기적 관계를 간과한 다른 해설서의 오류를 바로 잡으려고 노력하였다. 동시에 임상 현실과 죄형법정주의 그리고 법치행정에 적합한 해석론을 유지하였고 보건복지부 주도하의 경찰행정적인 시각을 지양하고 헌법상의 기본권을 바탕으로 한 합목적적 해석론을 지향하였다. 서론, 본론, 결론 형식으로 현행 의료법의 내용과 문제점을 해설하면서 현행 의료법의 구조와 체계를 유지하였다는 점과 실무자들이 이해하기 쉽도록 관련 법률 용어와 재판 용어를 설명하였고 의료계가 운신의 폭을 넓힐 수 있는 입법론을 제시한 점도 기존 의료법 해설서 보다 진일보한 내용이라고 자부한다. 다만, 보다 더 충실한 해설을 위하여 해설 범위를 의료법과 시행령 그리고 시행규칙에 한정하였고 약사법 등의 관련 법령은 필요한 범위 내에서만 설명하였다. 의료소송과 관련된 쟁점인 의료인의 주의의무, 의사의 설명의무 등은 의료법의 영역이 아닐 뿐만 아니라 의료형법에 자세히 설명되어 있는 관계로 포함하지 않았다.

자료 수집과 교정 단계에서 많은 도움을 준 홍무빈 예비 법학사, 한결같은 응원과 격려를 보내준 대한비뇨기과의사회 임원들, 출판을 흔쾌히 받아준 군자출판사 관계자 그리고 의료 전문으로 변호사 업무를 시작하게 된 기회를 제공해주고 반 삼십년간 의료소송 실무에 전념할 수 있는 기반을 제공해 준 최재천 전 국회의원에게 가슴 속 깊은 곳으로부터 우러나오는 고마움을 전한다. 法律家로서의 소양이 부족함을 알기에 法術家로서의 기본 능력만이라도 충실하고 싶다.

2017년 10월
서초동 사무실에서

추천사

의료법은 의사가 꼭 알아야 기본적인 법이다. 그럼에도 불구하고 의료법을 정확히 알고 있는 의사는 드물다. 증상에 따라 진단하고 치료하는 과정이 사실 확정, 법규 적용, 결론이라는 법적 판단과 다르지 않다. 그러나 의과학과 규범학으로 영역을 구분하고 영역의 독자성을 강조하는 고등교육의 폐해로 의사는 법과 멀어졌다. 아니 법이 의사와 멀어졌다고 보는 것이 정확하다.

덧붙여, 의사는 상인이 아니라면서도 명찰 착용을 강제하는 모순, 강압적인 현지 조사로 자살하는 현실을 외면하고 과도한 개입과 통제가 보건 당국의 임무라고 착각하는 행정, 의료인을 잠재적 범죄인으로 만드는 방향성 없는 입법, 합리적 이유 없이 다른 전문가 집단보다 더 높은 윤리성을 요구하는 사법은 의료 현실을 도외시한 결과물이다. 의료계가 발전적인 방향으로 행보할 수 있도록 법조계는 의료 현실을 정확히 반영하여야 한다.

공권력과 법조계의 의료계에 대한 오해와 편향된 시각은 의사가 법과 친할 수 없는 현실과 결부되어 성가심으로 때로는 두려움으로 의사에게 접근하였다. 성가심이 의료 질서를 보호하기 위한 관심으로, 두려움이 의료질서를 교란시키는 비의료인에 대한 억제책으로 기능해서 공권력과 의료계의 본질적인 역할이 의료계와 의료질서 보호에 존재함을 보여 주어야 한다.

의료법 해설은 의료인이 법을 이해할 수 있고 법이 의료인을 보호 · 지원할 수 있도록 고민할 수 있는 터를 마련한 최초 공간이다. 의료법의 존재 목적과 이유에 적합하도록 의료법 전반을 해석하여 국민의료에 불필요하거나 국민의 건강 보호 · 증진과 무관한 내용을 솎아 내었고, 의료계를 규제 대상으로만 보는 근대 경찰국가적 시각에서 벗어나 조정 · 조화와 지원이라는 복지국가적 시각으로 의료법을 입법하고 해석하는 노력이 돋보이는 해설서이다. 의사와 병원 실무자들에게 필독을 권한다.

2017년 10월
진료실에서

대한 비뇨기과 의사회 회장 **어 홍 선**

목차

제 3 장　의료기관

제1절 의료기관의 개설

제 4 장 신의료기술평가

제 5 장 의료광고

제 6 장 감독

제 7 장 삭제

제 8 장 보칙

제 9 장 벌칙

서론

序論
Introduction

1 의료법의 의의

의료법은 의료행정에 고유한 국내 공법으로서 의료인의 자격과 의료기관의 조직, 작용 및 규제에 관한 법률이다. 즉 의료법은 의료인의 자격과 의료기관의 조직을 권리와 의무라는 작용법적 측면에서 규정하고 국민의 건강을 보호하고 증진하는데 필요한 내용(신의료기술평가, 의료광고, 감독, 분쟁의 조정[1], 구제, 벌칙)을 규정하는 국내 공법이다[2].

2 의료법의 연혁

가. 의료법의 제정

(1) 일본은 일제강점기인 1944년 8월 21일 '조선의료령'을 공포하여 우리나라에 의료관련 법규를 시행하였다. 일본이 패망하자 미군정은 법령 제21호를 선포하여 일본의 조선의료령을 우리나라의 의료관령 기본법으로 존치시켰다. 그러나 '조선의료령'은 우리나라가 입법한 법규가 아닐 뿐만 아니라 1950년 6월 전쟁으로 다수의 의료기관이 파괴되어 국민에게 필요한 의료서비스가 제공되지 못하는 상황 등의 이유로 우리나라에 적합한 새로운 의료법을 제정할 필요성이 높아졌다.

(2) 이에 우리나라는 1951년 9월 25일 '국민의료법'을 제정하여 의료행정의 일반법이자 기본법으로 시행하였다. '국민의료법'은 제1장(총칙), 제2장(의적부 등록), 제3장(의료업자), 제4장(의료기관), 제5장(공의제도), 제6장(의료업자의 자격시험), 제7장(의료업자회), 제8장(직권의 위임), 제9장(의료제도의 통제), 제10장(벌칙)으로 구성되었으며 66개 조문과 부칙을 규정하였다.

(3) 제정된 '국민의료법'은 ① 의료업자를 의사·치과의사, 한의사 및 보건원·조산원·간호원의 3종으로 구분하고 의료기관으로 병원·의원·한의원·의무실·요양소 및 산실을 두었으며, ② 종합병원은 환자를 100인 이상 수용할 수 있고 전문과목 중 적어도 내과·소아과·외과·산부인과·안과·이비인후과·비뇨기과와 방사선과로 구분할 수 있는 설비를 갖추도록 하였고, ③ 의사·치과의사, 한의사와 보건원·조산원·간호원의 자격을 정하고 주무부장관의 면허를 받도록 하였으며, ④ 주무부장관은 의료업자를 2년 이하의 기간을 정하여 일정한 장소에서 지정하는 업무에 종사하게 할 수 있도록 하였고(지정업무종사명령제), ⑤ 의료업자는 모든 질병의 예방, 진찰과 진료에 대하여 그 의무를 다하여야 하며 진찰 또는 치료의 요구가 있을 때에는 정당한 이유없이 거절하지 못하도록 하는 등 의료업자의 의무를 규정하였으며, ⑥ 의료업자가 아닌 자가 의료기관을 개설하고자 할 때에는 영리

---

1) 의료사고 피해구제 및 의료분쟁 조정 등에 관한 법률이 제정됨에 따라 2011. 4. 7.자 개정으로 의료법상 분쟁조정기구인 의료심사조정위원회 절차법 관련 조문(제70조 내지 제76조)이 삭제되었다.

2) 의료법이 실체법이라고 보는 견해도 있으나 절차법 규정과 실체법 규정간의 경계가 모호한 현대 입법 흐름에서는 구분의 실익이 있는지 의문이다. 구 의료법상 의료분쟁조정에 관한 규정, 현행 의료법상 상급종합병원 지정·재지정의 기준·절차와 평가업무의 위탁 절차 등에 관한 위임규정(제3조의 5 제⑤항), 신의료기술평가의 대상과 절차 등에 관한 위임규정(제53조 제④항), 의료광고 심의 기준·절차와 심의 업무의 위탁 등 의료광고의 심의에 관한 위임규정(제57조 제④항) 등은 절차법적인 내용이다.

의 목적이 아닌 경우에 한하여 허가할 수 있도록 하였고, ⑦ 의료기관에 대한 감독 사항을 규정하고 의료기관에 대하여 그 경비를 국고로 보조할 수 있도록 하였으며, ⑧ 의료기관에 대하여는 소관 지방 행정의 장의 허가를 얻도록 하고 의료업자에 대하여는 영업세를 면제하였고, ⑨ 지방의 의료시설 또는 무의촌의 의료 보급을 위하여 필요할 때에는 주무부장관이 의사의 자격을 가진 자로서 공의를 지방에 배치할 수 있도록 하였다.

나. 의료법의 개정

[1] 1999년 이전의 주요 개정

(가) 1962. 3. 20.자 개정 – 전문 개정의 형식으로 ① 법률명을 '국민의료법'에서 '의료법'으로 개칭하였고, ② 의료기관의 종류를 종합병원·병원·의원·치과병원·치과의원·한의원으로 구분하였으며, ③ 현존 한의사의 기득권을 인정하고 한의대 재학생에 대한 면허 제도는 향후 5년간 존속하며 법 시행 이후에는 국립 서울대학교 의과대학에서 한의학을 전공한 자로서 국가시험에 응시하도록 하였고, ④ 의료업자의 현황을 파악하기 위하여 의료업자에게 신고의무를 부과하였으며, ④ 진료보조자의 질을 향상시키기 위하여 유자격자만을 고용하도록 개정하였다[3].

(나) 1963. 12. 13.자 개정 – 한의사가 되고자 하는 사람은 의과대학에서 한방의학을 전공하고 한의사 국가시험에 합격하여야 면허를 얻을 수 있도록 개정하였다.

(다) 1965. 3. 23.자 개정 – ① 제정시 입법하였던 보건사회부장관의 지정업무종사명령제도를 폐지하고 지정업무종사명령에 위반한 의료업자에 대한 면허취소를 삭제하였으며, ② 의료업자가 심히 품위를 손상하는 행위를 하여 일정기간 업무의 정지처분을 받았더라도 그 후 개전의 정이 현저하다고 보건사회부장관이 인정할 때에는 업무정지처분을 취소할 수 있도록 하고(임의적 취소), ③ 의사·치과의사·한의사가 진찰이나 검안을 한 경우에 그 진단서·검안서나 증명서의 교부 요구가 있거나 의사·한의사 또는 조산원이 조산을 한 경우에 그 출생·사망이나 사산 등에 관한 증명서의 교부 요구가 있을 때에 정당한 이유가 없이는 그 요구를 거부하지 못하도록 하였으며, ④ 의사·치과의사·한의사·조산원 또는 간호원이 행하는 진료의 보조나 임상에 필요한 검사 등에 관한 보조를 하는 자(이른바 진료보조자)에 관한 사항을 삭제하였고, ⑤ 의사·치과의사 또는 한의사가 의료기관을 개설하고자 할 때에는 보건사회부령이 정하는 바에 의하여 서울특별시장·부산시장 또는 도지사에게 신고만 함으로써 개설할 수 있도록 개정하였다.

(라) 1973. 2. 16.자 개정 – 전문 개정[4]의 형식으로 ① 의료심사위원회를 신설하여 보건사회부장관의 자문에 응하여 의료에 관한 중요 사항을 조사·심의하도록 하였고, ② 의료인 면허에 특정한 조건을 붙일 수 있는 근거 조항을 신설하였으며, ③ 병원 개설을 허가제로 변경하였고, ④ 의원은

---

[3] 다만, 유자격자가 적은 그 당시 현실을 고려하여 벌칙을 적용하지는 않았다.

[4] 현행 의료법은 1975. 12. 31.자 전면 개정의 구성이었던 7개장(제1장 총칙과 1981. 12. 31.자 개정에서 추가된 '분쟁의 조정' 및 2006. 10. 27.자 개정에서 추가된 '신의료기술평가'를 합하여 총 9개장으로 구성되어 있다. 1975. 12. 31.자 개정이 현행 의료법(제1장 총칙, 제2장 의료인, 제3장 의료기관, 제4장 의료광고, 제5장 감독, 제6장 보칙, 제7장 벌칙) 구성의 토대를 구축하는 계기를 제공하였다.

의료인만이 개설하도록 하고 병원은 의료법인만이 개설할 수 있도록 하였으며, ⑤ 의료기관의 종별에 한방병원과 조산소를 추가하였고, ⑥ 간호보조원에 관한 규정을 신설하였으며, ⑦ 의료광고 금지에 관한 규제를 강화하였고, ⑧ 의료업무의 촉탁 대상범위를 확대하여 모든 의료인에 대하여 의료촉탁을 할 수 있도록 하였으며, ⑨ 종전의 규정에 의한 한지의료인이나 접골사·침사·구사 등 의료유사업자는 계속하여 의료업무 또는 시술행위를 업으로 할 수 있도록 허용하고 안마사에 관한 규정을 두는 내용으로 개정하였다.

(마) 1975. 12. 31.자 개정 – ① 종합병원에 설치하여야 할 진료과목 중에서 건강관리과를 삭제하였고, ② 대통령령이 정하는 외국에서 의사 또는 치과의사의 면허를 받은 대한민국의 국적을 가지고 있는 자는 의사 또는 치과의사 국가시험을 치르지 않더라도 대통령령이 정하는 시험을 거쳐 면허를 받을 수 있도록 하였으며, ③ 의료인이 사체를 검안하여 변사의 의심이 있는 때에는 소재지를 관할하는 경찰서장에게 신고하도록 하였고, ④ 병원급 이상의 의료기관을 개설할 수 있는 자를 개정 전에는 국가·지방자치단체 또는 의료업을 목적으로 설립된 법인으로 한정하였으나 범위를 확대하여 의료인과 민법 및 특별법에 의한 비영리법인도 종합병원·병원 등을 개설할 수 있도록 하였으며, ⑤ 종전의 '일반내과'를 '내과'로 명칭을 변경하는 내용으로 개정하였다.

(바) 1981. 4. 13.자 개정 – 보건사회부장관 또는 도지사의 권한을 시장·군수 또는 구청장이나 보건소장에게 위임할 수 있는 근거 규정을 신설하였다. 국민의 일상생활과 관련되는 인·허가 등의 규제 또는 처리 권한을 기초자치단체장에게 이양함으로써 국민 부담의 경감과 행정 간소화를 도모하려는 입법 취지로 개정하였다.

(사) 1981. 12. 31.자 개정 – ① 의료분쟁의 효율적인 해결을 위하여 보건사회부장관 소속하에 중앙의료심사조정위원회를 두고 서울특별시장·직할시장·도지사 소속하에 지방의료심사조정위원회를 두도록 하였고, ② 당사자가 의료심사조정위원회의 조정안을 수락하여 작성된 조정조서는 민사소송법의 규정에 의한 화해조서와 동일한 효력을 갖도록 하였으며, ③ 의료행위로 인하여 인체로부터 적출된 물질을 개정 전에는 의료인만이 처리할 수 있었으나 개정 이후부터는 의료기관 또는 도지사가 지정하는 자도 처리할 수 있도록 하였고, ④ 의료인 또는 의료기관에게 환자를 소개, 알선 기타 유인하거나 이를 사주하는 행위를 금지하는 이른바 환자유인행위 금지 조항을 신설하였으며, ⑤ 의료인의 자질 향상을 위한 보수교육을 의무화하였고, ⑥ 전문의의 자격 인정 및 전문 과목에 관하여 필요한 사항은 대통령령에서 정할 수 있도록 하는 내용으로 개정하였다.

(아) 1986. 5. 10.자 개정 – ① 한의사·한약·한의원·한방병원·한의과대학 등의 명칭에서 기존의 漢(한수 한)을 韓(나라 이름 한)으로 변경하고[5] ② 한지의사·한지치과의사·한지한의사로서 허가 받은 지역 안에서 10년 이상 의료 업무에 종사한 경력이 있는 사람 또는 의료법 시행 당시 의료업무에 종사하고 있는 사람으로서 5년 이상 의료 업무에 종사한 경력이 있는 사람에 대하여는

---

[5] 한자 표기를 개정하여 우리나라의 전통 의학인 韓醫學을 주체적인 민족 고유 의학으로 승화시키려는 입법취지이다.

정규 의료인 면허를 받을 수 있도록 하였으며, ③ 안마시술소의 시설 기준과 설치 등의 근거 규정을 마련하였다.

(자) 1987. 11. 28.자 개정 – ① 의료인 중 조산원·간호원·간호보조원의 명칭을 조산사·간호사·간호조무사로 변경하고 한의사의 임무에 한방보건지도를 추가하였고, ② 의료인이 태아의 성감별을 목적으로 진료 또는 검사를 하거나 진료행위 중 알게 된 태아의 성별을 임부 본인이나 가족 등이 알게 하는 행위를 금지하고 이를 위반하는 경우 면허를 취소할 수 있게 하였으며, ③ 종전에는 간호사로서 1년간 조산의 수습과정을 마친 자에게 조산사 면허를 부여하였으나 조산사 국가시험제도를 신설하여 수습과정을 마친 후 시험을 거치도록 하였고, ④ 장애인의 권익을 보호하기 위하여 의료인의 결격사유 중 농자[6]·아자[7]·맹자[8]를 삭제하였고 심신박약자를 정신박약자로 한정하였으며 불구폐질자를 대통령령이 정하는 장애자로 하였고, ⑤ 의료인의 국가시험의 관리를 대통령령이 정하는 바에 따라 관계전문기관에서 할 수 있도록 하였으며, ⑥ 정신질환자에 대한 치료시설의 확보를 위하여 대통령령으로 정하는 규모 이상의 종합병원에는 정신과를 설치하도록 개정하였다.

(차) 1994. 1. 7.자 개정 – ① 의료기관의 종별에 요양병원을 신설하고 종합병원의 규모를 80병상 이상에서 100병상 이상으로, 병원·한방병원은 20병상 이상에서 30병상 이상으로 상향하였으며, ② 의료인은 환자가 검사기록이나 방사선필름 등의 사본을 요구한 때에는 이에 응하도록 하였고, ③ 지방자치단체장은 의료기관의 집단휴업으로 환자 진료에 막대한 지장이 발생하거나 발생할 우려가 있다고 인정할만한 상당한 이유가 있는 때에는 휴업 중인 의료기관에 대하여 업무개시 명령을 할 수 있도록 하였으며, ④ 보건사회부장관의 의료법인 설립 허가 업무를 시·도지사에게 이양하고 시·도지사의 의원급 의료기관 개설 신고 업무도 시장·군수·구청장에게 이양하였고, ⑤ 의료기관 개설 허가 취소 또는 업무정지처분 사유에 면허된 것 이외의 의료행위를 하게 한 때 등을 추가하는 등 의료인과 의료기관에 대한 행정처분의 요건을 정비·강화하였고 업무정지처분에 갈음한 과징금 제도를 도입하여 환자 진료에 공백이 생기지 않도록 개정하였다.

(카) 1999. 2. 8.자 개정 – 의료기관에서 발생하는 세탁물과 적출물 중 적출물을 감염성폐기물로 하여 의료법이 아닌 폐기물관리법에 따라 처리하도록 개정하였다.

(타) 1999. 9. 7.자 개정 – 의약분업을 시행하기 위하여 의사와 치과의사의 처방전 교부의무를 신설하였다.

(2) 2000년 이후의 주요 개정

(가) 2000. 1. 12.자 개정 – ① 어떤 죄를 범하든 간에 상관없이 금고 이상의 형을 선고받은 경우에는 의료인의 결격사유 및 면허취소사유에 해당하던 것을 행정규제정비계획에 따라 의료법 또는 보

---

[6] 청각장애인

[7] 언어장애인

[8] 시각장애인

건의료와 관련되는 법령을 위반하여 금고 이상의 형을 선고받은 경우로 조정하였고, ② 의료인 또는 의료기관의 종사자에 대하여 환자·배우자·직계존비속 또는 배우자의 직계존비속이 환자에 관한 기록의 열람·사본 교부 등을 요구한 때에는 이에 응하도록 함으로써 환자의 알권리를 보장하였으며, ③ 의료인 사망 신고의무제도를 폐지하였고, ④ 의료기관이 1월 이상 휴업하고자 하는 경우에만 시장·군수·구청장에게 신고하도록 개선하였으며, ⑤ 의료인이 결격사유에 해당할 경우에는 무조건 면허를 취소하도록 강화하였고(필요적 취소), ⑥ 종합병원이 종합병원이라는 명칭을 사용할 수 있도록 개정하였다.

(나) 2001. 8. 14.자 개정 – 의료기관 개설자와 약국 개설자간의 담합행위금지 규정이 약사법에 신설됨에 따라 담합행위를 한 경우에는 의료업의 정지, 개설허가의 취소 또는 의료기관의 폐쇄를 처분할 수 있도록 개정하였다.

(다) 2002. 3. 30.자 개정 – ① 외국 의사면허 소지자에 대한 예비시험제도, ② 전자처방전의 발부 및 원격의료서비스의 제공 허용, 그리고 ③ 진료비를 허위로 청구하는 행위에 대한 각종 행정제재처분(개설허가취소·폐쇄명령, 1년 내의 자격정지)을 마련하는 내용으로 개정하였다.

(라) 2007. 1. 3.자 개정 – 의료광고금지 규정에 대한 헌법재판소의 위헌 결정[9]에 따라 기존의 예외허용방식(positive system)에서 원칙허용방식(negative system)으로 개정하였다.

(마) 2009. 1. 30.자 개정 – ① 이원화(의료법과 국민건강보험법)되어 있는 의료기관 종류에 관한 법적 근거를 의료법으로 일원화하였고, ② 외국인 환자에 대한 유치활동을 허용하는 법적 근거를 확보하였으며, ③ 의사·치과의사·한의사가 같은 의료기관에서 협진할 수 있도록 허용하였고, ④ 환자 본인이 아닌 경우의 진료기록열람을 엄격히 제한하여 개인정보보호를 강화하는 방향으로 개정하였다.

(바) 2009. 12. 31.자 개정 – 헌법재판소의 헌법불합치결정[10]에 따라 임신 32주 이후부터 태아성별고지가 가능하도록 개정하였고 양벌규정에 책임주의 원칙을 도입하였다.

(사) 2010. 5. 27.자 개정 – ① 의료인이나 의료기관 개설자 등이 의약품·의료기기의 채택, 처방·사용 유도 등 판매촉진을 목적으로 제공되는 금전, 물품, 편익 등을 제공받는 경우 제재 규정(벌칙, 몰수 또는 추징, 1년 이내의 범위에서 자격정지)을 마련하는 이른바 리베이트 금지규정을 신설하였다.

(아) 2011. 4. 7.자 개정 – 진료기록부를 거짓으로 작성하거나 고의로 사실과 다르게 추가로 기재하거나 수정한 경우에 행정처분과 법정형을 부과할 수 있는 근거를 마련하였다.

(자) 2011. 8. 4.자 개정 – 의료광고 사전 심의 대상 매체에 인터넷, 교통시설·교통수단, 전광판을 추가하는 한편, 의료기관과 의료인에 대한 중복적인 행정처분 규정을 합리적으로 정비하였다(의료인에게 면허 사항 외의 의료행위를 하게 하거나, 불법 의료광고를 한 경우 해당 의료인에게 자격정지를 할 수 있도록 한 규정을 삭제함).

---

9) 헌법재판소 2005. 10. 27. 선고 2003헌가3 결정
10) 헌법재판소 2008. 7. 31. 선고 2005헌바90 결정

(차) 2015. 12. 29.자 개정 - ① 간호사의 업무를 간호, 의사·치과의사·한의사의 지도 하에 시행하는 진료의 보조 등으로 하였고, ② 병원급 의료기관의 간호·간병통합서비스 제공 노력의무를 신설하였으며, ③ 의료법인 및 비영리법인이 의료기관을 개설하려면 그 법인의 정관에 의료기관의 소재지를 기재하여 정관 변경 허가를 얻도록 하였고, ④ 의료기관 개설자는 공중보건의가 근무할 수 있는 기관이 아니면 공중보건의사에게 의료행위를 하게 하여서는 안됨을 신설하였으며, ⑤ 의료인에 관련되는 의학 및 관계전문분야의 연구·진흥기반 조성과 우수한 보건의료인의 발굴·활용을 위하여 대한민국의학한림원을 설치할 수 있는 근거 규정을 신설하였으며, ⑥ 간호조무사가 의원급 의료기관에서 의사, 치과의사, 한의사의 지도하에 간호와 진료 보조를 수행할 수 있다는 내용으로 개정하였다.

(카) 2016. 5. 29.자 개정 - ① 환자가 의료인의 신분을 쉽게 확인할 수 있도록 하여 의료인이 아닌 자를 의료인으로 오인하지 않도록 하고 보건의료인에 대한 신뢰를 강화하기 위하여 의료기관의 장은 의료인 및 전공분야 관련 실습을 위해 의료행위를 행하는 학생에게 그 신분을 나타낼 수 있는 명찰을 반드시 착용하도록 하게 하고, 위반시 시정명령을 할 수 있으며 시정명령을 어길 경우 과태료를 부과하도록 하였고, ② 안정적인 의료 환경을 조성하고 의료인의 진료권 및 환자의 건강권을 보호하기 위하여 의료행위를 행하는 의료인 등을 폭행 또는 협박하는 행위를 금지하고 위반시 5년 이하의 징역 또는 2천만원 이하의 벌금에 처하도록 하였으며, ③ 개정 전에는 환자의 형제·자매가 증명서를 교부받거나 진료기록의 열람 또는 사본교부 등을 신청할 수 없는 바, 환자에 관한 증명서 또는 진료기록부 사본 교부대상을 부모가 없는 미혼의 형제·자매로 확대하여 환자의 편의를 제고할 수 있도록 하였고, ④ 의료인의 의무에 1회용 주사기 등의 재사용 금지 사항을 신설하고, 이를 위반하여 사람의 생명 또는 신체에 중대한 위해를 입힌 의료인의 면허자격을 취소할 수 있도록 하였으며, ⑤ 의료기관 개설자의 준수사항에 1회용 주사기 등의 사용에 관한 사항 등을 신설하여 이를 위반하여 사람의 중대한 위해를 미친 경우에는 해당 의료기관에 대하여 영업정지, 개설허가 취소, 또는 의료기관 폐쇄명령을 할 수 있도록 하여 제재의 실효성을 강화하였고, ⑥ 질병관리본부장 등의 역학조사가 필요한 의료기관이 역학조사가 이루어지기 전에 폐업신고를 함으로써 실효성 있는 역학조사가 이루어지지 못하는 문제가 있으므로, 시·군·구청장이 역학조사를 실시하는 경우 등에는 의료기관 폐업신고를 수리하지 아니할 수 있도록 하였다. 그리고 마지막으로 의료인에 대한 자격정지 처분에 시효가 없어 언제든지 행정처분을 부과할 수 있다는 점에서 법적 안정성을 해칠 우려가 있는 바, 자격정지처분 사유가 발생한 날로부터 일정 기간이 경과한 경우 행정처분을 부과하지 못하도록 시효규정을 둠으로써 행정에 대한 신뢰의 이익과 법적 안정성을 도모하였다.

(타) 2016. 12. 20.자 개정 - ① 공무원연금공단이 공무상요양비 등의 지급 심사를 원활하게 진행할 수 있도록 공무원 등을 진료한 의료기관에 진료기록에 관한 사항의 열람이나 사본 교부를 요청할 수 있도록 하고, 환자의 진료과정에서 생성된 진단·처방에 관한 진료정보 등에 관한 기록을

환자의 동의가 있는 경우 다른 의료기관과 적정하게 공유할 수 있도록 하는 등 의료기관간 정보의 호환성을 높이고 진료기록을 효율적으로 활용하게 하였고, ② 의사가 사람의 생명 또는 신체에 중대한 위해를 발생하게 할 우려가 있는 수술 등을 하는 경우 환자에게 수술 등에 관한 설명 및 서면 동의를 받는 방식을 개선하여 환자의 안전 및 자기 결정권을 보장하도록 하였으며, ③ 헌법재판소의 위헌 결정에 따라 전문과목을 표시한 치과의원은 표시한 전문과목에 해당하는 환자만을 진료하도록 한 규정의 효력이 상실되었으므로 해당 규정을 삭제하였고, ④ 의약품 및 의료기기의 공정한 판매 경쟁과 거래 질서를 확립하기 위하여 판매촉진을 목적으로 제공되는 금전 등불법 이익을 수수한 의료인 등에 대한 처벌을 강화하였다.

3 각국의 입법례

일본, 프랑스, 미국의 입법례를 검토하기에 앞서서 법계(法系)라는 법학 용어를 살펴본다. 여러 국가가 법체계에 상호 영향을 미치며 형성되고 발전되어 하나의 법체계를 형성하는 경우에 이를 계통적으로 분류하는 법학 용어를 법계(法系)라고 한다. 대체로 대륙법계(Continental Law)와 영미법계(Angro-American Law)로 양분하는 것이 일반적이다.

대륙법계는 독일 · 프랑스를 중심으로 한 유럽 대륙에서 발달한 법체계로 우리나라와 일본의 법체계이기도 하다. 대륙법계는 영미법계의 불문법주의와 달리 성문법 중심으로 되어 있어서 논리적이며 공법과 사법이 구별된다. 이에 반해 영미법계는 영국과 미국을 중심으로 발달한 법체계로서 불문법 중심이며 구체적인 사건의 판례에 의한 법의 형성과 발전이 중시된다.

대륙법계 국가인 일본과 프랑스는 의료법과 보건법전이라는 성문법 형식으로 의료행정을 규범화함에 반하여 영미법계 국가인 미국은 구체적인 사건에 따라 판단된 판례에 따라 형성된 불문법 체계로 규범화하였다는 점에 큰 차이를 보인다.

가. 일본

(1) 일본의 의료법은 1948년(昭和 23년) 법률 제205호로 제정되었다. 이후 수차례 개정되었으며 병원, 진료소 및 조산소의 개설과 관리에 필요한 사항과 그에 따른 시설의 정비 및 추진함에 필요한 사항을 정하는 것 등에 의해 의료를 제공하는 체계의 확보를 꾀하고 국민의 건강 유지에 기여함을 목적으로 한다[11].

---

11) 일본 의료법은 의료의 개념과 목적, 범위를 상세히 규정하고 있다. 의료는 생명 존중과 개인 존엄의 유지를 목적으로 하여 의사, 치과의사, 약제사, 간호사 등 기타 의료의 담당자와 의료를 받는 사람과의 신뢰 관계를 기초로 하고, 의료를 받는 사람의 심신의 상황에 따라 행해지는 동시에 그 내용은 단지 치료 뿐만 아니라 질병의 예방을 위한 조치 및 재활을 포함하는 양질이면서 적절한 것이 아니면 안 된다 (제1조의 2).

⑵ 일본의 의료법은 하위 법령으로 시행령과 시행규칙을 두고, 제1장에서 총칙(목적, 국가 및 지방 공공단체의 직무, 의사 등의 책무, 유사 명칭의 사용 제한, 총합병원[12] 특정기능병원, 왕진의사 등, 국가에서 개설한 병원 등의 특례)을, 제2장에서 병원, 진료소 및 조산소의 개설허가, 전속 약제사, 촉탁 의사, 총합병원의 법정시설, 의료 감시원[13]을, 제2장의 2에서 의료계획과 조언을, 제3장에서 공적 의료기관(정의, 국고보조, 설치명령, 운영심의회, 진료 보수 기준)을, 제4장에서 의료법인(명칭의 사용 제한, 업무의 범위, 설치 인가 및 기준)을, 제5장에서 의업, 치과의업 또는 조산부의 업무 등)을, 제5장의 2에서 잡칙을 그리고 마지막 장에서 벌칙을 규정하는 체계이다.

⑶ 일본의 의료법은 별도의 의사법과 치과의사법이 존재하기 때문에 우리나라 의료법과 달리 의사와 치과의사의 면허, 시험, 임상연수, 업무, 심의회 및 시험위원에 관한 규정이 없는 것이 특징이다[14].

나. 프랑스

⑴ 프랑스의 보건법전(Code de la sante publique)은 모두 9권으로 구성된 성문법인데 우리나라 의료법에 해당되는 부분은 제4권(의료인과 의료보조인), 제5권의 1(의약), 제6권(인간이 만든 상품의 치료 이용), 제7권(보건의료기관, 온천요법시설, 실험실)이다.

⑵ 제4권(의료인과 의료보조인) 제1편은 각 의료인들의 불법의료행위에 대한 기준을 설정하여 규정하는데 이는 환자들의 손해배상(의) 소송으로부터 의료인 등을 보호하려는 취지이다.

⑶ 제7권(보건의료기관, 온천요법시설, 실험실) 제1편 제1-A장은 환자의 권리를 명시하여 환자의 기본권을 중시하고 있다. 환자는 의료인과 의료기관을 자유로이 선택할 권리를 가지며 장관의 명령에 의해 정형화된 입원환자헌장이 기재된 진료신청서를 교부받음으로써 환자의 권익을 보호받는다. 그리고 의료 과오 발생에 대비하여 조직된 조정위원회로부터 조정과 소송에 관한 정보를 제공받을 수도 있다.

다. 미국

⑴ 우리나라 헌법 제36조 제③항은 국민의 건강권을 규정하고 있다. 반면에 미국 연방헌법에는 건강권 내지 보건권에 관한 규정이 없다. 따라서 미국의 보건 관련 법규는 의료인의 의무를 강조하는데 그 의무의 형태는 다양하며 보통 행정부의 보건 의료 프로그램과 접목되어 있다. 미국의 보건 관련 법규는 4가지 영역으로 구분된다.

⑵ 첫 번째 영역은 보건의료의 질(quality)이다. 의료기관의 질 문제는 의료기관 운영의 재정 및 경영을 통한 시설 및 장비의 적합성, 유지 관리 및 위생, 의료진의 선발, 훈련, 감시에 관한 내용인데 사실상 민간 부분에 의한 자율규제(self regulation)의 형태이다.

⑶ 두 번째 영역은 비용이다. 의료비용 관리를 위한 정책은 보건의료자원의 공급을 관리하고 보건의료

---

12) 우리나라의 종합병원과 유사한 개념이다.

13) 병원, 진료소 또는 조산소의 청결 유지 사항, 구조 설비 또는 각종 의무기록과 장부서류를 검사하는 인력이다.

14) 한의사를 두고 있지 않는 점도 우리나라와 다르다.

서비스의 이용을 제한하는 방법인데 독점규제법(antitrust law) 등의 규제를 통하여 의료기관을 보다 경쟁적으로 만드는 간접적인 전략이 동원된다.

(4) 세 번째 영역은 접근의 형평성이다. 일정 수준의 의료는 모든 인간이 누릴 수 있어야 한다는 내용이 며 법률에 규정하여 기부 또는 국가 재정에 의한 의료 서비스가 제공되도록 한다.

(5) 마지막 영역은 환자의 권리에 관한 부분이다. 설명의무, 의료정보의 누설금지, 낙태나 죽음을 선택 할 권리가 포함되며 판례에 의하여 법리화되어 있다.

4 의료법의 법원

가. 서설

(1) 법원(法源, source of Law)이란 법의 연원(淵源)을 약칭하는 강학상의 개념으로서 법의 생성 연원이라 는 의미와 법의 인식 연원이라는 의미를 포함하며 재판의 기준이 되는 법이다. 따라서 의료법의 법원 은 실질적 의미의 의료법 존재 형식을 찾아서 법치주의에 따라 해석하고 적용하는 토대이다.

(2) 우리나라는 예측 가능성과 법적 안정성, 행정작용의 공정성 확보 요청 등의 이유로 성문법주의를 원 칙으로 하고 있다(헌법 제12조, 제23조, 제37조, 제59조, 제75조, 제95조, 제114조 제⑥항). 그러나 의료행정은 광범위하고 다양한 작용을 대상으로 하며 의료현상은 수시로 변화하는 속성을 가지고 있 는데 이러한 모든 의료현상을 성문법으로 규정한다는 것은 비현실적이고 매우 힘든 입법 정책이다. 따라서 성문법으로 규정할 수 없는 분야 또는 현상에 대하여는 불문법이 보충적으로 적용될 여지가 있음을 부정할 수 없다.

나. 성문법원

(1) 헌법

(가) 우리나라 헌법상 최고의 가치는 인간의 존엄과 가치(헌법 제10조)이다. 인간의 존엄과 가치를 실 현하기 위한 전제 조건들은 무수히 많지만 심신의 건강은 가장 기본적인 전제 조건이다.

(나) 우리나라 헌법 제36조 제③항은 "모든 국민은 보건에 관하여 국가의 보호를 받는다."라고 규 정함으로써 국민의 건강권과 보건권을 간접적으로 보장한다. 이에 의료법 제2조 제②항도 의 료인의 사명을 "국민보건의 향상을 도모하고 국민의 건강한 생활 확보에 기여함"이라고 명시한 것이다.

(다) 헌법은 우리나라의 기본 조직과 작용에 관한 기본법 내지 최고법으로서 행정작용에 관한 규정 (국민의 권리와 의무, 대통령과 정부의 권한 등)은 의료법의 법원 중에서 최고 법원으로서의 지위 를 가진다. 따라서 행복추구권(헌법 제10조), 평등권과 평등원칙(헌법 제11조)을 비롯한 각종 기 본권(헌법 제12조 내지 제36조), 법률유보의 원칙(헌법 제37조 제②항) 등은 의료법을 적용할 때 최고의 정점으로 기능하며 헌법을 중심으로 통일적·단계적으로 의료법을 해석할 것이 요구된

다. 헌법재판소의 각종 결정으로 의료법이 빈번히 개정되는 이유이기도 하다.

(2) 법률

　　(가) 성문법원으로서의 법률은 형식적 의미의 법률, 즉 국가가 헌법상의 입법절차에 따라 제정한 법률만을 의미한다.

　　(나) '의료법'을 비롯하여 공공보건의료에 관한 법률, 공중보건 장학을 위한 특례법, 구강보건법, 국립중앙의료원의 설립 및 운영에 관한 법률, 농어촌 등 보건의료를 위한 특별조치법, 농어촌주민의 보건복지 증진을 위한 특별법, 모자보건법, 보건의료기본법, 보건의료기술 진흥법, 보건환경연구원법, 응급의료에 관한 법률, 의료급여법, 의료기사 등에 관한 법률, 의료사고 피해구제 및 의료분쟁 조정 등에 관한 법률, 의료 해외진출 및 외국인환자 유치 지원에 관한 법률, 장애인 건강권 및 의료 접근성 보장에 관한 법률, 정신보건법, 지방의료원의 설립 및 운영에 관한 법률, 지역보건법, 첨단의료복합단지 지정 및 지원에 관한 특별법, 한국국제보건의료재단법, 한국보건복지인력개발원법, 한국보건산업진흥원법, 한국보건의료인국가시험원법 등이 현재 시행 중이다.

(3) 명령

　　(가) 성문법원으로서의 명령은 행정권에 의하여 정립되는 법규를 의미한다.

　　(나) 대통령령인 의료법 시행령을 비롯하여 위 성문법원으로서의 법률의 각 시행령이 있으며 시행령의 위임에 따라 보건복지부장관이 제정하는 의료법 시행규칙과 각종 시행규칙이 있다.

(4) 행정규칙

　　(가) 보건복지부를 비롯하여 각 행정부는 고시·훈령·예규 등의 명칭으로 많은 행정규칙을 제정하여 시행한다.

　　(나) 행정규칙은 행정기관이 법조문의 형식으로 정립하는 일반적·추상적 규범으로서 기관 내부에서만 효력을 가질 뿐이고[15] 대외적 구속력을 가지는 법규로서의 성질을 가지지 않는 행정입법이라는 것이 대법원의 입장이고 학계의 통설이다[16].

---

15) 대법원 1999. 12. 10. 선고 99두462 판결 ; 구 약사법(1997. 12. 13. 법률 제5454호로 개정되기 전의 것) 제26조 제⑦항은 '의약품 등의 제조업 및 제조품목의 허가를 함에 있어서 허가의 대상·기준·조건 및 관리 등에 관하여 필요한 사항은 보건사회부령으로 정한다'고 규정하고 있고, 보건사회부령인 구 약사법시행규칙(1996. 7. 19. 보건복지부령 제30호로 개정되기 전의 것) 제21조 제③항 제1호는 '다른 제품으로 오인할 우려가 있는 제품명칭으로는 의약품 등의 품목허가를 하지 아니한다'고 규정하고 있는데, 다시 보건사회부고시인 의약품 등제조업및제조·수입품목허가(신고)등처리지침(1994. 10. 5. 보건사회부고시 제1994-53호) 제6조 제①항 및 [별표 2]가 '의약품의 명칭은 기허가된 명칭과 동일 또는 유사명칭 심사기준에 적합하여야 한다'면서 그 심사기준을 정하고 있으나, 의약품의 제조품목허가를 함에 있어 그 명칭이 기허가된 명칭과 동일 또는 유사한지 여부를 심사하는 이유는 그 의약품이 기허가된 의약품으로 오인될 우려가 있는지를 판단하기 위한 것이므로, 위 지침 제6조 제①항 및 [별표 2]를 가지고 의약품의 명칭에 관하여 같은법시행규칙 제21조 제③항 제1호가 정한 허가기준과 별개의 기준을 새로이 정함으로써 허가기준에 관한 같은법시행규칙의 규정 내용을 보충한 것이라고 할 수는 없고, 이는 어디까지나 위 조항에서 말하는 '다른 제품으로 오인할 우려'라는 개념의 해석·적용에 관한 행정청 내부의 사무처리준칙을 정한 것에 불과하다.

16) 대법원 1983. 9. 13. 선고 82누285 판결 ; 보건사회부장관 훈령 제241호는 법규의 성질을 가지는 것으로는 볼 수 없고 상급행정기관인 보건사회부장관이 관계 하급기관 및 직원에 대하여 직무권한의 행사를 지휘하고 직무에 관하여 명령하기 위하여 발한 것으로서 그 규정이 의료법 제51조에 보장된 행정청의 재량권을 기속하는 것이라고 할 수 없고 법원도 그 훈령의 기속을 받는 것이 아니다.

다. 불문법원

(1) 불문법원으로서의 관습법은 의료행정에서 장기간에 걸쳐 동일한 처분이 반복되어 관행화되고 이러한 관행이 의료인 또는 국민의 법적 확신을 얻어서 법규범으로 인식·승인된 자생적 법현상이다. 관습법의 인정여부에 관하여 논란은 있으나 성문법이 모든 의료현상을 규정할 수 없다는 입법 현실, 입법권의 원천은 국민인데 국민이 법적 확신을 가짐에도 불구하고 법원성을 부인한다는 것은 민주주의 본질에 반한다는 점에서 관습법의 법원성을 부인할 이유는 없다[17]. 그러나 장기간에 걸친 관행이라는 점과 국민의 법적 확신이라는 성립요소 때문에 매우 드문 편이라는 점도 역시 부인할 수는 없다[18].

(2) 불문법원으로서의 판례법은 법계에 따라서 법적 구속력 인정 여부가 다르다. 영미법계 국가는 선례구속성의 원칙상 절대적으로 법원성이 인정된다. 반면에 대륙법계 국가는 선례구속성의 원칙이 인정되지 않을 뿐만 아니라 최고 법원이 스스로 판례를 변경할 수 있다는 점에서 법원성을 인정하지 않는다. 우리나라도 대륙법계 국가이므로 판례법의 법원성이 인정되기는 어렵지만 판례가 소송 실무상 실무가들에게 절대적인 존재 의미를 갖는다는 것은 이미 공지의 사실이다(사실상의 구속력)[19].

(3) 불문법원으로서의 조리는 '사물의 본질적 법칙' 또는 '일반 사회의 정의감에 비추어 반드시 그러하여야 할 것이라고 인정되는 것'을 의미한다. 우리나라 민법에는 조리의 법원성을 인정하는 규정이 있지만(민법 제1조) 의료법에는 인정 규정이 없다. 학계는 평등원칙·비례원칙·신의성실의 원칙·신뢰보호의 원칙·과잉급부원칙·부당결부금지원칙 등을 조리의 내용으로 보고 법원성 인정 여부에 관하여 의견 대립을 보이지만 이 모든 내용이 헌법상 국민주권의 실현원리인 법치주의의 내용들이라는 점에서 조리법이라는 별도의 법원성을 인정할 필요가 있는지 의문이다. 조리는 성문법원의 최고 기본법인 헌법의 내용이기 때문이다.

5 의료법의 효력

의료법의 효력이란 의료법이 그 관계자를 구속하는 힘을 의미한다. 의료법의 효력범위에는 시간적·대인적 한계가 있다. 이 한계에 관한 일반원칙은 다른 공법 분야에서의 법령의 경우와 기본적인 차이는 없으나 의료법은 시시각각으로 변화하는 의료 상황에 대응할 필요성이 커짐에 따라 신설·개정·폐지가 비교적 빈번할 뿐만 아니라 일정 시기에서의 특수한 행정상의 필요에 대응하기 위하여 특정 기간만을 적용 대상으로 하여 제·개정되는 경우도 있으므로 이러한 한도 내에서는 다른 공법 분야에서의 법령의 효력과는 다른 특색이 있다.

가. 시간적 효력 – 의료법은 그 강행성으로 말미암아 이를 일반 국민에게 주지시킬 필요가 있는바, 이

---

17) 우리나라 민법은 제1조와 제185조에서 관습법의 법원성을 인정한다.

18) 보건복지부나 지방자치단체가 처분한 선례가 장기간 반복됨으로써 형성된 행정선례가 대표적인 예이다. 보건복지부의 행정규칙에 기하여 사무처리 관행이 반복되는 경우가 이에 해당한다. 환자유인행위금지 등에서 살펴보기로 한다.

19) 판례는 법원이 만든 법(judge-made-law)이며 의료법에 관한 판례는 의료에 관한 실무지침서와 같은 역할을 담당한다.

에 따라 공포와 효력 발생(시행)과의 사이에는 부칙에 일정한 시간적·절차적 간격을 두는 것이 원칙이다. 의료법의 시행일에 관하여 부칙에 특별한 규정이 없으면 '공포한 날로부터 20일을 경과함'으로써 효력이 발생하는 것이 원칙이다(헌법 제53조 제⑦항, 법령 등 공포에 관한 법률 제13조). 그러나 최근에는 의료법 시행령 또는 의료법 시행규칙의 개정을 위한 기간이 필요함에 따라 부칙에 3월 또는 6월이 경과한 이후이거나 향후 특정 시기를 명시하여 효력을 발생하게 하는 경우가 많다. 위반 행위가 적용 조문의 효력 발생일 이후에 발생하였는지를 반드시 확인하는 것이 소송 실무이다. 행위 시 이후에 개정된 조문을 적용시키는 오류가 빈번하기 때문이다.

의료법 부칙〈법률 제14438호, 2016. 12. 20.〉

제1조 【시행일】 이 법은 공포한 날부터 시행한다. 다만, 제10조 제③항, 제21조의 2 제③항부터 제⑨항까지의 규정, 제23조의 2, 제24조의 2, 제40조, 제41조 제②항, 제64조 제③항, 제84조, 제87조 제2호(제21조의 2 제⑤항·제⑧항을 위반한 자에 대한 벌칙에 한정한다), 제89조 제1호(제23조의 2 제③항 후단을 위반한 자에 대한 벌칙에 한정한다)·제2호, 제92조 제①항 제1호의 2·제1호의 3, 같은 조 제②항 제1호의 개정규정은 공포 후 6개월이 경과한 날부터 시행하고, 제45조의 3의 개정규정은 공포 후 9개월이 경과한 날부터 시행한다.

제2조 【국가시험등 응시에 관한 적용례】 제10조 제③항의 개정규정은 같은 개정규정 시행 후 최초로 시행하는 국가시험 등에서 수험이 정지되거나 합격이 무효가 된 사람부터 적용한다.

제3조 【벌칙에 관한 경과조치】 이 법 시행 전의 행위에 대한 벌칙을 적용할 때에는 종전의 규정에 따른다.

제4조 【과태료 처분에 관한 경과조치】 이 법 시행 전의 행위에 대한 과태료 처분의 적용에 있어서는 종전의 규정에 따른다.

—— 이하 조문 생략 ——

나. 대인적 효력 – 의료법은 속지주의 원칙에 따라 원칙적으로 우리나라 영토에 있는 모든 내·외국인, 자연인, 법인에게 적용된다. 그러나 이 원칙에는 네 가지의 예외가 있다. 첫째, 국제법상 치외법권을 가진 외국 원수 또는 외교사절에 대해서는 우리나라 의료법이 적용되지 않는다. 둘째, 우리나라에 주둔하는 미합중국군대 구성원에 대하여는 주한미군지휘협정에 의하여 우리나라 의료법규의 적용이 매우 제한된다. 셋째, 외국인에 대하여는 의료법이 일반적으로 적용됨이 원칙이나 상호주의의 유보하에서 적용되거나 다른 개별 법령에서 외국인에 대한 특칙을 두는 경우가 있다. 넷째, 외국에 있는 우리나라 국민에 대하여 의료법령이 적용되는 경우도 있는데 해당 규정이 우리나라의 공공이익과 관련되고 그 취지·목적상 해외에서의 행위까지 규율할 것이 요구되는 경우에는 외국에 있는 국민에게도 효력이 미치는 경우가 있다.

본론

本論
Subject

II

본론

제1장

총칙

1 목적

제1조 【목적】 이 법은 모든 국민이 수준 높은 의료 혜택을 받을 수 있도록 국민 의료에 필요한 사항을 규정함으로써 국민의 건강을 보호하고 증진하는 데에 목적이 있다.

(1) 우리나라 의료법은 모든 국민이 수준 높은 의료 혜택을 받을 수 있도록 국민 의료에 필요한 사항을 규정함으로써 국민의 건강을 보호하고 증진하는 데에 그 입법 목적이 있다(제1조). 국민의 건강 보호와 증진이 의료법의 궁극적인 목적이고 모든 국민이 수준 높은 의료 혜택을 받을 수 있도록 하는 것이 중간적 목적이며 이에 필요한 사항을 규정하는 것이 기초적·기술적인 목적이다. 의료법을 해석하고 적용할 때 목적의 우선 순위가 뒤바뀌지 않도록 유의하여야 한다.

(2) 의료계 질서에서 보건복지부와 의료계의 역할과 관계를 파악하는 두 가지 시각이 있다. 보건복지부의 역할을 규제자로 보는 입장과 조정자로 보는 입장이다. 보건복지부와 의료계가 상호 보완하는 협조체제를 구축하고 보건복지부가 조정자로서 소임을 다하는 것이 가장 바람직하고 이상적이지만 우리나라의 의료 현실은 이에 미치지 못하는 실정이다. 보건복지부와 의료계의 관계에서 나타나는 가장 큰 문제점은 보건복지부가 사법경찰화되어 상호간에 전달 체계 연계성이 부족하고 협조체제가 구축되어 있지 않다는 점이다. 의료계를 규제 대상으로 보는 입장에서는 의료법을 금지와 제재 규정으로만 좁게 해석하는 경향을 보인다. 의료법이 헌법보다 상위에 있는 법률이 아니라는 점, 의료법의 궁극적인 목적이 국민의 건강 보호와 증진이라는 점에서 보건복지부는 조정자로서의 역할에 비중을 두어야 한다. 의료법 해석에서 견해 대립이 생기는 근본적인 원인이다.

(3) 의료법의 궁극적인 목적이 국민의 건강 보호와 증진이라는 점에서 국민의 재산과 관련된 민사적인 법률관계는 의료법의 범위에 포함되지 않는다.

2 의료인의 임무 범위

제2조 【의료인】 ① 이 법에서 "의료인"이란 보건복지부장관의 면허를 받은 의사·치과의사·한의사·조산사 및 간호사를 말한다.

② 의료인은 종별에 따라 다음 각 호의 임무를 수행하여 국민보건 향상을 이루고 국민의 건강한 생활 확보에 이바지할 사명을 가진다.

　　1. 의사는 의료와 보건지도를 임무로 한다.

　　2. 치과의사는 치과 의료와 구강 보건지도를 임무로 한다.

　　3. 한의사는 한방 의료와 한방 보건지도를 임무로 한다.

　　4. 조산사는 조산(助産)과 임부(姙婦)·해산부(解産婦)·산욕부(産褥婦) 및 신생아에 대한 보건과 양호지도를 임무로 한다.

> 5. 간호사는 다음 각 목의 업무를 임무로 한다. [시행일 : 2017. 1. 1.]
>
> 가. 환자의 간호요구에 대한 관찰, 자료수집, 간호판단 및 요양을 위한 간호
>
> 나. 의사, 치과의사, 한의사의 지도하에 시행하는 진료의 보조
>
> 다. 간호 요구자에 대한 교육 · 상담 및 건강증진을 위한 활동의 기획과 수행. 그 밖의 대통령령으로 정하는 보건활동
>
> 라. 제80조에 따른 간호조무사가 수행하는 가목부터 다목까지의 업무보조에 대한 지도

가. 쟁점

(1) 의료법상 의료인이란 보건복지부장관의 면허를 받은 의사 · 치과의사 · 한의사 · 조산사와 간호사를 말한다(제2조 제①항). 의사는 의료를, 치과의사는 치과 의료를, 한의사는 한방 의료를 임무로 하는데(제2조 제②항) 여기서 의사 · 치과의사 · 한의사의 의료는 의료행위라고 일반적으로 해석한다. 의료행위는 의학적 전문지식을 기초로 하는 경험과 기능으로 진찰, 검안, 처방, 투약 또는 외과적 시술을 시행하여 하는 질병의 예방 또는 치료행위 및 그 밖에 의료인이 행하지 아니하면 보건위생상 위해가 생길 우려가 있는 행위이므로[20], 일정한 자격(면허)을 가진 자에 한하여 이를 담당하게 할 필요가 있기 때문이다.

(2) 의료법상 의료인은 의사, 치과의사, 한의사, 조산사, 간호사에 한정되므로 약사는 의료인이 아니다. 그리고 의료인에 포함되지 않는 간호조무사(제80조), 의료유사업자(제81조), 안마사(제82조), 의료기사(의료기사 등에 관한 법률 제2조)는 의료인의 지도를 받거나 제한된 범위 내에서만 예외적으로 의료행위와 관련된 업무를 할 수 있다.

(3) 의료인 면허가 없는 자(비의료인)가 의료행위를 하거나 의료인이 의료법 제2조 제②하에서 규정된 업무 범위를 벗어나서 의료행위를 하는 경우에는 무면허 의료행위(제27조 제①항)에 해당되어 무거운 형사적 제재를 받는다. 결국 의료행위는 의료인만이 할 수 있으며 의료인의 종별에 따라 구분되어 전속적으로 수행되어짐을 알 수 있다. 그런데 일본과 달리 우리나라 의료법령에는 의료행위를 구체적으로 정의하는 규정이 없다. 의료법 제12조 제①항이 의료인이 하는 의료 · 조산 · 간호 등 의료기술의 시행을 의료행위라고 규정하고 있으나 이는 질문에 질문으로 답하는 내용이어서 너무 막연하다. 따라서 의료행위의 실질에 접근하기 위해서는 판례와 학설을 통하여 의료행위의 실질적인 내용과 구체적인 종류를 보충하여야 한다. 의료행위의 개념을 먼저 살펴보고 한의사의 ① 태반주사, 보톡스 주사행위 ② 근육내 자극치료행위(IMS) ③ 컴퓨터 단층촬영(CT, computed tomography) 사용행위 ④ 의료기사 지도행위와 이른바 카이로프랙틱 시술행위는 별도 항목(제3절 의료행위의 제한 1. 무면허 의료행위 금지)에서 검토하기로 한다.

---

20) 대법원 2004. 10. 28. 선고 2004도3405 판결 등

나. 의사

(1) 의사는 의료와 보건지도를 임무로 한다(제2조 제②항 제1호). 보건지도는 국민의 건강을 보호하고 증진시킬 목적으로 가르치거나 이끄는 활동을 의미한다[21].

(2) 의료의 사전적 의미는 '의술로 병을 고치는 일'이다. 그런데 학계에서는 의료를 '인간의 생명에 관련된 건강과 질병을 대상으로 하는 의학의 사회적 적용' 또는 '의학적인 지식과 수단방법으로써 질병을 진단하고 치료하는 것'이라고 정의한다[22].

(3) 대법원은 성형수술에 대하여 질병의 예방 또는 치료행위가 아니라는 이유로 의학상 의료행위에 속하는 것이라 할 수 없다고 판시하였다[23]가 2년도 못되어서 전원합의체 판결로 코높이기 등 성형수술도 의료행위에 해당한다[24]고 판시하였다. 이렇듯 의료행위의 범위는 의학과 의료기술의 발전, 의료계 역할에 대한 기대 변화에 따라 확대되었다.

(4) 의료행위의 개념에 관한 판례의 주된 흐름은 의료법의 입법 목적을 중시하여, '의료인이 행하지 않으면 보건위생상 위해가 생길 우려가 있는 행위'라고 정의한다. 대법원은 지압방법에 의한 치료행위에 대하여, "의료법, 제25조에서 말하는 의료행위라 함은 의료인이 행하지 않으면 보건위생상 위해를 발생할 우려가 있는 행위를 말한다 할 것인 바, 의료인으로서 갖추어야 할 의학상 지식과 기능을 갖지 않는 피고인이 지두로서 환부를 눌러 교감신경을 자극하여 그 흥분상태를 조정하는 소위 지압의 방법으로 원판시와 같이 소아마비, 신경성위장병 환자 등에 대하여 치료행위를 한 것은 생리상 또는 보건위생상 위험이 있다고 보아야 하고, 이와 같은 경우에는 피고인의 위 소위를 위 법 소정의

---

21) 치과의사와 한의사의 보건지도와 개념이 같다.

22) 구체적인 내용은 의료형법, 최재천·박영호·홍영균 공저, 육법사, 2003년, 18면 이하 참조

23) 대법원 1972. 3. 28. 선고, 72도 342 판결 ; 의료행위를 "질병의 예방과 치료행위"라고 정의하는 입장의 판례로서 행위의 실질적인 면을 중시하였다. 치과의사인 피고인이 의사 면허없이 곰보수술, 눈쌍꺼풀수술, 콧날세우기 등의 미용성형수술을 한 사실관계에서 다음과 같이 판시하였다. 즉 미용성형수술은 의료의 기초적이고 초보적인 행위이기 때문에 일반의사든지 치과의사든지 간에 메스를 넣고 치료를 할 수 있는 기술을 가진 사람이면 누구나 할 수 있는 행위이기는 하지만 질병의 예방 또는 치료행위가 아니므로 의학상 의료행위에 속하는 것이라 할 수 없으므로 따라서 치과의사는 물론 일반의사도 위와 같은 미용성형수술을 그들의 본래의 의료행위로서 실시하는 것이 아님이 명백하다 할 것인즉, 이와 같이 의료행위에 속하지 않는 미용성형수술을 행한 자에 대하여는 의료법의 품위손상행위로서 치과의사나 일반의사의 업무의 정지 등 행정조치를 함은 별론이거니와 이 사건 미용성형수술이 오직 일반의사에게만 허용되는 의료법 소정의 의료행위에 속하는 것이라고 단정할 수 없다는 취지에서 피고인이 일반의사의 면허없이 위와 같은 성형수술을 하였다고 하더라도 의사가 아니면서 의료행위를 한 것이라고 할 수 없으니 이는 의료법 위반(무면허 의료행위)의 죄가 될 수 없다고 판시하였다. 의료행위의 정의에 관한 이와 같은 해석은 이 후 대법원 1978. 9. 26. 선고, 77도3156 판결과 1981. 11. 22. 선고, 80도2974 판결에서도 이어졌다.

24) 대법원 1974. 2. 26. 선고, 74도1114 전원합의체 판결 ; 의료행위를 위 판례와 같이 질병의 예방과 치료행위라고 하면서도 의료행위의 내용에 관하여는 의료법의 목적을 감안한 사회통념에 비추어 판단하여야 한다는 입장의 판례로서 행위의 실질적인 면과 전속수행성인 면을 모두 중시하였다. 의사가 아닌 자가 코높이기 성형수술을 한 사실관계에서 다음과 같이 판시하였다. 즉 의료행위라고 함은 질병의 예방이나 치료행위를 하는 것을 말하는 것으로서 풀이하여 보면 의학의 전문적 지식을 기초로 하는 경험과 기능으로서 진찰, 검안, 처방, 투약 또는 외과수술 등의 행위를 말하는 것이라고 할 것인 바, 이는 의사의 의료행위가 고도의 전문적 지식과 경험을 필요로 함과 동시에 사람의 생명, 신체 또는 일반 공중위생에 밀접하고 중대한 관계가 있기 때문에 의료법은 의사가 되는 자격에 대한 엄격한 요건을 규정하는 한편 의료법에서 의료행위를 의사에게만 독점 허용하고 일반인이 이를 하지 못하게 금지하여 의사 아닌 사람이 의료행위를 함으로써 생길 수 있는 사람의 생명, 신체나 일반 공중위생상의 위험을 방지하고자 함에 그 목적이 있는 것이어서 의학상의 전문지식이 있는 의사가 아닌 일반사람에게 어떤 수술행위를 하게 함으로서 사람의 생명신체상의 위험이나 일반 공중위생상의 위험이 발생할 수 있는 여부를 감안한 사회통념에 비추어 의료행위의 내용을 판단하여야 하는데 피고인이 시술할 당시 이미 의사들이 성형수술을 시행하고 있었고 성형외과협회까지 생기고 있었던 의학계의 실정과 시술방법이 의료기술에 의하여 행하여지고 또 그 과정에 인체에의 위험을 내포하고 있는 점 등을 감안하면, 이미 발생한 상처의 치료이외에 성형수술도 치료행위의 범주에 넣어 의료행위가 되는 것으로 판시하였다. 이러한 판단은 위 대법원 1972. 3. 28. 선고 72도342 판결을 폐기하고 성형수술의 의료행위성을 인정한 것이다.

의료행위로 봄이 상당하다"고 판시하였다[25].

(5) 이러한 대법원 판결의 주류는 의료법상의 의료행위를 의학적 전문지식을 기초로 하는 경험과 기능으로 진찰, 검안, 처방, 투약 또는 외과적 시술을 시행하여 하는 질병의 예방 또는 치료행위 이외에도 의료인이 행하지 않으면 보건위생상 위해가 생길 우려가 있는 행위를 의미하는바, 주사기에 의한 약물투여 등의 주사는 그 약물의 성분, 그 주사기의 소독상태, 주사방법 및 주사량 등에 따라 인체에 위해를 발생시킬 우려가 높고 따라서 이는 의학상의 전문지식이 있는 의료인이 행하지 않으면 보건위생상 위해가 생길 우려가 있는 행위임이 명백하므로 의료행위에 포함된다는 판시[26], 같은 취지에서 침술행위는 경우에 따라서 생리상 또는 보건위생상 위험이 있을 수 있는 행위임이 분명하다는 판시[27], 안마나 지압은 단순한 피로회복을 위하여 시술하는데 그치는 것이 아니라 신체에 대하여 상당한 물리적인 충격을 가하는 방법으로 어떤 질병의 치료행위에까지 이른다면 보건위생상 위해가 생길 우려가 있는 의료행위에 해당한다는 판시[28]에서 일관되게 유지되었으며 의료법상의 진찰을 "환자의 용태를 듣고 관찰하여 병상 및 병명을 규명 판단하는 것으로서 그 진단방법으로는 문진, 시진, 청진, 타진 촉진 기타 각종의 과학적 방법을 써서 검사하는 등 여러 가지가 있다"고 판시함으로서 질병 예방행위와 치료행위에 비하여 의료행위를 더 넓게 인정하였다[29]. 다만, 건강원을 운영하는 피고인이 손님들에게 뱀가루를 판매함에 있어 그들의 증상에 대하여 듣고 손바닥을 펴보게 하거나 혀를 내보이게 한 후 뱀가루를 복용할 것을 권유하였을 뿐 병상이나 병명이 무엇인지를 규명하여 판단을 하거나 설명을 한 바가 없는 사건에서는 그 행위가 뱀가루 판매를 용이하게 하기 위한 부수적인 행위에 해당할 뿐 병상이나 병명을 판단하는 진찰행위에 해당한다고 볼 수 없으므로 의료행위에 해당하지 않는다고 판시하였다[30].

(6) 이러한 대법원의 입장에 대하여 실무계에서는 다양한 의견이 제시되고 있다. 먼저 법관들은 대부분 앞에서 살핀 성형수술에 관한 전원합의체 판결인 대법원 1974.2.26 선고 74도1114 판결을 근거로 의료행위의 개념이 의학의 발달과 사회의 발전에 따라 변경될 수 있음을 전제로 사회통념에 비추어 판단하여야 한다는 입장이다. 그러나 이를 세부적으로 살펴보면 이러한 견해를 취하면서도 사람의 생명, 신체나 일반 공중위생상 위험을 초래할 염려가 있는 행위는 의료행위에 포함될 가능성을 인정하여야 한다는 견해[31]와 의학상 의료행위의 개념이 의학의 발달과 시대의 사회통념에 따라 변화되는 것임을 생각하면 행위의 실질에 착안한 정의는 적절치 않고 의료법의 입법목적에 착안하여 의료행위에는 반드시 질병의 치료와 예방에 관한 행위만에 한정되지 않고 그와 관계없는 것이라도 의학상의 기능과 지식을 가진 의료인이 하지 않으면 보건위생상 위해를 가져올 우려가 있는 일체의 행위가

25) 대법원 1978. 5. 9. 선고 77도2191 판결

26) 대법원 1999. 6. 25. 선고 98도4716 판결

27) 대법원 1999. 3. 26. 선고 98도2481 판결

28) 대법원 2002. 6. 20. 선고 2002도807 판결

29) 대법원 1993. 8. 27. 선고 93도153 판결, 대법원 2005. 8. 19. 선고 2005도4102 판결

30) 대법원 2001. 7. 13. 선고 99도2328 판결

31) 이보환, 의료과오로 인한 민사책임의 법률적 구성, 재판자료 제27집 제12면

포함되어야 한다고 보는 견해[32]가 있다. 이 견해들은 의료행위를 사람의 질병의 진료, 치료 혹은 예방을 목적으로 하는 행위로만 볼 때 그에 포함시킬 수 없었던 수혈, 또는 장기이식을 위하여 건강한 사람들로부터 채혈 또는 장기적출을 하는 행위 등도 의료행위에 포함시킬 수 있고, 무면허 의료행위를 금지하는 의료법 조항의 입법 취지와도 부합한다고 주장한다. 이에 반하여 단순히 보건위생상 위해를 발생시킬 우려가 있는 행위까지 의료행위에 포함시킨다면 의학의 사회적 적용 또는 의술과 관련이 없는 분야에까지 그 범위가 무한히 확대될 수 있으므로 부당하다고 보는 견해도 있다[33]. 현대 의학을 기본으로 하여 그 이론을 임상에 응용하는 행위로서 사람의 질병의 진단, 치료 혹은 예방을 목적으로 하는 행위를 의료행위로 보되, 의학의 발달과 일반 공중보건상의 위해 발생 가능성과 관련하여 사회통념에 따라 그 내용이 정해지는 가변적인 것으로 봄이 상당할 것이며 이런 입장에서 보더라도 채혈 또는 장기적출행위는 치료를 위한 일련의 행위중의 하나이므로 의료행위에 속한다고 볼 수 있다는 것이다. 또한 대법원 1987. 11. 24. 선고 87도1942 판결이 의료행위란 "의료인이 의학의 전문적 지식을 기초로 하여 경험과 기능으로써 진찰, 검안, 처방, 투약 또는 외과 수술 등 질병의 예방이나 치료행위를 하는 것"이라고 정의하고 있다면서, 결국 의료행위의 개념은 의학의 발달과 사회 구조의 복잡 · 다양화, 사회 및 개인의 가치관의 다양화 등에 수반하여 변화될 수 있는 것이어서 판례를 통하여 구체적 사안에 따라 정할 수밖에 없다고 보는 견해도 있다[34].

(7) 오늘날 의료행위는 의학의 진보와 의료기술의 혁신, 의료행위에 대한 개인과 사회의 기대 변화 등에 따라 다양하게 변화되면서 최근에는 안락사, 인공임신중절술, 성전환술, 장기이식술, 인공수정, 시험관수정, 대리모 등의 인공임신술과 유전자치료술 등의 이른바 '새로운 영역의 의학'에까지 확대되는 경향을 보인다. 따라서 의료행위에는 의료인이 하지 않으면 보건위생상 위해가 생길 우려가 있는 행위까지 포함하는 견해가 타당하다고 본다[35]. 비의료인의 무면허 의료행위와 의료인의 면허 범위 외의 의료행위의 구체적인 내용은 별도 항목(제3절 의료행위의 제한 1. 무면허 의료행위 금지)에서 살펴보기로 한다.

다. 치과의사

(1) 치과의사는 치과 의료와 구강 보건지도를 임무로 한다(제2조 제②항 제2호). 구강 보건지도는 국민의 구강 건강을 보호하고 증진시킬 목적으로 가르치거나 이끄는 활동을 의미한다. 구강이 치과와 동일 개념이 아니라는 점에서 구강을 치과로 개정할 필요성이 있다.

(2) 치과 의료행위란 의료법 제27조(무면허 의료행위 등 금지) 제①항과 보건범죄 단속에 관한 특별조치법 제5조의 '의료행위' 가운데에서 치과 의료기술에 의한 질병의 예방이나 치료행위를 지칭하는 것이다[36].

---

32) 이용우, 무면허 의료행위에 대한 형사처벌상의 제문제, 재판자료 제27집 제499면 이하

33) 추호경, 의료과오론, 육법사, 1992, 제23면

34) 신현호, 의료소송총론, 육법사, 2000, 제27면

35) 헌법재판소 2005. 9. 29. 선고 2005헌바29, 2005헌마434 결정. 일본의 학설과 판례는 의료형법, 최재천 · 박영호 · 홍영균 공저, 육법사, 2003년, 24면, 25면 참조

36) 헌법재판소 2007. 3. 29. 선고 2003헌바15, 2005헌바9 결정

(3) 치과는 치아와 그 주위 조직 및 구강을 포함한 악안면 영역의 질병이나 비정상적 상태 등을 예방하고 진단하며 치료를 도모하는 의학의 한 분야이다. 따라서 구강 위생 상태를 개선하고 건강한 치아를 유지하는데 필요한 진료를 제공하는 교정, 치주, 보철에 한정되지 않으며 구강악안면외과까지 그 영역으로 한다.

라. 한의사

(1) 한의사는 한방 의료와 한방 보건지도를 임무로 하는데(제2조 제②항 제3호), 한방 보건지도는 국민의 한의학적인 건강을 보호하고 증진시킬 목적으로 가르치거나 이끄는 활동을 의미한다.

(2) 한방 의료행위란 사회통념상 우리의 옛 선조로부터 전통적으로 내려오는 한의학을 기초로 한 질병의 예방이나 치료행위 및 그 밖에 의료인이 행하지 않으면 보건위생상 위해가 생길 우려가 있는 행위를 하는 것을 의미한다. 다만, 구체적인 행위가 한방 의료행위에 해당하는지 여부를 판단할 때에는 의료관계법령에서 '의료행위'나 '한방 의료행위'에 관한 적극적인 정의규정을 두고 있지 않은 이상, 구체적 사안에 따라 의료법의 목적, 구체적인 의료행위에 관련된 관계 규정, 구체적인 의료행위의 목적, 태양 등을 감안하여 사회통념에 비추어 판단하여야 한다. 어떠한 진료행위가 의사만이 할 수 있는 의료행위에 해당하는지 아니면 한의사만이 할 수 있는 한방의료행위에 해당하는지 여부는 결국 해당 진료행위가 학문적 원리를 어디에 두고 있는가에 따라 판단하여야 한다[37]. 실무상으로는 대학 교육 과정에서 이수하는 과목 또는 강좌의 내용을 중시하여 주장·입증한다.

(3) 헌법재판소는 보건범죄 단속에 관한 특별조치법 제5조의 '한방 의료행위' 부분이 형벌법규에 요구되는 명확성의 원칙에 위반한 것인지에 관한 신청 사건에서 "한방 의료행위 부분은 의료행위와 마찬가지로 비록 법령에 아무런 적극적인 개념 정의 규정을 두고 있지는 아니하다 하더라도 침시술행위를 당연히 포함하는 것으로서 그 개념 또한 불명확한 것으로 볼 수 없다. 의료법의 입법목적, 의료인의 사명에 관한 의료법상의 여러 규정들과 한방 의료행위에 관련된 법령의 변천과정 등에 비추어보면 '침시술행위'는 그 시술방법과 원리를 보거나 현행 한의사의 시험과목에 침구학을 추가하는 한편 비록 기존의 침사·구사의 시술행위는 인정하나 새로운 침사·구사의 자격을 부여하지 아니한 사실 등에 미루어 한방 의료행위에 포함되는 것이 명백하고, '한방 의료행위'는 우리의 옛 선조들로부터 전통적으로 내려오는 한의학을 기초로 한 질병의 예방이나 치료행위를 하는 것을 의미한다고 볼 수 있기 때문이다. 따라서 이 법 제5조에 규정한 '한방 치료행위'는 건전한 상식과 통상적인 법감정을 가진 사람으로 하여금 구체적으로 어떠한 행위가 이에 해당하는지 의심을 가질 정도로 불명확한 개념이라고는 볼 수 없다."고 결정하였다[38].

---

37) 서울행정법원 2008. 10. 10. 선고 2008구합11945 판결

38) 헌법재판소 1996. 12. 26. 선고 93헌바65, 2002헌바23, 2010헌마658 결정

마. 조산사

(1) 조산사는 조산과 임부·해산부·산욕부 및 신생아에 대한 보건과 양호지도를 임무로 한다(제2조 제 ②항 제4호). 보건과 양호지도는 임부·해산부·산욕부 및 신생아의 건강을 보호하고 증진시킬 목 적으로 돌보아주고 가르치거나 이끄는 활동을 의미한다.

(2) 조산사가 조산원을 개설하여 할 수 있는 의료행위인 '조산'이란 임부가 정상분만하는 경우에 안전하 게 분만할 수 있도록 도와주는 것을 의미한다. 따라서 이상 분만으로 인하여 임부·해산부에게 이 상 증상이 생겼을 때 그 원인을 진단하고 이에 대처하는 조치(약물투여를 포함한다)를 강구하는 것 은 그러한 의료행위를 임무로 하는 산부인과 의사 등 다른 의료인의 임무범위에 속하는 것으로서 조 산사에게 면허된 의료행위인 '조산'에 포함되지 않는다. 따라서 조산사가 그와 같은 면허 범위 외의 의료행위를 하였다면, 그 행위가 조산원 지도의사의 구체적인 지시에 따른 것이었거나 또는 임부· 해산부 등에 대한 응급처치가 절실함에도 지도의사와 연락을 할 수 없고 그 지시를 기다리거나 산부 인과 의원으로 옮길 시간적 여유도 없어 조산사의 독자적인 판단에 의하여 응급처치를 할 수밖에 없 었다는 등의 특별한 사정이 없는 한, 원칙적으로 무면허 의료행위에 해당한다[39].

(3) 조산사가 의료법 제2조의 의료인이라 하더라도 조산과 임부·해산부·산욕부 및 신생아에 대한 보 건과 양호지도에만 종사할 수 있을 뿐이어서 질염치료나 임신중절수술 및 그 수술 후의 처치 등을 할 수는 없고 이는 의사만이 할 수 있는 의료행위에 속하며 조산사의 행위가 이른바 '대진(代診)'에 해당한다고 볼 수도 없다[40]. 그리고 조산사가 자신이 근무하는 산부인과를 찾아온 환자들을 상대로 진찰·환부소독·처방전 발행 등의 행위를 한 것은 진료의 보조행위가 아닌 진료행위 자체로서 (의 사만이 할 수 있으므로) 의사의 지시가 있었다고 하더라도 무면허 의료행위에 해당한다[41].

바. 간호사

(1) 간호사는 ① 환자의 간호요구에 대한 관찰, 자료수집, 간호판단 및 요양을 위한 간호와 ② 의사, 치 과의사, 한의사의 지도하에 시행하는 진료의 보조 그리고 ③ 간호 요구자에 대한 교육·상담 및 건 강증진을 위한 활동의 기획과 수행, 그 밖의 대통령령으로 정하는 보건활동 및 ④ 제80조에 따른 간 호조무사가 수행하는 가목부터 다목까지의 업무보조에 대한 지도를 임무로 한다(제2조 제②항 제 5호). 간호는 모든 개인, 가정, 지역사회를 대상으로 하여 건강의 회복, 질병예방, 건강유지와 증진 에 필요한 지식, 기력, 의지와 자원을 갖추도록 직접 도와주는 활동을 의미한다[42].

---

39) 대법원 2007. 9. 6. 선고 2005도9670 판결

40) 대법원 1992. 10. 9. 선고 92도848 판결

41) 대법원 2007. 9. 6. 선고 2006도2306 판결

42) 의사와 간호사간의 법적 책임 분배 문제에 관한 구체적인 내용은 의료형법, 최재천·박영호·홍영균 공저, 육법사, 2003년, 111면 내 지 116면 참조

(2) 진료 보조행위는 의료법상 구체적인 규정이 없다. 따라서 진료 보조행위의 내용과 범위는 개별적 사안에 따라 판단하여야 하는데 의사, 치과의사, 한의사의 전속적인 임무 범위에 속하지 않는 업무로서 이들의 구체적인 지시나 지도를 받아 행할 수 있는 일반적인 주사행위, 드레싱, 수술 준비, 채혈 및 투약행위 등이 포함될 수 있다[43].

(3) 간호사는 간호 요구자에 대한 교육 · 상담 및 건강증진을 위한 활동의 기획과 수행, 그 밖의 대통령령으로 정하는 보건활동을 할 수 있는데, "대통령령으로 정하는 보건활동"이란 아래의 (가) 내지 (라)의 보건활동을 말한다.

(가) 농어촌 등 보건의료를 위한 특별조치법 제19조에 따라 보건진료원으로서 하는 보건활동이다. 제19조(보건진료 전담공무원의 의료행위의 범위)는 보건진료 전담공무원이 의료법 제27조(무면허 의료행위 등 금지)에도 불구하고 근무지역으로 지정받은 의료 취약지역에서 대통령령으로 정하는 경미한 의료행위를 할 수 있도록 하였는데, 농어촌 등 보건의료를 위한 특별조치법 시행령 제14조는 ① 상병 상태를 판별하기 위한 진찰 · 검사, ② 환자의 이송, ③ 외상 등 흔히 볼 수 있는 환자의 치료 및 응급 조치가 필요한 환자에 대한 응급처치, ④ 상병의 악화 방지를 위한 처치, ⑤ 만성병 환자의 요양지도 및 관리, ⑥ 정상분만 시의 분만개조, ⑦ 예방접종, ⑧ ①부터 ⑦까지의 의료행위에 따르는 의약품의 투여를 보건진료원의 임무 범위로 규정하고 있다.

(나) 모자보건법 제2조 제10호에 따른 모자보건요원[44]으로서 행하는 모자보건 및 가족계획 활동이다. 모자보건사업이란 모성과 영유아에게 전문적인 보건의료서비스 및 그와 관련된 정보를 제공하고, 모성의 생식건강 관리와 임신 · 출산 · 양육 지원을 통하여 이들이 신체적 · 정신적 · 사회적으로 건강을 유지하게 하는 사업을 말하고(제8호) 가족계획사업이란 가족의 건강과 가정복지의 증진을 위하여 수태조절에 관한 전문적인 의료봉사 · 계몽 또는 교육을 하는 사업을 말한다(제9호).

(다) 결핵예방법 제18조에 따른 보건활동이다. 시 · 도지사 또는 시장 · 군수 · 구청장은 관할 구역에 거주하는 결핵환자 등에 대한 적절한 의료 등을 실시하기 위하여 전문 인력을 배치하고, 보건복지부령으로 정하는 조치를 하여야 하는데(제①항), 간호사가 이 전문 인력에 포함된다(제②항). 보건복지부령이 정하는 조치는 ① 결핵환자등의 발견 및 신고 접수 등, ② 결핵환자등의 추구검

---

43) 정부의 간호인력 개편 방향에 맞춰 간호사의 업무범위를 확대하고 간호조무사에 대한 지도 · 감독권을 부여한 2015. 12. 29.자 의료법 개정이다. 애초의 개정안은 간호사의 세부 업무사항들을 보건복지부령으로 정하도록 하였고 한의사의 처방 하에 간호 인력이 처치 · 주사행위를 할 수 있다는 내용이었지만 대한의사협회가 ① 명확한 업무열거 및 구분이 어려운 의료의 고유 특성을 감안할 때, 간호 인력의 업무범위 외 무면허 의료행위를 조장할 수 있다는 점 ② 한의사의 무면허 의료행위를 조장하는 것으로 현행 의료법 체계와 정면으로 배치되는 사항이라는 점을 이유로 반대하여 입법되지 못하였다. 대한의사협회는 의원급 의료기관의 경우 간호조무사가 의사의 지도 · 감독 하에 진료 · 간호 보조업무를 포괄적으로 수행할 수 있도록 보장하는 것이 필요함을 주장하였다. 2015. 12. 29.자 개정으로 간호조무사가 의원급 의료기관에 한하여 의사, 치과의사, 한의사의 지도하에 환자의 요양을 위한 간호 및 진료의 보조를 수행할 수 있는 내용이 신설되었다(제80조의 2 제②항).

44) 개정 전 모자보건법 제2조 제10호는 모자보건요원을 의사 · 조산사 · 간호사의 면허를 받은 사람 또는 간호조무사의 자격을 인정받은 사람으로서 모자보건사업 및 가족계획사업에 종사하는 사람이라고 정의하였으나 2015년 개정으로 폐지되었다. 그리고 2007. 4. 11.자 개정으로 모자보건요원 중 간호사와 간호조무사가 제11조의 규정에 의하여 행한 조산행위와 조산사 또는 간호사가 제13조의 규정에 의한 피임시술행위에 대하여는 의료법 제27조 제①항의 무면허 의료행위 등 금지 및 같은 법 제87조 제2호의 벌칙의 규정을 적용하지 아니한다는 제29조(의료법의 적용배제)를 삭제하였다.

사 및 집단유행 사례에 관한 역학조사, ③ 결핵환자등의 검사 및 투약 등 ④ 결핵환자등과 관련된 기록 및 통계 등의 관리, ⑤ 그 밖에 결핵환자등에 대한 의료 등의 실시에 필요하다고 보건복지부장관이 정하는 조치이다(결핵예방법 시행규칙 제8조).

 (라) 그 밖의 법령에 따라 간호사의 보건활동으로 정한 업무이다. 응급의료에 관한 법률 제2조 제4호에 따라 간호사가 응급의료종사자가 되는 경우에 업무 중에 응급의료를 요청받거나 응급환자를 발견하면 즉시 응급의료를 하여야 하며 정당한 사유 없이 이를 거부하거나 기피하지 못한다(제6조 제②항). 학교보건법 제15조 제②항 따라 모든 학교에 보건교사를 임명하는데 간호사인 보건교사는 다음의 의료행위를 할 수 있다(제23조 제③항 제1호).

  1) 외상 등 흔히 볼 수 있는 환자의 치료

  2) 응급을 요하는 자에 대한 응급처치

  3) 부상과 질병의 악화를 방지하기 위한 처치

  4) 건강진단결과 발견된 질병자의 요양지도 및 관리

  5) 1)부터 4)까지의 의료행위에 따르는 의약품 투여

(4) 간호조무사는 간호사를 보조하여 간호사의 임무(제2조 제②항 제5호 가목부터 다목까지)를 수행할 수 있는데(제80조의 2 제①항), 이 경우 간호사는 간호조무사가 수행하는 업무보조에 대한 지도를 임무로 한다.

3 의료기관

제3조 【의료기관】 ① 이 법에서 "의료기관"이란 의료인이 공중(公衆) 또는 특정 다수인을 위하여 의료·조산의 업(이하 "의료업"이라 한다)을 하는 곳을 말한다.

② 의료기관은 다음 각 호와 같이 구분한다.

　1. 의원급 의료기관 : 의사, 치과의사 또는 한의사가 주로 외래환자를 대상으로 각각 그 의료행위를 하는 의료기관으로서 그 종류는 다음 각 목과 같다.

　　가. 의원

　　나. 치과의원

　　다. 한의원

　2. 조산원 : 조산사가 조산과 임부·해산부·산욕부 및 신생아를 대상으로 보건활동과 교육·상담을 하는 의료기관을 말한다.

　3. 병원급 의료기관 : 의사, 치과의사 또는 한의사가 주로 입원환자를 대상으로 의료행위를 하는 의료기관으로서 그 종류는 다음 각 목과 같다.

　　가. 병원

　　나. 치과병원

　　다. 한방병원

　　라. 요양병원(「정신보건법」 제3조 제3호에 따른 정신의료기관 중 정신병원, 「장애인복지법」 제58조 제①항 제2호에 따른 의료재활시설로서 제3조의 2의 요건을 갖춘 의료기관을 포함한다. 이하 같다)

　　마. 종합병원

③ 보건복지부장관은 보건의료정책에 필요하다고 인정하는 경우에는 제2항 제1호부터 제3호까지의 규정에 따른 의료기관의 종류별 표준업무를 정하여 고시할 수 있다.

제3조의 2 【병원등】 병원·치과병원·한방병원 및 요양병원(이하 "병원등"이라 한다)은 30개 이상의 병상(병원·한방병원만 해당한다) 또는 요양병상(요양병원만 해당하며, 장기입 원이 필요한 환자를 대상으로 의료행위를 하기 위하여 설치한 병상을 말한다)을 갖추어야 한다.

제3조의 3 【종합병원】 ① 종합병원은 다음 각 호의 요건을 갖추어야 한다.

　1. 100개 이상의 병상을 갖출 것

　2. 100병상 이상 300병상 이하인 경우에는 내과·외과·소아청소년과·산부인과 중 3개 진료과목, 영상의학과, 마취통증의학과와 진단검사의학과 또는 병리과를 포함한 7개 이상의 진료과목을 갖추고 각 진료과목마다 전속하는 전문의를 둘 것

　3. 300병상을 초과하는 경우에는 내과, 외과, 소아청소년과, 산부인과, 영상의학과, 마취통증의학과, 진단검사의학과 또는 병리과, 정신건강의학과 및 치과를 포함한 9개 이상의 진료과목을 갖추고 각 진료과목마다 전속하는 전문의를 둘 것

② 종합병원은 제1항제2호 또는 제3호에 따른 진료과목(이하 이 항에서 "필수진료과목"이라 한다) 외에 필요하면 추가로 진료과목을 설치·운영할 수 있다. 이 경우 필수진료과목 외의 진료과목에 대하여는 해당 의료기관에 전속하지 아니한 전문의를 둘 수 있다.

제3조의 4 【상급종합병원 지정】 ① 보건복지부장관은 다음 각 호의 요건을 갖춘 종합병원 중에서 중증질환에 대하여 난이도가 높은 의료행위를 전문적으로 하는 종합병원을 상급종합병원으로 지정할 수 있다.

    1. 보건복지부령으로 정하는 20개 이상의 진료과목을 갖추고 각 진료과목마다 전속하는 전문의를 둘 것

    2. 제77조 제①항에 따라 전문의가 되려는 자를 수련시키는 기관일 것

    3. 보건복지부령으로 정하는 인력 · 시설 · 장비 등을 갖출 것

    4. 질병군별(疾病群別) 환자구성 비율이 보건복지부령으로 정하는 기준에 해당할 것

② 보건복지부장관은 제①항에 따른 지정을 하는 경우 제①항 각 호의 사항 및 전문성 등에 대하여 평가를 실시하여야 한다.

③ 보건복지부장관은 제①항에 따라 상급종합병원으로 지정받은 종합병원에 대하여 3년마다 제②항에 따른 평가를 실시하여 재지정하거나 지정을 취소할 수 있다.

④ 보건복지부장관은 제②항 및 제③항에 따른 평가업무를 관계 전문기관 또는 단체에 위탁할 수 있다.

⑤ 상급종합병원 지정 · 재지정의 기준 · 절차 및 평가업무의 위탁 절차 등에 관하여 필요한 사항은 보건복지부령으로 정한다.

제3조의 5 【전문병원 지정】 ① 보건복지부장관은 병원급 의료기관 중에서 특정 진료과목이나 특정 질환 등에 대하여 난이도가 높은 의료행위를 하는 병원을 전문병원으로 지정할 수 있다.

② 제①항에 따른 전문병원은 다음 각 호의 요건을 갖추어야 한다.

    1. 특정 질환별 · 진료과목별 환자의 구성비율 등이 보건복지부령으로 정하는 기준에 해당할 것

    2. 보건복지부령으로 정하는 수 이상의 진료과목을 갖추고 각 진료과목마다 전속하는 전문의를 둘 것

③ 보건복지부장관은 제①항에 따라 전문병원으로 지정하는 경우 제②항 각 호의 사항 및 진료의 난이도 등에 대하여 평가를 실시하여야 한다.

④ 보건복지부장관은 제①항에 따라 전문병원으로 지정받은 의료기관에 대하여 3년마다 제③항에 따른 평가를 실시하여 전문병원으로 재지정할 수 있다.

⑤ 보건복지부장관은 제①항 또는 제④항에 따라 지정받거나 재지정받은 전문병원이 다음 각 호의 어느 하나에 해당하는 경우에는 그 지정 또는 재지정을 취소할 수 있다. 다만, 제1호에 해당하는 경우에는 그 지정 또는 재지정을 취소하여야 한다.

    1. 거짓이나 그 밖의 부정한 방법으로 지정 또는 재지정을 받은 경우

    2. 지정 또는 재지정의 취소를 원하는 경우

    3. 제④항에 따른 평가 결과 제②항 각 호의 요건을 갖추지 못한 것으로 확인된 경우

⑥ 보건복지부장관은 제③항 및 제④항에 따른 평가업무를 관계 전문기관 또는 단체에 위탁할 수 있다.

⑦ 전문병원 지정 · 재지정의 기준 · 절차 및 평가업무의 위탁 절차 등에 관하여 필요한 사항은 보건복지부령으로 정한다.

제63조 【시정 명령 등】 보건복지부장관 또는 시장 · 군수 · 구청장은 —— 중략 —— 종합병원 · 상급종합병원 · 전문병원이 각각 제3조의 3 제①항 · 제3조의 4 제①항 · 제3조의 5 제②항에 따른 요건에 해당하지 아니하게 된 때 —— 중략 —— 에는 일정한 기간을 정하여 그 시설 · 장비 등의 전부 또는 일부의 사용을 제한 또는 금지하거나 위반한 사항을 시정하도록 명할 수 있다.

제64조【개설 허가 취소 등】 ① 보건복지부장관 또는 시장·군수·구청장은 의료기관이 다음 각 호의 어느 하나에 해당하면 그 의료업을 1년의 범위에서 정지시키거나 개설 허가를 취소하거나 의료기관 폐쇄를 명할 수 있다. 다만, 제8호에 해당하는 경우에는 의료기관 개설 허가를 취소하거나 의료기관 폐쇄를 명하여야 하며, 의료기관 폐쇄는 제33조 제③항과 제35조 제①항 본문에 따라 신고한 의료기관에만 명할 수 있다.

    3. 제61조에 따른 관계 공무원의 직무 수행을 기피 또는 방해하거나 제59조 또는 제63조에 따른 명령을 위반한 때

    6. 제63조에 따른 시정명령(제4조 제⑤항 위반에 따른 시정명령을 제외한다)을 이행하지 아니한 때

제67조【과징금 처분】 ① 보건복지부장관이나 시장·군수·구청장은 의료기관이 제64조 제①항 각 호의 어느 하나에 해당할 때에는 대통령령으로 정하는 바에 따라 의료업 정지 처분을 갈음하여 5천만원 이하의 과징금을 부과할 수 있으며, 이 경우 과징금은 3회까지만 부과할 수 있다. 다만, 동일한 위반행위에 대하여「표시·광고의 공정화에 관한 법률」제9조에 따른 과징금 부과처분이 이루어진 경우에는 과징금(의료업 정지 처분을 포함한다)을 감경하여 부과하거나 부과하지 아니할 수 있다.

가. 의의와 구분

의료법상 의료기관이란 의료인이 공중 또는 특정 다수인을 위하여 의료·조산의 업(이하 '의료업'이라 한다)을 하는 곳을 말한다(제3조 제①항). 병상(病牀, bed)[45] 개수와 종별(제2조 제②항)에 따라 의원급 의료기관 및 조산원, 병원급 의료기관으로 구분된다(제3조 제②항)[46].

나. 의원급 의료기관

(1) 의사, 치과의사 또는 한의사가 주로 외래환자를 대상으로 각각 그 의료행위를 하는 의료기관으로서 의원, 치과의원, 한의원이 있다(제3조 제②항 제1호).

(2) 의료법 제3조의 2 해석상 의원급 의료기관의 병상수는 30병상 미만이다. 다만, 정신보건법 제12조와 시행규칙 제7조 별표2에 따라 의원급 정신의료기관의 병상수는 50병상 미만이다.

다. 조산원

조산사가 조산과 임부·해산부·산욕부 및 신생아를 대상으로 보건활동과 교육·상담을 하는 의료기관을 말한다.

라. 병원급 의료기관

(1) 의사, 치과의사 또는 한의사가 주로 입원환자를 대상으로 의료행위를 하는 의료기관으로서 병원, 치과병원, 한방병원, 요양병원(정신보건법 제3조제3호에 따른 정신의료기관 중 정신병원, 장애인복

---

45) 침대를 의미하므로 의료기기인 인큐베이터 또는 아기바구니는 병상에 포함되지 않는다.

46) 2009. 1. 30.자 개정 전에는 종합병원·병원·치과병원·한방병원·요양병원·의원·치과의원·한의원 및 조산원으로 구분하였다.

지법 제58조 제①항 제2호에 따른 의료재활시설로서 제3조의 2의 요건을 갖춘 의료기관을 포함한다. 이하 같다)이 있다.

(2) 병원은 30개 이상의 병상(병원·한방병원만 해당한다)[47] 또는 요양병상(요양병원만 해당하며, 장기 입원이 필요한 환자를 대상으로 의료행위를 하기 위하여 설치한 병상을 말한다)을 갖추어야 한다(제3조의 2).

(3) 종합병원은 100개 이상의 병상을 갖추어야 한다(제3조의 3 제①항). 그리고 300병상 이하인 종합병원에는 내과·외과·소아청소년과·산부인과 중 3개 진료과목, 영상의학과, 마취통증의학과와 진단검사의학과 또는 병리과를 포함한 7개 이상의 진료과목을 갖추고 각 진료과목마다 전속하는 전문의[48]가 있어야 한다. 300병상을 초과하는 종합병원에는 내과, 외과, 소아청소년과, 산부인과, 영상의학과, 마취통증의학과, 진단검사의학과 또는 병리과, 정신건강의학과 및 치과를 포함한 9개 이상의 진료과목을 갖추고 각 진료과목마다 전속하는 전문의가 있어야 한다(제3조의 3 제①항). 종합병원은 제①항 제2호 또는 제3호에 따른 진료과목(필수진료과목) 외에 필요하면 추가로 진료과목을 설치·운영할 수 있다. 이 경우 필수 진료과목 외의 진료과목에 대하여는 해당 의료기관에 전속하지 않은 전문의를 둘 수 있다(제3조의 3 제②항).

(4) 보건복지부장관은 ① 보건복지부령으로 정하는 20개 이상의 진료과목을 갖추고 각 진료과목마다 전속하는 전문의가 있고 ② 제77조 제①항에 따라 전문의가 되려는 자를 수련시키는 기관이며 ③ 보건복지부령으로 정하는 인력·시설·장비 등을 갖추고 ④ 질병군별(疾病群別) 환자구성 비율이 보건복지부령으로 정하는 기준에 해당하는 종합병원 중에서 중증질환에 대하여 난이도가 높은 의료행위를 전문적으로 하는 종합병원을 상급종합병원으로 지정할 수 있다(제3조의 4 제①항). 이 경우 보건복지부장관은 위 요건사항과 전문성 등에 대하여 평가를 실시하여야 하고(제3조의 4 제②항), 상급종합병원으로 지정받은 종합병원에 대하여 3년마다 제②항에 따른 평가를 실시하여 재지정하거나 지정을 취소할 수 있으며(제3조의 4 제③항), 제②항 및 제③항에 따른 평가업무를 관계 전문기관 또는 단체에 위탁할 수 있다(제3조의 4 제④항). 상급종합병원 지정·재지정의 기준·절차 및 평가업무의 위탁 절차 등에 관하여 필요한 사항은 보건복지부령으로 정한다(제3조의 4 제⑤항).

(5) 보건복지부장관은 병원급 의료기관 중에서 특정 진료과목이나 특정 질환 등에 대하여 난이도가 높은 의료행위를 하는 병원을 전문병원으로 지정할 수 있는데(제3조의 5 제①항), 전문병원은 ① 특정

---

47) 따라서 치과병원은 병상 개수의 제한을 받지 않는다.

48) 상근 의미인지에 관한 서울행정법원 2007. 8. 31. 선고 2007구합11368 판결 : 의료법 제3조 제③항이 종합병원의 경우 7개 이상의 과목과 이에 전속하는 전문의를 두도록 하고 이러한 요건을 갖춘 종합병원과 그렇지 않은 병·의원에 대하여 요양급여비용과 의료급여비용의 가산율을 달리 적용하고 있는 점, 이는 종합병원이 일반 의원이나 병원에 비하여 양적으로나 질적으로 우월한 의료서비스를 제공하여야 하고 또한 이를 제공하는데 따른 보상으로서의 성격을 갖는 점, 국민건강보험법이 국민의 질병 치료 등에 대하여 보험급여를 실시함으로써 국민보건을 향상시키고 사회보장을 증진함을 목적으로 하는 점 등에 비추어 보면, 의료법 제3조 제③항 제3호에서 말하는 "전속하는 전문의"라는 개념 가운데에는 '상시 근무하는(상근)'의 의미를 포함하는 것으로 해석함이 상당하다. 그런데 진단검사의학과와 전문의 A는 고령으로 주 1회 또는 월 2~3회 정도만 의료기관에 출근하였을 뿐이고, 출근하여서도 구두보고, 관리 감독, 문서의 확인 점검 등의 업무를 하였을 뿐이며, 전문의가 판독하고 소견서가 필요한 검사 업무를 하지는 않은 점 등을 종합해 볼 때, 전문의 A가 의료법 제3조 제③항 제3호에서 규정한 "전속하는 전문의"에 해당한다고 볼 수 없다.

질환별·진료과목별 환자의 구성비율 등이 보건복지부령으로 정하는 기준에 해당하고, ② 보건복지부령으로 정하는 수 이상의 진료과목을 갖추고 각 진료과목마다 전속하는 전문의가 있어야 한다(제3조의 5 제②항). 보건복지부장관은 전문병원을 지정하는 경우 위 요건사항과 진료의 난이도 등에 대하여 평가를 실시하여야 하고(제3조의 5 제③항), 전문병원으로 지정받은 의료기관에 대하여 3년마다 제3항에 따른 평가를 실시하여 전문병원으로 재지정할 수 있으며(제3조의 5 제④항), 제③항 및 제④항에 따른 평가업무를 관계 전문기관 또는 단체에 위탁할 수 있다(제3조의 5 제⑥항). 전문병원 지정·재지정의 기준·절차 및 평가업무의 위탁 절차 등에 관하여 필요한 사항은 보건복지부령으로 정한다(제3조의 5 제⑦항). 보건복지부장관은 제①항 또는 제④항에 따라 지정받거나 재지정받은 전문병원이 아래 ① 내지 ③의 어느 하나에 해당하는 경우에는 그 지정 또는 재지정을 취소할 수 있다(임의적 취소). 다만, ①에 해당하는 경우에는 그 지정 또는 재지정을 취소하여야 한다(필요적 취소, 제3조의 5 제⑤항).

① 거짓이나 그 밖의 부정한 방법으로 지정 또는 재지정을 받은 경우

② 지정 또는 재지정의 취소를 원하는 경우

③ 제④항에 따른 평가 결과 제②항 각 호의 요건을 갖추지 못한 것으로 확인된 경우

(6) 종합병원·상급종합병원·전문병원이 각각 제3조의 3 제①항·제3조의 4 제①항·제3조의 5 제②항에 따른 요건에 해당하지 않으면 보건복지부장관 또는 시장·군수·구청장이 일정한 기간을 정하여 그 시설·장비 등의 전부 또는 일부의 사용을 제한 또는 금지하거나 위반한 사항을 시정하도록 명할 수 있는데(제63조), 실무상으로는 의료관계 행정처분규칙 별표 2. 개별 기준 나. 1)에 따라 시정명령을 처분한다. 시정명령을 이행하지 않으면 보건복지부장관 또는 시장·군수·구청장이 그 의료업을 1년의 범위에서 정지시키거나 개설 허가를 취소하거나 의료기관 폐쇄를 명할 수 있는데(제64조 제①항 제3호, 제6호), 실무상으로는 의료관계 행정처분규칙 별표 2. 개별 기준 나. 27)에 따라 업무정지 15일을 처분한다. 보건복지부장관이나 시장·군수·구청장은 정지 처분에 갈음하여 5천만원 이하의 과징금을 부과할 수 있다(제67조 제①항).

마. 의료기관의 종류별 표준업무규정

보건복지부장관은 보건의료정책에 필요하다고 인정하는 경우에는 제3조 제②항 제1호부터 제3호까지의 규정에 따른 의료기관의 종류별 표준업무를 정하여 고시할 수 있는데(제3조 제③항), 의료기관의 종류별 표준업무규정이 2011. 6. 24.자로 제정·시행되고 있다.

II

본론

제2장

의료인

제1절 | 자격과 면허

1 의료인과 의료기관장의 의무

제4조【의료인과 의료기관의 장의 의무】 ① 의료인과 의료기관의 장은 의료의 질을 높이고 병원감염을 예방하며 의료기술을 발전시키는 등 환자에게 최선의 의료서비스를 제공하기 위하여 노력하여야 한다.

② 의료인은 다른 의료인의 명의로 의료기관을 개설하거나 운영할 수 없다.

③ 의료기관의 장은 「보건의료기본법」 제6조·제12조 및 제13조에 따른 환자의 권리 등 보건복지부령으로 정하는 사항을 환자가 쉽게 볼 수 있도록 의료기관 내에 게시하여야 한다. 이 경우 게시 방법, 게시 장소 등 게시에 필요한 사항은 보건복지부령으로 정한다.

④ 의료인은 제5조(의사·치과의사 및 한의사를 말한다), 제6조(조산사를 말한다) 및 제7조(간호사를 말한다)에 따라 발급받은 면허증을 다른 사람에게 빌려주어서는 아니 된다.

⑤ 의료기관의 장은 환자와 보호자가 의료행위를 하는 사람의 신분을 알 수 있도록 의료인, 제27조 제①항 각 호 외의 부분 단서에 따라 의료행위를 하는 같은 항 제3호에 따른 학생, 제80조에 따른 간호조무사 및 「의료기사 등에 관한 법률」 제2조에 따른 의료기사에게 의료기관 내에서 대통령령으로 정하는 바에 따라 명찰을 달도록 지시·감독하여야 한다. 다만, 응급의료상황, 수술실 내인 경우, 의료행위를 하지 아니할 때, 그 밖에 대통령령으로 정하는 경우에는 명찰을 달지 아니하도록 할 수 있다.

⑥ 의료인은 일회용 주사 의료용품(한 번 사용할 목적으로 제작되거나 한 번의 의료행위에서 한 환자에게 사용하여야 하는 의료용품으로서 사람의 신체에 의약품, 혈액, 지방 등을 투여·채취하기 위하여 사용하는 주사침, 주사기, 수액용기와 연결줄 등을 포함하는 수액세트 및 그 밖에 이에 준하는 의료용품을 말한다. 이하 같다)을 한 번 사용한 후 다시 사용하여서는 아니 된다.

제63조【시정 명령 등】 보건복지부장관 또는 시장·군수·구청장은 ——중략—— 의료기관의 장이 제4조 제⑤항을 위반한 때에는 일정한 기간을 정하여 그 시설·장비 등의 전부 또는 일부의 사용을 제한 또는 금지하거나 위반한 사항을 시정하도록 명할 수 있다. [시행일 : 2017. 3. 1.]

제64조【개설 허가 취소 등】 ① 보건복지부장관 또는 시장·군수·구청장은 의료기관이 다음 각 호의 어느 하나에 해당하면 그 의료업을 1년의 범위에서 정지시키거나 개설 허가를 취소하거나 의료기관 폐쇄를 명할 수 있다. 다만, 제8호에 해당하는 경우에는 의료기관 개설 허가를 취소하거나 의료기관 폐쇄를 명하여야 하며, 의료기관 폐쇄는 제33조 제③항과 제35조 제①항 본문에 따라 신고한 의료기관에만 명할 수 있다.

　3. 제61조에 따른 관계 공무원의 직무 수행을 기피 또는 방해하거나 제59조 또는 제63조에 따른 명령을 위반한 때

　6. 제63조에 따른 시정명령(제4조 제⑤항 위반에 따른 시정명령을 제외한다)을 이행하지 아니한 때

제65조【면허 취소와 재교부】 ① 보건복지부장관은 의료인이 다음 각 호의 어느 하나에 해당할 경우에는 그 면허를 취소할 수 있다. 다만, 제1호의 경우에는 면허를 취소하여야 한다.

　4. 제4조 제④항을 위반하여 면허증을 빌려준 경우

　6. 제4조 제⑥항을 위반하여 사람의 생명 또는 신체에 중대한 위해를 발생하게 한 경우

제66조 【자격정지 등】 ① 보건복지부장관은 의료인이 다음 각 호의 어느 하나에 해당하면 1년의 범위에서 면허 자격을 정지시킬 수 있다. 이 경우 의료기술과 관련한 판단이 필요한 사항에 관하여는 관계 전문가의 의견을 들어 결정할 수 있다.

2의 2. 제4조 제⑥항을 위반한 때

제87조 【벌칙】 ① 다음 각 호의 어느 하나에 해당하는 자는 5년 이하의 징역이나 5천만원 이하의 벌금에 처한다.〈개정 2015. 12. 29.〉

1. 제4조 제④항을 위반하여 면허증을 빌려준 사람

제91조 【양벌규정】

제92조 【과태료】 ③ 다음 각 호의 어느 하나에 해당하는 자에게는 100만원 이하의 과태료를 부과한다.

6. 제4조 제③항에 따라 환자의 권리 등을 게시하지 아니한 자

8. 제4조 제⑤항을 위반하여 그 위반행위에 대하여 내려진 제63조에 따른 시정명령을 따르지 아니한 사람[시행일 : 2017. 3. 1.]

가. 기본적인 의무

의료인과 의료기관의 장은 환자에게 최선의 의료서비스를 제공하기 위하여 노력하여야 하는 기본적인 의무를 부담하는데, 기본의무는 의료의 질을 높이고 병원감염을 예방하며 의료기술을 발전시키는 등의 예시적 의무로 구체화된다(제4조 제①항).

나. 1인 1개소 한정 개설의무(다른 의료인 명의 개설금지)

의료인은 다른 의료인의 명의로 의료기관을 개설하거나 운영할 수 없다(제4조 제②항). 2012. 2. 1.자 개정시 신설된 조항으로 위헌 여부에 관한 견해 대립을 1인 1개소에서(제33조 제⑧항)[49] 검토한다.

---

49) 2012. 2. 1. 법률 제11252호로 개정된 의료법 제33조 제⑧항 제2항 본문(제1호의 의료인은 어떠한 명목으로도 둘 이상의 의료기관을 개설·운영할 수 없다.)의 내용은 의료인의 헌법상의 행복 추구권, 국민보건 보호권, 직업 수행의 자유 및 재산권 행사의 자유를 각 침해한 것이므로 헌법에 반하는 입법이다. 동조항은 시행령과 시행규칙에 내용이 없어서 규제 내용이 불분명하다는 점, 비의료인이 불법 개설한 사무장 병원과는 달리 개설 주체가 의사인 경우이므로 의료법을 충족시킨다는 점, 의료기관의 운영과정에서 국민과 환자 건강 및 보건의료 질서에 어떤 위해(危害)도 가하지 않았다는 점, 의료면허를 지닌 의사가 다른 의사로부터 홍보와 광고의 지원을 받아 의료기관을 설립한 뒤 의료행위에 대한 요양급여를 청구하는 것은 불법이 아니라는 점, 면허를 지닌 의사의 의료행위를 막는 동조항은 과잉규제라는 점, 의료서비스 질적 성장 등 의료계의 발전을 저해한다는 점, 면허를 지닌 의사가 의료기관에서 진료를 하는 것을 막는 것은 명백히 부당하다는 점, 치과의사협회 등 이익단체의 입장만을 대변하였을 뿐이고 자율경쟁이라는 시장경제의 원리와 의료 소비자 권익을 무시하였다는 점, 의료산업 활성화와 규제 완화 등 전세계적인 의료계 흐름에도 배치된다는 점, 개정 당시 보건복지부는 국회 보건복지위원회에 제출한 의견서를 통하여 "현실적으로 의료기관이 공동 투자, 공동경영이 의료기관 경쟁력 강화에 기여하는 측면 등이 있으므로 신중한 검토가 필요하다."는 의견을 피력하였고 공정거래위원회와 법제처도 과잉규제라는 의견을 개진하였다는 점, 헌법재판소는 지난 2002년 법인약국을 금지한 당시 약사법 규정에 헌법불합치 판결로 법인약국 개설을 사실상 허용하였고(헌법재판소 2002. 9. 19. 선고 2000헌바84 결정) 이후 정부는 그 후속조치로 조합형 약국 시스템 도입을 추진하고 있는데 이는 동조항과의 형평성 문제를 내포하고 있다는 점, 2012. 2. 1. 공포되어 6개월 뒤인 8. 2.부터 시행되었지만 현재까지 하위법령이 없다는 점, 보건복지부가 2012. 9.경 입법예고한 '의료법시행규칙 개정안'은 둘 이상의 의료기관 개설·운영 판단기준으로 "의료인이 복수의 의료기관에 대해 개설·휴업·폐업, 의료행위의 결정·시행, 인력·시설·장비의 충원·관리 또는 운영성과의 배분 등에 관한 권한을 보유·행사하는지 여부"를 제시하였으나 이에 대해 확대 해석될 우려가 있다며 반대하는 의견이 많아서 폐지된 바가 있다는 점, 동조항은 이익단체의 로비에 의하여 개정되었다는 혐의로 서울중앙지검이 관련 협회 사무실을 압수·수색하여 현재까지도 검찰이 수사 중이어서 특정 네트워크 의료기관을 통·견제하기 위한 입법은 그 자체로서 정의롭지 못한 처분적 법률이라는 점, 동조항은 헌법상의 평등권을 위반하는 내용이란 점(서울○○병원의 ○○사회복지재단은 수개의 의료기관을 운영하고 있고 의료생협도 여러 개를 운영할 수 있다. 그리고 동조항은 변호사법의 내용을 모방하였지만 변호사법에는 처벌 규정이 없다는 점)에서 위헌적인 입법이다.

다. 게시의무

의료기관의 장은 「보건의료기본법」 제6조·제12조 및 제13조에 따른 환자의 권리 등 보건복지부령으로 정하는 사항을 환자가 쉽게 볼 수 있도록 의료기관 내에 게시하여야 한다(제4조 제③항). 이 경우 게시 방법, 게시 장소 등 게시에 필요한 사항은 보건복지부령으로 정하는데, 의료법 시행규칙 제1조의 2(환자의 권리 등의 게시)와 별표1에 구체적인 사항이 규정되어 있으며 의료기관의 장은 위 사항을 접수창구나 대기실 등 환자 또는 환자의 보호자가 쉽게 볼 수 있는 장소에 게시하여야 한다(의료법 시행규칙 제1조의 2 제②항). 환자의 권리 등을 게시하지 않으면 100만원 이하의 과태료가 부과된다(제92조 제③항 제6호).

라. 면허증 대여 금지의무

의료인은 제5조(의사·치과의사 및 한의사를 말한다), 제6조(조산사를 말한다) 및 제7조(간호사를 말한다)에 따라 발급받은 면허증을 다른 사람에게 빌려주어서는 안 된다(제4조 제④항). 면허대여행위를 처벌하는 제87조 제①항 제1호의 근거 규정인 금지 규정이 없어서 2015. 12. 29.자 개정으로 신설되었다. 의료인이 제4조 제④항을 위반하여 면허증을 다른 사람에게 빌려 주면 보건복지부장관이 그 면허를 취소할 수 있으며(임의적 취소, 제65조 제①항 제4호[50]), 의료인은 5년 이하의 징역 또는 2,000만원 이하의 벌금에 처해질 수 있다(제87조 제①항 제1호).

마. 명찰 부착의무

(1) 의료기관의 장은 환자와 보호자가 의료행위를 하는 사람의 신분을 알 수 있도록 의료인, 제27조 제1항 각 호 외의 부분 단서에 따라 의료행위를 하는 같은 항 제3호에 따른 학생, 제80조에 따른 간호조무사 및 「의료기사 등에 관한 법률」 제2조에 따른 의료기사에게 의료기관 내에서 대통령령으로 정하는 바에 따라 명찰을 달도록 지시·감독하여야 한다. 다만, 응급의료상황, 수술실 내인 경우, 의료행위를 하지 아니할 때, 그 밖에 대통령령으로 정하는 경우에는 명찰을 달지 않도록 할 수 있다(제4조 제⑤항).

(2) 환자가 의료인의 신분을 쉽게 확인할 수 있도록 하여 의료인이 아닌 자를 의료인으로 오인하지 않도록 하고 보건의료인에 대한 신뢰를 강화하기 위하여 2016. 5. 29.자 개정으로 신설되었으며 2017. 3. 1.부터 적용된다. 이름과 신분(의료인, 실습의대생, 간호조무사, 의료기사)은 명찰 내용의 최소한이다.

(3) 의료기관의 장이 명찰을 달도록 지시·감독하지 않으면 보건복지부장관 또는 시장·군수·구청장이 일정한 기간을 정하여 그 시설·장비 등의 전부 또는 일부의 사용을 제한 또는 금지하거나 위반한 사항을 시정하도록 명할 수 있는데(제63조), 실무상으로는 의료관계 행정처분규칙 별표 2. 개별 기준 나. 2)에 따라 시정명령을 처분한다[51]. 시정명령을 따르지 않은 사람에게는 100만원 이하의 과태료가 부과된다(제92조 제③항 제8호).

---

50) 제65조 제①항 5호(면허증을 빌려준 경우)와의 차이가 없다. 벌칙 규정(제87조 제①항 제1호)과 면허취소 규정(제65조 제①항 5호)은 2015. 12. 29.자 개정 이전부터 존재하였다. 개정시 금지 규정(제4조 제④항)을 신설하면서 면허취소 규정에 중복으로 신설한 것으로 보인다. 5호를 삭제하여야 한다. 굳이 존재 의미를 찾는다면 4호는 발급받은 면허증 자체를 빌려주는 행위이고 5호는 면허를 다른 사람이 이용할 수 있도록 빌려주는 행위(명의대여행위)인데 구분의 필요성이 전혀 없으므로 무의미하다.

51) 다만, 시정명령 불이행시의 의료업 정지, 개설 허가 취소, 의료기관 폐쇄를 명할 수 없다(제64조 제①항 제6호).

바. 일회용 주사 의료용품 재사용 금지의무

(1) 의료인은 일회용 주사 의료용품(한 번 사용할 목적으로 제작되거나 한 번의 의료행위에서 한 환자에게 사용하여야 하는 의료용품으로서 사람의 신체에 의약품, 혈액, 지방 등을 투여·채취하기 위하여 사용하는 주사침, 주사기, 수액용기와 연결줄 등을 포함하는 수액세트 및 그 밖에 이에 준하는 의료용품을 말한다. 이하 같다)을 한 번 사용한 후 다시 사용하여서는 안 된다(제4조 제⑥항).

(2) 의료인의 1회용 주사기 재사용으로 환자들이 C형 간염 등에 집단으로 감염되는 사례가 발생되어 1회용 주사기 등의 재사용이 국민의 생명과 건강에 주요한 위해 요인으로 등장하였다. 이에 2016. 5. 29.자 개정으로 1회용 주사기 등의 재사용 금지를 신설하였으며 2017. 3. 1.부터 적용된다.

(3) 보건복지부장관은 의료인이 1회용 주사기 등의 재사용 금지를 위반하여 사람의 생명 또는 신체에 중대한 위해를 발생하게 한 경우에는 의료인 면허를 취소할 수 있으며(제65조 제①항 6호), 의료인이 1회용 주사기 등의 재사용 금지를 위반하면 1년의 범위에서 면허자격을 정지시킬 수 있다(제66조 제①항 2의 2).

2 간호 · 간병 통합 서비스

제4조의 2 【간호 · 간병통합서비스 제공 등】 ① 간호 · 간병통합서비스란 보건복지부령으로 정하는 입원 환자를 대상으로 보호자 등이 상주하지 아니하고 간호사, 제80조에 따른 간호조무사 및 그 밖에 간병지원인력(이하 이 조에서 "간호 · 간병통합서비스 제공인력"이라 한다)에 의하여 포괄적으로 제공되는 입원서비스를 말한다.
② 보건복지부령으로 정하는 병원급 의료기관은 간호 · 간병통합서비스를 제공할 수 있도록 노력하여야 한다.
③ 제②항에 따라 간호 · 간병통합서비스를 제공하는 병원급 의료기관(이하 이 조에서 "간호 · 간병통합서비스 제공기관"이라 한다)은 보건복지부령으로 정하는 인력, 시설, 운영 등의 기준을 준수하여야 한다.
④ 「공공보건의료에 관한 법률」 제2조 제3호에 따른 공공보건의료기관 중 보건복지부령으로 정하는 병원급 의료기관은 간호 · 간병통합서비스를 제공하여야 한다. 이 경우 국가 및 지방자치단체는 필요한 비용의 전부 또는 일부를 지원할 수 있다. ⑤ 간호 · 간병통합서비스 제공기관은 보호자 등의 입원실 내 상주를 제한하고 환자 병문안에 관한 기준을 마련하는 등 안전관리를 위하여 노력하여야 한다. ⑥ 간호 · 간병통합서비스 제공기관은 간호 · 간병통합서비스 제공인력의 근무환경 및 처우 개선을 위하여 필요한 지원을 하여야 한다.
⑦ 국가 및 지방자치단체는 간호 · 간병통합서비스의 제공 · 확대, 간호 · 간병통합서비스 제공인력의 원활한 수급 및 근무환경 개선을 위하여 필요한 시책을 수립하고 그에 따른 지원을 하여야 한다.

가. 취지

2015. 12. 29.자 개정시 신설되어 2016. 9. 30.부터 시행된다. 제4조의 2는 국민의 간병 부담 해소와 간호서비스 질 제고 등을 위하여 간호 · 간병 통합 서비스에 대한 국민적 요구가 더욱 커지고 있고, 이미 여러 차례 시범사범이 수행된 바 있었다. 또한 메르스 사태 이후 병원 감염 확산의 원인의 하나로 개인 · 가족 간병이 일상화된 우리나라의 간호 · 간병 환경의 개선이 요구되고 있는 상황에서 입원 환자에

대한 간호 · 간병통합서비스 확대에 필요한 제도보완과 지원방안 등에 대한 법적 근거를 마련하고자 신설하였다. 간호 · 간병통합서비스 제공을 위한 원칙과 기준, 공공보건의료기관에 대한 간호 · 간병통합서비스 필수 제공 의무 부여와 예산 지원, 간호 · 간병 인력의 원활한 수급과 신규인력 확보 등을 위한 근거를 규정하여 환자와 보호자가 모두 만족하는 간호 · 간병통합서비스가 제공될 수 있는 기반을 마련하였다.

나. 내용

(1) 간호 · 간병통합서비스란 보건복지부령으로 정하는 입원 환자를 대상으로 보호자 등이 상주하지 않고 간호사, 간호조무사와 그 밖에 간병지원인력(간호 · 간병통합서비스 제공인력이라 함)에 의하여 포괄적으로 제공되는 입원서비스를 말한다(제4조의 2 제①항).

(2) 보건복지부령으로 정하는 병원급 의료기관은 간호 · 간병통합서비스를 제공할 수 있도록 노력하여야 한다(제4조의 2 제②항). 간호 · 간병통합서비스를 제공하는 병원급 의료기관(간호 · 간병통합서비스 제공기관)은 보건복지부령으로 정하는 인력, 시설, 운영 등의 기준을 준수하여야 한다(제4조의 2 제③항).

(3) 공공보건의료에 관한 법률 제2조 제3호에 따른 공공보건의료기관 중 보건복지부령으로 정하는 병원급 의료기관은 간호 · 간병통합서비스를 제공하여야 한다. 이 경우 국가 및 지방자치단체는 필요한 비용의 전부 또는 일부를 지원할 수 있다(제4조의 2 제④항).

(4) 간호 · 간병통합서비스 제공기관은 보호자 등의 입원실 내 상주를 제한하고 환자 병문안에 관한 기준을 마련하는 등 안전관리를 위하여 노력하여야 하고(제4조의 2 제⑤항), 간호 · 간병통합서비스 제공인력의 근무환경 및 처우 개선을 위하여 필요한 지원을 하여야 한다(제4조의 2 제⑥항).

(5) 국가 및 지방자치단체는 간호 · 간병통합서비스의 제공 · 확대, 간호 · 간병통합서비스 제공인력의 원활한 수급 및 근무환경 개선을 위하여 필요한 시책을 수립하고 그에 따른 지원을 하여야 한다(제4조의 2 제⑦항).

3 면허

제5조 【의사·치과의사 및 한의사 면허】 ① 의사·치과의사 또는 한의사가 되려는 자는 다음 각 호의 어느 하나에 해당하는 자격을 가진 자로서 제9조에 따른 의사·치과의사 또는 한의사 국가시험에 합격한 후 보건복지부장관의 면허를 받아야 한다.

1. 「고등교육법」 제11조의 2에 따른 인정기관(이하 "평가인증기구"라 한다)의 인증(이하 "평가인증기구의 인증"이라 한다)을 받은 의학·치의학 또는 한의학을 전공하는 대학을 졸업하고 의학사·치의학사 또는 한의학사 학위를 받은 자

2. 평가인증기구의 인증을 받은 의학·치의학 또는 한의학을 전공하는 전문대학원을 졸업하고 석사학위 또는 박사학위를 받은 자

3. 보건복지부장관이 인정하는 외국의 제1호나 제2호에 해당하는 학교를 졸업하고 외국의 의사·치과의사 또는 한의사 면허를 받은 자로서 제9조에 따른 예비시험에 합격한 자

② 평가인증기구의 인증을 받은 의학·치의학 또는 한의학을 전공하는 대학 또는 전문대학원을 6개월 이내에 졸업하고 해당 학위를 받을 것으로 예정된 자는 제1항제1호 및 제2호의 자격을 가진 자로 본다. 다만, 그 졸업예정시기에 졸업하고 해당 학위를 받아야 면허를 받을 수 있다.

③ 제①항에도 불구하고 입학 당시 평가인증기구의 인증을 받은 의학·치의학 또는 한의학을 전공하는 대학 또는 전문대학원에 입학한 사람으로서 그 대학 또는 전문대학원을 졸업하고 해당 학위를 받은 사람은 같은 항 제1호 및 제2호의 자격을 가진 사람으로 본다. [시행일 : 2017. 2. 2.]

제6조 【조산사 면허】 조산사가 되려는 자는 다음 각 호의 어느 하나에 해당하는 자로서 제9조에 따른 조산사 국가시험에 합격한 후 보건복지부장관의 면허를 받아야 한다.

1. 간호사 면허를 가지고 보건복지부장관이 인정하는 의료기관에서 1년간 조산 수습과정을 마친 자

2. 보건복지부장관이 인정하는 외국의 조산사 면허를 받은 자

제7조 【간호사 면허】 ① 간호사가 되려는 자는 다음 각 호의 어느 하나에 해당하는 자로서 제9조에 따른 간호사 국가시험에 합격한 후 보건복지부장관의 면허를 받아야 한다.

1. 평가인증기구의 인증을 받은 간호학을 전공하는 대학이나 전문대학[구제(舊制) 전문학교와 간호학교를 포함한다]을 졸업한 자

2. 보건복지부장관이 인정하는 외국의 제1호에 해당하는 학교를 졸업하고 외국의 간호사 면허를 받은 자

② 제①항에도 불구하고 입학 당시 평가인증기구의 인증을 받은 간호학을 전공하는 대학 또는 전문대학에 입학한 사람으로서 그 대학 또는 전문대학을 졸업하고 해당 학위를 받은 사람은 같은 항 제1호에 해당하는 사람으로 본다. [시행일 : 2017. 2. 2.]

제9조 【국가시험 등】 ① 의사·치과의사·한의사·조산사 또는 간호사 국가시험과 의사·치과의사·한의사 예비시험(이하 "국가시험등"이라 한다)은 매년 보건복지부장관이 시행한다.

② 보건복지부장관은 국가시험등의 관리를 대통령령으로 정하는 바에 따라 「한국보건의료인국가시험원법」에 따른 한국보건의료인국가시험원에 맡길 수 있다.

③ 보건복지부장관은 제②항에 따라 국가시험등의 관리를 맡긴 때에는 그 관리에 필요한 예산을 보조할 수 있다.

④ 국가시험등에 필요한 사항은 대통령령으로 정한다.

제10조【응시자격 제한 등】 ① 제8조 각 호의 어느 하나에 해당하는 자는 국가시험등에 응시할 수 없다.

② 부정한 방법으로 국가시험등에 응시한 자나 국가시험등에 관하여 부정행위를 한 자는 그 수험을 정지시키거나 합격을 무효로 한다.

③ 제②항에 따라 수험이 정지되거나 합격이 무효가 된 자는 그 다음에 치러지는 2회의 국가시험등에 응시할 수 없다.

제11조【면허 조건과 등록】 ① 보건복지부장관은 보건의료 시책에 필요하다고 인정하면 제5조에서 제7조까지의 규정에 따른 면허를 내줄 때 3년 이내의 기간을 정하여 특정 지역이나 특정 업무에 종사할 것을 면허의 조건으로 붙일 수 있다.

② 보건복지부장관은 제5조부터 제7조까지의 규정에 따른 면허를 내줄 때에는 그 면허에 관한 사항을 등록대장에 등록하고 면허증을 내주어야 한다.

③ 제②항의 등록대장은 의료인의 종별로 따로 작성·비치하여야 한다.

④ 면허등록과 면허증에 필요한 사항은 보건복지부령으로 정한다.

제65조【면허 취소와 재교부】 ① 보건복지부장관은 의료인이 다음 각 호의 어느 하나에 해당할 경우에는 그 면허를 취소할 수 있다. 다만, 제1호의 경우에는 면허를 취소하여야 한다.

　3. 제11조 제①항에 따른 면허 조건을 이행하지 아니한 경우

가. 면허 요건

(1) 의사·치과의사 또는 한의사가 되어 의료행위를 하기 위해서는 일정한 자격을 얻고 국가시험에 합격한 후 보건복지부장관의 면허[52]를 받아야 한다(제5조 제①항). 의료행위는 의료인이 행하지 않으면 보건위생상 위해가 생길 우려가 있는 행위[53]이어서 고도의 전문적 지식과 경험을 필요로 하므로 면허를 취득한 의료인만이 할 수 있는 전속행위로 입법하였다. 일정한 자격은 ① 고등교육법 제11조의 2에 따른 인정기관(평가인증기구)의 인증(평가인증기구의 인증)을 받은 의학·치의학 또는 한의학을 전공하는 대학을 졸업하고 의학사·치의학사 또는 한의학사 학위를 받았거나, ② 평가인증기구의 인증을 받은 의학·치의학 또는 한의학을 전공하는 전문대학원을 졸업하고 석사학위 또는 박사학위를 받은 경우, 또는 ③ 보건복지부장관이 인정하는[54] 외국의 제1호나 제2호에 해당하는 학

---

52) 면허(license, Erlaubnis)는 일반인에게는 허가되지 않는 특수한 행위를 특정한 사람에게만 허가하는 행정처분으로서 법규에 의한 일반적인 상대적 금지를 특정한 경우에 해제하여 적법하게 일정한 행위를 할 수 있게 하여 주는 행위이다(강학상 허가와 동일 개념으로서 특정 상대방을 위하여 새로이 권리를 설정하는 행위인 특허와 목적·성질·대상·효과·감독면에서 비교된다). 의사면허는 사람의 능력·지식 등 주관적 요소를 심사대상으로 하는 대인적 허가라는 점에서 일신전속적인 것이므로 이전성이 인정되지 않는다.

53) 대법원 1978. 5. 9. 선고 77도2191 판결

54) 헌법재판소 2001. 6. 28. 선고 99헌바34 결정 ; 의료법 제5조 제3호중 "보건복지부장관이 인정하는" 부분은 보건복지부장관이 외국의 학교를 우리 나라의 한방의학을 전공하는 대학에 상당하는 것이라고 구체적으로 인정할 수 있는 권한을 법률로써 직접 부여하고 있으므로, 이 사건 법률조항들은 외국의 학교 중에서 우리나라의 한방의학을 전공하는 대학을 인정하는 것을 보건복지부장관이 보건복지부령 등으로 정하도록 입법위임하고 있다고는 볼 수 없어서, 포괄위임입법금지원칙에 위배되지 아니한다. 그리고 의료법 제1조 및 제5조의 입법목적을 의료법 제5조 제2호와 함께 고려하면, 이 사건 법률조항들이 보건복지부장관이 외국대학의 인정기준과 범위를 더욱 세부적이고 구체적으로 규정하고 있지 않다고 하더라도, 건전한 상식과 통상적인 법감정을 가진 사람이라면 보건복지부장관이 인정하는 한방의학을 전공하는 외국의 대학이 우리나라의 한방의학을 전공하는 대학과 비교하여 그에 상당한 학교이어야 함을 충분히 예측할 수 있고, 법집행자인 보건복지부장관이 외국대학의 인정에 대하여 아무런 기준없이 자의적으로 법적용을 할 수 있을 정도로 보건복지부장관에 지나치게 광범위한 재량권을 부여하고 있다고 볼 수 없으므로, 이 사건 법률조항들은 헌법상 명확성의 원칙에 위배되지 아니한다.

교를 졸업하고 외국의 의사·치과의사[55] 또는 한의사[56] 면허를 받은 경우로서 제9조에 따른 예비시험에 합격한 경우에 인정된다(제5조 제①항). 평가인증기구의 인증을 받은 의학·치의학 또는 한의학을 전공하는 대학 또는 전문대학원을 6개월 이내에 졸업하고 해당 학위를 받을 것으로 예정된 사람은 ①, ②의 자격을 가진 사람으로 본다. 다만, 그 졸업예정시기에 졸업하고 해당 학위를 받아야 면허를 받을 수 있고(제5조 제②항), 입학 당시 평가인증기구의 인증을 받은 의학·치의학 또는 한의학을 전공하는 대학 또는 전문대학원에 입학한 사람으로서 그 대학 또는 전문대학원을 졸업하고 해당 학위를 받은 사람은 같은 자격을 가진 사람으로 본다(제5조 제③항, 2012. 2. 1. 신설되어 2017. 2. 2.부터 시행된다).

(2) 조산사가 되어 조산행위를 하기 위해서는 ① 간호사 면허를 가지고 보건복지부장관이 인정하는 의료기관에서 1년간 조산 수습과정을 마쳤거나, ② 보건복지부장관이 인정하는 외국의 조산사 면허를 받은 경우로서 제9조에 따른 조산사 국가시험에 합격한 후 보건복지부장관의 면허를 받아야 한다(제6조).

(3) 간호사가 되어 제2조 제②항 제5호의 임무행위를 하기 위해서는 ① 평가인증기구의 인증을 받은 간호학을 전공하는 대학이나 전문대학(舊制 전문학교와 간호학교를 포함한다)을 졸업하였거나, ② 보건복지부장관이 인정하는 외국의 제1호에 해당하는 학교를 졸업하고 외국의 간호사 면허를 받은 사람으로서 제9조에 따른 간호사 국가시험에 합격한 후 보건복지부장관의 면허를 받아야 한다(제7조 제①항). 다만, 입학 당시 평가인증기구의 인증을 받은 간호학을 전공하는 대학 또는 전문대학에 입학한 사람으로서 그 대학 또는 전문대학을 졸업하고 해당 학위를 받은 사람은 같은 자격을 가진 사람으로 본다(제7조 제②항, 2012. 2. 1. 신설되어 2017. 2. 2.부터 시행된다).

(4) 의사·치과의사·한의사·조산사 또는 간호사 국가시험과 의사·치과의사·한의사 예비시험[57]은 매년 보건복지부장관이 시행한다(제9조 제①항)[58]. 보건복지부장관은 국가시험 등의 관리를 대통령

---

[55] 대법원 2006. 3. 10. 선고 2005두16079 판결 ; 구 의료법(2002. 3. 30. 법률 제6686호로 개정되기 전의 것) 제5조 제3호는 외국에서 치과의학을 전공한 자에 대한 치과의사국가시험 응시자격으로서 "보건복지부장관이 인정하는 외국의 제1호 또는 제2호에 해당하는 학교를 졸업하고 외국의 치과의사의 면허를 받은 자"라고 규정하고 있는바, 의료의 적정을 기하여 국민의 건강을 보호증진하고자 하는 구 의료법의 입법목적 등을 감안하면, 위 규정은 치과의학을 전공하는 대학을 졸업한 국가와 면허를 취득한 국가가 서로 같을 것을 요건으로 하고 있다고 보아야 한다.

[56] 대법원 1999. 9. 21. 선고 98두11007 판결 ; 우리나라에서 통신교육 방법으로 3년제인 중국 천진중의학원을 졸업하고 하북의과대학 중의학부 4학년에 편입하여 2년만에 졸업한 뒤 중의사자격을 취득한 자에 대하여 한의사국가시험 응시자격을 인정하지 아니한 것은 국내 한의과대학을 졸업하고 한의학사 학위를 받은 자 및 중국이 아닌 다른 나라의 의과대학 졸업자들과의 형평에 어긋나지 아니한다.

[57] 외국의 보건 관련 대학을 졸업하고 의료인 면허증을 취득한 사람이 우리나라 국가시험 응시를 위하여 한국보건의료인국가시험원(http://www.kuksiwon.or.kr) 자료실(시험 및 통계자료)에 게시되어 있는 보건의료인국가시험 응시자격 관련 외국대학 인정기준에 의거 심사를 신청하여 인정 여부를 결정하는 것으로서 2002. 3. 30. 신설되었고 2005년부터 시행되었다.

[58] 헌법재판소 2006. 4. 27. 선고 2005헌마406 결정 ; 외국 치과대학 졸업자에게 국내면허취득을 위한 국가시험 응시자격으로 '예비시험의 합격'을 추가로 요구하는 의료법(2002. 3. 30. 법률 제6686호로 개정된 것) 제5조의 "제9조의 규정에 의한 해당 예비시험(제3호의 자에 한한다) 중 치과의사에 관한 부분(이하 '이 사건 법률조항'이라 한다)"은 직업선택의 자유를 침해하지 않는다(같은 취지에 헌법재판소 2003. 4. 24. 선고 2002헌마611 결정). 그런데 1차 필기시험과 2차 실기시험으로 구분된 예비시험에서 필기시험과는 달리 실기시험을 국내에서 공부한 사람에게는 요구하지 않으면서 외국에서 공부한 사람에게만 요구하는 것은 합리적인 차별이라고 보기 어렵다는 재판관 조대현의 반대의견이 있다. 우리나라에서 의학사·치과의학사·한의학사의 학위를 받은 사람에 대하여는 실기시험을 면제하면서 외국에서 의사·치과의사·한의사의 면허를 취득한 사람에 대해서는 실기시험을 요구하는 합리적인 이유를 찾을 수 없다는 점에서 주목할 만한 소수의견이다.

령으로 정하는 바에 따라 한국보건의료인국가시험원법에 따른 한국보건의료인국가시험원에 맡길
수 있고(제9조 제②항) 그 관리에 필요한 예산을 보조할 수 있다(제9조 제③항). 국가시험 등에 필요
한 사항은 대통령령으로 정하는데 의료법 시행령에 제3조(국가시험 등의 범위), 제4조(국가시험 등
의 시행 및 공고 등), 제5조(시험과목 등), 제6조(시험위원), 제7조(국가시험 등의 응시 및 합격자 발
표), 제8조(면허증 발급)가 있다. 시험과목은 의료법 시행령 제5조에 따라 보건복지부령으로 정하는
데, 의료법 시행규칙 제2조, 별표 1의 2, 별표 2에 의료법이 공통 과목인 보건의약관계법규의 한 과
목으로 포함된다.

(5) 제8조(결격 사유, 후술함) 각 호의 어느 하나에 해당하는 사람은 국가시험 등에 응시할 수 없다(제
10조 제①항). 그리고 부정한 방법으로 국가시험 등에 응시한 사람 또는 국가시험 등에 관하여 부정
행위[59]를 한 사람은 그 수험이 정지되거나 합격이 무효로 되며(제10조 제②항), 보건복지부장관은
수험이 정지되거나 합격이 무효가 된 사람에 대하여 처분의 사유와 위반 정도 등을 고려하여 대통령
령으로 정하는 바에 따라 그 다음에 치러지는 의료법에 따른 국가시험등의 응시를 3회의 범위에서
제한할 수 있다(제10조 제③항). 2016. 12. 20.자 개정으로 종전 2회에서 3회 범위 내로 확장되었으
며 2017. 6. 21.부터 시행된다.

(6) 국가시험 등에 합격한 사람은 보건복지부장관에게 면허 발급을 신청할 수 있고 보건복지부장관은
면허에 관한 사항을 등록대장에 등록하고 발급을 신청한 날부터 14일 이내에 면허증을 내주어야 한
다(제11조 제②항, 시행규칙 제4조 제③항). 다만, 의료법 제5조 제①항 제3호 및 의료법 제7조 제
2호에 해당하는 사람의 경우에는 외국에서 면허를 받은 사실 등에 대한 조회가 끝난 날부터 14일 이
내에 면허증을 발급한다(의료법 시행규칙 제4조 제③항 단서).

(7) 보건복지부장관은 보건의료 시책에 필요하다고 인정하면 제5조에서 제7조까지의 규정에 따른 면허
를 내줄 때 3년 이내의 기간을 정하여 특정 지역이나 특정 업무에 종사할 것을 면허의 조건으로 붙
일 수 있고(제11조 제①항), 특정 지역이나 특정 업무에 종사하는 의료인에게는 예산의 범위에서 수
당을 지급한다(의료법 시행령 제10조 제②항). '특정 지역'이란 보건복지부장관이 정하는 보건의료
취약지를 말하고, '특정 업무'란 국·공립 보건의료기관의 업무와 국·공·사립 보건의학연구기관
의 기초의학 분야에 속하는 업무를 말한다(의료법 시행령 제10조 제①항). 제11조 제①항에 따른 면
허의 조건을 이행하지 않으면 면허가 취소될 수 있다(임의적 취소, 제65조 제①항 제3호).

(8) 의료인 면허는 행정행위(처분, 허가)이므로 신청인에게 도달(수령)되어야 효력이 발생한다. 다만,
이 경우에도 신청인이 면허(허가)행위를 현실적으로 알고 있을 필요는 없고 다만 알 수 있는 상태에
있는 것으로 충분하다. 대법원은 대인적 허가인 운전면허의 효력이 문제된 사건에서 "신청인이 운

---

59) 대법원 1991. 12. 24. 선고 91누3284 판결 ; 의료법 제10조 제②항은 국가시험에 관하여 부정행위를 한 자에 대하여 그 합격을 무효로
한다고 규정하고 있는바, 여기서 말하는 부정행위란 국가시험의 공정성을 해하거나 해할 우려가 있는 시험에 관한 일체의 부정행위를 통
틀어 지칭하는 것으로서(대법원 1972. 1. 31. 선고 71누180 판결 참조) 그것이 합격 여부에 영향을 미치지 아니하였어도 부정행위에 해당
되어 그 합격을 무효로 하는 사유가 된다(한의과대학 졸업예정자가 한의사국가시험에 응시함에 있어 채점위원으로 위촉된 같은 대학 교
수들에게 비밀표시한 답안지에 대한 채점상의 유리한 평가를 부탁한 후 그 시험의 답안작성을 함에 있어 비밀표시를 한 행위가 의료법 제
10조 제②항 소정의 "부정행위"에 해당한다고 본 판례).

전면허시험에 합격하기만 하면 발생한다고는 볼 수 없지만 시, 도지사로부터 운전면허증을 현실적으로 교부받아야만 발생하는 것은 아니고, 운전면허증이 작성권자인 시, 도지사에 의하여 작성되어 그 신청인이 이를 교부받을 수 있는 상태가 되었다면 그때 발생한다고 보아야 하고 이 경우 운전면허신청인이 운전면허증을 교부받을 수 있는 상태가 되었는지 여부는 특별한 다른 사정이 없는 한 운전면허증에 기재된 교부일자를 기준으로 결정하는 것이 상당하다"고 판시하였다[60]. 의료인 면허증에 기재된 교부일자를 기준으로 그 이전에 무면허 의료행위를 하지 않도록 주의하여야 한다.

나. 결격 사유

제8조 【결격사유 등】 다음 각 호의 어느 하나에 해당하는 자는 의료인이 될 수 없다.

1. 「정신보건법」 제3조 제1호에 따른 정신질환자. 다만, 전문의가 의료인으로서 적합하다고 인정하는 사람은 그러하지 아니하다.
2. 마약 · 대마 · 향정신성의약품 중독자
3. 금치산자 · 한정치산자
4. 이 법 또는 「형법」 제233조, 제234조, 제269조, 제270조, 제317조 제①항 및 제347조(허위로 진료비를 청구하여 환자나 진료비를 지급하는 기관이나 단체를 속인 경우만을 말한다), 「보건범죄단속에 관한 특별조치법」, 「지역보건법」, 「후천성면역결핍증 예방법」, 「응급의료에 관한 법률」, 「농어촌 등 보건의료를 위한 특별 조치법」, 「시체해부 및 보존에 관한 법률」, 「혈액관리법」, 「마약류관리에 관한 법률」, 「약사법」, 「모자보건법」, 그 밖에 대통령령으로 정하는 의료 관련 법령을 위반하여 금고 이상의 형을 선고받고 그 형의 집행이 종료되지 아니하였거나 집행을 받지 아니하기로 확정되지 아니한 자

제65조 【면허 취소와 재교부】 ① 보건복지부장관은 의료인이 다음 각 호의 어느 하나에 해당할 경우에는 그 면허를 취소할 수 있다. 다만, 제1호의 경우에는 면허를 취소하여야 한다.

1. 제8조 각 호의 어느 하나에 해당하게 된 경우

아래 사유에 해당하는 사람은 의료인이 될 수 없으며(제8조)[61] 의료인 면허를 받은 이후에 면허 기간 중 아래에 해당되는 사유가 발생하면 면허가 취소된다(필요적 취소[62], 제52조 제①항 제1호).

[1] 정신보건법 제3조 제1호에 따른 정신질환자이다(제8조 제1호). '정신질환자'라 함은 정신병(기질적 정신병을 포함한다) · 인격장애 · 알코올 및 약물중독 기타 비정신병적 정신장애를 가진 사람이다(정신

---

60) 대법원 1989. 5. 9. 선고 87도2070 판결

61) 2007. 4. 11. 개정 전에는 파산선고를 받고 복권되지 않은 경우를 결격 사유로 규정하였다. 그러나 파산과 의료행위간에 관련성이 없으며 의료인 면허 취득 간에도 직접적인 관련성이 없다는 비판으로 결격 사유에서 삭제되었다.

62) 서울행정법원 1998. 12. 11. 선고 98구21171 판결 ; 의료법 제52조 제①항 및 같은 법 제53조 제①항의 규정 내용 및 그 형식에 비추어 보면, 의료법은 태아의 성감별행위를 비롯하여 도저히 의료인의 자격을 유지할 수 없다고 평가되는 결격사유나 위법행위에 대하여는 의료법 제52조 제①항 각 호에 의하여 의료인의 면허취소처분을 하도록 하고 있고, 그렇지 아니하고 의료인이 의료행위 과정에서 저지르는 위법행위로서 그 비난의 정도가 면허취소의 정도에 이르지 않는다고 보이는 경우에는 의료법 제53조 제①항 각 호에 의하여 의료인의 면허자격을 정지하도록 규정하는 등 당초부터 의료인의 면허자격의 취소사유와 정지사유를 준별하여 규정하고 있을 뿐이지, 취소사유와 정지사유를 함께 규정하면서 취소 · 정지를 행정청의 재량에 의하여 선택할 수 있도록 규정하고 있지는 아니한바, 따라서 면허정지사유로 규정한 제53조 제①항 제6호의 "기타 이 법에 위반한 때" 중 '이 법'에는 면허취소사유가 되는 제19조의 2의 규정은 포함되지 아니한다고 보아야 하므로, 행정청이 임의대로 법의 규정형식과는 달리 취소사유에 해당하는 의료인의 위반행위에 대하여 면허자격을 정지하는 처분을 할 수는 없다.

보건법 제3조 제1호). 다만, 전문의가 의료인으로서 적합하다고 인정하는 사람은 제외한다(제8조 제1호 단서). 국가시험에 합격한 사람은 합격자 발표 후 정신질환자가 아님을 증명하는 의사의 진단서 또는 법 제8조 제1호 단서에 해당하는 사람임을 증명하는 전문의의 진단서를 첨부하여 보건복지부장관에게 면허증 발급을 신청한다(의료법 시행령 제8조 제①항, 의료법 시행규칙 제4조 제①항 제2호).

(2) 마약·대마·향정신성의약품 중독자이다(제8조 제2호). 국가시험에 합격한 사람은 합격자 발표 후 마약·대마·향정신성의약품 중독자가 아님을 증명하는 의사의 진단서를 첨부하여 보건복지부장관에게 면허증 발급을 신청한다(의료법 시행령 제8조 제①항, 의료법 시행규칙 제4조 제①항 제3호).

(3) 금치산자 또는 한정치산자이다(제8조 제3호). 금치산자란 심신상실(心神喪失)의 상태에 있어 자기 행위의 결과를 합리적으로 판단할 능력(의사능력)이 없는 사람으로서 본인·배우자·사촌 이내의 친족·후견인·검사의 청구에 의하여 가정법원으로부터 금치산의 선고를 받은 사람을 말한다(민법 제9조). 한정치산자란 심신박약 또는 재산 낭비자로서 자기나 가족의 생활을 궁박하게 할 염려가 있는 사람에 대하여 본인·배우자, 4촌 이내의 친족·후견인 또는 검사의 청구에 의하여 가정법원으로부터 한정치산선고를 받은 사람이다(민법 제9조)[63].

(4) (가) 의료법 또는 형법 제233조, 제234조, 제269조, 제270조, 제317조 제①항 및 제347조(허위로 진료비를 청구하여 환자나 진료비를 지급하는 기관이나 단체를 속인 경우만을 말한다), 보건범죄단속에 관한 특별조치법, 지역보건법, 후천성면역결핍증 예방법, 응급의료에 관한 법률, 농어촌 등 보건의료를 위한 특별 조치법, 시체해부 및 보존에 관한 법률, 혈액관리법, 마약류관리에 관한 법률, 약사법, 모자보건법, 그 밖에 대통령령으로 정하는 의료 관련 법령을 위반하여 금고 이상의 형을 선고받고 그 형의 집행이 종료되지 않았거나 집행을 받지 않기로 확정되지 않은 사람이다(제8조 제4호).

(나) 의료법 또는 보건의료 관련 법령에 위반된 행위가 있어야 한다. 2000. 1. 12. 개정 전에는 "금고 이상의 형을 선고받고 그 형의 집행이 종료되지 아니하였거나 집행을 받지 아니하기로 확정되지 아니한 자"만 규정하였으나 모든 범법행위를 결격 사유로 인정하는 것은 의료행위 또는 의료인 면허 취득 간에 관련성이 없다는 비판이 있자 의료법 또는 보건의료 관련 법령에 위반된 행위로 제한(한정)하였다[64]. 형법 제233조는 허위진단서 등의 작성죄인데, 의사·한의사·치과의사 또는

---

[63] 금치산·한정치산 제도는 2011. 3. 7.자 민법(법률 제10429호) 개정으로 폐지되었으며 성년후견제도가 2013년 7월 1일부터 시행 중이다. 금치산·한정치산 제도는 장애인 당사자의 보호보다는 사회 전체의 거래 안전을 위한 제도여서 장애인 인권이 무시되었던 반면 성년후견제도는 장애인 개개인의 장애 정도를 가정법원에서 판정해 정도에 맞게 보호할 수 있도록 한다. 개정 민법 시행(2013년 7월 1일) 이전에 이미 금치산 또는 한정치산의 선고를 받은 사람에 대하여는 종전의 규정을 적용하지만(부칙 제2조 제①항), 위의 금치산자 또는 한정치산자에 대해 성년후견, 한정후견, 특정후견이 개시되거나 임의후견감독인이 선임된 경우 또는 2018년 7월 1일이 경과한 경우에는 그 금치산 또는 한정치산의 선고는 장래를 향하여 그 효력을 잃는다(부칙 제2조 제②항). 민법 개정을 반영해서 의료법을 개정할 필요가 있다.

[64] 헌법재판소 2005. 12. 22. 선고 2005헌바50 결정: 보건복지부장관은 의료인이 의료법 제8조 제①항 제5호 소정의 범죄로 인하여 금고 이상의 형을 선고받은 경우 면허를 취소하여야 한다고 규정하고 있는바, 비록 의료인이 금고 이상의 형을 선고받더라도 그것이 의료관련 범죄가 아닌 다른 범죄로 인한 경우에는 위 조항 소정의 면허취소사유에는 해당하지 아니한다고 보아야 할 것이다. 그리고 이 사건 법률 조항은 면허취소의 요건으로 의료관련범죄로 인하여 금고 이상의 형의 선고를 받을 것만을 요구하고 있을 뿐 그 장단기에 관하여 별도의 기준을 정하고 있지 아니하고, 한편, 형사소송법 제323조 제①항은 형의 선고를 하는 때에는 판결 이유에 법령의 적용을 명시하여야 한다고 규정하고 있는바, 법령의 적용에는 각 범죄사실에 해당하는 법조문뿐만 아니라 법정형이 선택적으로 규정된 죄의 경우 형의 선택을 명시하는 것까지 포함된다. 따라서 의료관련범죄와 그 밖의 죄가 형법 제37조 전단의 경합범으로 처벌되는 경우 그 중 당해 의료관련범죄에 대하여 선고된 형이 무엇인지 객관적으로 알 수 있으므로, 다른 내용의 추가 없이 현재의 규정내용만으로도 의료인의 면허취소사유에 해당하는지 여부를 합리적으로 판단할 수 있어 명확성의 문제는 발생하지 아니한다.

조산사에 한정(열거)되므로 면허 취소 사유로서 존재 의미가 있으며 진단서[65] · 검안서 또는 생사에 관한 증명서를 허위로 작성한 경우에 성립한다. 형법 제234조는 위조등 문서행사죄인데, 입법취지상 허위진단서 등의 작성죄에 의하여 만들어진 문서를 행사한 경우에만 적용된다고 해석하여야 한다(사문서 위 · 변조죄, 자격모용에 의한 사문서작성죄에 의하여 만들어진 문서를 행사한 경우에는 적용되지 않는다). 형법 제269조는 낙태죄이고 제270조는 업무상 낙태죄인데, 업무상 낙태죄는 의사 · 한의사 · 조산사 · 약제사 또는 약종상에 한정(열거)되므로 면허 취소 사유로서 그존재 의미가 있으며 치과의사 · 간호사 · 수의사는 업무상 낙태죄의 행위 주체가 아니다. 의사가 모자보건법 제14조[66]와 모자보건법 시행령 제15조[67]에 따라서 임신한 날로부터 24주 이내에 인공임신중절수술을 한 경우에는 정당화되므로(위법성이 조각되므로) 결격 사유 또는 면허 취소 사유에 해당되지 않는다. 형법 제317조 제①항은 업무상비밀누설죄이다. 형법 제347조는 사기죄인데, 허위로 진료비를 청구하여 환자나 진료비를 지급하는 기관이나 단체를 속인 경우에만 해당된다[68]. ① 보건범죄단속에 관한 특별조치법 ② 지역보건법 ③ 후천성면역결핍증 예방법 ④ 응급의료에 관한 법률 ⑤ 농어촌 등 보건의료를 위한 특별 조치법 ⑥ 시체해부 및 보존에 관한 법률 ⑦ 혈액관리법 ⑧ 마약류관리에 관한 법률 ⑨ 약사법 ⑩ 모자보건법에 위반되는 경우도 결격 사유, 면허 취소 사유인데, 실무상으로 대부분 약식기소되거나 벌금형이 선고되므로 존재 의미가 거의 없다. 다만, 보건범죄단속에 관한 특별조치법과 마약류관리에 관한 법률 위반범인 경우에는 전과유무와 죄질에 따라 징역형이 선고되는 경우가 많으므로 특별히 유의하여야 한다.

(다) 의료법 또는 보건의료 관련 법령에 위반되어 금고 이상의 형을 선고받고 그 형의 집행이 종료되지 않았거나 집행을 받지 않기로 확정되지 않아야 한다. 형법 제41조는 형의 종류를 무거운 순서

---

65) 진단서는 의사가 진단의 결과에 대한 판단을 표시하여 사람의 건강 상태를 증명하기 위하여 작성하는 문서로서 문서의 명칭은 중요하지 않다. 따라서 소견서로 표시된 것도 이에 포함된다(대법원 1990. 3. 27. 선고 89도2083 판결).

66) **모자보건법 제14조 (인공임신중절수술의 허용한계)** ① 의사는 다음 각 호의 어느 하나에 해당되는 경우에만 본인과 배우자(사실상의 혼인관계에 있는 사람을 포함한다. 이하 같다)의 동의를 받아 인공임신중절수술을 할 수 있다.
  1. 본인이나 배우자가 대통령령으로 정하는 우생학적 또는 유전학적 정신장애나 신체질환이 있는 경우
  2. 본인이나 배우자가 대통령령으로 정하는 전염성 질환이 있는 경우
  3. 강간 또는 준강간에 의하여 임신된 경우
  4. 법률상 혼인할 수 없는 혈족 또는 인척 간에 임신된 경우
  5. 임신의 지속이 보건의학적 이유로 모체의 건강을 심각하게 해치고 있거나 해칠 우려가 있는 경우
② 제①항의 경우에 배우자의 사망 · 실종 · 행방불명, 그 밖에 부득이한 사유로 동의를 받을 수 없으면 본인의 동의만으로 그 수술을 할 수 있다.
③ 제①항의 경우 본인이나 배우자가 심신장애로 의사표시를 할 수 없을 때에는 그 친권자나 후견인의 동의로, 친권자나 후견인이 없을 때에는 부양의무자의 동의로 각각 그 동의를 갈음할 수 있다.

67) **모자보건법 시행령 제15조 (인공임신중절수술의 허용한계)** ① 법 제14조에 따른 인공임신중절수술은 임신 24주일 이내인 사람만 할 수 있다.
② 법 제14조 제①항 제1호에 따라 인공임신중절수술을 할 수 있는 우생학적 또는 유전학적 정신장애나 신체질환은 연골무형성증, 낭성섬유증 및 그 밖의 유전성 질환으로서 그 질환이 태아에 미치는 위험성이 높은 질환으로 한다.
③ 법 제14조 제①항 제2호에 따라 인공임신중절수술을 할 수 있는 전염성 질환은 풍진, 톡소플라즈마증 및 그 밖에 의학적으로 태아에 미치는 위험성이 높은 전염성 질환으로 한다.

68) 실무에서는 국민건강보험법 제115조(벌칙) 제②항 제5호(거짓이나 그 밖의 부정한 방법으로 보험급여를 받거나 타인으로 하여금 보험급여를 받게 한 경우에 1년 이하의 징역 또는 1천만원 이하의 벌금) 위반이 문제된다.

대로 규정하고 있다(1. 사형 2. 징역 3. 금고 4. 자격상실 5. 자격정지 6. 벌금 7. 구류 8. 과료 9. 몰수). 따라서 '금고 이상의 형'이란 사형, (무기)징역, (무기)금고를 말하며 벌금형은 해당되지 않는다[69]. 집행유예[70]가 선고되어도 형을 선고받은 경우에 해당되므로 결격 사유 또는 면허 취소 사유에 해당된다. 기소유예[71]와 선고유예[72]는 형의 선고가 없으므로 이에 해당되지 않는다. '그 집행을 받지 아니하기로 확정되지 아니한 자'에는 금고 이상의 형의 선고를 받은 사람으로서 형의 시효에 의하여 형의 집행이 면제될 때까지 사이의 사람, 일반사면 또는 특별사면에 의하여 형의 선고의 효력을 상실하거나 형의 집행이 면제되기까지 사이의 사람, 집행유예의 선고를 받은 경우에는 그 선고의 실효 또는 취소됨이 없이 유예기간을 경과하여 형의 선고의 효력이 잃게 되기까지 사이의 사람이 포함된다[73].

4 의료인 및 의료행위 보호(진료방해금지)

제12조【의료기술 등에 대한 보호】 ① 의료인이 하는 의료 · 조산 · 간호 등 의료기술의 시행(이하 "의료행위"라 한다)에 대하여는 이 법이나 다른 법령에 따로 규정된 경우 외에는 누구든지 간섭하지 못한다.
② 누구든지 의료기관의 의료용 시설 · 기재 · 약품, 그 밖의 기물 등을 파괴 · 손상하거나 의료기관을 점거하여 진료를 방해하여서는 아니 되며, 이를 교사하거나 방조하여서는 아니 된다.
③ 누구든지 의료행위가 이루어지는 장소에서 의료행위를 행하는 의료인, 제80조에 따른 간호조무사 및 「의료기사 등에 관한 법률」 제2조에 따른 의료기사 또는 의료행위를 받는 사람을 폭행 · 협박하여서는 아니 된다.

제13조【의료기재 압류 금지】 의료인의 의료 업무에 필요한 기구 · 약품, 그 밖의 재료는 압류하지 못한다.

제14조【기구 등 우선공급】 ① 의료인은 의료행위에 필요한 기구 · 약품, 그 밖의 시설 및 재료를 우선적으로 공급받을 권리가 있다.
② 의료인은 제①항의 권리에 부수(附隨)되는 물품, 노력, 교통수단에 대하여서도 제①항과 같은 권리가 있다.

제87조【벌칙】 ① 다음 각 호의 어느 하나에 해당하는 자는 5년 이하의 징역이나 5천만원 이하의 벌금에 처한다.
　2. 제12조 제②항 및 제③항, ——중략—— 을 위반한 자
다만, 제12조 제③항의 죄는 피해자의 명시한 의사에 반하여 공소를 제기할 수 없다.

---

69) 실무에서는 초범이라는 점, 경미하다는 점, 반성하고 있다는 점 등을 이유로 벌금형을 선택하는 경우가 대부분이다.

70) 법원이 3년 이하의 징역이나 금고 또는 500만원 이하의 벌금의 형을 선고할 경우에 정상에 참작할 만한 사유가 있는 때에 1년 이상 5년 이하의 기간 형의 집행을 유예하는 제도이다(형법 제62조 제①항).

71) 검사가 범죄의 객관적 혐의가 충분하고 소송조건을 구비하고 있더라도 범인의 연령, 성질, 지능, 피해자에 대한 관계, 범행의 동기 · 수단 · 결과 · 범행 후의 정황 등을 참작해 기소하지 않을 수 있도록 하는 불기소처분이다(형사소송법 제247조 제①항).

72) 법원이 1년 이하의 징역이나 금고, 자격정지 또는 벌금의 형을 선고할 경우에 개전의 정상이 현저한 때에는 그 선고를 유예할 수 있는 제도이다(제59조 제①항).

73) 대법원 1998. 2. 13. 선고 97누18042 판결

가. 의료행위 간섭의 금지

(1) 의료인이 하는 의료 · 조산 · 간호 등 의료기술의 시행(의료행위)에 대하여는 의료법이나 다른 법령에 따로 규정된 경우 외에는 누구든지 간섭하지 못한다(제12조 제①항). 국민이 수준 높은 의료 혜택을 받아서 국민의 건강을 보호하고 증진할 목적(제1조)으로 의료행위의 공공성에 터잡아 의료인과 의료행위를 보호하는 규정이다[74].

(2) 간섭(干涉, interfere)이란 타인의 업무 또는 타인에게 이래라 저래라 하면서 영향을 주려고 하는 것이다. 간섭의 방법은 묻지 않는다.

(3) 처벌규정이 없으므로 의료행위의 독립성을 보호하기 위한 선언적 규정의 성격이 강하다.

나. 진료방해죄(진료방해 · 교사 · 방조죄)

(1) 누구든지 의료기관의 의료용 시설 · 기재 · 약품, 그 밖의 기물 등을 파괴 · 손상하거나 의료기관을 점거하여 진료를 방해하여서는 안 되며, 이를 교사하거나 방조하여서는 안 된다(제12조 제②항).

(2) 의료기관의 의료용 시설 · 기재 · 약품, 그 밖의 기물 등을 파괴 · 손상하거나 의료기관을 점거하여 진료를 방해하는 행위이다. 파괴 · 손상행위는 의료용 시설 · 기재 · 약품, 그 밖의 기물 등에 직접 유형력을 행사하여 그 이용가능성을 침해하는 것을 말한다. 의료용 시설 · 기재 · 약품, 그 밖의 기물 등 자체에 유형력을 행사할 것을 요하므로 이에 영향을 미치지 않고 기능을 훼손하는 것은 파괴 · 손상행위가 아니다(초음파기기 사용을 일시적으로 방해하기 위하여 교란파 기기를 이용하는 행위). 의료기관의 점거는 반드시 의료기관을 완전히 점거할 것을 요하는 것은 아니고 진료실이나 병실을 어느 정도 사실상 지배하여 의료인의 진료를 방해할 수 있는 정도의 물리적 지배를 함으로써 진료행위를 방해하는 행위를 의미한다[75]. 따라서 단지 의료행위에 지장을 초래할 수도 있는 행위가 병실이나 진료실에서 이루어진 것일 뿐에 불과하고 진료실이나 병실을 어느 정도 사실상 지배하여 물리적 지배를 하였다고 볼 수 없는 경우라면 진료방해죄가 성립되지 않는다[76]. 다만, 추상적 위험범이므로 방해의 결과가 현실적으로 발생하였을 것을 요하지 않는다. 교사범과 방조범은 처벌되며 본죄는 고의범이므로 과실에 의한 진료방해는 처벌받지 않는다.

(3) 의료기관의 의료용 시설 · 기재 · 약품, 그 밖의 기물 등을 파괴 · 손상하거나 의료기관을 점거하여 진료를 방해 · 교사 · 방조한 사람은 5년 이하의 징역이나 5천만원 이하의 벌금형을 선고받을 수 있다(제87조 제①항 제2호). 실무에서는 보전처분인 업무방해금지가처분의 요건사실로 주장 · 소명되는 경우가 많다.

---

74) 제12조 제②항(진료방해 금지), 제13조(의료기자재 압류의 금지), 제14조(기구 등 우선수급권)의 입법 취지도 마찬가지이다.

75) 대법원 1980. 9. 24. 선고 79도1387 판결 참조

76) 대법원 2008. 11. 27. 선고 2008도7567 판결

다. 의료인 등 폭행 · 협박죄

(1) 누구든지 의료행위가 이루어지는 장소에서 의료행위를 행하는 의료인, 제80조에 따른 간호조무사 및 「의료기사 등에 관한 법률」 제2조에 따른 의료기사 또는 의료행위를 받는 사람을 폭행 · 협박하여서는 안 된다(제12조 제③항). 안정적인 의료 환경을 조성하고 의료인의 진료권과 환자의 건강권을 보호하기 위하여 2016. 5. 29.자 개정으로 신설되었다.

(2) 의료행위가 이루어지는 장소에서 의료행위를 행하는 의료인, 제80조에 따른 간호조무사 및 「의료기사 등에 관한 법률」 제2조에 따른 의료기사 또는 의료행위를 받는 사람을 폭행 · 협박한 사람은 5년 이하의 징역이나 5천만원 이하의 벌금형을 선고받을 수 있다. 다만, 피해자의 명시한 의사에 반하여 공소를 제기할 수 없다(반의사불벌죄[77], 제87조 제①항).

라. 의료기자재 압류의 금지

(1) 의료인의 의료 업무에 필요한 기구 · 약품, 그 밖의 재료는 압류하지 못한다(제13조). 의료인이 채무자라 하더라도 의료인이 소유한 의료 업무 필요품에 대한 압류는 사회정책적 또는 공익적 차원에서 제한된다. 처벌규정이 없어서 형해화되고 있는 실정이라는 비판도 있지만 압류금지물을 규정하고 있는 민사집행법(제195조), 국민생활기초보장법(제35조), 우편법(제7조, 8조), 신탁법(제22조), 공장저당법(제18조)에도 처벌규정이 없을 뿐만 아니라 과태료 부과규정도 없다는 점에서 타당하지 못한 비판이다. 아래의 민사적인 구제절차로도 충분하다.

(2) 압류금지물에 대한 강제집행이 개시되면 집행법원에 대하여 집행에 관한 이의를 신청할 수 있다. 채무명의의 내용인 청구권의 부존재 · 소멸, 채무명의의 집행력의 흠결 등 집행기관에게 조사 권한이 없는 실체상의 사유는 청구이의의 소나 제3자 이의의 소, 집행문 부여에 대한 이의의 소(또는 이의 신청)에 의할 것이지 집행에 관한 이의사유는 되지 않는다.

마. 기구 등 우선수급권

의료인은 의료행위에 필요한 기구 · 약품, 그 밖의 시설 및 재료와 이에 수반되는 물품, 노력, 교통수단에 대하여서 우선적으로 공급받을 권리를 갖는다(제14조).

---

[77] 피해자의 명시한 의사에 반하여 논할 수 없는 범죄이다. 피해자의 의사와 관계 없이 공소를 제기할 수 있으나, 피해자가 처벌을 희망하지 않는다는 의사(처벌 불원의 의사)를 명백히 한 때에는 처벌할 수 없다는 점에서 해제조건부범죄라고도 한다. 의료법상 유일한 반의사불벌죄이다.

5 진료거부 금지 등

제15조【진료거부 금지 등】 ① 의료인 또는 의료기관 개설자는 진료나 조산 요청을 받으면 정당한 사유 없이 거부하지 못한다.

② 의료인은 응급환자에게 「응급의료에 관한 법률」에서 정하는 바에 따라 최선의 처치를 하여야 한다.

제63조【시정 명령 등】 보건복지부장관 또는 시장·군수·구청장은 의료기관이 제15조 제①항, ——중략—— 을 위반한 때 또는 ——중략—— 아니하게 된 때에는 일정한 기간을 정하여 그 시설·장비 등의 전부 또는 일부의 사용을 제한 또는 금지하거나 위반한 사항을 시정하도록 명할 수 있다.

제64조【개설 허가 취소 등】 ① 보건복지부장관 또는 시장·군수·구청장은 의료기관이 다음 각 호의 어느 하나에 해당하면 그 의료업을 1년의 범위에서 정지시키거나 개설 허가를 취소하거나 의료기관 폐쇄를 명할 수 있다. 다만, 제8호에 해당하는 경우에는 의료기관 개설 허가를 취소하거나 의료기관 폐쇄를 명하여야 하며, 의료기관 폐쇄는 제33조 제③항과 제35조 제①항 본문에 따라 신고한 의료기관에만 명할 수 있다.

　3. 제61조에 따른 관계 공무원의 직무 수행을 기피 또는 방해하거나 제59조 또는 제63조에 따른 명령을 위반한 때

　6. 제63조에 따른 시정명령(제4조 제⑤항 위반에 따른 시정명령을 제외한다)을 이행하지 아니한 때

제66조【자격정지 등】 ① 보건복지부장관은 의료인이 다음 각 호의 어느 하나에 해당하면 1년의 범위에서 면허자격을 정지시킬 수 있다. 이 경우 의료기술과 관련한 판단이 필요한 사항에 관하여는 관계 전문가의 의견을 들어 결정할 수 있다.

　10.그 밖에 이 법 또는 이 법에 따른 명령을 위반한 때

제67조【과징금 처분】 ① 보건복지부장관이나 시장·군수·구청장은 의료기관이 제64조 제①항 각 호의 어느 하나에 해당할 때에는 대통령령으로 정하는 바에 따라 의료업 정지 처분을 갈음하여 5천만원 이하의 과징금을 부과할 수 있으며, 이 경우 과징금은 3회까지만 부과할 수 있다. 다만, 동일한 위반행위에 대하여 「표시·광고의 공정화에 관한 법률」 제9조에 따른 과징금 부과처분이 이루어진 경우에는 과징금(의료업 정지 처분을 포함한다)을 감경하여 부과하거나 부과하지 아니할 수 있다.

제89조【벌칙】 다음 각 호의 어느 하나에 해당하는 자는 1년 이하의 징역이나 1천만원 이하의 벌금에 처한다.

　1. 제15조 제①항, ——중략—— 을 위반한 자

제90조【벌칙】 ——중략—— 제63조에 따른 명령을 위반한 자와 의료기관 개설자가 될 수 없는 자에게 고용되어 의료행위를 한 자는 500만원 이하의 벌금에 처한다.

제91조【양벌규정】

가. 서설

의료인과 환자의 기본적인 법률관계는 진료계약이라는 사법상 계약관계이다. 사법상 계약은 계약체결에 대한 계약체결자의 의사가 존중되어야 한다는 계약자유의 원칙이 적용된다. 이에 따르면 의료인

이 반드시 진료계약을 체결할 의무를 부담하는 것은 아니다. 그러나 진료계약은 사람의 생명과 신체의 건강이라는 기본권과 관련되기 때문에 의료행위의 공공성에 터잡아 사법상의 기본원칙이 수정될 여지가 있다. 이에 진료계약 체결이 의료법과 응급의료에 관한 법률에 의해서 강제된다. 의료인의 진료의무는 근본적으로 사법상의 의무라 하겠으나, 그 의무가 강제된다는 점에서 일종의 공법상의 의무라고 보아야 할 것이다. 의료인 또는 의료기관 개설자는 진료나 조산 요청을 받으면 정당한 사유 없이 거부하지 못하고(의료법 제15조 제①항), 이를 위반하면 1년 이하의 징역 또는 500만원 이하의 벌금에 처해질 수 있으며(의료법 제89조) 양벌규정이 적용된다(제91조). 의료인은 응급환자에게 응급의료에 관한 법률이 정하는 바에 따라 최선의 처치를 행하여야 한다(의료법 제15조 제②항). 또한 응급의료에 관한 법률은 응급의료종사자가 업무 중에 응급의료를 요청받거나 응급환자를 발견한 때에는 즉시 응급의료를 행하여야 하며 정당한 사유없이 이를 거부하거나 기피하지 못하고(응급의료에 관한 법률 제6조 제②항), 이를 위반하여 응급의료종사자가 응급의료를 거부 또는 기피하면 3년 이하의 징역 또는 3천만원 이하의 벌금에 처해질 수 있으며(응급의료에 관한 법률 제60조 제②항) 양벌규정이 적용된다(제61조). 의료인이 의료법 제15조를 위반하면 보건복지부장관은 1년의 범위에서 면허자격을 정지시킬 수 있는데(제66조 제①항 제10호), 실무상으로는 의료관계 행정처분규칙 별표 2. 개별 기준 가. 3)에 따라 1월의 자격정지를 처분한다.

나. 진료거부금지(진료의무)

(1) 진료의무의 주체

진료의무란 의료인 또는 의료기관 개설자가 진료 또는 조산의 요구를 받은 때에는 환자에 대하여 진단, 주사, 투약, 수술, 수혈, 방사선치료 등 진료행위와 조산행위를 하여야 할 의무이므로 의료법상 진료의무의 주체는 '진료 또는 조산의 요구를 받은 의료인이나 의료기관 개설자'에 한정된다. 따라서 의료인이 아닌 침술사는 구급환자에 대하여 충분한 치료를 할 수 있는 의료기관으로 이송하여야 할 의무를 부담하지 않는다[78].

(2) 진료의무의 내용

환자의 증상은 질병의 종류에 따라 공통적인 성질을 갖고 있긴 하지만 간혹 비정형성을 나타내며 미리 예측하기 곤란한 여러 방향으로 진행되기도 한다. 따라서 진료의무는 의료계약 체결시에 내용을 확정할 수는 없고 단지 선량한 관리자의 주의의무에 따라 병적 상태의 의학적 해명과 그에 대한 적절한 대응을 행하여야 하는 개괄적, 추상적 성질을 갖는 의무이다[79]. 따라서 의료인 또는 의료기관 개설자는 일단 어느 정도 잠정적 판단에 따라 진료하고 질병의 진행경과에 따라 진료의무는 점점 구체화되어 간다.

---

[78] 대법원 1982. 4. 27. 선고 81도2151 판결
[79] 석희태, 의료계약의 법적 성질과 내용, 월간고시, 1994. 3., 21면

(3) 진료의무의 제한

(가) 진료 또는 조산의 요구를 받은 의료인 또는 의료기간 개설자가 정당한 사유가 있는 때에는 의료를 거부할 수 있는데(제15조 제①항), 어떠한 경우에 정당한 사유가 있다고 볼 것인지가 실무에서 중요하다. 정당한 사유에 해당하는지 여부는 전적으로 사회통념에 따라 의료인측, 환자측의 사정 그리고 기타 정황을 모두 참작하여 합목적적으로 판단하여야 한다. 실무상으로 중요하게 주장·입증되는 의료인측의 사정은 진료 또는 조산할 수 있는 필요한 시설과 인력 등을 갖추었는지 여부이고 환자측의 사정은 환자의 진료거부이다. 경제적 능력이나 종교적 신념을 이유로 보호자가 진료를 거부하는 경우에는 정당한 사유[80]가 인정된다.

(나) 교통사고로 심하게 다친 응급환자에 대하여 치료나 구급조치 등을 취하지 않고 다른 병원으로 가라고 돌려보낸 응급실 의사, 간호사 등에 대하여 의료법상 응급조치불이행죄를 인정하여 벌금형의 선고를 유예하는 한편 응급환자측의 진료 요구가 없었다고 보아 위 의사 등의 행위가 진료거부에는 해당하지 않는다고 판단한 하급심 판례[81]가 있다. 일본 판례 가운데에는 소아과 병상이 가득찼다는 이유만으로 입원을 거절한 경우에 피고 병원이 300병상이 넘는 큰 병원으로서 소아과 병상이 모두 찼다고 하더라도 다른 과의 병상에 입원시킨 후 소아과 병상이 날 때까지 응급치료를 할 수 있었으므로 진료거부에 해당한다고 한 사례[82]와 중앙선을 침범한 승용차에 충돌되어 중상을 입은 환자를 전문의가 없다는 이유로 수용을 거절한 병원에 대하여, 병원은 응급의료기관으로서 야간에 당직 응급의료종사자를 둘 의무가 있으므로 병원의 의사가 진료를 거부한 것은 병원이 진료를 거부한 것이 된다고 밝힌 사례[83]가 있다.

다. 응급의료의무

(1) 응급의료의 의의

응급의료는 응급환자[84]가 발생한 때부터 생명의 위험에서 회복되거나 심신상의 중대한 위해가 제거

---

80) 대법원 1980. 9. 24. 선고 79도1387 판결 ; 생모가 사망의 위험이 예견되는 그 딸에 대하여는 수혈이 최선의 치료방법이라는 의사의 권유를 자신의 종교적 신념이나 후유증 발생의 염려만을 이유로 완강하게 거부하고 방해하였다면 이는 결과적으로 요부조자를 위험한 장소에 두고 떠난 경우나 다름이 없다고 할 것이고 그때 사리를 변식할 지능이 없다고 보아야 마땅한 11세 남짓의 환자본인 역시 수혈을 거부하였다고 하더라도 생모의 수혈거부 행위가 위법한 점에 영향을 미치는 것이 아니다(피고인은 유기치사죄와 진료방해죄로 확정되었고 의료인은 불입건되었다).

81) 서울지방법원 동부지원 1993. 1. 15. 선고 92고합90 판결 ; 의료법 제15조에 의하면, 의료인은 진료 또는 조산의 요구를 받은 때에는 정당한 이유 없이 이를 거부하지 못한다(제①항)고 규정되어 있어 의료인의 진료거부죄가 성립하려면 그 전제로 환자측의 진료요구가 있어야 하고 이 점에서 유죄로 인정한 구급환자에 대한 응급조치불이행죄가 환자측의 진료요구를 전제로 함이 없이 의료인이 당시 상황에 비추어 응급조치를 취하여야 하고 또 응급조치를 취할 수 있는 상황에서 이를 이행하지 않는 행위를 처벌하는 것과는 달리 보아야 함을 알 수 있다. 그런데 사실관계에 비추어 환자측의 피고인들에 대한 진료요구행위가 있었다고 단정하기 어려워 피고인들의 행위를 진료거부행위라고 보기는 어렵다 할 것이다.

82) 千葉地判 昭和 61. 7. 25. 判例時報 1220호, 제118면

83) 神戸地判, 平成 4년. 6. 30. 判例時報 802호, 제196면

84) 응급환자란 질병, 분만, 각종 사고 및 재해로 인한 부상이나 그 밖의 위급한 상태로 인하여 즉시 필요한 응급처치를 받지 아니하면 생명을 보존할 수 없거나 심신에 중대한 위해(危害)가 발생할 가능성이 있는 환자 또는 이에 준하는 사람으로서 보건복지부령(응급의료에 관한 법률 시행규칙 제2조)으로 정하는 사람을 말한다(응급의료에 관한 법률 제1조 제1호).

되기까지의 과정에서 응급환자를 위하여 하는 상담·구조·이송·응급처치 및 진료 등의 조치(응급
의료에 관한 법률 제1조 제2호)를 말한다.

(2) 의료법상 응급의료의무의 주체

의료법상의 응급의료의무는 의료인이 응급환자에게 응급의료에 관한 법률에서 정하는 바에 따라 최
선의 처치를 하여야 할 의무이므로(의료법 제15조 제②항) 응급의료에 관한 법률상의 응급의료종사
자(응급의료에 관한 법률 제1조 제4호) 중에서 응급환자에 대한 응급의료를 제공하는 의료인이다.

(3) 응급의료에 관한 법률에서 정하는 바에 따른 최선의 처치

(가) 응급의료거부금지 : 응급의료기관등에서 근무하는 응급의료종사자는 응급환자를 항상 진료할
수 있도록 응급의료업무에 성실히 종사하여야 하고, 업무 중에 응급의료를 요청받거나 응급환자
를 발견하면 즉시 응급의료를 하여야 하며 정당한 사유 없이 이를 거부하거나 기피하지 못한다
(같은 법 제6조)[85), 86)].

(나) 응급환자에 대한 우선 응급의료 : 응급의료종사자는 응급환자에 대하여는 다른 환자보다 우선하
여 상담·구조 및 응급처치를 하고 진료를 위하여 필요한 최선의 조치를 하여야 하며, 응급환자
가 2명 이상이면 의학적 판단에 따라 더 위급한 환자부터 응급의료를 실시하여야 한다(같은 법
제8조).

(다) 응급의료의 설명과 동의 : 응급의료종사자는 ① 응급환자가 의사결정능력이 없는 경우 또는 ②
설명 및 동의 절차로 인하여 응급의료가 지체되면 환자의 생명이 위험하여지거나 심신상의 중대
한 장애를 가져오는 경우를 제외하고는 응급환자에게 응급의료에 관하여 설명하고 그 동의를 받
아야 한다(같은 법 제9조 제①항). 응급환자가 의사결정능력이 없는 경우 법정대리인이 동행하
였을 때에는 그 법정대리인에게 응급의료에 관하여 설명하고 그 동의를 받아야 하며, 법정대리
인이 동행하지 아니한 경우에는 동행한 사람에게 설명한 후 응급처치를 하고 의사의 의학적 판
단에 따라 응급진료를 할 수 있다(같은 법 제9조 제②항). 응급의료에 관한 설명·동의의 내용
및 절차 등에 관하여 필요한 사항은 보건복지부령으로 정하는데(같은 법 제9조 제③항), 응급의
료에 관한 법률 시행규칙 제3조 제①항과 제②항은 ① 환자에게 발생하거나 발생가능한 증상의
진단명, ② 응급검사의 내용, ③ 응급처치의 내용, ④ 응급의료를 받지 아니하는 경우의 예상결

---

85) 서울고등법원 1992. 5. 12. 선고 90구7601 판결 ; 의사가 다른 병원에서 응급조치를 받은 후 이송되어 온 뇌손상환자에 대하여 수술 후
에 집중치료할 중환자실의 병상이 없다는 이유로 다른 병원으로의 전원을 권유한 경우 정당한 이유 없이 진료를 거부하였거나 구급환자
에 대한 응급처치를 시행하지 아니하였다고 볼 수 없다.

86) 대법원 1991. 12. 10. 선고 91누5044 판결 ; 우측 전박부 동맥절단상을 입고 야간에 종합병원에 후송되어 온 구급환자가 다량의 출혈로
고도의 미세혈관수술을 신속히 받아야 할 상태였으므로, 수련의 1년차인 종합병원의 야간 당직의사로서는 정형외과 당직의사에게 보고
하여 필요한 응급조치 및 수술을 받게 할 책임이 있음에도 불구하고 정형외과 전공의들이 다른 수술중이어서 수술할 수 없을 것으로 잘못
알고 전원 승낙을 받은 다른 정형외과의원으로 이송시킨 경우, 구급환자의 응급조치를 성실히 이행하지 못한 잘못이 있다는 이유로 위 당
직의사에 대하여 한 1개월 간의 의사면허 자격정지처분이 그 경위나 위 처분으로 그 의사가 입게될 불이익의 정도 등에 비추어 재량권을
일탈한 위법한 처분이다.

과 또는 예후, ⑤ 그 밖에 응급환자가 설명을 요구하는 사항을 응급환자 또는 그 법정대리인에게 설명하고 응급의료에 관한 설명 · 동의서에 동의를 얻어야 함을 규정하고 있다. 의사결정능력이 없는 응급환자의 법정대리인으로부터 위 동의를 얻지 못하였으나 응급환자에게 반드시 응급의료가 필요하다고 판단되는 때에는 의료인 1명 이상의 동의를 얻어 응급의료를 할 수 있다(같은 법 시행규칙 제3조 제③항).

㈃ 응급의료중단의 금지 : 응급의료종사자는 정당한 사유가 없으면 응급환자에 대한 응급의료를 중단하여서는 안 된다(같은 법 제10조).

㈄ 응급환자의 이송 : 의료인은 해당 의료기관의 능력으로는 응급환자에 대하여 적절한 응급의료를 할 수 없다고 판단한 경우에는 지체 없이 그 환자를 적절한 응급의료가 가능한 다른 의료기관으로 이송하여야 한다. 이때 의료기관의 장은 응급환자의 안전한 이송에 필요한 의료기구와 인력을 제공하여야 하고, 응급환자를 이송받는 의료기관에 진료에 필요한 의무기록을 제공하여야 하며(같은 법 제11조), 이송에 든 비용을 환자에게 청구할 수 있다(같은 법 제48조의 2 제③항). 구급차 등의 운용자는 구급차등이 출동할 때에는 보건복지부령[87]으로 정하는 바에 따라 응급구조사를 탑승시켜야 한다. 다만, 의사나 간호사가 탑승한 경우는 제외한다(같은 법 제48조). 응급환자 등을 이송하는 자(구급차 등의 운전자와 제48조에 따라 구급차에 동승하는 응급구조사, 의사 또는 간호사를 말한다)는 특별한 사유가 없는 한 보건복지부령[88]으로 정하는 방법에 따라 이송하고자 하는 응급의료기관의 응급환자 수용 능력을 확인하고 응급환자의 상태와 이송 중 응급처치의 내용 등을 미리 통보하여야 한다(같은 법 제48조의 2 제①항). 응급의료기관의 장은 응급환자를 수용할 수 없는 경우에는 그 소재지를 관할하는 응급의료지원센터를 통하여 구급차등의 운용자에게 지체 없이 통보하여야 한다(같은 법 제48조의 2 제②항).

〔4〕 진료거부금지와의 죄수 관계

의료법 제89조, 제15조 제①항의 진료거부로 인한 의료법 위반죄와 응급의료에 관한 법률 제60조 제②항, 제6조 제②항의 응급조치불이행으로 인한 응급의료에 관한 법률 위반죄는 그 규제내용이나 관계규정에 비추어 포괄일죄의 관계에 있는 것이 아니라 상상적 경합 관계에 있다[89]. 실무에서 포괄일죄에 해당하는 위반사실인지는 행정처분과 관련하여 매우 중요한 의미가 있다. 위반 횟수에 따라 행정처분이 가중되어 처분되기 때문이다.

---

87) 응급의료에 관한 법률 시행규칙 제39조(응급구조사의 배치) 구급차 등의 운용자는 응급환자를 이송하거나 이송하기 위하여 출동하는 때에는 법 제48조의 규정에 따라 그 구급차 등에 응급구조사 1인 이상이 포함된 2인 이상의 인원이 항상 탑승하도록 하여야 한다.

88) 응급의료에 관한 법률 시행규칙 제39조의 2(수용능력의 확인 등) ① 법 제48조의 2 제①항에 따라 응급환자 등을 이송하는 자는 전화, 무선통신, 그 밖의 전산망 등을 이용하여 응급의료기관의 수용능력을 확인하고, 다음 각 호의 사항을 통보하여야 한다.
  1. 환자의 발생 경위(확인된 경우만 해당한다)
  2. 환자의 연령, 성별 및 상태(활력 징후 및 의식 수준을 말한다)
  3. 현장 및 이송 중 응급처치의 내용
  4. 도착 예정 시각
② 제①항에 따른 확인 및 통보는 특별한 사유가 없으면 이송을 시작한 즉시 하여야 한다.

89) 같은 취지 대법원 1993. 9. 14. 선고 93도1790 판결

라. 연명의료의 중단 문제[90]

(1) 연명의료에 대한 기본원칙, 연명의료결정의 관리 체계, 연명의료의 결정 및 그 이행 등에 필요한 사항을 정하여 임종과정에 있는 환자의 연명의료결정을 제도화함으로써 환자의 자기결정을 존중하고 환자의 존엄과 가치를 보장하며, 암환자에만 국한되어 있는 호스피스 서비스를 일정한 범위의 말기 환자에게 확대 적용하도록 하고, 호스피스에 대한 체계적이고 종합적인 근거 법령을 마련하여 국민 모두가 인간적인 품위를 지키며 삶을 마무리할 수 있도록 하려는 입법 취지로 호스피스ㆍ완화의료 및 임종과정에 있는 환자의 연명의료결정에 관한 법률(존엄사법 또는 호스피스법)이 2016. 1. 8. 제정되었다.

(2) '임종과정'이란 회생의 가능성이 없고, 치료에도 불구하고 회복되지 않으며, 급속도로 증상이 악화되어 사망에 임박한 상태를 말하고 '연명의료'는 임종과정에 있는 환자에게 하는 심폐소생술, 혈액투석, 항암제 투여, 인공호흡기 착용 등 대통령령으로 정하는 의학적 시술로서 치료효과 없이 임종과정의 기간만을 연장하는 것이다(존엄사법 제2조). 그리고 말기환자는 암, 후천성면역결핍증, 만성 폐쇄성 호흡기질환, 만성간경변 및 그 밖에 보건복지부령으로 정하는 질환에 대하여, 회복의 가능성이 없고 증상이 악화되어 담당의사 1인과 해당 분야의 전문의 1명으로부터 수개월 이내에 사망할 것으로 예상되는 진단을 받은 환자를 말하며 '호스피스'는 말기환자 또는 임종과정에 있는 환자와 그 가족에게 통증과 증상의 완화 등을 포함한 신체적ㆍ심리사회적ㆍ영적 영역에 대한 종합적인 평가와 치료를 목적으로 하는 의료이다(존엄사법 제2조).

(3) 보건복지부장관은 연명의료 결정 및 그 이행에 관한 사항을 적정하게 관리하기 위하여 국립연명의료관리기관을 두어서 연명의료계획서의 작성 및 내용, 등록ㆍ보관 및 변경ㆍ철회 등에 관한 사항, 사전연명의료의향서의 작성 및 내용, 등록기관의 지정 등에 관한 사항을 정한다(존엄사법 제9조).

(4) 담당의사는 환자에 대한 연명의료결정을 이행하기 전에 해당 환자가 임종과정에 있는지 여부를 해당 분야의 전문의 1명과 함께 판단하여야 하고(존엄사법 제16조), 의료기관에서 작성된 연명의료계획서가 있는 경우, 사전연명의료의향서가 있고 담당의사가 환자에게 그 내용을 확인한 경우에는 이를 연명의료결정에 관한 환자의 의사로 본다(존엄사법 제17조). 연명의료계획서나 사전연명의료의향서가 없는 경우에는 환자 가족(행방불명자 등 대통령령으로 정하는 사유에 해당하는 사람은 제외) 전원의 합의로 연명의료 중단등 결정의 의사표시를 하고 담당의사와 해당 분야 전문의 1명의 확인을 거친 때에는 이를 연명의료결정에 관한 환자의 의사로 본다(존엄사법 제18조). 담당의사는 환자에 대한 연명의료결정시 이를 즉시 이행하고 그 결과를 기록하여야 하며, 통증 완화를 위한 의료행위와 영양분 공급, 물 공급, 산소의 단순 공급을 시행하지 않거나 중단하여서는 안 된다(존엄사법 제19조 제②항).

(5) 존엄사법은 호스피스와 연명의료, 연명의료중단 등 결정 및 그 이행에 관하여 다른 법률에 우선하여 적용되며(존엄사법 제4조), 연명의료 결정 조항은 2018. 2. 4.부터, 호스피스 완화 의료 조항은 그보다 6개월 먼저 시행된다.

---

90) 안락사와 형사책임에 관한 세부적인 내용은 의료형법, 최재천ㆍ박영호ㆍ홍영균 공저, 육법사, 2003년, 224면 내지 257면 참조

6 세탁물 처리

제16조【세탁물 처리】 ① 의료기관에서 나오는 세탁물은 의료인·의료기관 또는 특별자치시장·특별자치도지사·시장·군수·구청장(자치구의 구청장을 말한다. 이하 같다)에게 신고한 자가 아니면 처리할 수 없다.

② 제①항에 따라 세탁물을 처리하는 자는 보건복지부령으로 정하는 바에 따라 위생적으로 보관·운반·처리하여야 한다.

③ 의료기관의 개설자와 제①항에 따라 의료기관세탁물처리업 신고를 한 자(이하 이 조에서 "세탁물처리업자"라 한다)는 제①항에 따른 세탁물의 처리업무에 종사하는 사람에게 보건복지부령으로 정하는 바에 따라 감염 예방에 관한 교육을 실시하고 그 결과를 기록하고 유지하여야 한다.

④ 세탁물처리업자가 보건복지부령으로 정하는 신고사항을 변경하거나 그 영업의 휴업(1개월 이상의 휴업을 말한다)·폐업 또는 재개업을 하려는 경우에는 보건복지부령으로 정하는 바에 따라 특별자치시장·특별자치도지사·시장·군수·구청장에게 신고하여야 한다.

⑤ 제①항에 따른 세탁물을 처리하는 자의 시설·장비 기준, 신고 절차 및 지도·감독, 그 밖에 관리에 필요한 사항은 보건복지부령으로 정한다.

제63조【시정 명령 등】 보건복지부장관 또는 시장·군수·구청장은 의료기관이 제16조 제②항, —— 중략 —— 을 위반한 때 —— 중략 ——에는 일정한 기간을 정하여 그 시설·장비 등의 전부 또는 일부의 사용을 제한 또는 금지하거나 위반한 사항을 시정하도록 명할 수 있다.

제64조【개설 허가 취소 등】 ① 보건복지부장관 또는 시장·군수·구청장은 의료기관이 다음 각 호의 어느 하나에 해당하면 그 의료업을 1년의 범위에서 정지시키거나 개설 허가를 취소하거나 의료기관 폐쇄를 명할 수 있다. 다만, 제8호에 해당하는 경우에는 의료기관 개설 허가를 취소하거나 의료기관 폐쇄를 명하여야 하며, 의료기관 폐쇄는 제33조 제③항과 제35조 제①항 본문에 따라 신고한 의료기관에만 명할 수 있다.

   3. 제61조에 따른 관계 공무원의 직무 수행을 기피 또는 방해하거나 제59조 또는 제63조에 따른 명령을 위반한 때

   6. 제63조에 따른 시정명령(제4조 제⑤항 위반에 따른 시정명령을 제외한다)을 이행하지 아니한 때

제67조【과징금 처분】 ① 보건복지부장관이나 시장·군수·구청장은 의료기관이 제64조 제①항 각 호의 어느 하나에 해당할 때에는 대통령령으로 정하는 바에 따라 의료업 정지 처분을 갈음하여 5천만원 이하의 과징금을 부과할 수 있으며, 이 경우 과징금은 3회까지만 부과할 수 있다. 다만, 동일한 위반행위에 대하여 「표시·광고의 공정화에 관한 법률」 제9조에 따른 과징금 부과처분이 이루어진 경우에는 과징금(의료업 정지 처분을 포함한다)을 감경하여 부과하거나 부과하지 아니할 수 있다.

제90조【벌칙】 제16조 제①항·제②항, —— 중략 ——을 위반한 자나 제63조에 따른 명령을 위반한 자와 의료기관 개설자가 될 수 없는 자에게 고용되어 의료행위를 한 자는 500만원 이하의 벌금에 처한다.

제91조【양벌규정】

제92조【과태료】 ① 다음 각 호의 어느 하나에 해당하는 자에게는 300만원 이하의 과태료를 부과한다.

   1. 제16조 제③항에 따른 교육을 실시하지 아니한 자

③ 다음 각 호의 어느 하나에 해당하는 자에게는 100만원 이하의 과태료를 부과한다.

   1. 제16조 제③항에 따른 기록 및 유지를 하지 아니한 자

   1의 2. 제16조 제④항에 따른 변경이나 휴업·폐업 또는 재개업을 신고하지 아니한 자

(1) 의료기관 세탁물이란 의료기관에서 세탁을 한 뒤 재사용할 수 있는 소모품으로 침구류와 환자복·수술복 등 의류, 마스크, 수술포 등 린넨류 등을 말하는데, 세탁이 금지되는 의료기관 소모품(세탁금지물)은 폐기물관리법상의 의료폐기물[91]로 분류되며 환경법령에 따라 전문업체가 소각 처리하여야 한다.

(2) 의료기관에서 나오는 세탁물은 의료인·의료기관 또는 특별자치시장·특별자치도지사·시장·군수·구청장(자치구의 구청장을 말한다. 이하 같다)에게 신고한 자(세탁물처리업자)가 아니면 처리할 수 없으며(제16조 제①항), 세탁물처리업자는 보건복지부령(의료기관 세탁물 관리규칙)으로 정하는 바에 따라 위생적으로 보관·운반·처리하여야 한다(제16조 제②항). 제16조 제①항 또는 제②항을 위반하면(세탁물처리업자가 아니면서 처리하거나 비위생적으로 보관·운반·처리하면) 500만원 이하의 벌금에 처해질 수 있다(제90조). 세탁물을 적법하게 처리하지 않으면 보건복지부장관 또는 시장·군수·구청장이 일정한 기간을 정하여 그 시설·장비 등의 전부 또는 일부의 사용을 제한 또는 금지하거나 위반한 사항을 시정하도록 명할 수 있는데(제63조), 실무상으로는 의료관계 행정처분규칙 별표 2. 개별 기준 나. 2)에 따라 시정명령을 처분한다. 시정명령을 이행하지 않으면 보건복지부장관 또는 시장·군수·구청장이 그 의료업을 1년의 범위에서 정지시키거나 개설 허가를 취소하거나 의료기관 폐쇄를 명할 수 있는데(제64조 제①항 제3호, 제6호), 실무상으로는 의료관계 행정처분규칙 별표 2. 개별 기준 나. 27)에 따라 업무정지 15일을 처분한다. 보건복지부장관이나 시장·군수·구청장은 정지 처분에 갈음하여 5천만원 이하의 과징금을 부과할 수 있다(제67조 제①항).

(3) 의료기관의 개설자와 세탁물처리업자는 제16조 제①항에 따른 세탁물의 처리업무에 종사하는 사람에게 보건복지부령으로 정하는 바에 따라 감염 예방에 관한 교육을 실시하고 그 결과를 기록하고 유지하여야 한다(제16조 제③항). 교육을 실시하지 않으면 300만원 이하의 과태료가 부과되며(제92조 제①항 제1호), 기록 및 유지를 하지 않으면 100만원 이하의 과태료가 부과된다(제92조 제③항 제1호).

(4) 세탁물처리업자가 보건복지부령으로 정하는 신고사항을 변경하거나 그 영업의 휴업(1개월 이상의 휴업을 말한다)·폐업 또는 재개업을 하려는 경우에는 보건복지부령으로 정하는 바에 따라 특별자치시장·특별자치도지사·시장·군수·구청장에게 신고하여야 한다(제16조 제④항). 변경이나 휴업·폐업 또는 재개업을 신고하지 않으면 100만원 이하의 과태료가 부과된다(제92조 제③항 제1의2호). 세탁물처리업자의 시설·장비 기준, 신고 절차 및 지도·감독, 그 밖에 관리에 필요한 사항은 보건복지부령으로 정한다(제16조 제⑤항).

---

91) 폐기물관리법 제2조 제4호 '지정폐기물'이란 사업장폐기물 중 폐유·폐산 등 주변 환경을 오염시킬 수 있거나 의료폐기물(醫療廢棄物) 등 인체에 위해(危害)를 줄 수 있는 해로운 물질로서 대통령령으로 정하는 폐기물을 말한다. 제5호 '의료폐기물'이란 보건·의료기관, 동물병원, 시험·검사기관 등에서 배출되는 폐기물 중 인체에 감염 등 위해를 줄 우려가 있는 폐기물과 인체 조직 등 적출물(摘出物), 실험동물의 사체 등 보건·환경보호상 특별한 관리가 필요하다고 인정되는 폐기물로서 대통령령(폐기물관리법 시행령)으로 정하는 폐기물을 말한다.

폐기물관리법 시행령 제4조 [별표 2]

의료폐기물의 종류(제4조 관련)

1. 격리의료폐기물 : 「감염병의 예방 및 관리에 관한 법률」 제2조 제1호의 감염병으로부터 타인을 보호하기 위하여 격리된 사람에 대한 의료행위에서 발생한 일체의 폐기물

2. 위해의료폐기물

    가. 조직물류폐기물 : 인체 또는 동물의 조직·장기·기관·신체의 일부, 동물의 사체, 혈액·고름 및 혈액생성물(혈청, 혈장, 혈액제제)

    나. 병리계폐기물 : 시험·검사 등에 사용된 배양액, 배양용기, 보관균주, 폐시험관, 슬라이드, 커버글라스, 폐배지, 폐장갑

    다. 손상성폐기물 : 주사바늘, 봉합바늘, 수술용 칼날, 한방침, 치과용침, 파손된 유리재질의 시험기구

    라. 생물·화학폐기물 : 폐백신, 폐항암제, 폐화학치료제

    마. 혈액오염폐기물 : 폐혈액백, 혈액투석 시 사용된 폐기물, 그 밖에 혈액이 유출될 정도로 포함되어 있어 특별한 관리가 필요한 폐기물

3. 일반의료폐기물 : 혈액·체액·분비물·배설물이 함유되어 있는 탈지면, 붕대, 거즈, 일회용 기저귀, 생리대, 일회용 주사기, 수액세트

비고

1. 의료폐기물이 아닌 폐기물로서 의료폐기물과 혼합되거나 접촉된 폐기물은 혼합되거나 접촉된 의료폐기물과 같은 폐기물로 본다.

2. 채혈진단에 사용된 혈액이 담긴 검사튜브, 용기 등은 제2호 가목의 조직물류폐기물로 본다.

7 진단서 등

제17조【진단서 등】 ① 의료업에 종사하고 직접 진찰하거나 검안(檢案)한 의사[이하 이 항에서는 검안서에 한하여 검시(檢屍)업무를 담당하는 국가기관에 종사하는 의사를 포함한다], 치과의사, 한의사가 아니면 진단서·검안서·증명서 또는 처방전[의사나 치과의사가 「전자서명법」에 따른 전자서명이 기재된 전자문서 형태로 작성한 처방전(이하 "전자처방전"이라 한다)을 포함한다. 이하 같다]을 작성하여 환자(환자가 사망하거나 의식이 없는 경우에는 직계존속·비속, 배우자 또는 배우자의 직계존속을 말하며, 환자가 사망하거나 의식이 없는 경우로서 환자의 직계존속·비속, 배우자 및 배우자의 직계존속이 모두 없는 경우에는 형제자매를 말한다) 또는 「형사소송법」 제222조 제①항에 따라 검시(檢屍)를 하는 지방검찰청검사(검안서에 한한다)에게 교부하거나 발송(전자처방전에 한한다)하지 못한다. 다만, 진료 중이던 환자가 최종 진료 시부터 48시간 이내에 사망한 경우에는 다시 진료하지 아니하더라도 진단서나 증명서를 내줄 수 있으며, 환자 또는 사망자를 직접 진찰하거나 검안한 의사·치과의사 또는 한의사가 부득이한 사유로 진단서·검안서 또는 증명서를 내줄 수 없으면 같은 의료기관에 종사하는 다른 의사·치과의사 또는 한의사가 환자의 진료기록부 등에 따라 내줄 수 있다.

② 의료업에 종사하고 직접 조산한 의사·한의사 또는 조산사가 아니면 출생·사망 또는 사산 증명서를 내주지 못한다. 다만, 직접 조산한 의사·한의사 또는 조산사가 부득이한 사유로 증명서를 내줄 수 없으면 같은 의료기관에 종사하는 다른 의사·한의사 또는 조산사가 진료기록부 등에 따라 증명서를 내줄 수 있다.

③ 의사·치과의사 또는 한의사는 자신이 진찰하거나 검안한 자에 대한 진단서·검안서 또는 증명서 교부를 요구받은 때에는 정당한 사유 없이 거부하지 못한다.

④ 의사·한의사 또는 조산사는 자신이 조산(助産)한 것에 대한 출생·사망 또는 사산 증명서 교부를 요구받은 때에는 정당한 사유 없이 거부하지 못한다.

⑤ 제①항부터 제④항까지의 규정에 따른 진단서, 증명서의 서식·기재사항, 그 밖에 필요한 사항은 보건복지부령으로 정한다.

제66조【자격정지 등】 ① 보건복지부장관은 의료인이 다음 각 호의 어느 하나에 해당하면 1년의 범위에서 면허자격을 정지시킬 수 있다. 이 경우 의료기술과 관련한 판단이 필요한 사항에 관하여는 관계 전문가의 의견을 들어 결정할 수 있다.

　　3. 제17조 제①항 및 제②항에 따른 진단서·검안서 또는 증명서를 거짓으로 작성하여 내주거나 제22조 제①항에 따른 진료기록부등을 거짓으로 작성하거나 고의로 사실과 다르게 추가기재·수정한 때

　　10.그 밖에 이 법 또는 이 법에 따른 명령을 위반한 때

제89조【벌칙】 ──중략── 제17조 제①항·제②항(제①항 단서 후단과 제②항 단서는 제외한다), ──중략──을 위반한 자는 1년 이하의 징역이나 500만원 이하의 벌금에 처한다.

제90조【벌칙】 ──중략── 제17조 제③항·제④항, ──중략── 을 위반한 자──중략── 자는 500만원 이하의 벌금에 처한다.

제91조【양벌규정】

가. 직접 진찰·검안 후 진단서 등 교부 의무

(1) 의료업에 종사하고 직접 진찰하거나 검안한 의사(검안서에 한하여 검시 업무를 담당하는 국가기관에 종사하는 의사를 포함), 치과의사, 한의사가 아니면 진단서·검안서·증명서 또는 처방전(전자처방전 포함[92])을 작성하여 환자(환자가 사망하거나 의식이 없는 경우에는 직계존속·비속, 배우자 또는 배우자의 직계존속을 말하며, 환자가 사망하거나 의식이 없는 경우로서 환자의 직계존속·비속, 배우자 및 배우자의 직계존속이 모두 없는 경우에는 형제자매를 말한다) 또는 형사소송법 제222조 제①항에 따라 검시를 하는 지방검찰청검사(검안서에 한한다)에게 교부하거나 발송(전자처방전에 한한다)하지 못한다(제17조 제①항 본문). 그리고 의료업에 종사하고 직접 조산한 의사·한의사 또는 조산사가 아니면 출생·사망 또는 사산 증명서를 내주지 못한다(제17조 제②항 본문). 진단서 등은 의사 등이 진단한 결과에 관한 판단을 표시하는 것으로서 사람의 건강상태를 증명하고 민·

---

92) 의사나 치과의사가 전자서명법에 따른 전자서명이 기재된 전자문서 형태로 작성한 처방전이다.

형사책임을 판단하는 증거가 되는 등 중요한 기능을 담당하고 있으므로 그 정확성과 객관성을 담보하기 위하여 직접 진찰한 의사 등만이 이를 교부할 수 있도록 하는 데 그 취지가 있다[93].

[2] 의사·치과의사 또는 한의사가 발급하는 진단서에는 별지 제5호의 2 서식에 따라 ① 환자의 성명, 주민등록번호 및 주소, ② 병명 및 통계법 제22조 제①항 전단에 따른 한국표준질병·사인 분류에 따른 질병분류기호(질병분류기호), ③ 발병 연월일 및 진단 연월일, ④ 치료 내용 및 향후 치료에 대한 소견, ⑤ 입원·퇴원 연월일, ⑥ 의료기관의 명칭·주소, 진찰한 의사·치과의사 또는 한의사(부득이한 사유로 다른 의사 등이 발급하는 경우에는 발급한 의사 등)의 성명·면허자격·면허번호를 기재하여야 한다(의료법 시행규칙 제9조 제①항). 질병의 원인이 상해로 인한 것인 경우에는 별지 제5호의 3 서식에 따라 위 제①항 각 호의 사항 외에 ① 상해의 원인 또는 추정되는 상해의 원인, ② 상해의 부위 및 정도, ③ 입원의 필요 여부, ④ 외과적 수술 여부, ⑤ 합병증의 발생 가능 여부, ⑥ 통상 활동의 가능 여부, ⑦ 식사의 가능 여부, ⑧ 상해에 대한 소견, ⑨ 치료기간을 추가적으로 기재하여야 한다(의료법 시행규칙 제9조 제②항). 진단서에는 연도별로 그 종류에 따라 일련번호를 붙이고 진단서를 발급한 경우에는 그 부본을 갖추어 두어야 한다(의료법 시행규칙 제9조 제④항). 의사·치과의사 또는 한의사가 발급하는 사망진단서 또는 시체검안서는 별지 제6호 서식에(의료법 시행규칙 제10조), 의사·한의사 또는 조산사가 발급하는 출생증명서는 별지 제7호 서식에(의료법 시행규칙 제11조), 사산 또는 사태증명서는 별지 제8호 서식에 각 따른다(의료법 시행규칙 제12조).

[3] 실무에서는 의료인이 환자를 직접 진찰하지 않고 환자 또는 관계인의 요구에 따라 진단서 등(특히 처방전)을 교부한 경우에 기소되는 경우가 많다. 2007. 4. 11. 개정되기 전에는 '의료업에 종사하고 자신이 진찰하거나 검안한' 의사이었는데 '의료업에 종사하고 직접 진찰하거나 검안한' 의사로 개정되었다. 보건복지부는 조문 표현을 부드럽게 하기 위한 개정이라는 입장이지만 진찰을 문진, 시진, 청진, 타진, 검진으로 구분할 수 있고 문진은 직접 문진과 간접 문진이 모두 가능한 진찰 형태라는 점에서 의문이다. 죄형법정주의 관점에서 해석하다면 더욱 더 그렇다. 2007. 4. 11.자 개정으로 환자를 직접 대면 진료한 의사만이 진단서 등을 교부할 수 있는 것으로 해석함이 타당하다[94]. 따라서 의사가 환자를 직접 진찰하지 않고 기존 의무기록만으로 진단서를 작성하거나 처방전 등을 발행하는 것은 2007. 4. 11. 이후로 금지된다.

[4] 직접 진찰·검안 후 진단서 등 교부 의무(직접 무진찰 진단서 교부 금지)와 관련하여 실무상 두 가지가 검토되어야 한다. 첫째, 의사가 어떤 정도의 진찰을 하였을 경우에 진단서를 작성할 수 있는지

---

[93] 대법원 1996. 6. 28. 선고 96도1013 판결

[94] 대법원 2013. 4. 11. 선고 2010도1388 판결 : 2007. 4. 11. 법률 제8366호로 전부 개정되기 전의 구 의료법 제18조 제①항은 '의료업에 종사하고 자신이 진찰한 의사'가 아니면 진단서·검안서·증명서 또는 처방전(이하 '처방전 등'이라 한다)을 작성하여 환자에게 교부하지 못한다고 규정하고, 2007. 4. 11. 법률 제8366호로 전부 개정된 구 의료법(2009. 1. 30. 법률 제9386호로 개정되기 전의 것) 제17조 제①항은 '의료업에 종사하고 직접 진찰한 의사'가 아니면 처방전 등을 작성하여 환자에게 교부하지 못한다고 규정하고 있다. 개정 전후의 위 조항은 어느 것이나 스스로 진찰을 하지 않고 처방전을 발급하는 행위를 금지하는 규정일 뿐 대면진찰을 하지 않았거나 충분한 진찰을 하지 않은 상태에서 처방전을 발급하는 행위 일반을 금지하는 조항이 아니다. 따라서 죄형법정주의 원칙, 특히 유추해석금지의 원칙상 전화 진찰을 하였다는 사정만으로 '자신이 진찰'하거나 '직접 진찰'을 한 것이 아니라고 볼 수는 없다.

가 논쟁거리가 될 수 있다. 진찰은 촉진, 청진, 문진, 시진, 망진 등 여러 가지 방법에 의하여 이루어 질 수 있다. 여기서 말하는 진찰이 어떠한 방법으로 이루어졌든지 간에 진단서에 기재할 만한 중요사항에 관하여 정확하게 진단하였을 정도의 진찰을 의미한다고 보아야 한다. 따라서 단순히 전화상으로 환자를 진찰한 것만으로는 진단서를 작성해도 좋을 정도의 진찰을 하였다고 보기 어렵다. 둘째로 진찰을 한 후 어느 정도의 기간 안에 진단서를 작성해 줄 수 있느냐가 문제가 될 수 있다. 적어도 진단서에 기재한 내용을 담보할 수 있을 정도의 기간 안에 이루어져야 할 것이므로, 마지막 진찰과 진단서 기재내용의 일치여부가 중요시되어야 한다. 따라서 마지막 진단과 진단서작성 사이에 시간 간격이 얼마되지 않아서 재진하지 않더라도 진단서 기재내용이 변하지 않는다는 확신이 드는 정도라면 재진하지 않고 진단서를 작성할 수 있다. 진찰과 진단서 작성사이에 기간이 너무 떨어져 있는 경우에는 진단서를 작성하는 그 날짜에 적용되는 진단서를 작성해서는 안 되며, 마지막으로 진찰한 그 날짜에 부합하는 진단서를 작성하여야 한다. 대법원은 "의사가 진단서에 상해일로 기재된 날에 환자를 진찰한 바 없다 하더라도 그 진단서 작성일자에 그 환자를 직접 진찰하고 그 진찰 결과에 터잡아 그가 말하는 상해 년·월·일과 그 상해 년·월·일을 기준으로 한 향후치료기간을 기재한 진단서를 교부한 행위는 구 의료법 제18조 제①항의 구성요건에 해당하지 않는다"고 판시하여 진단서 작성일자에 환자를 진찰하였으면 상해일로 기재된 날에 진단하지 않았더라도 의료법 위반이 아니라고 판시하였다[95].

(5) 진료 중이던 환자가 최종 진료 시부터 48시간 이내에 사망한 경우에는 다시 진료하지 않더라도 진단서나 증명서를 내줄 수 있으며, 환자 또는 사망자를 직접 진찰하거나 검안한 의사·치과의사 또는 한의사가 부득이한 사유로 진단서·검안서 또는 증명서를 내줄 수 없으면 같은 의료기관에 종사하는 다른 의사·치과의사 또는 한의사가 환자의 진료기록부 등에 따라 내줄 수 있고(제17조 제①항 단서), 직접 조산한 의사·한의사 또는 조산사가 부득이한 사유로 증명서를 내줄 수 없으면 같은 의료기관에 종사하는 다른 의사·한의사 또는 조산사가 진료기록부 등에 따라 증명서를 내줄 수 있다(제17조 제②항 단서)

(6) 국민건강보험법 제45조(요양급여비용의 산정 등) 제⑦항, 국민건강보험법 시행령 제21조 제②항, 국민건강보험 요양급여의 기준에 관한 규칙 제8조 제②항 및 제④항의 규정에 의한 의료급여수가의 기준 및 일반기준(보건복지부 고시 제2014-203호) 제10조 제③항은 정신질환자가 직접 의료급여기관을 방문할 수 없어 보호자 등이 담당의사와 상담 후 약제를 수령하는 경우 내원 및 투약 1일당 정액수가를 각각 산정함을 규정함으로서 보호자 등에게 대리 처방전을 교부할 수 있도록 하고 있다. 그리고 건강보험 요양급여행위 및 그 상대가치점수(보건복지부 고시 제2004-92호)[96]는 환자가 직접

---

95) 대법원 1996. 6. 28. 선고 96도1013 판결

96) 헌법재판소 2003. 12. 18. 선고 2001헌마543 결정 : 국민건강보험제도의 공익적 성격과 요양급여비용 지급에 있어서의 계약제의 한정적 의미 및 요양급여행위 상대가치점수의 평가의 전문성·복잡성 등을 고려할 때, 국민건강보험공단 이사장과 의약계 대표자간에 체결하는 계약의 내용범위는 의약계가 원하는 요양급여비용의 현실화를 충분히 반영할 수 있는 기회가 될 수 있도록 하되 건강보험제도의 공익적 성격이 반영되는 수준에서 적절한 조화를 이루는 내용이 되어야 할 것이다. 그런데 상대가치 점수의 평가와 산정은 계약제의 도입에도

내원하지 않고 환자 가족이 내원하여 진료담당 의사와 상담한 후 약제 또는 처방전만을 수령·발급하는 경우에는 재진 진찰료 소정 점수의 50%를 산정하도록 규정하여 재진환자의 경우 보호자에게 대리 처방전을 교부할 수 있도록 하고 있다.

(7) 의료인이 의료법 제17조 제①항 본문, 제②항 본문을 위반하여 진단서·검안서·증명서 또는 처방전을 발급하면 1년 이하의 징역이나 500만원 이하의 벌금에 처해질 수 있으며(제89조) 보건복지부장관은 1년의 범위에서 면허자격을 정지시킬 수 있는데(제66조 제①항 제10호), 실무상으로는 의료관계 행정처분규칙 별표 2. 개별 기준 가. 4)에 따라 2월의 자격정지를 처분한다.

나. 진단서 등 교부 요구 거부 금지

(1) 의사·치과의사 또는 한의사는 자신이 진찰하거나 검안한 자에 대한 진단서·검안서 또는 증명서 교부를 요구받은 때에는 정당한 사유 없이 거부하지 못하고 의사·한의사 또는 조산사는 자신이 조산한 것에 대한 출생·사망 또는 사산 증명서 교부를 요구받은 때에는 정당한 사유 없이 거부하지 못한다(제17조 제③항, 제④항).

(2) 직접 진찰·검안 후 진단서 등 교부 의무(제17조 제①항 본문, 제②항 본문) 주체는 '의료업에 종사하고 직접 진찰하거나 검안·조산한' 사람임에 비하여 진단서 등 교부 요구 거부 금지(제17조 제③항, 제④항)의 주체는 '자신이 진찰하거나 검안·조산한' 사람이라는 차이가 있다. 따라서 환자를 직접 대면 진료하지 않은 경우에는 진단서 등을 교부할 수 없지만 간접 진료 등으로 진찰·검안·조산한 경우에 그 대상자의 교부 요구가 있으면 진단서 등을 교부할 수 있다(교부 요구를 거부하지 못한다)는 해석이 가능하다. 진단서 등 교부 요구 거부 금지의 주체를 직접 진찰·검안 후 진단서 등 교부 의무의 주체와 일치시키는 개정이 필요한 부분이다.

(3) 정당한 사유가 있는 경우에는 진단서 등의 교부 요구를 거부할 수 있다. 의료법 제15조 제①항의 정당한 사유와 존재의 평면을 같이 하는데 어떠한 경우에 정당한 사유가 있다고 볼 것인지가 실무에서 중요하다. 정당한 사유에 해당하는지 여부는 전적으로 사회통념에 따라 의료인측, 환자측의 사정 그리고 기타 정황을 모두 참작하여 합목적적으로 판단하여야 한다. 실무상으로 ① 제3자가 포괄적인 백지 위임장을 제시하면서 요구하는 경우, ② 대상자가 부정확한 사실 내용으로 작성하여 줄 것을 요구하는 경우, ③ 범죄행위에 이용될 것이 명백한 경우, ④ 환자가 진단 내용을 알면 임상적으로 해로운 경우 등이 정당한 사유로 주장·입증된다.

불구하고 동 법률의 전체적 체계를 고려하여 볼 때 피청구인의 결정사항으로 할 수 있도록 위임될 수 있음을 누구나 충분히 예측할 수 있다고 할 것이므로 상대가치점수의 산정에 관한 이 사건 고시의 법적 근거가 되는 국민건강보험법 제42조 제⑦항의 내용은 위임입법의 한계를 준수한 것이다. 이 사건 개정고시의 내용을 이루는 것 중, 차등수가제의 도입은 요양급여행위의 상대적 가치를 일일 진료하는 환자수의 다과에 따라 달리 하도록 한 것이고, 진찰비와 처방비의 통합은 양 행위의 상대적 가치를 통합하여 이를 재평가하는 것이며, 야간가산시간대의 조정은 시간대에 따라 달라지는 요양급여의 상대가치를 재평가한 것이라고 볼 수 있다. 따라서 이 사건 개정고시의 내용은 요양급여행위의 상대적 가치를 산정하는데 있어서 일반원칙적 혹은 총론적 사항으로 적용되는 부분을 개정한 것이므로 성격상 요양급여행위의 상대가치점수를 변경하는 것에 해당하여 국민건강보험법시행령 제24조 제②항에서 위임하고 있는 사항인 요양급여비용의 상대가치점수 산정의 범위 안에 속하는 것이다. 그렇다면 이 사건 개정고시는 비록 그 내용이 의료수가의 산정기준에 관한 것으로 의료인인 청구인들의 재산권을 제한하고 있지만 위 시행령 조항 및 나아가 동 시행령에의 위임근거가 되는 법률조항인 국민건강보험법 제42조 제⑦항에 그 위임의 근거를 가진 것으로서 법률에 의한 기본권 제한의 헌법원칙에 위배되지 아니한다.

(4) 의료법 제17조 제③항, 제④항을 위반하여 정당한 이유 없이 진단서·검안서 또는 증명서의 발급 요구를 거절하면 500만원 이하의 벌금에 처해질 수 있으며(제90조), 보건복지부장관은 1년의 범위에서 면허자격을 정지시킬 수 있는데(제66조 제①항 제10호), 실무상으로는 의료관계 행정처분규칙 별표 2. 개별 기준 가. 6)에 따라 1월의 자격정지를 처분한다.

다. 거짓 진단서 등 작성 금지(허위진단서작성죄)

(1) 제17조 제①항 및 제②항에 따른 진단서·검안서 또는 증명서를 거짓으로 작성하여 내주는 행위는 의료법상 금지되고 이를 위반하면 보건복지부장관이 1년의 범위에서 면허자격을 정지시킬 수 있다(제66조 제①항 제3호). 실무상으로는 의료관계 행정처분규칙 별표 2. 개별 기준 가. 5)에 따라 3월의 자격정지를 처분한다.

(2) 의료법이 금지하는 거짓 진단서 등 작성의 객체는 의료법 제17조 제①항과 제②항에 따른 진단서·검안서 또는 증명서이다. 따라서 매우 제한적으로 해석한다면 의료업에 종사하고 직접 진찰하거나 검안·조산한 경우의 진단서·검안서 또는 증명서에 한정된다고 해석할 수도 있다. 그러나 형법 제233조가 허위진단서 등을 작성하는 행위를 범죄로 규정한다는 점, 의료법 제66조 제①항 제3호의 입법취지는 형법상의 허위진단서 등 작성죄가 성립되는 경우에 자격정지를 처분할 수 없었다는 기존의 입법 미비를 보완하기 위한 개정이라는 점, 대면 진료를 하지 않은 경우에 거짓 또는 허위 작성이 많다는 점 등을 고려한다면 위와 같이 제한적으로 해석하는 것은 부당하다. 형법상의 허위진단서 등 작성죄의 구성요건(주체, 객체, 행위)과 동일하게 해석하여야 한다[97].

(3) 의사, 한의사, 치과의사 또는 조산사가 진단서, 검안서 또는 생사에 관한 증명서를 허위로 작성한 때에는 3년 이하의 징역이나 금고, 7년 이하의 자격정지 또는 3천만원 이하의 벌금에 처한다(형법 제233조). 미수범은 처벌되며(형법 제235조), 허위 작성된 결과물을 행사하는 경우도 같은 형에 처한다(형법 제234조).

(4) 진단서, 검안서 또는 생사에 관한 증명서는 공문서가 아니지만 의료업에 종사하는 전문직인 의료인이 경험과 학식에 따라 작성하는 문서이므로 신빙성이 높다는 점을 고려하여 작성권한 있는 자가 거짓 또는 허위 내용의 문서를 작성하는 것을 금지하는 것으로서 사문서의 무형위조를 예외적으로 처벌하는 경우이다.

(5) 허위진단서 등 작성죄의 주체는 의사·한의사·치과의사 또는 조산사에 한정된다는 점에서 자수범(自手犯)이며 간접정범에 의하여는 본죄가 성립될 수 없다.

(6) 허위진단서 등 작성죄의 객체는 진단서, 검안서 또는 생사에 관한 증명서이다. 진단서는 진찰의 결과에 관한 판단을 표시하여 사람의 건강 상태를 증명하기 위하여 작성하는 문서를 말하는 것이므로, 비록 그 문서의 명칭이 소견서로 되어 있더라도 그 내용이 의사가 진찰한 결과 알게 된 병명이나 상

---

[97] 다만, 의료법상의 거짓 진단서 등 작성 행위는 거짓으로 작성하여 내주는 행위까지를 구성요건으로 함에 반하여(제66조 제①항 제3호) 형법상의 허위진단서작성죄(제233조)는 미수범을 처벌하고(형법 제235조), 허위 작성된 결과물을 행사하는 경우도 같은 형에 처하므로(형법 제234조) 허위 작성만으로도 구성요건해당성이 인정된다는 차이점이 있다.

처의 부위, 정도 또는 치료기간 등의 건강상태를 증명하기 위하여 작성된 것이라면 진단서에 해당된 다[98]. 따라서 문서의 명칭은 불문한다[99]. 검안서는 사람의 신체에 대하여 검안한 내용을 기재한 문서 이다. 의사가 창상을 조사하여 그 결과를 기재한 문서나 사체를 해부하여 검사한 결과를 기록한 문 서가 검안서이다. 생사에 관한 증명서는 생사 또는 사망 사실 또는 사망의 원인을 증명하는 진단서 이다. 사망진단서가 대표적인 예이다.

(7) 허위진단서 등 작성죄의 행위는 거짓 또는 허위로 문서를 작성하는 것이다. 거짓 또는 허위란 진실 에 반하는 내용이며 사실에 관한 것이건 판단에 관한 것이건 묻지 않는다. 따라서 치료의 필요 여부 또는 예상 치료 기간에 대한 내용도 그 대상이 된다.

(8) 허위진단서 등 작성죄가 성립되기 위해서는 행위자가 자신의 신분 뿐만 아니라 거짓·허위의 진단서, 검안서 또는 생사에 관한 증명서를 작성한다는 사실을 인식하여야 한다(위증죄의 주관적 구성요건과 다른 점이다). 그러나 행사의 목적까지 필요한 것은 아니다. 허위진단서 등 작성죄는 의사가 사실에 관 한 인식이나 판단의 결과를 표현함에 있어서 자기의 인식판단이 진단서에 기재된 내용과 불일치하는 것임을 인식하고서도 일부러 진실 아닌 기재를 하는 것을 말하는 것이므로 의사가 진찰을 소홀히 한 다거나 착오를 일으켜 오진한 결과로 객관적으로 진실에 반한 진단서를 작성한 경우는 허위진단서작성 에 관한 인식이 있다고 할 수 없어서 허위진단서 등 작성죄는 성립되지 않는다[100]. 대법원은 "치료완료 라는 것은 의사의 직접적인 치료가 필요 없게 되었음을 뜻하고 완치라는 것은 외상이전의 정상상태로 완전히 회복되어 건전한 정신적, 사회적, 육체적 활동이 가능하게 됨을 의미하는 것이라고 하여 피고 인이 완치의 의미에서가 아니라 치료행위의 완료를 뜻하는 전자의 의미로 치료완료라는 용어가 기재 된 진단서를 작성한 것이라면 일반적으로는 완치와 치료완료라는 용어의 개념을 다 같이 완전히 치료 가 끝났다는 의미로 받아들이는 것이 사실이라 하더라도 이 때문에 피고인에게 완치되지 않은 것을 완 치된 것으로 진단서에 허위기재 한다는 범의가 있다고 할 수 없다"고 판시하였다[101].

(9) 의료인 면허를 받은 이후에 면허 기간 중 허위진단서 등의 작성죄(형법 제233조)를 저질러서 금고 이상의 형을 선고받고 그 형의 집행이 종료되지 아니하였거나 집행을 받지 아니하기로 확정되지 아 니한 경우에는 면허가 취소된다(필요적 취소, 제52조 제①항 제1호). 실무상으로 초범인 경우에는

---

98) 대법원 1990. 3. 27. 선고 89도2083 판결

99) 대법원 2005. 11. 24. 선고 2002도4758 판결 ; 형벌법규의 해석은 엄격하여야 하고 명문규정의 의미를 피고인에게 불리한 방향으로 지 나치게 확장해석하거나 유추해석하는 것은 죄형법정주의의 원칙에 어긋나는 것으로서 허용되지 않는다(대법원 1992. 10. 13. 선고 92도 1428 전원합의체 판결, 대법원 2002. 2. 8. 선고 2001도5410 판결 등 참조). 구 의료법(2000. 1. 12. 법률 제6157호로 개정되기 전의 것, 이 하 같다) 제21조 제①항은 "의료인은 각각 진료기록부·조산기록부 또는 간호기록부를 비치하여 그 의료행위에 관한 사항과 소견을 상세 히 기록하고 서명하여야 한다."라고 규정하고 있고, 구 의료법 제69조는 제21조 제①항의 규정에 위반한 자는 500만원 이하의 벌금형에 처 하도록 규정하고 있는바, 문언상 '상세히 기록하여야 한다.'라고만 규정하고 있을 뿐 '허위로 작성하여서는 아니 된다.'라거나 '허위 사항을 기재하여서는 아니 된다.'라고 규정하고 있지 않은 점, 그리고 구 의료법 제53조 제①항 제3호가 면허자격정지사유에 관하여 '제21조 제① 항에 의한 진료기록부 등을 허위로 작성한 때'라고 규정하고 있어 위 제21조 제①항 및 제69조와 그 내용 및 형식을 서로 달리하고 있는 점 등을 고려해 볼 때, 의료인이 진료기록부를 허위로 작성한 경우에는 위 제53조 제①항 제3호에 따라 그 면허자격을 정지시킬 수 있는 사유 에 해당한다고 볼 수 있을지언정 나아가 그것이 형사처벌 규정인 제69조 소정의 제21조 제①항의 규정에 위반한 경우에 해당한다고 해석 할 수는 없다.

100) 대법원 1978. 12. 13. 선고 78도2343 판결

101) 대법원 1977. 11. 22. 선고 77도3113 판결

대부분 약식기소되거나 벌금형이 선고되어 면허 취소에 이르지 않지만 죄질, 범행 횟수, 피해의 정도 등이 중하고 반성의 기미가 없으면 실형이 선고되는 경우도 있다.

라. 처방전 작성·교부의무와 의심 처방전 문의에 대한 응대의무 및 의약품 정보 확인의무

제18조【처방전 작성과 교부】 ① 의사나 치과의사는 환자에게 의약품을 투여할 필요가 있다고 인정하면 「약사법」에 따라 자신이 직접 의약품을 조제할 수 있는 경우가 아니면 보건복지부령으로 정하는 바에 따라 처방전을 작성하여 환자에게 내주거나 발송(전자처방전만 해당된다)하여야 한다.

② 제①항에 따른 처방전의 서식, 기재사항, 보존, 그 밖에 필요한 사항은 보건복지부령으로 정한다.

③ 누구든지 정당한 사유 없이 전자처방전에 저장된 개인정보를 탐지하거나 누출·변조 또는 훼손하여서는 아니 된다.

④ 제①항에 따라 처방전을 발행한 의사 또는 치과의사(처방전을 발행한 한의사를 포함한다)는 처방전에 따라 의약품을 조제하는 약사 또는 한약사가 「약사법」 제26조 제②항에 따라 문의한 때 즉시 이에 응하여야 한다. 다만, 다음 각 호의 어느 하나에 해당하는 사유로 약사 또는 한약사의 문의에 응할 수 없는 경우 사유가 종료된 때 즉시 이에 응하여야 한다.

1. 「응급의료에 관한 법률」 제2조 제1호에 따른 응급환자를 진료 중인 경우

2. 환자를 수술 또는 처치 중인 경우

3. 그 밖에 약사의 문의에 응할 수 없는 정당한 사유가 있는 경우

제18조의 2【의약품정보의 확인】 ① 의사 및 치과의사는 제18조에 따른 처방전을 작성하거나 「약사법」 제23조 제④항에 따라 의약품을 자신이 직접 조제하는 경우에는 다음 각 호의 정보(이하 "의약품정보"라 한다)를 미리 확인하여야 한다.

1. 환자에게 처방 또는 투여되고 있는 의약품과 동일한 성분의 의약품인지 여부

2. 식품의약품안전처장이 병용금기, 특정연령대 금기 또는 임부금기 등으로 고시한 성분이 포함되는지 여부

3. 그 밖에 보건복지부령으로 정하는 정보

② 제①항에도 불구하고 의사 및 치과의사는 급박한 응급의료상황 등 의약품정보를 확인할 수 없는 정당한 사유가 있을 때에는 이를 확인하지 아니할 수 있다.

③ 제①항에 따른 의약품정보의 확인방법·절차, 제2항에 따른 의약품정보를 확인할 수 없는 정당한 사유 등은 보건복지부령으로 정한다.

[본조신설 2015. 12. 29.] [시행일 : 2016. 12. 30.]

제66조【자격정지 등】 ① 보건복지부장관은 의료인이 다음 각 호의 어느 하나에 해당하면 1년의 범위에서 면허자격을 정지시킬 수 있다. 이 경우 의료기술과 관련한 판단이 필요한 사항에 관하여는 관계 전문가의 의견을 들어 결정할 수 있다.

10. 그 밖에 이 법 또는 이 법에 따른 명령을 위반한 때

제87조【벌칙】 ① 다음 각 호의 어느 하나에 해당하는 자는 5년 이하의 징역이나 5천만원 이하의 벌금에 처한다.

2. ──중략── 제18조 제③항, ──중략── 을 위반한 자

제90조【벌칙】 ──중략── 제18조 제④항, ──중략── 을 위반한 자 ──중략── 자는 500만원 이하의 벌금에 처한다.

제91조【양벌규정】

(1) 의사나 치과의사는 환자에게 의약품을 투여할 필요가 있다고 인정하면 약사법에 따라 자신이 직접 의약품을 조제할 수 있는 경우가 아니면 보건복지부령으로 정하는 바에 따라 처방전을 작성하여 환자에게 내주거나 발송(전자처방전만 해당된다)하여야 한다(제18조 제①항). 한의사는 양방과 달리 한방 영역이 한의약 분업 체계가 아니라서 처방전 작성 의무를 부담하지 않는다. 한의약 분업제를 도입하자는 의견도 있으나 탕약과 탕제라는 한방 영역의 특성을 고려해서 신중하게 논의할 필요가 있다. 처방전을 환자에게 내주거나 발송(전자처방전만 해당된다)하지 않으면 보건복지부장관이 1년의 범위에서 면허자격을 정지시킬 수 있다(제66조 제①항 제3호). 실무상으로는 의료관계 행정처분규칙 별표 2. 개별 기준 가. 7)에 따라 1차 위반시 자격정지 15일, 2차 위반(1차 처분일부터 2년 이내에 다시 위반한 경우에만 해당한다)시 자격정지 1개월을 처분한다.

(2) 의사나 치과의사가 환자에게 처방전을 발급하는 경우에는 별지 제9호서식의 처방전에 ① 환자의 성명 및 주민등록번호, ② 의료기관의 명칭, 전화번호 및 팩스번호, ③ 질병분류기호, ④ 의료인의 성명·면허종류 및 번호, ⑤ 처방 의약품의 명칭(일반명칭, 제품명이나 대한약전에서 정한 명칭을 말한다)·분량·용법 및 용량, ⑥ 처방전 발급 연월일 및 사용기간, ⑦ 의약품 조제시 참고 사항을 적은 후 서명(전자서명법에 따른 공인전자서명을 포함)하거나 도장을 찍어야 한다. 다만, ③ 질병분류기호는 환자가 요구한 경우에는 적지 않는다(의료법 시행규칙 제12조 제①항). 의사나 치과의사는 환자에게 처방전 2부를 발급하여야 한다[102]. 다만, 환자가 그 처방전을 추가로 발급하여 줄 것을 요구하는 경우에는 환자가 원하는 약국으로 팩스·컴퓨터통신 등을 이용하여 송부할 수 있다(의료법 시행규칙 제12조 제②항). 환자를 치료하기 위하여 필요하다고 인정되면 다음 내원일에 사용할 의약품에 대하여 미리 처방전을 발급할 수 있다(의료법 시행규칙 제12조 제③항)[103]. 의사·치과의사 또는 한의사가 환자에게 내주는 약제의 용기 또는 겉봉에는 내·외용의 구분, 용법, 용량, 교부 연월일, 환자의 성명, 의료기관의 명칭·소재지를 적어야 한다(의료법 시행규칙 제13조).

(3) 의약분업의 예외로서 다음 각호의 경우에는 의사나 치과의사가 직접[104] 의약품을 조제할 수 있다(약사법 제23조 제④항)[105].

---

102) 의료법 시행규칙에 규정된 것이라서 처벌 내지 제재가 없지만 실무상 환자 보관용과 약국 제출용으로 교부하는 경우가 많다.

103) 의료법 시행규칙 제12조 제①항부터 제③항까지의 규정은 약사법 제23조 제④항에 따라 의사나 치과의사 자신이 직접 조제할 수 있음에도 불구하고 처방전을 발행하여 환자에게 발급하려는 경우에 준용한다(의료법 시행규칙 제12조 제④항).

104) 대법원 2007. 10. 25. 선고 2006도4418 판결 ; 의사의 의약품 직접 조제가 허용되는 경우에, 비록 의사가 자신의 손으로 의약품을 조제하지 아니하고 간호사 또는 간호조무사로 하여금 의약품을 배합하여 약제를 만들도록 하였다 하더라도 실질적으로는 간호사 등을 기계적으로 이용한 것에 불과하다면 의사 자신이 직접 조제한 것으로 볼 수도 있지만, 의약분업 제도의 목적과 취지, 이를 달성하기 위한 약사법의 관련 규정, 국민건강에 대한 침해 우려, 약화(藥禍) 사고의 발생가능성 등 여러 사정을 종합적으로 고려해 볼 때, '의사의 지시에 따른 간호사 등의 조제행위'를 '의사 자신의 직접 조제행위'로 법률상 평가할 수 있으려면 의사가 실제로 간호사 등의 조제행위에 대하여 구체적이고 즉각적인 지휘·감독을 하였거나 적어도 당해 의료기관의 규모와 입원환자의 수, 조제실의 위치, 사용되는 의약품의 종류와 효능 등에 비추어 그러한 지휘·감독이 실질적으로 가능하였던 것으로 인정되고, 또 의사의 환자에 대한 복약지도도 제대로 이루어진 경우라야만 한다. 따라서 의사가 입원환자의 진료기록지에 의약품의 종류와 용량을 적어 처방을 하면 간호조무사들이 위 의사의 특별한 지시나 감독 없이 진료기록지의 내용에 따라 원무과 접수실 옆 약품진열장에서 종류별로 용기에 들어 있는 약을 꺼내어 배합·밀봉하는 등의 행위를 한 경우, 구 약사법(2007. 4. 11. 법률 제8365호로 전문 개정되기 전의 것) 제21조 제⑤항에 따라 위 의사가 의약품을 직접 조제한 것으로 볼 수 없다.

105) 의사나 치과의사는 약사법 제23조 제③항의 사유(1. 의료기관이 없는 지역에서 조제하는 경우 2. 재해가 발생하여 사실상 의료기관이 없게 되어 재해 구호를 위하여 조제하는 경우 3. 감염병이 집단으로 발생하거나 발생할 우려가 있다고 보건복지부장관이 인정하여 경구용

① 약국이 없는 지역에서 조제하는 경우

② 재해가 발생하여 사실상 약국이 없게 되어 재해 구호를 위하여 조제하는 경우

③ 응급환자 및 조현병(調絃病) 또는 조울증 등으로 자신 또는 타인을 해칠 우려가 있는 정신질환자에 대하여 조제하는 경우

④ 입원환자, 「감염병의 예방 및 관리에 관한 법률」에 따른 제1군감염병환자 및 「사회복지사업법」에 따른 사회복지시설에 입소한 자에 대하여 조제하는 경우(사회복지시설에서 숙식을 하지 아니하는 자인 경우에는 해당 시설을 이용하는 동안에 조제하는 경우만 해당한다)

⑤ 주사제를 주사하는 경우

⑥ 감염병 예방접종약 · 진단용 의약품 등 보건복지부령으로 정하는 의약품을 투여하는 경우

⑦ 「지역보건법」에 따른 보건소 및 보건지소의 의사 · 치과의사가 그 업무(보건소와 보건복지부장관이 지정하는 보건지소의 지역 주민에 대한 외래 진료 업무는 제외한다)로서 환자에 대하여 조제하는 경우

⑧ 국가유공자 등 예우 및 지원에 관한 법령에 따른 상이등급 1급부터 3급까지에 해당하는 자, 「5 · 18민주유공자예우에 관한 법률」에 따른 5 · 18민주화운동부상자 중 장해등급 1급부터 4급까지에 해당하는 자, 고엽제 후유의증 환자 지원 등에 관한 법령에 따른 고도장애인, 장애인복지 관련 법령에 따른 1급 · 2급 장애인 및 이에 준하는 장애인, 파킨슨병 환자 또는 한센병 환자에 대하여 조제하는 경우

⑨ 장기이식을 받은 자에 대하여 이에 관련된 치료를 하거나 후천성 면역결핍증 환자에 대하여 해당 질병을 치료하기 위하여 조제하는 경우

⑩ 병역의무를 수행 중인 군인 · 의무경찰 · 교정시설 경비교도[106]와 「형의 집행 및 수용자의 처우에 관한 법률」 및 「군에서의 형의 집행 및 군수용자의 처우에 관한 법률」에 따른 교정시설, 「보호소년 등의 처우에 관한 법률」에 따른 보호소년 수용시설 및 「출입국관리법」에 따른 외국인 보호시설에 수용 중인 자에 대하여 조제하는 경우

⑪ 「결핵예방법」에 따라 결핵치료제를 투여하는 경우(보건소 · 보건지소 및 대한결핵협회 부속의원만 해당한다)

⑫ 사회봉사 활동을 위하여 조제하는 경우

⑬ 국가안전보장에 관련된 정보 및 보안을 위하여 처방전을 공개할 수 없는 경우

⑭ 그 밖에 대통령령으로 정하는 경우[107]

(經口用) 감염병 예방접종약을 판매하는 경우 4. 사회봉사 활동을 위하여 조제하는 경우)가 있는 경우에 처방전 없이 직접 조제할 수 있다는 견해가 있다. 그러나 의약분업의 예외를 인정할 합리적 이유가 제23조 제③항의 사유 1. 2. 3.에 없을 뿐만 아니라 법문상의 생략된 주체가 약사라는 점 그리고 약사법 제23조 제④항과 의 관계에서 수긍하기 어렵다.

106) 경비교도대는 2012. 12. 27. 폐지되었다.

107) 약사법 시행령 제23조(의사나 치과의사의 직접 조제 범위) 법 제23조 제④항 제14호에서 "대통령령으로 정하는 경우"란 다음 각 호의 경우를 말한다.
  1. 「국군조직법」 제15조에 따른 국군의료시설의 의사나 치과의사가 그 업무 수행으로서 같은 법 제4조에 따른 군인인 환자에 대하여 조제하는 경우

(4) 누구든지 정당한 사유 없이 전자처방전에 저장된 개인정보를 탐지하거나 누출·변조 또는 훼손하여서는 아니 되며(제18조 제③항), 이를 위반시 5년 이하의 징역이나 5천만원 이하의 벌금에 처해질 수 있다(제87조 제①항).

(5) 약사 또는 한약사는 처방전에 표시된 의약품의 명칭·분량·용법 및 용량 등이 ① 식품의약품안전처장이 의약품의 안정성·유효성 문제로 의약품 품목 허가 또는 신고를 취소한 의약품이 기재된 경우이거나 ② 의약품의 제품명 또는 성분명을 확인할 수 없는 경우 또는 ③ 국민건강보험법 제41조 제②항에 따라 보건복지부령으로 정하는 요양급여기준에 따라 식품의약품안전처장이 병용금기 또는 특정연령대 금기 성분으로 고시한 의약품이 기재된 경우로 의심되는 경우 처방전을 발행한 의사·치과의사·한의사 또는 수의사에게 전화 및 모사전송을 이용하거나 전화 및 전자우편을 이용하여 의심스러운 점을 확인한 후가 아니면 조제를 하여서는 안 된다(약사법 제26조 제②항). 이때 처방전을 발행한 의사 또는 치과의사(처방전을 발행한 한의사를 포함)는 약사 또는 한약사의 문의에 응할 수 없는 경우 사유가 종료된 때 즉시 이에 응하여야 하며(의심 처방전 문의에 대한 응대의무, 제18조 제④항), 이를 위반시 500만원 이하의 벌금에 처해질 수 있다(제90조). 문의에 응할 수 없는 경우는 ① 응급의료에 관한 법률 제2조 제1호에 따른 응급환자를 진료 중인 경우이거나 ② 환자를 수술 또는 처치 중인 경우 또는 ③ 그 밖에 약사의 문의에 응할 수 없는 정당한 사유가 있는 경우이다(제18조 제④항).

(6) 의사와 치과의사는 처방전을 작성하거나 약사법 제23조 제④항에 따라 의약품을 자신이 직접 조제하는 경우에는 ① 환자에게 처방 또는 투여되고 있는 의약품과 동일한 성분의 의약품인지 여부와 ② 식품의약품안전처장이 병용금기, 특정연령대 금기 또는 임부금기 등으로 고시한 성분이 포함되는지 여부 그리고 ③ 그 밖에 보건복지부령으로 정하는 정보(의약품정보)를 미리 확인하여야 한다(의약품정보 확인 의무, 제18조의 2 제①항). 그러나 급박한 응급의료상황 등 의약품정보를 확인할 수 없는 정당한 사유가 있을 때에는 이를 확인하지 않을 수 있다(제18조의 제②항). 의약품정보 확인 의무에 따른 의약품정보의 확인방법·절차, 의약품정보를 확인할 수 없는 정당한 사유 등은 보건복지부령으로 정한다(제18조의 2 제③항). 2015. 12. 29.자 개정으로 신설되었으며 2016. 12. 30.부터 시행된다.

---

2. 「경찰청과 그 소속기관 직제」 제31조에 따른 경찰병원 또는 「소방공무원 임용령」 제61조에 따른 중앙소방전문치료센터의 의사나 치과의사가 그 업무 수행으로서 경찰·소방공무원인 환자에 대하여 조제하는 경우

3. 「산업재해보상보험법」 제11조 제②항에 따라 근로복지공단이 설치·운영하는 의료기관의 의사나 치과의사가 그 업무 수행으로서 같은 법 제5조 제1호에 따른 업무상의 재해를 입은 자 중 진폐증 환자에 대하여 조제하는 경우

4. 「한국보훈복지의료공단법」 제7조에 따라 설치된 보훈병원의 의사나 치과의사가 그 업무 수행으로서 「국가유공자 등 예우 및 지원에 관한 법률」, 「보훈보상대상자 지원에 관한 법률」, 「고엽제후유의증 등 환자지원 및 단체설립에 관한 법률」 및 「5·18민주유공자예우에 관한 법률」에 따라 진료비 전액을 국가가 부담하는 환자에 대하여 조제하는 경우

5. 「학교보건법」 제3조에 따른 보건실의 의사나 치과의사(「의료법」에 따라 해당 학교에 개설된 의료기관에 종사하는 경우는 제외한다)가 업무 수행으로서 해당 학교의 학생 및 교직원인 환자에 대하여 조제하는 경우

6. 「산업안전보건법」 제16조에 따른 보건관리자인 의사나 치과의사(「의료법」에 따라 해당 사업장에 개설된 의료기관에 종사하는 경우는 제외한다)가 사업장에서 업무 수행으로서 해당 사업장의 근로자인 환자에 대하여 조제하는 경우

7. 「의료법」 제27조 제③항 제2호에 따른 외국인환자에 대하여 조제하는 경우

마. 정보누설 · 발표금지(비밀준수의무)

> **제19조【정보 누설 금지】** ① 의료인이나 의료기관 종사자는 이 법이나 다른 법령에 특별히 규정된 경우 외에는 의료 · 조산 또는 간호업무나 제17조에 따른 진단서 · 검안서 · 증명서 작성 · 교부 업무, 제18조에 따른 처방전 작성 · 교부 업무, 제21조에 따른 진료기록 열람 · 사본 교부 업무, 제22조 제②항에 따른 진료기록부등 보존 업무 및 제23조에 따른 전자의무기록 작성 · 보관 · 관리 업무를 하면서 알게 된 다른 사람의 정보를 누설하거나 발표하지 못한다.
> ② 제58조 제②항에 따라 의료기관 인증에 관한 업무에 종사하는 자 또는 종사하였던 자는 그 업무를 하면서 알게 된 정보를 다른 사람에게 누설하거나 부당한 목적으로 사용하여서는 아니 된다.

> **제66조【자격정지 등】** ① 보건복지부장관은 의료인이 다음 각 호의 어느 하나에 해당하면 1년의 범위에서 면허 자격을 정지시킬 수 있다. 이 경우 의료기술과 관련한 판단이 필요한 사항에 관하여는 관계 전문가의 의견을 들어 결정할 수 있다.
> 10.그 밖에 이 법 또는 이 법에 따른 명령을 위반한 때

> **제88조【벌칙】** 다음 각 호의 어느 하나에 해당하는 자는 3년 이하의 징역이나 3천만원 이하의 벌금에 처한다.
> 1. 제19조 ──중략──을 위반한 자. 다만, 제19조, ──중략──을 위반한 자에 대한 공소는 고소가 있어야 한다.

> **제91조【양벌규정】**

(1) 의료인이나 의료기관 종사자는 의료법이나 다른 법령에 특별히 규정된 경우 외에는 의료 · 조산 또는 간호업무나 제17조에 따른 진단서 · 검안서 · 증명서 작성 · 교부 업무, 제18조에 따른 처방전 작성 · 교부 업무, 제21조에 따른 진료기록 열람 · 사본 교부 업무, 제22조 제②항에 따른 진료기록부등 보존 업무 및 제23조에 따른 전자의무기록 작성 · 보관 · 관리 업무를 하면서 알게 된 다른 사람의 정보를 누설하거나 발표하지 못한다(정보누설 · 발표금지, 업무상 비밀준수의무, 제19조 제①항). 제58조 제②항에 따라 의료기관 인증에 관한 업무에 종사하는 자 또는 종사하였던 자는 그 업무를 하면서 알게 된 정보를 다른 사람에게 누설하거나 부당한 목적으로 사용하여서는 안 된다(제19조 제②항).

(2) 형법 제317조 제①항은 의사, 한의사, 치과의사, 약제사, 약종상, 조산사, 변호사, 변리사, 공인회계사, 공증인, 대서업자나 그 직무상 보조자 또는 차등의 직에 있던 자가 그 직무처리 중 지득한 타인의 비밀을 누설한 때에는 3년 이하의 징역이나 금고, 10년 이하의 자격정지 또는 700만원 이하의 벌금에 처함을 규정한다(업무상 비밀누설죄). 의료법상의 정보누설 · 발표죄(비밀누설 · 발표죄)와 차이점은 ① 법정형에 금고형과 자격정지형이 추가되어 있고 벌금형 상한이 700만원이라는 점, ② 행위 태양을 누설로 규정한 점, ③ 행위객체를 비밀로 한정한 점이다. 양자는 ① 의료법상의 정보누설 · 발표죄의 주체가 형법상 업무상비밀누설죄의 주체에 포함된다는 점, ② 업무처리 중 또는 업무상 지득한 다른 사람의 비밀이 행위 객체라는 점, ③ 발표 또는 사용은 누설행위에 포함된다는 점, ④ 피해자의 고소가 있어야 공소를 제기할 수 있는 친고죄라는 점(형법 제318조)에서 공통점이 있

다. 따라서 실무는 특별법인 의료법상의 정보누설·발표(제19조)죄[108]로 기소하는 경우가 대부분인데 특단의 사유가 없는 한 약식기소하는 경우가 많다.

(3) 의무의 주체는 의료인, 의료기관 종사자, 제58조 제②항에 따라 의료기관 인증에 관한 업무에 종사하는 자 또는 종사하였던 자(이하 '의료인' 등)이다[109]. 이러한 의미에서 의료법상의 정보누설·발표죄는 진정신분범이며 자수범(自手犯)이다. 그러므로 비신분자는 본죄의 간접정범이 될 수 없다. 예컨대 면허 또는 자격이 없는 사람이 '의료인 등'을 이용하여 비밀을 누설·발표·사용하여도 본죄의 간접정범이 되지 않는다. 공무원 또는 공무원이었던 의료인 등이 법령에 의한 직무상 비밀을 누설한 때에는 공무상 비밀누설죄(형법 제127조)[110]에 해당된다.

(4) 행위의 객체는 의료·조산 또는 간호업무나 제17조에 따른 진단서·검안서·증명서 작성·교부 업무, 제18조에 따른 처방전 작성·교부 업무, 제21조에 따른 진료기록 열람·사본 교부 업무, 제22조 제②항에 따른 진료기록부등 보존 업무 및 제23조에 따른 전자의무기록 작성·보관·관리 업무를 하면서 알게 된 다른 사람의 정보 또는 제58조 제②항에 따라 의료기관 인증에 관한 업무를 하면서 알게 된 정보이다[111]. 다른 사람에는 자연인 뿐만 아니라 법인 또는 법인격 있는 단체도 포함되며 사망한 사람도 포함된다.

(5) 행위는 정보를 누설, 발표 또는 부당한 목적으로 사용하는 것이다. 누설이란 정보를 모르는 사람에게 정보를 알게 하는 행위이다. 발표는 정보를 세상에 널리 드러내어 알리는 행위이다. 누설과 발표의 방법에는 제한이 없다. 공연히 누설·발표할 것이 요건이 아니므로 한 사람에게 알려도 성립한다[112]. 부작위에 의하여도 누설할 수 있다. 예를 들면 환자의 정보가 기재된 의무기록을 방치하여 다른 사람이 읽게 하는 경우이다. 상대방이 현실적으로 정보라는 점을 인식할 필요도 없이 정보의 누설·발표가 상대방에게 도달되면 기수가 된다. 부당한 목적 사용은 목적외 사용(use of station for

---

108) 의료인이나 의료기관 종사자는 환자가 아닌 다른 사람에게 환자에 관한 기록을 열람하게 하거나 그 사본을 내주는 등 내용을 확인할 수 있게 하여서는 안 되는데(제21조 제①항 본문), 이는 의료법상의 비밀누설·발표금지(제19조)와 같은 취지로 누설의 방법이 기록 열람 또는 사본 교부로 구체화된 경우로서 벌칙과 자격정지 내용이 서로 같다.

109) 2016. 5. 29.자 개정 이전에는 의료인(보건복지부장관의 면허를 받은 의사·치과의사·한의사·조산사 및 간호사)에 한정되었다.

110) 형법 제127조(공무상 비밀의 누설) 공무원 또는 공무원이었던 자가 법령에 의한 직무상 비밀을 누설한 때에는 2년 이하의 징역이나 금고 또는 5년 이하의 자격정지에 처한다.

111) 2016. 5. 29.자 개정 이전에는 행위 객체를 비밀에 한정하였다. 여기서 비밀이란 의사가 환자의 신뢰를 바탕으로 하여 진료 과정에서 알게된 사실로서 객관적으로 보아 환자에게 이익이 되거나 또는 환자가 특별히 누설을 금하여 실질적으로 그것을 비밀로서 보호할 가치가 있다고 인정되는 사실을 의미하므로, 하급심 판결은 "의사가 성폭행 피해자를 진찰한 결과 알게 된 '처녀막이 파열되지 않았고 정충이 발견되지 않았다'는 내용을 가해자측에게 알려준 경우, 이는 피해자가 의학적 소견으로 보아 건강하며 별 이상이 없다는 취지여서 그 사실이 다른 사람에게 알려지더라도 피해자측의 사회적 또는 인격적 이익이 침해된다고 볼 수 없어 의료상 비밀에 해당하지 않는다."고 판시하기도 하였다(서울동부지방법원 2004. 5. 13. 선고 2003고단2941 판결). 즉, 비밀은 특정인 또는 일정한 범위의 사람에게만 알려져 있는 사실로서 다른 사람에게 알려지지 않는 것이 본인에게 이익이 있는 사실을 말하고 본인이 비밀로 할 것을 원할 뿐만 아니라(비밀유지의 의사) 객관적으로도 비밀로 할 이익이 있어야 함(비밀유지의 객관적인 이익)을 요건으로 한다. 따라서 공지의 사실은 비밀이 아니어서 본죄의 객체에는 해당하지 않았다. 그러나 2016. 5. 29.자 개정으로 비밀성(비밀유지의 의사와 비밀유지의 객관적 이익)이 불필요하므로 행위 객체(정보)가 확장되었다.

112) 서울동부지방법원 2004. 5. 13. 선고 2003고단2941 판결 ; 의사가 법원에 제출한 사실조회서에 기재한 내용을 보충 설명하는 취지의 진술서를 작성하여 제3자에게 교부한 경우, 그 진술서의 내용상 단순한 용어설명의 정도를 넘어서 환자의 신뢰를 토대로 직접 진료한 의사가 아니면 덧붙여 밝힐 수 없는 구체적이고도 상세한 내용과 그에 대한 의학적 소견 등 새로운 사항들을 담고 있다면, 이는 의료상 비밀을 누설하는 행위에 해당한다.

other purpose)과 부당한 목적성을 결합한 개념이지만 그 구분이 쉽지 않다. 정보 사용행위가 보건복지부장관이 위탁한 의료기관 인증에 관한 업무와 관련성이 없으면 목적외 사용에 해당된다. 부당한 목적성은 입증책임의 법리에 따라 판단되어야 한다.

(6) 의료법에 특별히 규정된 경우에는 환자의 정보를 누설·발표할 수 있는데 대표적인 예가 의료법 제21조(기록 열람 등)의 경우이다. 그리고 다른 법령에 특별히 규정된 경우에는 환자의 정보를 누설·발표할 수 있는데 대표적인 예가 의사나 한의사가 감염병의 예방 및 관리에 관한 법률 제11조에 따라 감염병 환자 등을 신고하는 경우와 의사 및 그 밖의 의료기관 종사자가 결핵예방법 제8조 제①항에 따라 결핵환자 등을 관할 보건소장에게 신고하는 경우이다. 의료인이 재판에서 각종 소송법에 따른 감정증인 또는 증인으로 증언하는 경우도 정당화된다.

(7) 의료법 제19조를 위반하여 정보를 누설, 발표거나 부당하게 사용하면 3년 이하의 징역 또는 3천만원 이하의 벌금에 처해질 수 있는데 피해자의 고소가 있어야 공소를 제기할 수 있는 친고죄이다(제88조). 보건복지부장관은 1년의 범위에서 면허자격을 정지시킬 수 있는데(제66조 제①항 제10호), 실무상으로는 의료관계 행정처분규칙 별표 2. 개별 기준 가. 8)에 따라 선고유예의 판결을 받거나 벌금형의 선고를 받은 경우[113]에 2월의 자격정지를 처분한다.

바. 태아 성 감별 행위 등 금지

제20조【태아 성 감별 행위 등 금지】 ① 의료인은 태아 성 감별을 목적으로 임부를 진찰하거나 검사하여서는 아니 되며, 같은 목적을 위한 다른 사람의 행위를 도와서도 아니 된다.

② 의료인은 임신 32주 이전에 태아나 임부를 진찰하거나 검사하면서 알게 된 태아의 성(性)을 임부, 임부의 가족, 그 밖의 다른 사람이 알게 하여서는 아니 된다.

제66조【자격정지 등】 ① 보건복지부장관은 의료인이 다음 각 호의 어느 하나에 해당하면 1년의 범위에서 면허자격을 정지시킬 수 있다. 이 경우 의료기술과 관련한 판단이 필요한 사항에 관하여는 관계 전문가의 의견을 들어 결정할 수 있다.

    4. 제20조를 위반한 경우

제88조의 2【벌칙】 제20조를 위반한 자는 2년 이하의 징역이나 2천만원 이하의 벌금에 처한다.

제91조【양벌규정】

(1) 의료인은 태아 성 감별을 목적으로 임부를 진찰하거나 검사하여서는 안 되며, 같은 목적을 위한 다른 사람의 행위를 도와서도 안 되고 임신 32주 이전에 태아나 임부를 진찰하거나 검사하면서 알게

---

113) 가벼운 친고죄임을 반영해서 기소유예처분을 받으면 자격정지를 처분하지 않는다. 참고로 실형 또는 징역형의 집행유예를 선고받으면 제8조(결격사유 등) 제4호(의료법을 위반하여 금고 이상의 형을 선고받고 그 형의 집행이 종료되지 않았거나 집행을 받지 않기로 확정되지 않은 사람)에 해당하여 필요적으로 면허가 취소된다(제65조 제①항 제1호). 제21조 제①항을 위반하여 환자에 관한 기록의 열람, 사본 발급 등 그 내용을 확인할 수 있게 하여 선고유예의 판결을 받거나 벌금형의 선고를 받은 경우도 같은 이유에서 같은 자격정지가 처분된다.

된 태아의 성(性)을 임부, 임부의 가족, 그 밖의 다른 사람이 알게 하여서는 안 된다(제20조). 1987. 11. 28.자 개정으로 신설된 조항으로 남아 선호사상에 따른 여태아에 대한 낙태가 자행될 수 있다는 시대 상황적 우려를 배경으로 하였다.

(2) 신설 당시의 조문 내용은 ② "의료인은 태아나 임부를 진찰하거나 검사하면서 알게 된 태아의 성(性)을 임부, 임부의 가족, 그 밖의 다른 사람이 알게 하여서는 아니 된다."이었는데 헌법재판소가 헌법불합치 결정을 선고함으로써[114] 2009. 12. 31. ② "의료인은 임신 32주 이전에 태아나 임부를 진찰하거나 검사하면서 알게 된 태아의 성(性)을 임부, 임부의 가족, 그 밖의 다른 사람이 알게 하여서는 아니 된다."로 개정되었다.

(3) 통상적인 임신 기간은 약 40주이다. 낙태 특히 수술적 방법에 의한 인공임신중절은 자궁 천공, 자궁 근염, 자궁주위염, 복막염, 심내막염, 패혈증, 전치 태반 등의 후유증이 발생될 수 있고, 과다 출혈과 감염으로 산모가 사망 할 수도 있는 침습적 의료행위이다. 따라서 모자보건법 시행령은 인공임신중절수술의 위험성을 반영하여 모자보건법법 제14조[115]에 따른 인공임신중절수술의 허용한계를 임신 24주일 이내로 제한한다(제15조 제①항). 의료법상의 태아성감별행위 금지조항은 이를 고려하여 임신 32주 이전이라는 기간을 규정하였다. 남녀평등 사상이 상식화되었고 여태아만에 대한 낙태가 거의 없다는 현실을 고려한다면 모자보건법 시행령상의 기간과 동일하게 개정하거나 금지규정 자체를 폐지할 필요성이 있다. 실무에서 형법상의 낙태죄 조문이 사문화되어 낙태죄로 입건되는 경우가 거의 없으며 이혼 사건 등의 불의타 또는 환자측의 공갈 수단으로만 악용된다는 점을 고려하면 더욱 더 그렇다.

(4) 의료법 제20조를 위반하면 2년 이하의 징역 또는 2천만원 이하의 벌금에 처해질 수 있다(제88조의 2). 헌법재판소가 2008. 7. 31. 헌법불합치 결정을 선고할 당시에는 필요적 면허취소[116] 사유이었지

---

114) 헌법재판소 2008. 7. 31. 선고 2004헌마1010, 2005헌바90 결정 ; 이 사건 규정의 태아 성별 고지 금지는 낙태, 특히 성별을 이유로 한 낙태를 방지함으로써 성비의 불균형을 해소하고 태아의 생명권을 보호하기 위해 입법된 것이다. 그런데 임신 기간이 통상 40주라고 할 때, 낙태가 비교적 자유롭게 행해질 수 있는 시기가 있는 반면, 낙태를 할 경우 태아는 물론, 산모의 생명이나 건강에 중대한 위험을 초래하여 낙태가 거의 불가능하게 되는 시기도 있는데, 성별을 이유로 하는 낙태가 임신 기간의 전 기간에 걸쳐 이루어질 것이라는 전제 하에, 이 사건 규정이 낙태가 사실상 불가능하게 되는 임신 후반기에 이르러서도 태아에 대한 성별 정보를 태아의 부모에게 알려 주지 못하게 하는 것은 최소침해성원칙을 위반한 것이는 것이고, 이와 같이 임신후반기 공익에 대한 보호의 필요성이 거의 제기되지 않는 낙태 불가능 시기 이후에도 의사가 자유롭게 직업수행을 하는 자유를 제한하고, 임부나 그 가족의 태아 성별 정보에 대한 접근을 방해하는 것은 기본권 제한의 법익 균형성 요건도 갖추지 못한 것이다. 따라서 이 사건 규정은 헌법에 위반된다 할 것이다.

115) 모자보건법 제14조(인공임신중절수술의 허용한계) ① 의사는 다음 각 호의 어느 하나에 해당되는 경우에만 본인과 배우자(사실상의 혼인관계에 있는 사람을 포함한다. 이하 같다)의 동의를 받아 인공임신중절수술을 할 수 있다.
　1. 본인이나 배우자가 대통령령으로 정하는 우생학적(優生學的) 또는 유전학적 정신장애나 신체질환이 있는 경우
　2. 본인이나 배우자가 대통령령으로 정하는 전염성 질환이 있는 경우
　3. 강간 또는 준강간(準強姦)에 의하여 임신된 경우
　4. 법률상 혼인할 수 없는 혈족 또는 인척 간에 임신된 경우
　5. 임신의 지속이 보건의학적 이유로 모체의 건강을 심각하게 해치고 있거나 해칠 우려가 있는 경우

116) 서울행정법원 1998. 12. 11. 선고 98구21171 판결 ; 의료법 제52조 제①항 및 같은 법 제53조 제①항의 규정 내용 및 그 형식에 비추어 보면, 의료법은 태아의 성감별행위를 비롯하여 도저히 의료인의 자격을 유지할 수 없다고 평가되는 결격사유나 위법행위에 대하여는 의료법 제52조 제①항 각 호에 의하여 의료인의 면허취소처분을 하도록 하고 있고, 그렇지 아니하고 의료인이 의료행위 과정에서 저지르는 위법행위로서 그 비난의 정도가 면허취소의 정도에 이르지 않는다고 보이는 경우에는 의료법 제53조 제①항 각 호에 의하여 의료인의 면허자격을 정지하도록 규정하는 등 당초부터 의료인의 면허자격의 취소사유와 정지사유를 준별하여 규정하고 있을 뿐이지, 취소사유와 정지사유를 함께 규정하면서 취소·정지를 행정청의 재량에 의하여 선택할 수 있도록 규정하고 있지는 아니한바, 따라서 면허정지사유로

만 2009. 12. 31. 개정으로 삭제되었다. 보건복지부장관은 1년의 범위에서 면허자격을 정지시킬 수 있는데(제66조 제①항 제4호), 실무상으로는 의료관계 행정처분규칙 별표 2. 개별 기준 가. 9)에 따라 3월의 자격정지를 처분한다.

사. 기록 열람 등

제21조【기록 열람 등】 ① 환자는 의료인, 의료기관의 장 및 의료기관 종사자에게 본인에 관한 기록의 열람 또는 그 사본의 발급 등 내용의 확인을 요청할 수 있다. 이 경우 의료인, 의료기관의 장 및 의료기관 종사자는 정당한 사유가 없으면 이를 거부하여서는 아니 된다.

② 의료인, 의료기관의 장 및 의료기관 종사자는 환자가 아닌 다른 사람에게 환자에 관한 기록을 열람하게 하거나 그 사본을 내주는 등 내용을 확인할 수 있게 하여서는 아니 된다.

③ 제②항에도 불구하고 의료인, 의료기관의 장 및 의료기관 종사자는 다음 각 호의 어느 하나에 해당하면 그 기록을 열람하게 하거나 그 사본을 교부하는 등 그 내용을 확인할 수 있게 하여야 한다. 다만, 의사·치과의사 또는 한의사가 환자의 진료를 위하여 불가피하다고 인정한 경우에는 그러하지 아니하다.

1. 환자의 배우자, 직계 존속·비속 또는 배우자의 직계 존속이 환자 본인의 동의서와 친족관계임을 나타내는 증명서 등을 첨부하는 등 보건복지부령으로 정하는 요건을 갖추어 요청한 경우

2. 환자가 지정하는 대리인이 환자 본인의 동의서와 대리권이 있음을 증명하는 서류를 첨부하는 등 보건복지부령으로 정하는 요건을 갖추어 요청한 경우

3. 환자가 사망하거나 의식이 없는 등 환자의 동의를 받을 수 없어 환자의 배우자, 직계 존속·비속 또는 배우자의 직계 존속이 친족관계임을 나타내는 증명서 등을 첨부하는 등 보건복지부령으로 정하는 요건을 갖추어 요청한 경우

4. 「국민건강보험법」 제14조, 제47조, 제48조 및 제63조에 따라 급여비용 심사·지급·대상여부 확인·사후관리 및 요양급여의 적정성 평가·가감지급 등을 위하여 국민건강보험공단 또는 건강보험심사평가원에 제공하는 경우

5. 「의료급여법」 제5조, 제11조, 제11조의 3 및 제33조에 따라 의료급여 수급권자 확인, 급여비용의 심사·지급, 사후관리 등 의료급여 업무를 위하여 보장기관(시·군·구), 국민건강보험공단, 건강보험심사평가원에 제공하는 경우

6. 「형사소송법」 제106조, 제215조 또는 제218조에 따른 경우

7. 「민사소송법」 제347조에 따라 문서제출을 명한 경우

8. 「산업재해보상보험법」 제118조에 따라 근로복지공단이 보험급여를 받는 근로자를 진료한 산재보험 의료기관(의사를 포함한다)에 대하여 그 근로자의 진료에 관한 보고 또는 서류 등 제출을 요구하거나 조사하는 경우

9. 「자동차손해배상 보장법」 제12조 제②항 및 제14조에 따라 의료기관으로부터 자동차보험진료수가를 청구받은 보험회사등이 그 의료기관에 대하여 관계 진료기록의 열람을 청구한 경우

규정한 제53조 제①항 제6호의 "기타 이 법에 위반한 때" 중 '이 법'에는 면허취소사유가 되는 제19조의 2의 규정은 포함되지 아니한다고 보아야 하므로, 행정청이 임의대로 법의 규정형식과는 달리 취소사유에 해당하는 의료인의 위반행위에 대하여 면허자격을 정지하는 처분을 할 수는 없다.

10. 「병역법」 제11조의 2에 따라 지방병무청장이 병역판정검사와 관련하여 질병 또는 심신장애의 확인을 위하여 필요하다고 인정하여 의료기관의 장에게 병역판정검사대상자의 진료기록·치료 관련 기록의 제출을 요구한 경우

11. 「학교안전사고 예방 및 보상에 관한 법률」 제42조에 따라 공제회가 공제급여의 지급 여부를 결정하기 위하여 필요하다고 인정하여 「국민건강보험법」 제42조에 따른 요양기관에 대하여 관계 진료기록의 열람 또는 필요한 자료의 제출을 요청하는 경우

12. 「고엽제후유의증 등 환자지원 및 단체설립에 관한 법률」 제7조 제③항에 따라 의료기관의 장이 진료기록 및 임상소견서를 보훈병원장에게 보내는 경우

13. 「의료사고 피해구제 및 의료분쟁 조정 등에 관한 법률」 제28조 제①항 또는 제③항에 따른 경우

14. 「국민연금법」 제123조에 따라 국민연금공단이 부양가족연금, 장애연금 및 유족연금 급여의 지급심사와 관련하여 가입자 또는 가입자였던 사람을 진료한 의료기관에 해당 진료에 관한 사항의 열람 또는 사본 교부를 요청하는 경우

14의2. 「공무원연금법」 제85조에 따라 공무원연금공단이 공무상요양비, 재해부조금, 장해급여 및 유족급여의 지급심사와 관련하여 공무원 또는 공무원이었던 자를 진료한 의료기관에 해당 진료에 관한 사항의 열람 또는 사본 교부를 요청하는 경우

15. 「장애인복지법」 제32조 제⑦항에 따라 대통령령으로 정하는 공공기관의 장이 장애 정도에 관한 심사와 관련하여 장애인 등록을 신청한 사람 및 장애인으로 등록한 사람을 진료한 의료기관에 해당 진료에 관한 사항의 열람 또는 사본 교부를 요청하는 경우

16. 「감염병의 예방 및 관리에 관한 법률」 제18조의 4 및 제29조에 따라 보건복지부장관, 질병관리본부장, 시·도지사 또는 시장·군수·구청장이 감염병의 역학조사 및 예방접종에 관한 역학조사를 위하여 필요하다고 인정하여 의료기관의 장에게 감염병환자등의 진료기록 및 예방접종을 받은 사람의 예방접종 후 이상반응에 관한 진료기록의 제출을 요청하는 경우

④ 진료기록을 보관하고 있는 의료기관이나 진료기록이 이관된 보건소에 근무하는 의사·치과의사 또는 한의사는 자신이 직접 진료하지 아니한 환자의 과거 진료 내용의 확인 요청을 받은 경우에는 진료기록을 근거로 하여 사실을 확인하여 줄 수 있다.

제63조【시정 명령 등】 보건복지부장관 또는 시장·군수·구청장은 의료기관이 ——중략——제21조 제①항 후단 및 같은 조 제②항, 제③항, ——중략——을 위반한 때 또는 ——중략—— 아니하게 된 때에는 일정한 기간을 정하여 그 시설·장비 등의 전부 또는 일부의 사용을 제한 또는 금지하거나 위반한 사항을 시정하도록 명할 수 있다.

제64조【개설 허가 취소 등】 ① 보건복지부장관 또는 시장·군수·구청장은 의료기관이 다음 각 호의 어느 하나에 해당하면 그 의료업을 1년의 범위에서 정지시키거나 개설 허가를 취소하거나 의료기관 폐쇄를 명할 수 있다. 다만, 제8호에 해당하는 경우에는 의료기관 개설 허가를 취소하거나 의료기관 폐쇄를 명하여야 하며, 의료기관 폐쇄는 제33조 제③항과 제35조 제①항 본문에 따라 신고한 의료기관에만 명할 수 있다.

3. 제61조에 따른 관계 공무원의 직무 수행을 기피 또는 방해하거나 제59조 또는 제63조에 따른 명령을 위반한 때

6. 제63조에 따른 시정명령(제4조 제⑤항 위반에 따른 시정명령을 제외한다)을 이행하지 아니한 때

제66조【자격정지 등】 ① 보건복지부장관은 의료인이 다음 각 호의 어느 하나에 해당하면 1년의 범위에서 면허자격을 정지시킬 수 있다. 이 경우 의료기술과 관련한 판단이 필요한 사항에 관하여는 관계 전문가의 의견을 들어 결정할 수 있다.

　　10.그 밖에 이 법 또는 이 법에 따른 명령을 위반한 때

제67조【과징금 처분】 ① 보건복지부장관이나 시장·군수·구청장은 의료기관이 제64조 제①항 각 호의 어느 하나에 해당할 때에는 대통령령으로 정하는 바에 따라 의료업 정지 처분을 갈음하여 5천만원 이하의 과징금을 부과할 수 있으며, 이 경우 과징금은 3회까지만 부과할 수 있다. 다만, 동일한 위반행위에 대하여 「표시·광고의 공정화에 관한 법률」 제9조에 따른 과징금 부과처분이 이루어진 경우에는 과징금(의료업 정지 처분을 포함한다)을 감경하여 부과하거나 부과하지 아니할 수 있다.

제88조【벌칙】 다음 각 호의 어느 하나에 해당하는 자는 3년 이하의 징역이나 3천만원 이하의 벌금에 처한다.

　　1.　──중략── 제21조 제②항, ──중략── 을 위반한 자. 다만, ──중략── 제21조 제②항 또는 ──중략── 을 위반한 자에 대한 공소는 고소가 있어야 한다.

제90조【벌칙】 ──중략── 제21조 제①항 후단, ──중략── 을 위반한 자나 ──중략── 한 자는 500만원 이하의 벌금에 처한다.

제91조【양벌규정】

[1] 의료인이나 의료기관 종사자는 의료법이나 다른 법령에 특별히 규정된 경우 외에는 의료·조산 또는 간호업무나 제17조에 따른 진단서·검안서·증명서 작성·교부 업무, 제18조에 따른 처방전 작성·교부 업무, 제21조에 따른 진료기록 열람·사본 교부 업무, 제22조 제②항에 따른 진료기록부 등 보존 업무 및 제23조에 따른 전자의무기록 작성·보관·관리 업무를 하면서 알게 된 다른 사람의 정보를 누설하거나 발표하지 못한다(제19조 제①항). 같은 맥락에서 의료인, 의료기관의 장 및 의료기관 종사자는 환자가 아닌 다른 사람에게 환자에 관한 기록을 열람하게 하거나 그 사본을 내주는 등 내용을 확인할 수 있게 하여서는 안 된다(제21조 제②항). 이를 위반하면 3년 이하의 징역 또는 3천만원 이하의 벌금에 처해질 수 있는데 피해자의 고소가 있어야 공소를 제기할 수 있는 친고죄이다(제88조). 보건복지부장관은 1년의 범위에서 면허자격을 정지시킬 수 있는데(제66조 제①항 제10호), 실무상으로는 의료관계 행정처분규칙 별표 2. 개별 기준 가. 10)에 따라 선고유예의 판결을 받거나 벌금형의 선고를 받은 경우에 2월의 자격정지를 처분한다[117]. 의료인, 의료기관의 장 및 의료기관 종사자가 제21조 제②항을 위반하면 보건복지부장관 또는 시장·군수·구청장이 일정한 기간을 정하여 그 시설·장비 등의 전부 또는 일부의 사용을 제한 또는 금지하거나 위반한 사항을 시정하도록 명할 수 있다(제63조). 명령을 이행하지 않거나 시정명령을 이행하지 않으면 보건복지부장관 또는 시장·군수·구청장이 그 의료업을 1년의 범위에서 정지시키거나 개설 허가를 취소하거

---

[117] 의료법상의 비밀누설·발표금지(제19조)와 같은 취지로 누설의 방법이 기록 열람 또는 사본 교부로 구체화된 경우로서 벌칙과 자격정지 내용이 서로 같다. 따라서 향후 삭제하는 방향으로 개정이 필요하다.

나 의료기관 폐쇄를 명할 수 있다(제64조 제①항 제3호, 제6호). 보건복지부장관이나 시장·군수·구청장은 정지 처분에 갈음하여 5천만원 이하의 과징금을 부과할 수 있다(제67조 제①항). 제63조에 따른 명령을 위반하면 500만원 이하의 벌금에 처해질 수 있다(제90조).

(2) 과거의 의료소송 실무에서 환자나 그 가족 또는 제3자가 의료인의 의료과실을 입증하기 위하여 환자의 의료기록 열람청구를 하였을 때 의사가 환자에 대한 비밀준수의무를 근거로 이를 거부할 경우에 과연 이러한 경우에도 의사의 이러한 비밀준수의무에 근거한 의무기록 열람거부를 할 수 있는 특권을 인정할 수 있는가가 문제되었다. 미국의 판례이다. 의사가 1968년 11월에 사기적으로 또는 실수로 환자에게 즉각 수술을 요하는 뇌종양을 갖고 있다고 말하면서 환자에게 불필요한 두개골수술을 시행하였다는 이유로 여성이 손해배상의 소를 제기하였다. 미국 제1심 법원은 피고 의사가 1964년과 1968년 사이에 140명의 환자에게 수술한 것과 관련된 각 수술 전의 진찰기록, 수술관련 의료기록, 수술 전 X—ray 촬영과 뇌조직검사 기록의 사본을 제출할 것을 명령하였다. 그러자 피고 의사와 병원은 140명의 환자들 누구로부터도 아직 동의를 얻지 못하였기 때문에 이 문서제출명령은 의사와 환자 사이의 관계에 기초한 특권 조항(어떤 내과의사나 외과의사도 그의 환자의 동의 없이는 환자의 진료과정에서 얻어진 또는 환자를 진료하고 환자를 위하여 행위하는데 필요한 어떤 정보라도 조사되어서는 안 된다)을 위반하였다고 주장하였다. 미국 제1심 법원은 "위 특권의 모든 목적은 환자의 질병이 공개됨으로써 그가 겪게 될 모욕을 방지하기 위한 것이다. 따라서 환자의 성명의 공개가 그의 질병에 관한 어떤 정보도 노출되지 않게 하는 것이라면 이로써 위 특권이 침해되지 않으나 만약 환자의 성명의 공개가 필연적으로 그의 질병에 관한 정보의 노출까지 수반한다면 이는 그 특권을 침해하는 것이 된다. 반대로 환자의 질병만을 공개하고 그의 성명은 공개하지 않는다면 이는 그 특권을 침해하는 것이 아니다. 우리도 법원에 부과된 조건하에서라면, 즉 환자의 인적 사항이 일반에 공개되는 것이 아니라면 위 문서의 법원에의 제출이 위 법률이 보호하고자 하는 의사와 환자의 신뢰관계를 어떤 형태로든 침해한다고 보지 않는다."고 판단하였다. 의료인의 비밀준수의무에도 일정한 경우에는 한계가 있음을 명시하여 비밀준수의무와 기록열람권이 충돌할 경우 일정 조건하에서 기록열람권이 우선함을 명시한 판례라고 평가할 수 있다. 우리나라 의료법은 2000. 1. 12.자 개정을 통하여 비밀준수의무의 단서 조항을 신설하여 의사는 비밀준수의무를 부담하되 다만 환자, 그 배우자, 그 직계존비속 또는 배우자의 직계존속(배우자, 직계존비속 및 배우자의 직계존속이 없는 경우에는 환자가 지정하는 대리인)이 환자에 관한 기록의 열람, 사본교부 등 그 내용확인을 요구한 때에는 환자의 치료목적상 불가피한 경우를 제외하고는 이에 응하여야 함을 규정하여 기록열람권을 우선시켰다[118]. 이에 따라 종래에는 소송절차 등에서 법관의 제출명

---

118) 우리나라에서는 종래 환자의 진료기록열람권을 인정하고 있지 않았기 때문에 실무자와 학자들 사이에 활발한 논의가 있었다. 의료계에서는 대체로 반대하고 법조계에서도 이를 인정하는 견해와 부정하는 견해가 대립하였다. 부정하는 견해에 의하면 의사가 환자에 대하여 부담하는 진료채무는 결과채무가 아니라 수단채무에 지나지 않는 것이므로, 의사는 시시각각으로 변화하는 환자의 병상에 맞추어 선량한 관리자의 주의로써 현대 의료수준에 비추어 적정하다고 인정되는 조치를 채용하도록 노력하여야 하는 것이 진료채무의 급부의무의 내용이라고 하면서, 의사는 환자의 입장이 되어 의료행위의 전후를 묻지 않고 환자에게 납득이 가는 성의있는 설명을 하여 주는 것이 분쟁이나 소송을 억지하는 결과가 되나, 그와 같은 설명의무는 진료채무의 이행에 부수하는 의무에 지나지 않고, 의료윤리의 요청으로서 인정되는 것이기 때문에 설명의무는 진료계약과 따로 떼어서 관념할 수 있고, 수임인 또는 사무관리자의 전말보고의무도 부수적, 형식적인 의무에 지나지 않고, 의사가 진료에 관하여 어떠한 내용을 보고할 것인가는 오히려 의사의 입장으로부터 상당하다고 생각하는 방법, 내용으로

령 등에 응하여서만 볼 수 있었던 진료기록을 환자들이 소송 전이라도 필요한 경우에는 언제나 알권리의 일환으로 열람이나 사본을 청구할 수 있게 되었다. 환자는 의료인, 의료기관의 장 및 의료기관 종사자에게 본인에 관한 기록의 열람 또는 그 사본의 발급 등 내용의 확인을 요청할 수 있다. 이 경우 의료인, 의료기관의 장 및 의료기관 종사자는 정당한 사유가 없으면 이를 거부하여서는 안 된다(제21조 제①항). 의료인, 의료기관의 장 및 의료기관 종사자가 제21조 제①항 후단을 위반하여 정당한 사유 없이 환자에 관한 기록 열람, 사본 발급 등 그 내용 확인 요청을 거부하면 보건복지부장관 또는 시장·군수·구청장이 일정한 기간을 정하여 그 시설·장비 등의 전부 또는 일부의 사용을 제한 또는 금지하거나 위반한 사항을 시정하도록 명할 수 있다(제63조). 명령을 이행하지 않거나 시정명령을 이행하지 않으면 보건복지부장관 또는 시장·군수·구청장이 그 의료업을 1년의 범위에서 정지시키거나 개설 허가를 취소하거나 의료기관 폐쇄를 명할 수 있다(제64조 제①항 제3호, 제6호). 보건복지부장관이나 시장·군수·구청장은 정지 처분에 갈음하여 5천만원 이하의 과징금을 부과할 수 있다(제67조 제①항). 제63조에 따른 명령을 위반하면 500만원 이하의 벌금에 처해질 수 있다(제90조).

(3) 의료법 제19조의 정보 누설 금지와 제21조 제②항의 금지 규정에도 불구하고 의료인이나 의료기관 종사자는 아래 사유(① 내지 ⑯)의 어느 하나에 해당하면 그 기록[119]을 열람하게 하거나 그 사본을 교부하는 등 그 내용을 확인할 수 있게 하여야 한다[120]. 다만, 의사·치과의사 또는 한의사가 환자의 진료를 위하여 불가피하다고 인정한 경우에는 그렇지 않다(제21조 제③항). 의료인, 의료기관의 장 및 의료기관 종사자가 제21조 제③항을 위반하면 보건복지부장관 또는 시장·군수·구청장이 일정한 기간을 정하여 그 시설·장비 등의 전부 또는 일부의 사용을 제한 또는 금지하거나 위반한 사항을 시정하도록 명할 수 있다(제63조). 명령을 이행하지 않거나 시정명령을 이행하지 않으면 보건복지부장관 또는 시장·군수·구청장이 그 의료업을 1년의 범위에서 정지시키거나 개설 허가를 취소하거나 의료기관 폐쇄를 명할 수 있다(제64조 제①항 제3호, 제6호). 보건복지부장관이나 시장·군수·구청장은 정지 처분에 갈음하여 5천만원 이하의 과징금을 부과할 수 있다(제67조 제①항). 제63조에 따른 명령을 위반하면 500만원 이하의 벌금에 처해질 수 있다(제90조).

① 환자의 배우자, 직계 존속·비속 또는 배우자의 직계 존속이 환자 본인의 동의서와 친족관계임을 나타내는 증명서 등을 첨부하는 등 보건복지부령[121]으로 정하는 요건을 갖추어 요청한 경우

결정하면 되고, 그로써 충분히 의무를 다한 것으로 되어 실체법상 진료기록부에 대한 환자의 열람청구권을 인정할 수 없다고 하였다. 반면에 이를 인정하는 견해들은 위임계약상의 수임인이 수임인의 보고의무로서 이를 인정하여야 한다는 견해, 지도의무에서 인정하려는 견해, 자기결정권의 존중에서 긍정하려는 견해, 프라이버시권에서 인정하려는 견해 등이 있다. 이러한 진료기록 열람권 긍정설의 입장에 의하면 진료계약에는 최선을 다한다고 하는 것도 하나의 중핵이지만, 결과채무도 동시에 그 속에 포함되어 있고, 의외의 결과가 생겼다고 하는 것 자체에서, 의사의 주의의무 위반의 유무라고 하는 문제 이전에 그것과는 별개로, 진료채무의 불이행이라고 하는 평가가 나오게 되어, 의사는 진료계약에 기하여 실체법상 설명의무를 부담하고, 이 설명의무의 일환으로서 사후적인 전말보고의무가 생겨, 이 변명의무의 구체적 내용으로서 의사는 진료의 적정성을 증명하는 객관적 자료로서 진료기록부 등을 의사쪽에서 말끔히 준비하여 만약 환자로부터 요구가 있으면 이를 보여 주어야 하며, 이는 의사의 법률상의 의무라고 주장하면서, 의사의 환자에 대한 위와 같은 설명의무 내지 변명의무에 대응하는 권리로서 환자의 "열람청구권"이라고 하는 실체법상의 권리가 존재한다고 하였다.

[119] 실무상 환자와 관련된 의무기록 일체(전부)를 의미한다. 따라서 진단용 영상물을 포함한다.

[120] 실무상 사본 교부에 필요한 비용은 요청자가 부담한다.

[121] 의료법 시행규칙 제13조의 2(기록 열람 등의 요건) ① 법 제21조 제②항 제1호에 따라 환자의 배우자, 직계 존속·비속 또는 배우자의

② 환자가 지정하는 대리인이 환자 본인의 동의서와 대리권이 있음을 증명하는 서류를 첨부하는 등 보건복지부령으로 정하는 요건을 갖추어 요청한 경우

③ 환자가 사망하거나 의식이 없는 등 환자의 동의를 받을 수 없어 환자의 배우자, 직계 존속·비속 또는 배우자의 직계 존속이 친족관계임을 나타내는 증명서 등을 첨부하는 등 보건복지부령으로 정하는 요건을 갖추어 요청한 경우

④ 국민건강보험법 제14조, 제47조, 제48조 및 제63조에 따라 급여비용 심사·지급·대상여부 확인·사후관리 및 요양급여의 적정성 평가·가감지급 등을 위하여 국민건강보험공단 또는 건강보험심사평가원에 제공하는 경우

⑤ 의료급여법 제5조, 제11조, 제11조의 3 및 제33조에 따라 의료급여 수급권자 확인, 급여비용의 심사·지급, 사후관리 등 의료급여 업무를 위하여 보장기관(시·군·구), 국민건강보험공단, 건강보험심사평가원에 제공하는 경우

⑥ 형사소송법 제106조, 제215조 또는 제218조에 따른 경우[122]

⑦ 민사소송법 제347조에 따라 문서제출을 명한 경우

⑧ 산업재해보상보험법 제118조에 따라 근로복지공단이 보험급여를 받는 근로자를 진료한 산재보험 의료기관(의사를 포함한다)에 대하여 그 근로자의 진료에 관한 보고 또는 서류 등 제출을 요구하거나 조사하는 경우

⑨ 자동차손해배상 보장법 제12조 제②항 및 제14조에 따라 의료기관으로부터 자동차보험진료수가

직계 존속(이하 이 조에서 "친족"이라 한다)이 환자에 관한 기록의 열람이나 그 사본의 발급을 요청할 경우에는 다음 각 호의 서류를 갖추어 의료기관 개설자에게 제출하여야 한다.

1. 기록 열람이나 사본 발급을 요청하는 자의 신분증(주민등록증, 여권, 운전면허증 그 밖에 공공기관에서 발행한 본인임을 확인할 수 있는 신분증을 말한다. 이하 이 조에서 같다) 사본

2. 가족관계증명서, 주민등록표 등본 등 친족관계임을 확인할 수 있는 서류

3. 환자가 자필서명한 별지 제9호의 2 서식의 동의서. 다만, 환자가 만 14세 미만의 미성년자인 경우에는 제외한다.

4. 환자의 신분증 사본. 다만, 환자가 만 17세 미만으로 주민등록법 제24조 제①항에 따른 주민등록증이 발급되지 아니한 경우에는 제외한다.

② 법 제21조 제②항 제2호에 따라 환자가 지정하는 대리인이 환자에 관한 기록의 열람이나 그 사본의 발급을 요청할 경우에는 다음 각 호의 서류를 갖추어 의료기관 개설자에게 제출하여야 한다.

1. 기록열람이나 사본발급을 요청하는 자의 신분증 사본

2. 환자가 자필 서명한 별지 제9호의 2 서식의 동의서 및 별지 제9호의 3 서식의 위임장. 이 경우 환자가 만 14세 미만의 미성년자인 경우에는 환자의 법정대리인이 작성하여야 하며, 가족관계증명서 등 법정대리인임을 확인할 수 있는 서류를 첨부하여야 한다.

3. 환자의 신분증 사본. 다만, 환자가 만 17세 미만으로 주민등록법 제24조 제①항에 따른 주민등록증이 발급되지 아니한 자는 제외한다.

③ 법 제21조 제②항 제3호에 따라 환자의 동의를 받을 수 없는 상황에서 환자의 친족이 환자에 관한 기록의 열람이나 그 사본 발급을 요청할 경우에는 별표 2의 2에서 정하는 바에 따라 서류를 갖추어 의료기관 개설자에게 제출하여야 한다.

④ 환자가 본인에 관한 진료기록 등을 열람하거나 그 사본의 발급을 원하는 경우에는 본인임을 확인할 수 있는 신분증을 의료기관 개설자에게 제시하여야 한다.

[122] 형사소송법상의 영장에 의한 압수, 수색, 검증과 임의제출물의 압수에 한정된다. 따라서 형사소송법상의 공공기관에의 사실조회(제199조 제②항)로는 불가능하다. 그런데 실무에서는 수사기관이 수사를 목적으로 국민건강보험공단 등 공공기관에 진료기록 등 개인정보를 요구하는 경우가 많다. 이를 허용하는 근거 법령은 범죄수사를 위해 공공기관이 보유하고 있는 개인정보를 영장 없이 수사기관이 제공받을 수 있도록 한 개인정보보호법 제18조 제2항 7호이다. 그러나 ① 수사기관이 영장 없이 개인정보 조회를 사실상 무제한 할 수 있어서 헌법상 법률유보원칙과 영장주의에 위반된다는 점, ② 당사자의 동의 없이 수사기관에 개인정보를 제공하는 행위는 사생활의 비밀과 자유, 개인정보 자기 결정권 등의 기본권을 침해한다는 점, ③ 의료법 제21조 제②항 6호 규정과 합치되지 않는다는 점에서 위헌의 여지가 있다. 현재 헌법소원 중이다(2014헌마368).

를 청구받은 보험회사 등이 그 의료기관에 대하여 관계 진료기록의 열람을 청구한 경우

⑩ 병역법 제11조의 2에 따라 지방병무청장이 징병검사와 관련하여 질병 또는 심신장애의 확인을 위하여 필요하다고 인정하여 의료기관의 장에게 징병검사대상자의 진료기록·치료 관련 기록의 제출을 요구한 경우

⑪ 학교안전사고 예방 및 보상에 관한 법률 제42조에 따라 공제회가 공제급여의 지급 여부를 결정하기 위하여 필요하다고 인정하여 국민건강보험법 제42조에 따른 요양기관에 대하여 관계 진료기록의 열람 또는 필요한 자료의 제출을 요청하는 경우

⑫ 고엽제후유의증 환자지원 등에 관한 법률 제7조 제③항에 따라 의료기관의 장이 진료기록 및 임상소견서를 보훈병원장에게 보내는 경우

⑬ 의료사고 피해구제 및 의료분쟁 조정 등에 관한 법률 제28조 제①항 또는 제③항에 따른 경우[123]

⑭ 국민연금법 제123조에 따라 국민연금공단이 부양가족연금, 장애연금 및 유족연금 급여의 지급심사와 관련하여 가입자 또는 가입자였던 사람을 진료한 의료기관에 해당 진료에 관한 사항의 열람 또는 사본 교부를 요청하는 경우

⑭의 2. 공무원연금법 제85조에 따라 공무원연금공단이 공무상요양비, 재해부조금, 장해급여 및 유족급여의 지급심사와 관련하여 공무원 또는 공무원이었던 자를 진료한 의료기관에 해당 진료에 관한 사항의 열람 또는 사본 교부를 요청하는 경우

⑮ 장애인복지법 제32조 제⑦항에 따라 대통령령으로 정하는 공공기관의 장이 장애 정도에 관한 심사와 관련하여 장애인 등록을 신청한 사람 및 장애인으로 등록한 사람을 진료한 의료기관에 해당 진료에 관한 사항의 열람 또는 사본 교부를 요청하는 경우

⑯ 감염병의 예방 및 관리에 관한 법률 제18조의 4 및 제29조에 따라 보건복지부장관, 질병관리본부장, 시·도지사 또는 시장·군수·구청장이 감염병의 역학조사 및 예방접종에 관한 역학조사를 위하여 필요하다고 인정하여 의료기관의 장에게 감염병환자등의 진료기록 및 예방접종을 받은 사람의 예방접종 후 이상반응에 관한 진료기록의 제출을 요청하는 경우

[4] 진료기록을 보관하고 있는 의료기관이나 진료기록이 이관된 보건소에 근무하는 의사·치과의사 또는 한의사는 자신이 직접 진료하지 아니한 환자의 과거 진료 내용의 확인 요청을 받은 경우에는 진료기록을 근거로 하여 사실을 확인하여 줄 수 있다(제21조 제④항).

---

123) 제28조(의료사고의 조사) ① 감정부는 필요하다고 인정하는 경우 신청인, 피신청인, 분쟁 관련 이해관계인 또는 참고인으로 하여금 출석하게 하여 진술하게 하거나 조사에 필요한 자료 및 물건 등의 제출을 요구할 수 있다.
② 감정부는 의료사고가 발생한 보건의료기관의 보건의료인 또는 보건의료기관개설자에게 사고의 원인이 된 행위 당시 환자의 상태 및 그 행위를 선택하게 된 이유 등을 서면 또는 구두로 소명하도록 요구할 수 있다.
③ 감정위원 또는 조사관은 의료사고가 발생한 보건의료기관에 출입하여 관련 문서 또는 물건을 조사·열람 또는 복사할 수 있다. 이 경우 감정위원 또는 조사관은 그 권한을 표시하는 증표를 지니고 이를 관계인에게 내보여야 한다.

아. 기록 송부 등

제21조의 2【진료기록의 송부 등】 ① 의료인 또는 의료기관의 장은 다른 의료인 또는 의료기관의 장으로부터 제22조 또는 제23조에 따른 진료기록의 내용 확인이나 진료기록의 사본 및 환자의 진료경과에 대한 소견 등을 송부 또는 전송할 것을 요청받은 경우 해당 환자나 환자 보호자의 동의를 받아 그 요청에 응하여야 한다. 다만, 해당 환자의 의식이 없거나 응급환자인 경우 또는 환자의 보호자가 없어 동의를 받을 수 없는 경우에는 환자나 환자 보호자의 동의 없이 송부 또는 전송할 수 있다.

② 의료인 또는 의료기관의 장이 응급환자를 다른 의료기관에 이송하는 경우에는 지체 없이 내원 당시 작성된 진료기록의 사본 등을 이송하여야 한다.

③ 보건복지부장관은 제①항 및 제②항에 따른 진료기록의 사본 및 진료경과에 대한 소견 등의 전송 업무를 지원하기 위하여 전자정보시스템(이하 이 조에서 "진료기록전송지원시스템"이라 한다)을 구축 · 운영할 수 있다.

④ 보건복지부장관은 진료기록전송지원시스템의 구축 · 운영을 대통령령으로 정하는 바에 따라 관계 전문기관에 위탁할 수 있다. 이 경우 보건복지부장관은 그 소요 비용의 전부 또는 일부를 지원할 수 있다.

⑤ 제④항에 따라 업무를 위탁받은 전문기관은 다음 각 호의 사항을 준수하여야 한다.

　1. 진료기록전송지원시스템이 보유한 정보의 누출, 변조, 훼손 등을 방지하기 위하여 접근 권한자의 지정, 방화벽의 설치, 암호화 소프트웨어의 활용, 접속기록 보관 등 대통령령으로 정하는 바에 따라 안전성 확보에 필요한 기술적 · 관리적 조치를 할 것

　2. 진료기록전송지원시스템 운영 업무를 다른 기관에 재위탁하지 아니할 것

　3. 진료기록전송지원시스템이 보유한 정보를 제3자에게 임의로 제공하거나 유출하지 아니할 것

⑥ 보건복지부장관은 의료인 또는 의료기관의 장에게 보건복지부령으로 정하는 바에 따라 제①항 본문에 따른 환자나 환자 보호자의 동의에 관한 자료 등 진료기록전송지원시스템의 구축 · 운영에 필요한 자료의 제출을 요구하고 제출받은 목적의 범위에서 보유 · 이용할 수 있다. 이 경우 자료 제출을 요구받은 자는 정당한 사유가 없으면 이에 따라야 한다.

⑦ 그 밖에 진료기록전송지원시스템의 구축 · 운영 등에 필요한 사항은 보건복지부령으로 정한다.

⑧ 누구든지 정당한 사유 없이 진료기록전송지원시스템에 저장된 정보를 누출 · 변조 또는 훼손하여서는 아니 된다.

⑨ 진료기록전송지원시스템의 구축 · 운영에 관하여 이 법에서 규정된 것을 제외하고는 「개인정보 보호법」에 따른다.

제66조【자격정지 등】 ① 보건복지부장관은 의료인이 다음 각 호의 어느 하나에 해당하면 1년의 범위에서 면허 자격을 정지시킬 수 있다. 이 경우 의료기술과 관련한 판단이 필요한 사항에 관하여는 관계 전문가의 의견을 들어 결정할 수 있다.

　10. 그 밖에 이 법 또는 이 법에 따른 명령을 위반한 때

제87조【벌칙】 ① 다음 각 호의 어느 하나에 해당하는 자는 5년 이하의 징역이나 5천만원 이하의 벌금에 처한다.

　2. ——중략—— 제21조의 2 제⑤항 · 제⑧항, ——중략—— 을 위반한 자.

[시행일 : 2017. 6. 21.]

제90조【벌칙】 ——중략—— 제21조의 2 제①항 · 제②항, ——중략——을 위반한 자나 ——중략——한 자는 500만원 이하의 벌금에 처한다.

제92조【과태료】 ② 다음 각 호의 어느 하나에 해당하는 자에게는 200만원 이하의 과태료를 부과한다.

  1. 제21조의 2 제⑥항 후단을 위반하여 자료를 제출하지 아니하거나 거짓 자료를 제출한 자

제91조【양벌규정】

(1) 의료인 또는 의료기관의 장은 다른 의료인 또는 의료기관의 장으로부터 제22조 또는 제23조에 따른 진료기록의 내용 확인이나 진료기록의 사본 및 환자의 진료경과에 대한 소견 등을 송부 또는 전송할 것을 요청받은 경우 해당 환자나 환자 보호자의 동의를 받아 그 요청에 응하여야 한다. 다만, 해당 환자의 의식이 없거나 응급환자인 경우 또는 환자의 보호자가 없어 동의를 받을 수 없는 경우에는 환자나 환자 보호자의 동의 없이 송부 또는 전송할 수 있다(제21조의 2 제①항). 이를 위반하여 진료기록의 내용 확인 요청이나 진료경과에 대한 소견 등의 송부 요청에 따르지 않거나 환자나 환자보호자의 동의를 받지 않고 진료기록의 내용을 확인할 수 있게 하는 경우 또는 진료경과에 대한 소견 등을 송부한 경우에는 500만원 이하의 벌금에 처해질 수 있고(제90조), 보건복지부장관은 1년의 범위에서 면허자격을 정지시킬 수 있는데(제66조 제①항 제10호), 실무상으로는 의료관계 행정처분규칙 별표 2. 개별 기준 가. 11)에 따라 15일의 자격정지를 처분한다.

(2) 의료인 또는 의료기관의 장이 응급환자를 다른 의료기관에 이송하는 경우에는 지체 없이 내원 당시 작성된 진료기록의 사본 등을 이송하여야 한다(제21조의 2 제②항). 응급환자 초진기록 송부의무의 입법 취지는 응급환자를 이송받은 의료기관으로서는 새로이 환자에 대한 검진을 할 시간적 여유가 없어 우선 그 응급환자에 대한 초진기록에 의존하여 응급처치를 계속할 수밖에 없음을 감안하여, 응급환자 이송과 동시에 초진기록을 송부하도록 의무화한 것이었다. 의료법과 시행령 또는 시행규칙은 '응급환자'의 정의를 규정하지 않고 있다. 다만 제15조 제②항에서 의료인은 응급환자에 대하여 응급의료에 관한 법률(이하 '응급의료법'이라 함)이 정하는 바에 따라 최선의 처치를 행하여야 한다고 규정하고, 제33조 제①항에서는 응급의료법 제2조 제1호의 규정에 의한 응급환자를 진료하는 경우 등 각 호에서 정한 경우를 제외하고는 의료인은 의료법에 의해 개설한 의료기관 내에서 의료업을 행하여야 한다고 규정하고 있을 따름이었다. 응급의료법 제11조 제②항이 의료기관의 장이 응급환자를 이송하는 경우에는 응급환자를 이송받는 의료기관에 진료에 필요한 의무기록을 제공하도록 하여 의료법 제21조 제⑤항과 유사한 규정을 두고 있는 점에 비추어 보면, 결국 환자이송시 초진기록 송부의무의 대상이 되는 '응급환자'의 개념도 응급의료법이 정한 내용[124]을 중심으로 객관적이고 일

---

124) 응급의료에 관한 법률 제2조에서는 '응급환자'에 대하여 '질병, 분만, 각종 사고 및 재해로 인한 부상이나 기타 위급한 상태로 인하여 즉시 필요한 응급처치를 받지 아니하면 생명을 보존할 수 없거나 심신상의 중대한 위해가 초래될 가능성이 있는 환자 또는 이에 준하는 자로서 보건복지부령이 정하는 자'로(제1호), '응급의료'에 대하여 '응급환자의 발생부터 생명의 위험에서 회복되거나 심신상의 중대한 위해가 제거되기까지의 과정에서 응급환자를 위하여 행하여지는 상담·구조·이송·응급처치 및 진료 등의 조치'로(제2호), '응급처치'에 대하여 '응급의료행위의 하나로서 응급환자에게 행하여지는 기도(氣道)의 확보, 심장박동의 회복 기타 생명의 위험이나 증상의 현저한 악화를 방지하기 위하여 긴급히 필요로 하는 조치'로(제3호) 각 정의하고 있고, 나아가 같은 법 시행규칙(보건복지부령)은 제2조에서 법 제2조 제1호의 '보건복지부령이 정하는 자'를 '[별표 1]의 응급증상 및 이에 준하는 증상'(제1호)과 '제1호의 증상으로 진행될 가능성이 있다고 응급의료종사자가 판단하는 증상'(제2호)으로 대별한 다음 [별표 1]에서 각 전문분야별로 응급증상 및 이에 준하는 증상을 열거하고 있는데, 그 중에서 외과적 응급증상으로는 '개복술을 요하는 급성복증(급성복막염·장폐색증·급성췌장염 등 중한 경우에 한함), 광범위한 화상(외부신체 표면적의 18% 이상), 관통상, 개방성·다발성 골절 또는 대퇴부 척추의 골절, 사지를 절단할 우려가 있는 혈관 손상, 전신마취

반적인 의학의 수준과 사회통념을 표준으로 결정되어야 하고 단지 그 환자의 주관적인 느낌이나 의료기관의 행정처리의 편의를 위한 환자 상태의 분류 등에 좌우되어서는 안 된다[125]. 이를 위반하여 응급환자의 내원 당시 작성된 진료기록의 사본 등을 이송하지 않으면 500만원 이하의 벌금에 처해질 수 있다(제90조). 보건복지부장관은 1년의 범위에서 면허자격을 정지시킬 수 있었는데(제66조 제①항 제10호), 실무상으로는 의료관계 행정처분규칙 별표 2. 개별 기준 가. 12)에 따라 경고한다.

[3] 보건복지부장관은 제①항 및 제②항에 따른 진료기록의 사본 및 진료경과에 대한 소견 등의 전송 업무를 지원하기 위하여 전자정보시스템(이하 이 조에서 "진료기록전송지원시스템"이라 한다)을 구축·운영할 수 있고(제21조의 2 제③항), 진료기록전송지원시스템의 구축·운영을 대통령령으로 정하는 바에 따라 관계 전문기관에 위탁할 수 있다. 이 경우 보건복지부장관은 그 소요 비용의 전부 또는 일부를 지원할 수 있다(제21조의 2 제④항). 업무를 위탁받은 전문기관은 다음 각 호의 사항을 준수하여야 하며(제21조의 2 제⑤항), 위반시 5년 이하의 징역이나 5천만원 이하의 벌금에 처해질 수 있다(제87조 제①항 제2호).

1. 진료기록전송지원시스템이 보유한 정보의 누출, 변조, 훼손 등을 방지하기 위하여 접근 권한자의 지정, 방화벽의 설치, 암호화 소프트웨어의 활용, 접속기록 보관 등 대통령령으로 정하는 바에 따라 안전성 확보에 필요한 기술적·관리적 조치를 할 것

2. 진료기록전송지원시스템 운영 업무를 다른 기관에 재위탁하지 아니할 것

3. 진료기록전송지원시스템이 보유한 정보를 제3자에게 임의로 제공하거나 유출하지 아니할 것

[4] 보건복지부장관은 의료인 또는 의료기관의 장에게 보건복지부령으로 정하는 바에 따라 제①항 본문에 따른 환자나 환자 보호자의 동의에 관한 자료 등 진료기록전송지원시스템의 구축·운영에 필요한 자료의 제출을 요구하고 제출받은 목적의 범위에서 보유·이용할 수 있다. 이 경우 자료 제출을 요구받은 자는 정당한 사유가 없으면 이에 따라야 한다(제21조의 2 제⑥항). 이에 따르지 않으면 300만원 이하의 과태료가 부과된다(제92조 제②항 제1호). 그 밖에 진료기록전송지원시스템의 구축·운영 등에 필요한 사항은 보건복지부령으로 정한다(제21조의 2 제⑦항).

[5] 누구든지 정당한 사유 없이 진료기록전송지원시스템에 저장된 정보를 누출·변조 또는 훼손하여서는 안 된다(제21조의 2 제⑧항). 이에 위반하여 누출·변조 또는 훼손하면 5년 이하의 징역이나 5천만원 이하의 벌금에 처해질 수 있다(제87조 제①항 제2호). 진료기록전송지원시스템의 구축·운영에 관하여 이 법에서 규정된 것을 제외하고는 「개인정보 보호법」에 따른다(제21조의 2 제⑨항). 제21조의 2 제③항 내지 제⑨항은 2016. 12. 20.자 개정으로 신설되었으며 2017. 6. 21.부터 시행된다.

하에 응급수술을 요하는 증상, 다발성 외상'을, 이에 준하는 증상으로는 '화상, 급성복증을 포함한 배의 전반적인 이상증상, 골절·외상 또는 탈골, 그 밖에 응급수술을 요하는 증상, 배뇨장애'를 각 들고 있다.

125) 대법원 2007. 5. 31. 선고 2007도1977 판결

제2절 | 권리와 의무

1 진료기록부 등

가. 진료기록부 등 사실 기록 · 서명 · 보존의무

제22조【진료기록부 등】① 의료인은 각각 진료기록부, 조산기록부, 간호기록부, 그 밖의 진료에 관한 기록(이하 "진료기록부등"이라 한다)을 갖추어 두고 환자의 주된 증상, 진단 및 치료 내용 등 보건복지부령으로 정하는 의료행위에 관한 사항과 의견을 상세히 기록하고 서명하여야 한다.

② 의료인이나 의료기관 개설자는 진료기록부등[제23조 제①항에 따른 전자의무기록(電子醫務記錄)을 포함한다. 이하 제40조 제②항에서 같다]을 보건복지부령으로 정하는 바에 따라 보존하여야 한다.

③ 의료인은 진료기록부등을 거짓으로 작성하거나 고의로 사실과 다르게 추가기재 · 수정하여서는 아니 된다.

제66조【자격정지 등】① 보건복지부장관은 의료인이 다음 각 호의 어느 하나에 해당하면 1년의 범위에서 면허자격을 정지시킬 수 있다. 이 경우 의료기술과 관련한 판단이 필요한 사항에 관하여는 관계 전문가의 의견을 들어 결정할 수 있다.

　10. 그 밖에 이 법 또는 이 법에 따른 명령을 위반한 때

제88조【벌칙】다음 각 호의 어느 하나에 해당하는 자는 3년 이하의 징역이나 3천만원 이하의 벌금에 처한다.

　1. ——중략—— 제22조 제③항 ——중략——을 위반한 자 ——중략——

제90조【벌칙】——중략—— 제22조 제①항 · 제②항, ——중략——을 위반한 자나 ——중략——한 자는 500만원 이하의 벌금에 처한다.

제91조【양벌규정】

[1] (가) 의료인은 각각 진료기록부[126], 조산기록부, 간호기록부, 그 밖의 진료에 관한 기록(이하 "진료기록부등"이라 한다)을 갖추어 두고 환자의 주된 증상, 진단 및 치료 내용 등 보건복지부령[127]으로

---

126) 대법원 2006. 9. 8. 선고 2006도413 판결 ; 자동차손해배상보장법 제11조 제③항, 제38조 제③항 및 의료법 제22조 제①항에서 말하는 '진료기록부'는 그 명칭 여하를 불문하고 환자의 진료를 담당한 의사 · 치과의사 · 한의사가 그 의료행위에 관한 사항과 소견을 상세히 기록하고 서명한 것을 말하고, 의사 · 치과의사 · 한의사 이외의 자가 작성한 조산기록부, 간호기록부, 물리치료대장, 방사선촬영대장 등과는 구별된다.

127) **의료법 시행규칙 제14조(진료기록부 등의 기재 사항)** ① 법 제22조 제①항에 따라 진료기록부 · 조산기록부와 간호기록부(이하 "진료기록부등"이라 한다)에 기록해야 할 의료행위에 관한 사항과 의견은 다음 각 호와 같다.
　1. 진료기록부
　　가. 진료를 받은 사람의 주소 · 성명 · 연락처 · 주민등록번호 등 인적사항
　　나. 주된 증상. 이 경우 의사가 필요하다고 인정하면 주된 증상과 관련한 병력(病歷) · 가족력(家族歷)을 추가로 기록할 수 있다.
　　다. 진단결과 또는 진단명
　　라. 진료경과(외래환자는 재진환자로서 증상 · 상태, 치료내용이 변동되어 의사가 그 변동을 기록할 필요가 있다고 인정하는 환자만 해당한다)

정하는 의료행위에 관한 사항과 의견을 상세히 기록하고 서명하여야 하며(제22조 제①항), 의료인이나 의료기관 개설자는 진료기록부 등(제23조 제①항에 따른 전자의무기록을 포함)을 보건복지부령[128]으로 정하는 바에 따라 보존하여야 한다(제22조 제②항).

(나) 의료법 제22조에서 진료기록부 등 사실 기재·서명·보존의무를 부과하는 취지는 진료를 담당하는 의사 자신으로 하여금 환자의 상태와 치료의 경과에 관한 정보를 빠뜨리지 않고 정확하게 기록하여 이를 그 이후 계속되는 환자치료에 이용하도록 함과 아울러 다른 의료관련 종사자들에게도 그 정보를 제공하여 환자로 하여금 적정한 의료를 제공받을 수 있도록 하고, 의료행위가 종료된 이

　　마. 치료 내용(주사·투약·처치 등)
　　바. 진료 일시(日時)
　2. 조산기록부
　　가. 조산을 받은 자의 주소·성명·연락처·주민등록번호 등 인적사항
　　나. 생·사산별(生·死産別) 분만 횟수
　　다. 임신 후의 경과와 그에 대한 소견
　　라. 임신 중 의사에 의한 건강진단의 유무(결핵·성병에 관한 검사를 포함한다)
　　마. 분만 장소 및 분만 연월일시분(年月日時分)
　　바. 분만의 경과 및 그 처치
　　사. 산아(産兒) 수와 그 성별 및 생·사의 구별
　　아. 산아와 태아부속물에 대한 소견
　　자. 삭제 〈2013.10.4〉
　　차. 산후의 의사의 건강진단 유무
　3. 간호기록부
　　가. 간호를 받는 사람의 성명
　　나. 체온·맥박·호흡·혈압에 관한 사항
　　다. 투약에 관한 사항
　　라. 섭취 및 배설물에 관한 사항
　　마. 처치와 간호에 관한 사항
　　바. 간호 일시(日時)
② 의료인은 진료기록부등을 한글로 기록하도록 노력하여야 한다.
③ 보건복지부장관은 법 제22조에 따라 의료인이 진료기록부등에 기록하는 질병명, 검사명, 약제명 등 의학용어와 진료기록부등의 서식 및 세부내용에 관한 표준을 마련하여 고시할 수 있다.

128) **의료법 시행규칙 제15조(진료에 관한 기록의 보존)** ① 의료기관의 개설자 또는 관리자는 진료에 관한 기록을 다음 각 호에 정하는 기간 동안 보존하여야 한다. 다만, 계속적인 진료를 위하여 필요한 경우에는 1회에 한정하여 다음 각 호에 정하는 기간의 범위에서 그 기간을 연장하여 보존할 수 있다.
　1. 환자 명부 : 5년
　2. 진료기록부 : 10년
　3. 처방전 : 2년
　4. 수술기록 : 10년
　5. 검사소견기록 : 5년
　6. 방사선사진 및 그 소견서 : 5년
　7. 간호기록부 : 5년
　8. 조산기록부: 5년
　9. 진단서 등의 부본(진단서·사망진단서 및 시체검안서 등을 따로 구분하여 보존할 것) : 3년
② 제①항의 진료에 관한 기록은 마이크로필름이나 광디스크 등(이하 이 조에서 "필름"이라 한다)에 원본대로 수록하여 보존할 수 있다.
③ 제②항에 따른 방법으로 진료에 관한 기록을 보존하는 경우에는 필름촬영책임자가 필름의 표지에 촬영 일시와 본인의 성명을 적고, 서명 또는 날인하여야 한다.

후에는 그 의료행위의 적정성을 판단하는 자료로 사용할 수 있도록 하고자 함에 있다[129]. 헌법재판소는 의료법이 의료인(의사, 조산원, 간호사)에게 의료행위와 그 소견을 기록하도록 한 취지는, 의료행위를 담당하는 이들로 하여금 환자의 상태와 치료의 경과에 관한 정보를 빠뜨리지 않고 정확하게 기록하여 이를 그 이후 계속되는 환자치료에 이용하도록 함과 아울러 다른 의료 관련 종사자들에게도 그 정보를 제공하여 환자로 하여금 적정한 의료를 제공받을 수 있도록 하고, 의료행위가 종료된 이후에는 그 의료행위의 적정성을 판단하는 자료로 사용할 수 있도록 하고자 함에 있다 할 것이고 특히 간호사에게 간호기록부를 작성하도록 한 취지는 이와 같은 목적에 덧붙여 담당의사의 지시에 따른 정확한 처치가 이루어지는 것을 담보하는데 있다고 결정하였다[130].

(다) 의료법이 진료기록부의 작성방법에 관하여 구체적인 규정을 두고 있지 않으므로 의사는 의료행위의 내용과 치료의 경과 등에 비추어 효과적이라고 판단하는 방법에 의하여 진료기록부를 작성할 수 있다. 따라서 의사는 이른바 문제중심의무기록 작성방법, 단기의무기록 작성방법 또는 기타의 다른 방법 중에서 재량에 따른 선택에 의하여 진료기록부를 작성할 수 있지만 어떠한 방법에 의하여 진료기록부를 작성하든지 의료행위에 관한 사항과 소견은 반드시 상세하게 기록하여야 한다[131]. 그러나 진료기록부 내용이 난해하여서는 안 된다. 종합병원 등에서는 담당의사가 바뀌어도 환자의 상황을 손쉽게 알 수 있도록 기록하고, 외국어로 기재하는 경우에도 정확하게 생략 없이 기재하여야 한다. 철자가 틀린다거나 영어인지 독일어인지 무슨 약어인지 알 수 없어서는 안 된다. 해독할 수 없는 진료기록부는 진료기록부로서의 가치가 없고 해독할 수 없는 기재는 진료기록부 기재의무를 다하지 못하였다고 평가된다. 그러나 대법원은 "의사는 그 진료기록부를 작성함에 있어서 최선을 다하여 그 의료행위에 관한 사항과 소견을 알기 쉽고 신속·정확하게 기록할 수 있는 시기와 방법을 택하여야 할 것이다. 그러나 의료법에서 진료기록부의 작성 시기와 방법에 관하여 구체적인 규정을 두고 있지 아니하므로 의사가 의료행위에 관한 사항과 소견을 위와 같은 목적에 따라 사용할 수 있도록 기재한 것이면 그 명칭의 여하를 불문하고 위 법조에서 말하는 진료기록부에 해당하는 것이고, 그 작성의 구체적인 시기와 방법은 당해 의료행위의 내용과 환자의 치료경과 등에 비추어 그 기록의 정확성을 담보할 수 있는 범위 내에서 당해 의사의 합리적인 재량에 맡겨져 있다고 보아야 할 것이다. 의료법 시행규칙 제17조 제1호가 진료기록부에 가. 진료를 받은 자의 주소·성명·주민등록번호·병력 및 가족력, 나. 주된 증상, 진단결과, 진료경과 및 예견, 다. 치료내용(주사·투약·처치 등), 라. 진료일시분을 한글과 한자로 기재하여야 한다고 규정하고 있다고 하여 달리 볼 것은 아니다."라고 하여 그 작성의 구체적인 시기와 방법에 대하여 어느 정도 재량성을 인정하였다[132].

129) 대법원 1998. 1. 23. 선고 97도2124 판결

130) 헌법재판소 1990. 11. 19. 선고 89헌마116 결정

131) 대법원 1998. 1. 23. 선고 97도2124 판결

132) 대법원 1997. 8. 29. 선고 97도1234 판결 ; 7. 20. 무렵 수혈사고가 발생하였고, 마침 그 날 다른 의사가 휴가를 가고 없어서 수혈사고

(라) 진료기록부 작성을 어느 정도로 상세하게 작성하여야 하는지에 관하여 대법원은 "의사는 진료기록부에 환자의 상태와 치료의 경과 등 의료행위에 관한 사항과 그 소견을 환자의 계속적인 치료에 이용할 수 있고 다른 의료인들에게 적절한 정보를 제공할 수 있으며, 의료행위가 종료된 이후에는 그 의료행위의 적정성 여부를 판단하기에 충분할 정도로 상세하게 기록하여야 한다."고 판시하였다[133]. 헌법재판소는 "의료법 제22조 제①항은 간호기록의무만을 규정하고 있을 뿐이며 간호기록부의 종류나 작성방법에 관하여 아무런 규정이 없고 달리 하위법규인 대통령령이나 부령에 위임한 바도 없으므로 의료법 시행규칙 제17조는 새로운 의무를 부과하는 위임명령이 아니라 집행명령에 불과하다. 간호기록미기재죄의 성립 여부는 간호행위 및 그 소견을 정확하게 모두 기재하였느냐 여부만으로 판단해야 하고, 의료법 제22조 및 같은법 시행규칙 제17조가 말하는 '간호기록부'는 '투약 및 처치기록부'만을 의미하는 것은 아니다."라고 설시하였다[134].

(마) 대법원은 진료기록부에 의료행위에 관한 사항과 소견을 기록하도록 한 의료법 제21조의 작위의무가 부여된 의무의 주체에 대하여 "의사가 환자를 진료하는 경우에는 의료법 제21조 제①항에 의하여 그 의료행위에 관한 사항과 소견을 상세히 기록하고 서명한 진료기록부를 작성하여야 한

가 발생한 20. 21:00경에는 피고인인 의사가 담당하는 환자의 수가 평소보다 2배 가량 많았지만, 피고인은 위 수혈사고가 발생하자 그 직후 위 환자에 대한 응급검사를 시행하고 신부전방지를 위해 다량의 수액을 투여하고 이뇨제를 사용하는 등 처치를 하면서 위 환자의 경과를 관찰하다가 다음날인 21. 01:00경 병원 당직실에서 취침하였고, 21. 오전에 기상하여 위 39명의 환자들에 대한 회진 등 진료를 담당하다가 그 업무를 마친 이후인 7. 21. 밤 늦게부터 휴가를 마친 다른 의사가 출근한 7. 22. 08:00경 사이에 위 수혈사고가 있었던 환자에 대한 의무기록지를 작성하였다. 그 의무기록지에 "간경화, 식도정맥류 하열로 인한 출혈(간성혼수)로 입원, 혼수에 대한 치료 후 의식수준이 명료해졌으나, 7. 19. 다시 출혈이 있어 S-B튜브 삽입 지혈 후, 7. 20. 경화요법시행, 혈색소 수치 6.8로 수혈하는 과정에서 부적합한 농축적혈구 80cc 가량 수혈됨, 현재 신부전방지를 위해 수액 투여 및 요 알칼리화, 이뇨제 사용중, 주의관찰 요망, 수액투여, 소변량, 전해질 균형, 폐부종발생 여부, 잘 봐 주세요"라고 기재하였다면 피고인 의사는 환자에 대한 의료행위에 관한 사항과 소견을 상세히 기록하고 서명한 진료기록부를 작성하였다고 볼 수 있다. 작성시기가 비록 의료행위시부터 2일 뒤이고 진료기록부가 법이 정한 양식을 반드시 따르지 않는다 하더라도 문제가 되지 않는다는 판시이다.

133) 대법원 1998. 1. 23. 선고 97도2124 판결 ; 의사는 1995. 9. 25.부터 비호치킨성임파종, 회음부위 피부궤양 등의 질환으로 입원한 환자의 주치의로서 위 환자의 치료를 담당하여 오던 중, 같은 달 28. 담당간호사들의 실수로 위 환자에 대한 항암치료제인 엠티엑스(MTX) 45mg이 이중으로 투여되는 투약사고가 발생하였다. 그 후 위 환자에게서 별다른 이상 징후가 발생되지 아니하자, 위 환자의 단기의무기록지 결과란에 '간호사 착오로 3일째 엠티엑스 45mg 대신에 엠티엑스 90mg 투여되었음. 다음 번 엠티엑스는 중단하기로 함'이라고 기록하고, 위 단기의무기록지에 항문 부위의 피부궤양에 관한 그림을 그려 그 위치와 치료과정을 기록하고, 왼쪽 목 부분에 임파선이 커져 있어 이것도 그림으로 그려 이를 기록하였다. 같은 해 11. 20. 같은 병원에 비호치킨성임파종 환자로 항암요법치료를 위해 입원한 다른 환자의 주치의로서 위 환자의 치료를 담당하여 오던 중, 입원 당일 위 다른 환자에게 아드리아마이신 60mg을 5% 포도당 100cc와 함께 투여하도록 예정되어 있었는데 담당간호사의 실수로 미톡싼트론 20mg을 5% 포도당 100cc에 연결하여 투여하는 투약 사고가 발생하였는데, 위 환자로부터 부작용이 나타나지 않자 위 다른 환자의 단기의무기록지 기타란에 '1일째 아드리아마이신 60mg 대신 미톡싼트론 20mg이 들어 갔음'이라고만 기재하였다면, 의사가 첫 번째 환자의 단기의무기록지에 그림으로 궤양의 치료과정을 기록하였고, 두 환자의 각 단기의무기록지에 간호사들의 실수로 위 각 투약사고가 발생한 사실을 기록함으로써 각 진료기록부를 상세히 기록하였으므로, 위 환자들의 진료기록부에 위 투약사고 후의 경과, 즉 아무런 부작용이 나타나지 않은 사실을 기록하지 않았다고 하여 진료기록부를 상세히 기록하지 않은 것은 아니다.

134) 헌법재판소 2001. 2. 22. 선고 2000헌마604 결정 ; 청구인들의 소속병원은 간호부업무지침서라는 자체적인 규정을 두고 의료법 및 같은 법 시행규칙의 투약에 관한 사항을 '투약 및 처치기록부' 내지 '간호일지'에 기재해 온 사실, 청구인들은 2000. 3. 31.부터 위 의료원 중환자실에 입원치료를 받고 있던 환자를 간호하여 오던 중, 같은 해 4. 29.경 담당의사로부터 위 환자에게 같은 달 29.부터 5. 3.까지 생리식염수 250mg에 도미컴(domicum) 125mg을 혼합하여 투약하라는 지시를 받고 위 두 가지를 혼합한 용액을 매 시간당 15cc 내지 18cc를 투여한 사실, 청구인들은 4. 29. 및 5. 3. 투여사실은 투약 및 처치기록부에 기록하였으나, 4. 30.부터 5. 2.까지 사이의 투여사실은 투약 및 처치기록부에는 빠뜨린 채 기록하지 않고, 그 대신 '간호일지' 및 '섭취 및 배설량기록부'에 투약명, 투약용량, 투약시간을 상세하게 기록한 사실을 인정할 수 있다. 사실관계가 위와 같다면, 청구인들이 4. 30.부터 5. 2.까지 사이의 투약사실을 '간호일지' 및 '섭취 및 배설량기록부'에 상세하게 모두 기재한 이상 의료법 제21조 및 그 시행규칙 제17조 제3호가 규정하고 있는 '투약에 관한 사항'을 간호기록부에 기록하였다고 할 것이고, "투약에 관한 사항"을 '투약 및 처치기록부'에 기록하지 않았다고 하는 점이 가사 청구인들의 소속병원의 자체규정에 위반된다고 한다면 그런 허물이 내부적으로 문제가 될 수 있는 것은 별론으로 하고 그것이 의료법 제22조 제①항에 위반하는 행위로 형사처벌의 대상이 되지는 아니한다 하겠다. 그럼에도 이 사건 청구인들의 행위가 의료법 제21조 제1항에 위반된다는 것을 전제로 한 피청구인의 이 사건 각 기소유예처분은 의료법 제21조 제1항 및 그 시행규칙 제17조 제3호의 소정의 간호기록부의 법리를 오해한 위법이 있다.

다. 진료기록부를 작성하지 않은 자는 같은 법 제69조에 의하여 처벌하도록 규정되어 있는바, 이와 같이 의사에게 진료기록부를 작성하도록 한 취지는 진료를 담당하는 의사 자신으로 하여금 환자의 상태와 치료의 경과에 관한 정보를 빠뜨리지 않고 정확하게 기록하여 이를 그 이후의 계속되는 환자치료에 이용하도록 함과 아울러 다른 관련 의료종사자에게도 그 정보를 제공하여 환자로 하여금 적정한 의료를 제공받을 수 있도록 하고, 의료행위가 종료된 이후에는 그 의료행위의 적정성을 판단하는 자료로 사용할 수 있도록 하고자 함에 있으므로, 진료기록부에 의료행위에 관한 사항과 소견을 기록하도록 한 의료법상 작위의무가 부여된 의무의 주체는, 구체적인 의료행위에 있어서 그 환자를 담당하여 진료를 행하거나 처치를 지시하는 등으로 당해 의료행위를 직접 행한 의사에 한하고, 아무런 진료행위가 없었던 경우에는 비록 주치의라고 할지라도 그의 근무시간 이후 다른 당직의에 의하여 행하여진 의료행위에 대하여 까지 그 사항과 소견을 진료기록부에 기록할 의무를 부담하는 것은 아니다."라고 판시하여 그 작성의 주체가 직접 진료를 행한 의사에 국한된다고 판단하였다[135]. 그리고 대법원은 간호기록부의 주체에 대하여 "의료법 제2조, 제21조, 제25조에 의하면 의료인은 보건복지부장관의 면허를 받은 의사, 치과의사, 한의사, 조산사 및 간호사를 말하고, 의료인은 각각 진료기록부, 조산기록부 또는 간호기록부를 비치하여 그 의료행위에 관한 사항과 소견을 상세히 기록하고 서명하여야 하며, 의료인이 아니면 누구든지 의료행위를 할 수 없다고 되어 있으므로 간호기록부는 간호사가 작성하여야 하는 것이라 할 것이나, 한편 같은 법 제58조에 의하면 간호조무사는 제25조의 규정에 불구하고 간호보조업무에 종사할 수 있고, 이 경우에는 이 법의 적용에 있어 간호사에 관한 규정을 준용하고, 다른 한편 대부분의 개인의원에서는 간호보조업무를 수행하게 되어 있는 간호조무사가 간호사를 대신하여 간호업무를 수행하고 있는 점에 비추어 보면 간호조무사가 간호사를 대신하여 간호업무를 수행하고 있는 경우에는 간호기록부 작성의무도 부담하여야 한다."라고 판시하여 일정한 경우에 간호조무사도 간호기록부 작성의무의 주체가 됨을 인정하였다[136].

(바) 제22조 제①항, 제②항을 위반하여 보건복지부령으로 정하는 의료행위에 관한 사항과 의견을 상세히 기록하지 않거나 서명하지 않은 경우 또는 진료기록부등을 보건복지부령으로 정하는 바에 따라 보존하지 않은 경우에는 500만원 이하의 벌금에 처해질 수 있다(제90조). 보건복지부장관은 1년의 범위에서 면허자격을 정지시킬 수 있는데(제66조 제①항 제10호), 실무상으로는 진료기록부 등을 기록하지 않으면 의료관계 행정처분규칙 별표 2. 개별 기준 가. 13)에 따라 15일의 자격정지를, 진료기록부 등을 보존하지 않으면 의료관계 행정처분규칙 별표 2. 개별 기준 가. 15)에 따라 1월의 자격정지를 각 처분하고 진료기록부등에 서명하지 않으면 행정처분규칙 별표 2. 개별 기준 가. 14)에 따라 경고한다.

(2) (가) 의료인은 진료기록부 등을 거짓으로 작성하거나 고의로 사실과 다르게 추가 기재 · 수정하여서

---

135) 대법원 1997. 11. 14. 선고 97도2156 판결
136) 서울지방법원 1997. 9. 9. 선고 97노 212판결

는 안 된다(제22조 제③항). 의료법상 진료기록부 등을 부실하게 작성하는 행위를 금지하고(제22조 제①항) 처벌함(제90조)에도 불구하고 불법성과 가벌성이 상대적으로 더 강한 행위, 즉 진료기록부 등을 거짓으로 작성하거나 고의로 사실과 다르게 추가 기재·수정하는 경우를 금지·처벌하는 규정이 없다는 입법론적 비판을 반영하여 2011. 4. 7.자 개정으로 신설된 조문이다. 이를 위반하면 3년 이하의 징역이나 3천만원 이하의 벌금에 처해질 수 있고(허위 진료기록부 등 작성죄, 제88조) 보건복지부장관이 1년의 범위에서 면허자격을 정지시킬 수 있다(제66조 제①항 제3호). 실무상으로는 의료관계 행정처분규칙 별표 2. 개별 기준 가. 15)에 따라 1월의 자격정지를 처분한다. 소송 실무에서는 손해배상(의) 소의 심리 과정에서 입증방해로 주장·입증되는 경우가 많다[137].

(나) 의료법이 금지하는 거짓 진료기록부 등 작성의 객체는 의료법 제22조 제①항의 진료기록부, 조산기록부, 간호기록부, 그 밖의 진료에 관한 기록이다. 진료기록부 등은 공문서가 아니지만 의료업에 종사하는 전문직인 의료인이 경험과 학식에 따라 작성하는 문서이므로 신빙성이 높다는 점을 고려하여 작성권한 있는 자가 거짓 또는 허위 내용의 문서를 작성하는 것을 금지하는 것으로서 사문서의 무형위조를 예외적으로 처벌하는 경우이다.

(다) 거짓 진료기록부 등 작성죄의 주체는 의사·한의사·치과의사·조산사 또는 간호사에 한정된다는 점에서 자수범(自手犯)이며 간접정범에 의하여는 본죄가 성립될 수 없다.

(라) 거짓 진료기록부 등 작성죄의 행위와 주관적 구성요건(고의)은 의료법상의 거짓 진단서 등 작성금지(제66조 제①항 제3호)·형법상의 허위진단서작성죄(형법 제233조)의 그것과 동일하다.

나. 전자의무기록

제23조【전자의무기록】 ① 의료인이나 의료기관 개설자는 제22조의 규정에도 불구하고 진료기록부등을 「전자서명법」에 따른 전자서명이 기재된 전자문서(이하 "전자의무기록"이라 한다)로 작성·보관할 수 있다.

② 의료인이나 의료기관 개설자는 보건복지부령으로 정하는 바에 따라 전자의무기록을 안전하게 관리·보존하는 데에 필요한 시설과 장비를 갖추어야 한다.

③ 누구든지 정당한 사유 없이 전자의무기록에 저장된 개인정보를 탐지하거나 누출·변조 또는 훼손하여서는 아니 된다.

제23조의 2【전자의무기록의 표준화 등】 ① 보건복지부장관은 전자의무기록이 효율적이고 통일적으로 관리·활용될 수 있도록 기록의 작성, 관리 및 보존에 필요한 전산정보처리시스템(이하 이 조에서 "전자의무기록시스템"이라 한다), 시설, 장비 및 기록 서식 등에 관한 표준을 정하여 고시하고 전자의무기록시스템을 제조·공급하는 자, 의료인 또는 의료기관 개설자에게 그 준수를 권고할 수 있다.

[137] 입증방해(증명방해)는 의료소송에서 의료과실에 관한 입증책임을 부담하지 않는 의료인이 의료과실에 관한 입증책임을 부담하는 환자측(원고)에 의한 입증을 불가능하게 하거나 곤란하게 할 목적으로 진료기록부등을 거짓으로 작성하는 경우에 의료인측에 불리한 심증이 형성될 수 있다는 의료소송의 독특한 입증론이다. 대법원 1999. 4. 13. 선고 98다9915 판결 ; 의료행위에 있어서의 잘못을 원인으로 한 불법행위책임이 성립하기 위하여서도 일반적인 경우와 마찬가지로 의료상의 주의의무 위반과 손해의 발생이 있고 그 사이에 인과관계가 있어야 하므로, 환자가 진료를 받는 과정에서 손해가 발생하였다면 의료행위의 특수성을 감안하더라도 먼저 환자측에서 일반인의 상식에 바탕을 두고 일련의 의료행위 과정에 의료상의 과실 있는 행위가 있었고 그 행위와 손해의 발생 사이에 다른 원인이 개재되지 않았다는 점을 입증하여야 한다. 당사자 일방이 입증을 방해하는 행위를 하였더라도 법원으로서는 이를 하나의 자료로 삼아 자유로운 심증에 따라 방해자측에게 불리한 평가를 할 수 있음에 그칠 뿐 입증책임이 전환되거나 곧바로 상대방의 주장 사실이 증명된 것으로 보아야 하는 것은 아니다.

② 보건복지부장관은 전자의무기록시스템이 제①항에 따른 표준, 전자의무기록시스템 간 호환성, 정보 보안 등 대통령령으로 정하는 인증 기준에 적합한 경우에는 인증을 할 수 있다.

③ 제②항에 따라 인증을 받은 자는 대통령령으로 정하는 바에 따라 인증의 내용을 표시할 수 있다. 이 경우 인증을 받지 아니한 자는 인증의 표시 또는 이와 유사한 표시를 하여서는 아니 된다.

④ 보건복지부장관은 다음 각 호의 어느 하나에 해당하는 경우에는 제②항에 따른 인증을 취소할 수 있다. 다만, 제1호에 해당하는 경우에는 인증을 취소하여야 한다.

   1. 거짓이나 그 밖의 부정한 방법으로 인증을 받은 경우

   2. 제②항에 따른 인증 기준에 미달하게 된 경우

⑤ 보건복지부장관은 전자의무기록시스템의 기술 개발 및 활용을 촉진하기 위한 사업을 할 수 있다.

⑥ 제①항에 따른 표준의 대상, 제②항에 따른 인증의 방법·절차 등에 필요한 사항은 대통령령으로 정한다. [본조신설 2016. 12. 20.]

제63조【시정 명령 등】 보건복지부장관 또는 시장·군수·구청장은 의료기관이 ——중략—— 제23조 제②항, ——중략—— 을 위반한 때 또는 —— 중략 —— 하지 아니하게 된 때에는 일정한 기간을 정하여 그 시설·장비 등의 전부 또는 일부의 사용을 제한 또는 금지하거나 위반한 사항을 시정하도록 명할 수 있다.

제64조【개설 허가 취소 등】 ① 보건복지부장관 또는 시장·군수·구청장은 의료기관이 다음 각 호의 어느 하나에 해당하면 그 의료업을 1년의 범위에서 정지시키거나 개설 허가를 취소하거나 의료기관 폐쇄를 명할 수 있다. 다만, 제8호에 해당하는 경우에는 의료기관 개설 허가를 취소하거나 의료기관 폐쇄를 명하여야 하며, 의료기관 폐쇄는 제33조 제③항과 제35조 제①항 본문에 따라 신고한 의료기관에만 명할 수 있다.

   3. 제61조에 따른 관계 공무원의 직무 수행을 기피 또는 방해하거나 제59조 또는 제63조에 따른 명령을 위반한 때

   6. 제63조에 따른 시정명령(제4조 제⑤항 위반에 따른 시정명령을 제외한다)을 이행하지 아니한 때

제67조【과징금 처분】 ① 보건복지부장관이나 시장·군수·구청장은 의료기관이 제64조 제①항 각 호의 어느 하나에 해당할 때에는 대통령령으로 정하는 바에 따라 의료업 정지 처분을 갈음하여 5천만원 이하의 과징금을 부과할 수 있으며, 이 경우 과징금은 3회까지만 부과할 수 있다. 다만, 동일한 위반행위에 대하여「표시·광고의 공정화에 관한 법률」제9조에 따른 과징금 부과처분이 이루어진 경우에는 과징금(의료업 정지 처분을 포함한다)을 감경하여 부과하거나 부과하지 아니할 수 있다.

제87조【벌칙】 ① 다음 각 호의 어느 하나에 해당하는 자는 5년 이하의 징역이나 5천만원 이하의 벌금에 처한다.

   2. ——중략—— 제23조 제③항, ——중략——을 위반한 자

제89조【벌칙】 다음 각 호의 어느 하나에 해당하는 자는 1년 이하의 징역이나 1천만원 이하의 벌금에 처한다.

   1. ——중략—— 제23조의 2 제③항 후단, ——중략—— 을 위반한 자

제90조【벌칙】 ——중략—— 제63조에 따른 명령을 위반한 자와 ——중략—— 한 자는 500만원 이하의 벌금에 처한다.

제91조【양벌규정】

(1) 의료인이나 의료기관 개설자는 제22조의 규정에도 불구하고 진료기록부등을 전자서명법에 따른 전자서명이 기재된 전자문서(전자의무기록)로 작성·보관할 수 있다(제23조 제①항). 따라서 진료기록부 등을 종이 문서로 보관할 수도 있다. 전자서명법에 따른 전자서명이란 서명자를 확인하고 서명자가 당해 전자문서에 서명을 하였음을 나타내는데 이용하기 위하여 당해 전자문서에 첨부되거나 논리적으로 결합된 전자적 형태의 정보이며(전자서명법 제2조 제2호) 전자서명법상의 전자문서란 정보처리시스템에 의하여 전자적 형태로 작성되어 송신 또는 수신되거나 저장된 정보를 말한다(전자서명법 제2조 제1호). 전자서명법은 다른 법령에서 문서 또는 서면에 서명, 서명날인 또는 기명날인을 요하는 경우 전자문서에 공인전자서명이 있는 때에는 이를 충족한 것으로 보기 때문에(제3조 제①항) 공인전자서명[138]만이 적법한 서명으로 인정된다.

(2) 의료인이나 의료기관 개설자는 보건복지부령[139]으로 정하는 바에 따라 전자의무기록을 안전하게 관리·보존하는 데에 필요한 시설과 장비를 갖추어야 한다(제23조 제②항). 실무상으로 전자의무기록의 변작 사실을 주장·입증하기 위하여 증거보전을 신청하면서 백업저장장비를 특정하여 로그파일을 확보하는 경우가 있다. 의료기관이 제23조 제②항을 위반하여 필요한 시설과 장비를 갖추지 못해서 요건에 해당하지 않으면 보건복지부장관 또는 시장·군수·구청장이 일정한 기간을 정하여 그 시설·장비 등의 전부 또는 일부의 사용을 제한 또는 금지하거나 위반한 사항을 시정하도록 명할 수 있다(제63조). 명령을 이행하지 않거나 시정명령을 이행하지 않으면 보건복지부장관 또는 시장·군수·구청장이 그 의료업을 1년의 범위에서 정지시키거나 개설 허가를 취소하거나 의료기관 폐쇄를

---

138) 전자서명법 제2조 제3호 '공인전자서명'이라 함은 다음 각목의 요건을 갖추고 공인인증서에 기초한 전자서명을 말한다.
　　가. 전자서명생성정보가 가입자에게 유일하게 속할 것
　　나. 서명 당시 가입자가 전자서명생성정보를 지배·관리하고 있을 것
　　다. 전자서명이 있은 후에 당해 전자서명에 대한 변경여부를 확인할 수 있을 것
　　라. 전자서명이 있은 후에 당해 전자문서의 변경여부를 확인할 수 있을 것
139) **의료법 시행규칙 제16조(전자의무기록의 관리·보존에 필요한 시설과 장비)** ① 의료인이나 의료기관의 개설자는 법 제23조 제②항에 따라 전자의무기록(電子醫務記錄)을 안전하게 관리·보존하기 위하여 다음 각 호의 시설과 장비를 갖추어야 한다.
　　1. 전자의무기록의 생성·저장과 전자서명을 검증할 수 있는 장비
　　2. 전자서명이 있은 후 전자의무기록의 변경 여부 확인 등 전자의무기록의 이력관리를 위하여 필요한 장비
　　3. 전자의무기록의 백업저장장비
　　4. 네트워크 보안에 관한 시설과 장비(제1호부터 제3호까지에 따른 장비가 유무선 인터넷과 연결된 경우에 한정한다)
　　5. 전자의무기록 시스템(전자의무기록의 관리·보존과 관련되는 서버, 소프트웨어 및 데이터베이스 등이 전자적으로 조직화된 체계를 말한다. 이하 이 조에서 같다) 보안에 관한 시설과 장비
　　6. 전자의무기록 보존장소에 대한 다음 각 목의 어느 하나에 해당하는 물리적 접근 방지 시설과 장비
　　　　가. 출입통제구역 등 통제 시설
　　　　나. 잠금장치
　　7. 의료기관(법 제49조에 따라 부대사업을 하는 장소를 포함한다) 외의 장소에 제1호에 따른 전자의무기록의 저장장비 또는 제3호에 따른 백업저장장비를 설치하는 경우에는 다음 각 목의 시설과 장비
　　　　가. 전자의무기록 시스템의 동작 여부와 상태를 실시간으로 점검할 수 있는 시설과 장비
　　　　나. 전자의무기록 시스템에 장애가 발생한 경우 제1호 및 제2호에 따른 장비를 대체할 수 있는 예비 장비
　　　　다. 폐쇄회로 텔레비전 등의 감시 장비
　　　　라. 재해예방시설
② 제①항 각 호에 따라 갖추어야 하는 시설과 장비에 관한 구체적인 사항은 보건복지부장관이 정하여 고시한다.

명할 수 있는데(제64조 제①항 제3호, 제6호), 실무상으로는 의료관계 행정처분규칙 별표 2. 개별 기준 나. 27)에 따라 업무정지 15일을 처분한다. 보건복지부장관이나 시장·군수·구청장은 정지 처분에 갈음하여 5천만원 이하의 과징금을 부과할 수 있다(제67조 제①항). 제63조에 따른 명령을 위반하면 500만원 이하의 벌금에 처해질 수 있다(제90조).

(3) (가) 누구든지 정당한 사유 없이 전자의무기록에 저장된 개인정보를 탐지하거나 누출·변조 또는 훼손하여서는 안 되며(제23조 제③항), 이를 위반시 5년 이하의 징역이나 5천만원 이하의 벌금에 처해질 수 있다(제87조 제①항). 여기서 전자의무기록에 저장된 '개인정보'에는 환자의 이름·주소·주민등록번호 등과 같은 개인식별정보 뿐만 아니라 환자에 대한 진단·치료·처방 등과 같이 공개로 인하여 개인의 건강과 관련된 내밀한 사항 등이 알려지게 되고, 그 결과 인격적·정신적 내면생활에 지장을 초래하거나 자유로운 사생활을 영위할 수 없게 될 위험성이 있는 의료내용에 관한 정보도 포함된다[140].

(나) 환자를 진료한 당해 의료인은 의무기록 작성권자로서 보다 정확하고 상세한 기재를 위하여 사후에 자신이 작성한 의무기록을 가필·정정할 권한이 있다고 보이는 점, 2011. 4. 7.자로 의료법을 개정하면서 허위작성 금지규정(제22조 제③항)을 신설함에 따라 의료인이 고의로 사실과 다르게 자신이 작성한 진료기록부 등을 추가기재·수정하는 행위가 금지되었는데, 이때의 진료기록부 등은 의무기록을 가리키는 것으로 봄이 타당한 점, 문서변조죄에 있어서 통상적인 변조의 개념 등을 종합하여 보면, 전자의무기록을 작성한 당해 의료인이 그 전자의무기록에 기재된 의료내용 중 일부를 추가·수정하였다 하더라도 그 의료인은 의료법 제23조 제③항에서 정한 변조행위의 주체가 될 수 없다[141].

(다) 탐지는 기술적 수단을 이용하여 전자의무기록에 저장된 개인정보를 알아내는 행위이다. 좀비PC 또는 스파이 웨어 등의 해킹 프로그램을 통해서 전자의무기록 저장시스템(백업저장장비)에 침투하는 경우이다. 누출이란 전자의무기록에 저장된 개인정보를 밖으로 새어 나가게 하는 행위이다. 변조는 작성 권한 없는 사람이 이미 진정하게 성립된 타인 명의의 전자의무기록 내용에 그 동일성을 해하지 않을 정도로 변경을 가하는 행위이다. 내용에 변경을 가할 것을 요하므로 단순한 자구수정이나 전자의무기록 내용에 영향을 미치지 않는 사실을 기재한 것만으로는 변조가 되지 않는다. 훼손은 전자의무기록 저장시스템(백업저장장비)에 직접 유형력을 행사해서 이용가능성을 침해하는 행위이다.

(4) 보건복지부장관은 전자의무기록이 효율적이고 통일적으로 관리·활용될 수 있도록 기록의 작성, 관리 및 보존에 필요한 전산정보처리시스템(이하 '전자의무기록시스템'), 시설, 장비 및 기록 서식 등에 관한 표준을 정하여 고시하고 전자의무기록시스템을 제조·공급하는 자, 의료인 또는 의료기관 개설자에게 그 준수를 권고할 수 있으며(제23조의 2 제①항), 전자의무기록시스템이 제①항에 따른 표준,

---

140) 대법원 2013. 12. 12. 선고 2011도9538 판결
141) 대법원 2013. 12. 12. 선고 2011도9538 판결

전자의무기록시스템 간 호환성, 정보 보안 등 대통령령으로 정하는 인증 기준에 적합한 경우에는 인증을 할 수 있다(제23조의 2 제②항). 이에 따라 인증을 받은 자는 대통령령으로 정하는 바에 따라 인증의 내용을 표시할 수 있다. 이 경우 인증을 받지 아니한 자는 인증의 표시 또는 이와 유사한 표시를 하여서는 안 된다(제23조의 2 제③항). 위반시 1년 이하의 징역이나 1천만원 이하의 벌금에 처해질 수 있다(제89조). 보건복지부장관은 ① 거짓이나 그 밖의 부정한 방법으로 인증을 받은 경우이거나 ② 인증 기준에 미달하게 된 경우에는 인증을 취소할 수 있다. 다만, ① 거짓이나 그 밖의 부정한 방법으로 인증을 받은 경우에는 인증을 취소하여야 한다(필요적 취소, 제23조의 2 제④항).

(5) 보건복지부장관은 전자의무기록시스템의 기술 개발 및 활용을 촉진하기 위한 사업을 할 수 있다(제23조의 2 제⑤항). 제①항에 따른 표준의 대상, 제②항에 따른 인증의 방법·절차 등에 필요한 사항은 대통령령으로 정한다(제23조의 2 제⑥항).

2 부당한 경제적 이익 등의 취득 금지(리베이트 금지)

제23조의 3 【부당한 경제적 이익 등의 취득 금지】 ① 의료인, 의료기관 개설자(법인의 대표자, 이사, 그 밖에 이에 종사하는 자를 포함한다. 이하 이 조에서 같다) 및 의료기관 종사자는 「약사법」 제47조 제②항에 따른 의약품 공급자로부터 의약품 채택·처방유도·거래유지 등 판매촉진을 목적으로 제공되는 금전, 물품, 편익, 노무, 향응, 그 밖의 경제적 이익(이하 "경제적 이익 등"이라 한다)을 받거나 의료기관으로 하여금 받게 하여서는 아니 된다. 다만, 견본품 제공, 학술대회 지원, 임상시험 지원, 제품설명회, 대금결제조건에 따른 비용할인, 시판 후 조사 등의 행위(이하 "견본품 제공등의 행위"라 한다)로서 보건복지부령으로 정하는 범위 안의 경제적 이익등인 경우에는 그러하지 아니하다.

② 의료인, 의료기관 개설자 및 의료기관 종사자는 「의료기기법」 제6조에 따른 제조업자, 같은 법 제15조에 따른 의료기기 수입업자, 같은 법 제17조에 따른 의료기기 판매업자 또는 임대업자로부터 의료기기 채택·사용유도·거래유지 등 판매촉진을 목적으로 제공되는 경제적 이익 등을 받거나 의료기관으로 하여금 받게 하여서는 아니 된다. 다만, 견본품 제공 등의 행위로서 보건복지부령으로 정하는 범위 안의 경제적 이익등인 경우에는 그러하지 아니하다.

제66조 【자격정지 등】 ① 보건복지부장관은 의료인이 다음 각 호의 어느 하나에 해당하면 1년의 범위에서 면허 자격을 정지시킬 수 있다. 이 경우 의료기술과 관련한 판단이 필요한 사항에 관하여는 관계 전문가의 의견을 들어 결정할 수 있다.

9. 제23조의 3을 위반하여 경제적 이익 등을 제공받은 때

제88조 【벌칙】 다음 각 호의 어느 하나에 해당하는 자는 3년 이하의 징역이나 3천만원 이하의 벌금에 처한다.

2. 제23조의 3을 위반한 자. 이 경우 취득한 경제적 이익등은 몰수하고, 몰수할 수 없을 때에는 그 가액을 추징한다.

제91조 【양벌규정】

가. 의의

의료인, 의료기관 개설자(법인의 대표자, 이사, 그 밖에 이에 종사하는 자를 포함) 및 의료기관 종사자는 약사법 제47조 제②항에 따른 의약품공급자(의약품의 품목허가를 받은 자, 수입자 및 의약품 도매상)로부터 의약품 채택·처방유도·거래유지 등 판매촉진을 목적으로 제공되는 금전, 물품, 편익, 노무, 향응, 그 밖의 경제적 이익(이하 '경제적 이익 등'이라 함)을 받거나 의료기관으로 하여금 받게 하여서는 안 되고(제23조의 3 제①항), 의료기기법 제6조에 따른 제조업자(의료기기의 제조를 업으로 식품의약품안전처장의 제조업 허가를 받은 사람), 같은 법 제15조에 따른 의료기기 수입업자, 같은 법 제17조에 따른 의료기기 판매업자 또는 임대업자로부터 의료기기 채택·사용유도·거래유지 등 판매촉진을 목적으로 제공되는 경제적 이익등을 받거나 의료기관으로 하여금 받게 하여서는 안 된다(제23조의 3 제②항). 이른바 불법 리베이트 근절을 통해서 공정한 거래 질서를 확립하고 국민 건강의 보호에 이바지하려는 목적으로 2010. 5. 27. 신설되어 부칙(법률 제10325호)에 따라 공포 후 6개월이 경과한 날(11월 28일)부터 시행되었고 2015. 12. 29. 법률 제13658호로 개정되기 전에는 '으로부터 의약품 채택·처방유도 등 판매촉진을 목적으로 제공되는'이라고 규정하여 모든 경제적 이익의 수수를 금지하는 것이 아니라 '판매 촉진을 목적으로' 제공되는 경제적 이익의 수수만을 금지하였다.

나. 요건

[1] '판매 촉진을 목적으로'라는 요건은 죄형법정주의 원칙상 엄격한 해석을 요하는 부분이다. 사전학상 '촉진(促進)'은 '어떤 일을 재촉해 더 잘 진행되도록 함.'이라는 의미를 갖는 명사이다. 구별되어야 하는 명사로서는 대표적으로 '유지(維持)'가 있는데 유지는 '어떤 상태나 상황을 그대로 보존하거나 변함없이 계속하여 지탱함'을 뜻하는 명사이다. 따라서 의료인, 의료기관 개설자 및 의료기관 종사자에게 의료법 제23조의 3을 적용하기 위해서는 ① 이들이 우월적 지위를 이용하여 제약회사 관계자들에게 경제적 이익 제공을 요구하거나 제안 또는 약속한 사실이 있거나, ② 제약회사 관계자들이 판매 촉진을 목적으로 경제적 이익 등을 제공하였어야 한다. 따라서 실무에서는 식비지원 또는 경제적 이익을 요구하거나, 이익 등을 노골적으로 요구하는 속칭 빨대 등의 요건 사실을 검찰이 입증함으로써 의료법 위반으로 기소·처벌되었다. 그런데 의료인, 의료기관 개설자 및 의료기관 종사자가 제약회사 관계자들에게 경제적 이익 제공을 요구하거나 제안 또는 약속하지 않는 사건들이 많아지고 판매 촉진이 아니라 기존 거래 관계 유지를 목적으로 암묵적으로 경제적 이익 등이 제공되는 경우는 죄형법정주의 원칙상 의료법 위반으로 처벌할 수 없다는 입법상 결함으로 무죄가 선고되는 경우가 있었다. 이러한 연유로 2015. 12. 29. 법률 제13658호로 의료법이 일부 개정되어 '의약품공급자로부터 의약품 채택·처방유도·거래유지 등 판매촉진을 목적으로 제공되는'으로 '거래유지'가 추가되어서 2016. 3. 30.부터 시행되었다.

(2) 대법원은 의료기관 종사자인 피고인이 의료기기 판매업자로부터 의료기기 채택·사용유도 등을 목적으로 제공되는 금원을 교부받은 사안에서, 적용법조인 의료법 제23조의 3 제②항은 의료인, 의료기관 개설자, 의료기관 종사자가 의료기기 판매업자 등으로부터 의료기기 채택·사용유도 등 판매촉진을 목적으로 제공되는 경제적 이익 등을 받거나, 위 판매업자 등이 이를 의료인 등에게 제공했을 경우만을 처벌하는 것으로 규정하고 있어 '의료기관'이 경제적 이익 등을 받은 경우에는 위 조항들에 해당한다고 해석하기 어렵고 의료기기 판매업자가 금원을 지급한 대상은 피고인이 속한 의료기관인 점 등을 이유로 피고인에게 무죄를 인정한 원심 판단을 정당하다고 판시하였다[142]. 이러한 연유로 2015. 12. 29. 법률 제13658호로 의료법이 일부 개정되어 리베이트의 범위에 경제적 이익 등이 의료기관으로 귀속되는 경우도 포함되었다. 다만, 불법 리베이트 제공자가 의약품의 품목허가를 받은 자, 수입자 및 의약품 도매상이나 의료기기 제조업자, 판매업자 등이 아닌 제3자, 즉 각종 컨설팅회사 또는 마케팅 전문업체를 동원하여 편법으로 리베이트를 제공하여 의료인 등이 받는 경우 현행법에 따른 처벌의 대상이 되는 수수자가 아니므로 처벌이 곤란한 점[143]을 개선하기 위하여 의료인, 의료기관 개설자 및 의료기관 종사자의 리베이트 범위에 계열회사나 다른 회사를 통하여 경제적 이익 등을 제공받는 경우는 포함되지 않아서 수사 실무로 해결하고 있는 실정이다.

다. 예외

견본품 제공, 학술대회 지원, 임상시험 지원, 제품설명회, 대금결제조건에 따른 비용할인, 시판 후 조사 등의 행위(견본품 제공 등의 행위)로서 보건복지부령으로 정하는 범위 안의 경제적 이익등인 경우에는 받거나 의료기관으로 하여금 받게 할 수 있는데(제23조의 3 제①항 단서, 제②항 단서), 의료법 시행규칙 제16조의 2와 별표 2의 3은 허용되는 경제적 이익 등의 범위를 아래와 같이 규정하고 있다.

---

142) 대법원 2014. 5. 29. 선고 2013도4566 판결

143) 대법원 2011. 8. 25. 선고 2010두26506 판결 ; 구 의료법(2007. 4. 11. 법률 제8366호로 전부 개정되기 전의 것) 제53조는 보건복지부장관이 '의료인으로서 심히 그 품위를 손상시키는 행위를 한 때'에 해당하면 1년의 범위 내에서 그 면허자격을 정지시킬 수 있고, 그 행위의 범위는 대통령령으로 정한다고 규정하였으며, 구 의료법 시행령(2007. 9. 28. 대통령령 제20292호로 전부 개정되기 전의 것, 이하 같다) 제21조 제①항 제5호는 '전공의의 선발 등 직무와 관련하여 부당하게 금품을 수수하는 행위'를 의료인의 품위손상행위의 하나로 규정하였다. 한편 약사(藥事)에 관한 사항을 규정하고 그 적정을 기하여 국민보건 향상에 기여함을 목적으로 하는 구 약사법(2007. 1. 3. 법률 제8201호로 전부 개정되기 전의 것)상 시판 중인 의약품의 안정성에 관한 의약품 제조업자(수입자를 포함한다, 이하 같다)의 자발적 감시활동이나 관리활동을 금지하는 규정이 없는 점, 구 약사법 시행규칙(2008. 1. 15. 보건복지부령 제434호로 전부 개정되기 전의 것) 제28조 제3항 제1호는 '시판 중인 의약품 등의 허가사항에 대한 임상적 효과관찰 및 이상반응의 조사를 위하여 실시하는 시험'을 식품의약품안전청장의 승인대상에서 제외하고 있는 점 등을 종합하여 보면, 의약품 제조업자가 허가를 받거나 신고하여 시판 중인 의약품의 안정성·유효성에 관한 사항과 적정한 사용을 위해 필요한 정보를 수집하기 위한 일련의 조치를 총칭하는 이른바 '시판 후 조사(Post Marketing Surveillance)'가 금지되는 것은 아니라고 할 것이다. 그러나 시판 후 조사 및 그에 따른 대가의 수령이 공무원의 지위에서 그 직무와 관련하여 이루어진 것이라거나 실질적으로 의료인의 직무와 관련하여 특정 의약품의 채택이나 계속적인 처방에 대한 대가로서의 성격이 포함되어 있는 것으로 평가할 수 있는 등의 경우에는 구 의료법 시행령 제21조 제①항 제5호의 '직무와 관련하여 부당하게 금품을 수수한 행위'에 해당하여 면허자격의 정지 대상이 될 수 있다고 할 것이다[2010. 5. 27. 법률 제10325호 개정되어 시행 중인 현행 의료법은 의료인이 의약품 채택 등 판매촉진을 목적으로 제공되는 경제적 이익을 받는 것을 금지하면서(제23조의 2) 이를 위반할 경우 2년 이하의 징역이나 3천만 원 이하의 벌금에 처하도록 하고 있는데(제88조의 2), 여기에 해당하는 경우에도 마찬가지이다].

[별표 2의 3] 허용되는 경제적 이익등의 범위(제16조의 2 관련)

허용 행위	허용 범위
1. 견본품 제공	○ 최소 포장단위로 "견본품" 또는 "sample"이라는 문자를 표기하여 의료기관에 해당 의약품 및 의료기기의 제형·형태 등을 확인하는데 필요한 최소 수량의 견본품을 제공하는 경우. 이 경우 제공받은 견본품은 환자에게 판매할 수 없다.
2. 학술대회 지원	○ 다음 각 호의 어느 하나에 해당하는 자가 주최하는 의학·약학, 의료기기 관련 학술연구 목적의 학술대회(학술대회 중에 개최되는 제품설명회를 포함한다)에 참가하는 발표자·좌장·토론자가 학술대회 주최자로부터 교통비·식비·숙박비·등록비 용도의 실비로 지원받는 비용. 1. 의학·약학, 의료기기 관련 학술연구를 목적으로 설립된 비영리법인 2. 「의료법」 제28조제1항에 따른 의사회·치과의사회·한의사회, 같은 법 제52조제1항에 따른 의료기관단체 또는 「약사법」 제11조 및 제12조에 따른 대한약사회·대한한약사회(이하 "보건의료단체"라 한다) 3. 「고등교육법」 제2조제1호에 따른 대학 또는 「산업교육진흥 및 산학협력촉진에 관한 법률」 제25조제1항에 따른 산학협력단 4. 보건의료단체 또는 사업자(의약품의 품목허가를 받은 자, 의약품의 품목신고를 한 자, 의약품 수입자, 의료기기 제조업자 및 수입업자를 말한다. 이하 이 표에서 같다)들로 구성된 단체가 승인 또는 인정한 학회(해외 학회를 포함한다), 학술기관·학술단체 또는 연구기관·연구단체
3. 임상시험 지원	○ 「약사법」 제34조제1항, 같은 조 제7항, 「의료기기법」 제10조제1항 및 같은 조 제7항에 따라 식품의약품안전청장의 임상시험계획 승인을 받은 임상시험(「약사법 시행규칙」 제31조제3항 및 「의료기기법 시행규칙」 제12조제3항에 해당하는 경우에는 임상시험심사위원회의 임상시험계획 승인을 받은 임상시험을 말한다)을 실시하는데 필요한 수량의 임상시험용 의약품 및 의료기기와 적절한 연구비. 이 경우 해당 요양기관에 설치된 관련 위원회의 사전 승인을 받은 비임상시험(非臨床試驗: 동물실험 또는 실험실 실험 등을 말한다)을 포함한다.
4. 제품 설명회	1. 다음 각 목의 어느 하나의 방식으로 주최하는 제품설명회에서 참석자에게 제공하는 실제 비용의 교통비, 5만원 이하의 기념품, 숙박, 식음료(세금 및 봉사료를 제외한 금액으로 1회당 10만원 이하인 경우로 한정한다) 　가. 사업자가 국내에서 복수의 의료기관을 대상으로 해당 의료기관에 소속한 의사·치과의사·한의사에게 사업자의 의약품에 대한 정보제공을 목적으로 주최하는 제품설명회 　나. 사업자가 국내에서 복수의 의료기관을 대상으로 주최하는 다음 어느 하나의 행사 　　1) 해당 의료기관에 소속한 「보건의료기본법」 제3조제3호에 따른 보건의료인(이하 이 표에서 "보건의료인"이라 한다)에게 사업자의 의료기기에 대한 정보제공을 목적으로 주최하는 제품설명회 　　2) 해당 의료기관에 소속한 보건의료인 및 시술·진단관련 종사자에게 사업자의 의료기기와 관련한 시술 및 진단 기술의 습득·향상을 위하여 실시하는 교육·훈련 　다. 의료기기 수입업자가 의료기관에 소속한 보건의료인을 대상으로 국내에 수입되지 않은 수입업자의 의료기기와 관련한 기술 습득 및 기술 향상을 위하여 실시하는 국외 교육과 국외 훈련(해당 의료기기에 대한 식품의약품안전청장의 변경허가 또는 사용방법의 변경 등의 경우가 아니면 반복된 교육·훈련은 제외한다) 　라. 의료기기 제조업자가 외국에서 복수의 외국 의료기관에 소속된 보건의료인을 대상으로 자사 의료기기에 대한 정보제공을 목적으로 주최하는 제품설명회와 시술 및 진단기술의 습득·향상을 위하여 실시하는 교육·훈련. 다만, 강연자로 참석하는 경우만 해당한다. 2. 다음 각 목의 어느 하나의 방식으로 주최하는 제품설명회로서, 참석자에게 제공하는 식음료(세금 및 봉사료를 제외한 금액으로 1일 10만원 이하로 한정하며, 월 4회 이내만 허용한다) 및 사업자의 회사명 또는 제품명을 기입한 1만원 이하의 판촉물 　가. 사업자가 개별 의료기관을 방문하여 해당 의료기관에 소속한 의사·치과의사·한의사에게 사업자의 의약품에 대한 정보를 제공할 목적으로 주최하는 제품설명회 　나. 사업자가 개별 의료기관을 방문하여 해당 의료기관에 소속한 보건의료인 및 시술·진단관련 종사자에게 사업자의 의료기기와 관련한 시술 및 진단기술의 습득·향상을 위하여 실시하는 교육·훈련 ※ 제품설명회는 의약품 및 의료기기에 대한 정보제공을 목적으로 개최하는 것만을 말하며, 보건의료인의 모임 등에 필요한 식음료를 지원하기 위하여 개최하는 것은 포함하지 않는다.

허용 행위	허용 범위
5. 대금결제 조건에 따른 비용할인	○ 의약품 및 의료기기 거래금액을 결제하는 경우로서 다음 각 호의 어느 하나에 해당하는 경우 　1. 거래가 있은 날로부터 3개월 이내에 결제하는 경우: 거래금액의 0.6퍼센트 이하의 비용할인 　2. 거래가 있은 날로부터 2개월 이내에 결제하는 경우: 거래금액의 1.2퍼센트 이하의 비용할인 　3. 거래가 있은 날로부터 1개월 이내에 결제하는 경우(계속적 거래에서 1개월을 단위로 의약품 거래금액을 결제하는 경우에는 그 기간의 중간인 날로부터 1개월 이내에 결제하는 것을 포함한다): 거래금액의 1.8퍼센트 이하의 비용할인 ※ "거래가 있은 날"이란 의약품이 요양기관에 도착한 날을 말한다. ※ 거래금액의 일부를 결제하는 경우에는 전체 거래금액에 대한 그 일부의 비율에 따라 비용할인을 한다.
6. 시판 후 조사	○ 「약사법」 제32조, 같은 법 제42조제4항 및 「의료기기법」 제8조에 따른 재심사 대상 의약품이나 의료기기의 시판 후 조사에 참여하는 의사, 치과의사, 한의사에게 제공하는 증례보고서에 대한 건당 5만원 이하(희귀질환, 장기적인 추적조사 등 추가 작업량이 필요한 경우에는 30만원 이하를 말한다)의 사례비. 이 경우 사례비를 줄 수 있는 증례보고서의 개수는 「의약품 등의 안전에 관한 규칙」 제22조·제23조 또는 「의료기기법 시행규칙」 제10조에 따라 제출하여야 하는 증례보고서의 최소 개수로 하되, 연구목적, 해외허가 또는 해외등록 등을 위하여 특정품목에 대한 사례보고서가 필요한 경우에는 식품의약품안전처장이 정하여 고시하는 바에 따라 그 수를 추가할 수 있다.
7. 기타	1. 금융회사가 신용카드 또는 직불카드(이하 "신용카드"라 한다) 사용을 유도하기 위하여 지급하는 의약품 및 의료기기 결제금액의 1퍼센트 이하의 적립점수(항공마일리지 및 이용적립금을 포함하되, 의약품 및 의료기기 대금결제 전용이 아닌 신용카드 또는 의약품 및 의료기기 대금결제를 주목적으로 하지 아니하는 신용카드를 사용하여 그 신용카드의 기본 적립률에 따라 적립한 적립점수는 제외한다). 2. 구매 전 의료기기의 성능을 확인하는 데 필요한 최소기한의 사용. 다만, 그 기한은 1개월을 넘을 수 없다.

라. 제재

[1] 이른바 리베이트 금지 조항을 위반하면 3년 이하의 징역이나 3천만원 이하의 벌금에 처해질 수 있으며 이 경우 취득한 경제적 이익 등은 몰수하고, 몰수할 수 없을 때에는 그 가액을 추징한다(필요적 몰수·추징, 제88조 제2호).

[2] 보건복지부장관은 1년의 범위에서 면허자격을 정지시킬 수 있는데(제66조 제①항 제9호), 실무상으로는 의료관계 행정처분규칙 별표 2. 개별 기준 가. 16)과 부표 2의 위반 횟수와 수수금액에 따라 경고부터 12개월 이내의 자격정지를 처분한다.

[부표 2] 부당한 경제적 이익등을 받은 경우의 행정처분기준

위반차수	수수액	행정처분기준
1차	2,500만원 이상	자격정지 12개월
	2,000만원 이상 ~ 2,500만원 미만	자격정지 10개월
	1,500만원 이상 ~ 2,000만원 미만	자격정지 8개월
	1,000만원 이상 ~ 1,500만원 미만	자격정지 6개월
	500만원 이상 ~ 1,000만원 미만	자격정지 4개월
	300만원 이상 ~ 500만원 미만	자격정지 2개월
	300만원 미만	경고
2차	2,500만원 이상	자격정지 12개월
	2,000만원 이상 ~ 2,500만원 미만	자격정지 12개월
	1,500만원 이상 ~ 2,000만원 미만	자격정지 10개월
	1,000만원 이상 ~ 1,500만원 미만	자격정지 8개월
	500만원 이상 ~ 1,000만원 미만	자격정지 6개월
	300만원 이상 ~ 500만원 미만	자격정지 4개월
	300만원 미만	자격정지 1개월
3차	2,500만원 이상	자격정지 12개월
	2,000만원 이상 ~ 2,500만원 미만	자격정지 12개월
	1,500만원 이상 ~ 2,000만원 미만	자격정지 12개월
	1,000만원 이상 ~ 1,500만원 미만	자격정지 12개월
	500만원 이상 ~ 1,000만원 미만	자격정지 8개월
	300만원 이상 ~ 500만원 미만	자격정지 6개월
	300만원 미만	자격정지 3개월
4차 이상	－	자격정지 12개월

3 요양방법의 지도 의무

> **제24조【요양방법 지도】** 의료인은 환자나 환자의 보호자에게 요양방법이나 그 밖에 건강관리에 필요한 사항을 지도하여야 한다.

(1) 의료인은 환자나 환자의 보호자에게 요양방법이나 그 밖에 건강관리에 필요한 사항을 지도하여야 한다(제24조). 그러나 형벌이나 행정 제재가 없기 때문에 선언적 규정에 불과하며 실무상 업무상과 실치사상의 형사재판[144] 또는 의료과실을 원인으로 한 손해배상의 소에서 과실 인정의 근거로 주장 되는 경우가 많다.

(2) 의사가 진찰·치료 등의 의료행위를 함에 있어서는 사람의 생명·신체·건강을 관리하는 업무의 성 질에 비추어 환자의 구체적인 증상이나 상황에 따라 위험을 방지하기 위하여 요구되는 최선의 조치 를 취하여야 할 주의의무가 있고, 이와 같은 주의의무는 환자에 대한 수술 등 침습행위가 종료함으 로써 끝나는 것이 아니라, 그 진료 목적의 달성을 위하여 환자가 의사의 업무범위 이외의 영역에서 생활을 영위함에 있어 예견되는 위험을 회피할 수 있도록 환자에 대한 요양의 방법 기타 건강관리에 필요한 사항을 지도·설명하는 데까지도 미친다(제24조). 따라서 의사는 수술 등의 당해 의료행위 의 결과로 후유 질환이 발생하거나 아니면 그 후의 요양과정에서 후유 질환이 발생할 가능성이 있으 면, 비록 그 가능성이 크지 않다고 하더라도 이를 억제하기 위한 요양의 방법이나 일단 발생한 후유 질환으로 인해 중대한 결과가 초래되는 것을 막기 위하여 필요한 조치가 무엇인지를 환자 스스로 판 단·대처할 수 있도록, 그와 같은 요양방법, 후유 질환의 증상과 그 악화 방지나 치료를 위한 대처 방법 등을 환자의 연령, 교육 정도, 심신상태 등의 사정에 맞추어 구체적인 정보의 제공과 함께 설 명·지도할 의무가 있다[145]. 그리고 이러한 지도·설명의무는 그 목적 및 내용상 진료행위의 본질적 구성부분이므로 지도·설명의무 위반과 상당인과관계가 있다면 의료인은 그로 인한 생명·신체상 의 손해에 대하여 배상할 책임을 면할 수 없다[146].

(3) 환자 또는 그 보호자가 의료인의 요양지도에 제대로 따르지 않는다 하더라도 의료인의 책임이 전부 면제되는 것은 아니고 책임제한 내지 과실상계의 비율을 정하는 요소로 고려될 수 있다[147].

---

144) 대법원 1991. 2. 12. 선고 90도2547 판결 : 자기집 안방에서 취침하다가 일산화탄소(연탄가스) 중독으로 병원 응급실에 후송되어 온 환자를 진단하여 일산화탄소 중독으로 판명하고 치료한 담당의사에게 회복된 환자가 이튿날 퇴원할 당시 자신의 병명을 문의하였는데도 의사가 아무런 요양방법을 지도하여 주지 아니하여, 환자가 일산화탄소에 중독되었던 사실을 모르고 퇴원 즉시 사고 난 자기 집 안방에서 다시 취침하다 전신피부파열 등 일산화탄소 중독을 입은 것이라면, 위 의사에게는 그 원인 사실을 모르고 병명을 문의하는 환자에게 그 병명을 알려주고 이에 대한 주의사항인 피해 장소인 방의 수선이나 환자에 대한 요양의 방법 기타 건강관리에 필요한 사항을 지도하여 줄 요양방법의 지도의무가 있는 것이므로 이를 태만히 한 것으로서 의사로서의 업무상과실이 있고, 이 과실과 재차의 일산화탄소 중독과의 사 이에 인과관계가 있다고 보아야 한다.

145) 대법원 2005. 4. 29. 선고 2004다64067 판결 참조

146) 대법원 2010. 7. 22. 선고 2007다70445 판결

147) 대법원 1996. 4. 9. 선고 95다14572 판결

4 설명 의무

제24조의 2 【의료행위에 관한 설명】 ① 의사·치과의사 또는 한의사는 사람의 생명 또는 신체에 중대한 위해를 발생하게 할 우려가 있는 수술, 수혈, 전신마취(이하 이 조에서 "수술등"이라 한다)를 하는 경우 제②항에 따른 사항을 환자(환자가 의사결정능력이 없는 경우 환자의 법정대리인을 말한다. 이하 이 조에서 같다)에게 설명하고 서면(전자문서를 포함한다. 이하 이 조에서 같다)으로 그 동의를 받아야 한다. 다만, 설명 및 동의 절차로 인하여 수술등이 지체되면 환자의 생명이 위험하여지거나 심신상의 중대한 장애를 가져오는 경우에는 그러하지 아니하다.

② 제①항에 따라 환자에게 설명하고 동의를 받아야 하는 사항은 다음 각 호와 같다.

    1. 환자에게 발생하거나 발생 가능한 증상의 진단명

    2. 수술등의 필요성, 방법 및 내용

    3. 환자에게 설명을 하는 의사, 치과의사 또는 한의사 및 수술등에 참여하는 주된 의사, 치과의사 또는 한의사의 성명

    4. 수술등에 따라 전형적으로 발생이 예상되는 후유증 또는 부작용

    5. 수술등 전후 환자가 준수하여야 할 사항

③ 환자는 의사, 치과의사 또는 한의사에게 제1항에 따른 동의서 사본의 발급을 요청할 수 있다. 이 경우 요청을 받은 의사, 치과의사 또는 한의사는 정당한 사유가 없으면 이를 거부하여서는 아니 된다.

④ 제①항에 따라 동의를 받은 사항 중 수술등의 방법 및 내용, 수술등에 참여한 주된 의사, 치과의사 또는 한의사가 변경된 경우에는 변경 사유와 내용을 환자에게 서면으로 알려야 한다.

⑤ 제①항 및 제④항에 따른 설명, 동의 및 고지의 방법·절차 등 필요한 사항은 대통령령으로 정한다. [본조신설 2016. 12. 20.]

제66조 【자격정지 등】 ① 보건복지부장관은 의료인이 다음 각 호의 어느 하나에 해당하면 1년의 범위에서 면허 자격을 정지시킬 수 있다. 이 경우 의료기술과 관련한 판단이 필요한 사항에 관하여는 관계 전문가의 의견을 들어 결정할 수 있다.

    10. 그 밖에 이 법 또는 이 법에 따른 명령을 위반한 때

제92조 【과태료】 ① 다음 각 호의 어느 하나에 해당하는 자에게는 300만원 이하의 과태료를 부과한다.

1의 2. 제24조의 2 제①항을 위반하여 환자에게 설명을 하지 아니하거나 서면 동의를 받지 아니한 자

1의 3. 제24조의 2 제④항을 위반하여 환자에게 변경 사유와 내용을 서면으로 알리지 아니한 자

제91조 【양벌규정】

(1) 우리나라 헌법 제10조는 행복추구권을 보장한다. 이 권리를 기초로 환자는 자신의 신체나 정신에 일어날 일에 대하여 스스로 결정할 수 있는 자기결정권을 갖는다. 환자는 진료를 받을 것인가에 대해 동의 또는 거부의 의사로 이를 결정할 권리가 있는 것이다. 그렇기 때문에 만일 환자가 의료행위에 유효하게 동의하지 아니한 경우, 즉 의사가 환자의 자기결정권을 침해한 경우에는 의사가 불법행위책임을 부담한다.

(2) 예전의 의사와 환자의 관계는 수직적인 관계이었다. 모든 것이 의사의 재량에 따라 결정되는 때가

있었다. 환자의 자기결정권이나 의사의 설명의무는 중요한 문제가 아니었다. 그러나 최근 들어 환자의 권리의식이 높아짐에 따라 의료소송 분야에서 환자에 의한 동의의 원칙과 환자에 대한 의사의 설명의무이라는 것이 환자의 권리보장이라는 측면에서 대두되기 시작하였다.

(3) 우리나라에서 의사의 설명의무 및 환자의 승낙권이라는 개념이 판례로 인정된 것은 대법원 1979.8.14. 선고 78다488판결이다. 이 판결에서는 "원고의 후두종양 제거 수술을 한 집도의사들이 수술 후 환자의 목이 쉴 수도 있다는 말을 하였다 하더라도 그것만으로서는 수술 후 동 원고에게 발성기능 후유증을 가져다 준 이 사건에 있어서 설명의무를 다하였다고는 할 수 없고 또 집도의사들이 원심인정과 같은 병상, 수술내용에 관하여 사전에 제대로 설명을 한 것으로 볼 수 없음은 원심의 사실인정의 내용에 의하여 분명하다. 그리고 동 원고는 위와 같은 후유증에 대해서는 전혀 예상하지 못한 자이고 긴급을 요하는 사태도 아니었다면 그러한 후유증이 수반되는 수술을 승낙한 것으로는 볼 수 없다 함이 상당하다 할 것이니.... 집도의사들이 설명의무를 다하지 아니함과 동시에 동 원고의 승낙권을 침해함으로써 위법한 수술을 실시하였다"고 하여 설명의무위반을 근거로 의사들에게 위자료 배상책임을 인정하였다.

(4) 이 판결 이후로 의사의 설명 없이 수술이 이루어지거나 설명이 부족한 경우 등에 설명의무 위반을 이유로 의사에게 손해배상 책임을 인정하고 있다. 배상범위도 처음에는 위자료 배상만 인정하다가 점차로 그 범위가 확대되어 일정한 경우에는 설명의무위반을 이유로 전체손해의 배상을 명하는 판결도 나오고 있다. 우리나라 대법원 1996. 4. 12. 선고 95다56095판결 등은 "의사가 설명의무를 위반한 채 수술 등을 하여 환자에게 사망 등의 중대한 결과가 발생한 경우에 환자측에서 선택의 기회를 잃고 자기결정권을 행사할 수 없게 된 데 대해 위자료만이 아닌 전 손해의 배상을 구하는 경우에는, 그 설명의무의 위반이 구체적 치료과정에서 요구되는 의사의 주의의무의 위반과 동일시 할 정도의 것이어야 하고, 그러한 위반행위와 환자의 사망과의 사이에 인과 관계가 존재함이 입증되어야 한다."고 판시하여 일반 불법행위의 손해배상책임 요건인 주의의무위반 즉 과실과 인과관계를 요구하고 있다. 하지만 실제로 우리나라 판례 가운데 설명의무위반을 이유로 전체손해배상을 명한 것은 많지 않다. 대부분의 판례는 설명의무위반과 나쁜 결과 사이의 상당인과관계가 존재하지 않는다고 하면서 전체손해의 배상을 배척하고 있다.

(5) 의사가 설명의무를 위반한 채 수술 등을 하여 환자에게 사망 등의 중대한 결과가 발생한 경우, 환자측에서 선택의 기회를 잃고 자기결정권을 행사할 수 없게 된 데 대해 위자료 및 손해배상 청구를 할 수 있다[148].

(6) 의료법은 2016. 12. 20.자 개정으로 민사소송의 실무를 반영하여 설명의무조항을 신설하였고 2017. 6. 21. 시행한다. 의사·치과의사 또는 한의사는 사람의 생명 또는 신체에 중대한 위해를 발생하게 할 우려가 있는 수술, 수혈, 전신마취(이하 '수술 등'이라 한다)를 하는 경우 제②항에 따른 사항을

---

148) 구체적인 내용은 의료형법, 최재천·박영호·홍영균 공저, 육법사, 2003년, 138면 내지 155면 참조

환자(환자가 의사결정능력이 없는 경우 환자의 법정대리인을 말한다.)에게 설명하고 서면(전자문서를 포함한다.)으로 그 동의를 받아야 한다. 다만, 설명 및 동의 절차로 인하여 수술등이 지체되면 환자의 생명이 위험하여지거나 심신상의 중대한 장애를 가져오는 경우에는 그러하지 않다(제24조의 2 제①항). 이에 위반하여 환자에게 설명을 하지 않거나 서면 동의를 받지 않으면 300만원 이하의 과태료가 부과된다(제92조 제①항 제1의 2). 환자에게 설명하고 동의를 받아야 하는 사항은 다음 각 호와 같다(제24조의 2 제②항).

1. 환자에게 발생하거나 발생 가능한 증상의 진단명
2. 수술등의 필요성, 방법 및 내용
3. 환자에게 설명을 하는 의사, 치과의사 또는 한의사 및 수술등에 참여하는 주된 의사, 치과의사 또는 한의사의 성명
4. 수술등에 따라 전형적으로 발생이 예상되는 후유증 또는 부작용
5. 수술등 전후 환자가 준수하여야 할 사항

(3) 환자는 의사, 치과의사 또는 한의사에게 제①항에 따른 동의서 사본의 발급을 요청할 수 있다. 이 경우 요청을 받은 의사, 치과의사 또는 한의사는 정당한 사유가 없으면 이를 거부하여서는 안 된다(제24조의 2 제③항).

(4) 제①항에 따라 동의를 받은 사항 중 수술등의 방법 및 내용, 수술등에 참여한 주된 의사, 치과의사 또는 한의사가 변경된 경우에는 변경 사유와 내용을 환자에게 서면으로 알려야 한다(제24조의 2 제④항). 이에 위반하여 환자에게 환자에게 변경 사유와 내용을 서면으로 알리지 않으면 300만원 이하의 과태료가 부과된다(제92조 제①항 제1의 3). 제①항 및 제④항에 따른 설명, 동의 및 고지의 방법·절차 등 필요한 사항은 대통령령으로 정한다.

5 신고 의무

가. 실태와 취업상황 등의 신고

제25조【신고】 ① 의료인은 대통령령으로 정하는 바에 따라 최초로 면허를 받은 후부터 3년마다 그 실태와 취업상황 등을 보건복지부장관에게 신고하여야 한다.
② 보건복지부장관은 제30조 제③항의 보수교육을 이수하지 아니한 의료인에 대하여 제①항에 따른 신고를 반려할 수 있다.
③ 보건복지부장관은 제①항에 따른 신고 수리 업무를 대통령령으로 정하는 바에 따라 관련 단체 등에 위탁할 수 있다.

제66조【자격정지 등】 ④ 보건복지부장관은 의료인이 제25조에 따른 신고를 하지 아니한 때에는 신고할 때까지 면허의 효력을 정지할 수 있다.

(1) 의료인은 대통령령으로 정하는 바에 따라 최초로 면허를 받은 후부터 3년마다 그 실태와 취업상황 등을 제8조 또는 법 제65조에 따라 면허증을 발급 또는 재발급 받은 날부터 매 3년이 되는 해의 12월 31일까지 보건복지부장관에게 신고하여야 한다(제25조 제①항, 의료법 시행령 제11조 제①항). 다만, 법률 제10609호 의료법 일부개정법률 부칙 제2조 제①항에 따라 신고를 한 의료인의 경우에는 그 신고한 날부터 매 3년이 되는 해의 12월 31일까지 신고하여야 한다(의료법 시행령 제11조 제①항 단서). 신고하지 않으면 보건복지부장관이 제66조 제④항과 의료관계 행정처분규칙 별표 2. 개별 기준 가. 17)에 따라 신고할 때까지 면허를 정지시킨다.

(2) 보건복지부장관은 신고 수리 업무를 대통령령으로 정하는 바에 따라 관련 단체 등에 위탁할 수 있는 데(제25조 제③항), 의료법 시행령 제11조 제②항에 따라 의료법 제28조에 따른 의사회 · 치과의사회 · 한의사회 · 조산사회 및 간호사회(이하 '중앙회'라 한다)에 위탁한다.

(3) 중앙회는 보건복지부령으로 정하는 바에 따라 회원의 자질 향상을 위하여 필요한 보수(補修)교육을 실시하여야 하고(제30조 제②항), 의료인은 중앙회의 보수교육을 받아야 한다(제30조 제②항). 의료 인이 보수교육을 받지 않으면 보건복지부장관은 이 의료인에 대하여 제25조 제①항에 따른 신고를 반려할 수 있다(제25조 제②항).

나. 변사체 신고

제26조【변사체 신고】 의사 · 치과의사 · 한의사 및 조산사는 사체를 검안하여 변사(變死)한 것으로 의심되는 때 에는 사체의 소재지를 관할하는 경찰서장에게 신고하여야 한다.

제66조【자격정지 등】 ① 보건복지부장관은 의료인이 다음 각 호의 어느 하나에 해당하면 1년의 범위에서 면허 자격을 정지시킬 수 있다. 이 경우 의료기술과 관련한 판단이 필요한 사항에 관하여는 관계 전문가의 의견을 들 어 결정할 수 있다.

   10. 그 밖에 이 법 또는 이 법에 따른 명령을 위반한 때

제90조【벌칙】 ——중략—— 제26조, ——중략—— 을 위반한 자나 ——중략—— 500만원 이하의 벌금에 처한다.

제91조【양벌규정】

(1) 의사 · 치과의사 · 한의사 및 조산사는 사체를 검안하여 변사한 것으로 의심되는 때에는 사체의 소재 지를 관할하는 경찰서장에게 신고하여야 한다(제26조). 신고 의무의 주체는 의사 · 치과의사 · 한의 사 및 조산사이며 비밀누설 · 발표금지(비밀준수의무, 제19조)와는 달리 간호사는 포함되지 않는다. 이러한 의미에서 의료법상의 변사체 미신고죄는 진정신분범이며 자수범(自手犯)이다.

(2) 사체란 사람의 죽은 육체이고 변사란 자연사 또는 통상의 병사가 아닌 죽음(사인이 분명하지 않은 부자연한 사망)이다. 형법 제163조 변사체검시방해죄[149]의 객체는 범죄로 인한 사망이라는 의심이 있는 변사체이다. 형사소송법상의 변사자 검시[150]가 사람의 사망이 범죄로 인한 것인가를 판단하기 위하여 수사기관이 변사자의 상황을 조사하는 수사의 단서이므로 이를 방해하는 행위는 공무방해의 죄로서의 성질을 갖는다는 점에서 범죄로 인한 사망이라는 의심을 요건으로 하는 것이다. 그런데 의료법상의 변사체 신고 의무의 객체는 변사한 것으로 의심되는 사체라고만 규정하여 범죄로 인한 사망이라는 의심이 요건이 아니라는 해석이 가능하고 실제 그런 견해도 있다. 그러나 의료법상의 변사체 신고 의무는 형사소송법상의 변사자 검시를 위한 의료인의 협력의무라는 점에서 변사자 검시에 대칭적인 의무이고 범죄로 인한 사망이라는 의심이 들지 않는 경우까지 신고 의무가 있다고 하는 것은 가벌성을 너무 확장한다는 점에서 형사정책상 옳지 않다. 대법원은 범죄로 인하여 사망한 것이 명백한 자의 사체는 형법 제163조 변사체검시방해죄의 객체가 될 수 없다고 판시하였다[151].

(3) 사체를 검안한 경우이다. 변사체 신고 의무의 '사체 검안'이라 함은 이미 사망한 사체를 검안하는 경우는 물론 규정 취지로 보아 치료하던 환자가 사망하여 사망의 진단을 하는 경우도 포함되고, '변사의 의심'이란 사인에 관한 병리학적 관점에서 그러한 의심이 있는 것을 의미하는 것이 아니라 법의학적인 관점에서 의심이 있는 경우를 가리킨다. 따라서 이를 판단함에 있어서는 사체 자체로부터 인식할 수 있는 이상뿐만 아니라 사체가 발견된 경위, 장소, 상황, 성별 등 제반 사정까지 고려하여야 할 것이다[152].

(4) 의료인이 변사체를 신고하지 않으면 500만원 이하의 벌금에 처해질 수 있다(제90조). 보건복지부장관은 1년의 범위에서 면허자격을 정지시킬 수 있는데(제66조 제①항 제10호), 실무상으로는 의료관계 행정처분규칙 별표 2. 개별 기준 가. 18)에 따라 경고한다.

---

149) **형법 제163조(변사체검시방해)** 변사자의 사체 또는 변사의 의심있는 사체를 은닉 또는 변경하거나 기타 방법으로 검시를 방해한 자는 700만원 이하의 벌금에 처한다.

150) **형사소송법 제222조(변사자의 검시)** ① 변사자 또는 변사의 의심있는 사체가 있는 때에는 그 소재지를 관할하는 지방검찰청 검사가 검시하여야 한다.
② 전항의 검시로 범죄의 혐의를 인정하고 긴급을 요할 때에는 영장없이 검증할 수 있다.
③ 검사는 사법경찰관에게 전②항의 처분을 명할 수 있다.

151) 대법원 1970. 2. 24. 선고 69도2272 판결, 대법원 2003. 6. 27. 선고 2003도1331 판결

152) 대법원 2001. 3. 23. 선고 2000도4464 판결

제3절 | # 의료행위의 제한

1 무면허 의료행위 금지

제27조 【무면허 의료행위 등 금지】 ① 의료인이 아니면 누구든지 의료행위를 할 수 없으며 의료인도 면허된 것 이외의 의료행위를 할 수 없다. 다만, 다음 각 호의 어느 하나에 해당하는 자는 보건복지부령으로 정하는 범위에서 의료행위를 할 수 있다.

1. 외국의 의료인 면허를 가진 자로서 일정 기간 국내에 체류하는 자
2. 의과대학, 치과대학, 한의과대학, 의학전문대학원, 치의학전문대학원, 한의학전문대학원, 종합병원 또는 외국 의료원조기관의 의료봉사 또는 연구 및 시범사업을 위하여 의료행위를 하는 자
3. 의학 · 치과의학 · 한방의학 또는 간호학을 전공하는 학교의 학생

② 의료인이 아니면 의사 · 치과의사 · 한의사 · 조산사 또는 간호사 명칭이나 이와 비슷한 명칭을 사용하지 못한다.

제64조 【개설 허가 취소 등】 ① 보건복지부장관 또는 시장 · 군수 · 구청장은 의료기관이 다음 각 호의 어느 하나에 해당하면 그 의료업을 1년의 범위에서 정지시키거나 개설 허가를 취소하거나 의료기관 폐쇄를 명할 수 있다. ——(후략)——

2. 의료인이나 의료기관 종사자가 무자격자에게 의료행위를 하게 하거나 의료인에게 면허 사항 외의 의료행위를 하게 한 때

제66조 【자격정지 등】 ① 보건복지부장관은 의료인이 다음 각 호의 어느 하나에 해당하면 1년의 범위에서 면허 자격을 정지시킬 수 있다. 이 경우 의료기술과 관련한 판단이 필요한 사항에 관하여는 관계 전문가의 의견을 들어 결정할 수 있다.

5. 제27조 제①항을 위반하여 의료인이 아닌 자로 하여금 의료행위를 하게 한 때

제67조 【과징금 처분】 ① 보건복지부장관이나 시장 · 군수 · 구청장은 의료기관이 제64조 제①항 각 호의 어느 하나에 해당할 때에는 대통령령으로 정하는 바에 따라 의료업 정지 처분을 갈음하여 5천만원 이하의 과징금을 부과할 수 있으며, 이 경우 과징금은 3회까지만 부과할 수 있다. 다만, 동일한 위반행위에 대하여 「표시 · 광고의 공정화에 관한 법률」 제9조에 따른 과징금 부과처분이 이루어진 경우에는 과징금(의료업 정지 처분을 포함한다)을 감경하여 부과하거나 부과하지 아니할 수 있다.

제87조 【벌칙】 ① 다음 각 호의 어느 하나에 해당하는 자는 5년 이하의 징역이나 5천만원 이하의 벌금에 처한다.

2. ——중략—— 제27조 제①항, ——중략——을 위반한 자

제90조 【벌칙】 ——중략—— 제27조 제②항, ——중략—— 을 위반한 자나 ——중략—— 한 자는 500만원 이하의 벌금에 처한다.

제91조 【양벌규정】

가. 서설

(1) 의료법상의 의료행위는 의학적 전문지식을 기초로 하는 경험과 기능으로 인간에 대한 진찰, 검안, 처방, 투약 또는 외과적 시술을 시행하여 하는 질병의 예방 또는 치료행위 이외에도 의료인이 하지 않으면 보건위생상 위해가 생길 우려가 있는 행위를 의미한다. 이에 의료법은 보건위생상 위해 발생을 예방하기 위하여 의학적 전문지식을 갖춘 의료인만이 의료행위를 할 수 있으며 의료인도 면허된 것 이외의 의료행위를 할 수 없음을 명시하고 있다(제27조 제①항 본문)[153]. 무면허 의료행위자는 5년 이하의 징역이나 5천만원 이하의 벌금에 처해질 수 있으며(제87조 제①항 제2호), 의료인이 제27조 제①항을 위반하여 의료인이 아닌 자로 하여금 의료행위를 하게 하거나 의료인이 면허된 것 외의 의료행위를 한 경우에는 보건복지부장관이 1년의 범위에서 면허자격을 정지시킬 수 있는데(제66조 제①항 제5호), 실무상으로는 의료관계 행정처분규칙 별표 2. 개별 기준 가. 19)에 따라 자격정지 3개월을 처분한다. 그리고 보건복지부장관 또는 시장·군수·구청장은 의료기관이 의료인이나 의료기관 종사자가 무자격자에게 의료행위를 하게 하거나 의료인에게 면허 사항 외의 의료행위를 하게 한 때에 해당하면 그 의료업을 1년의 범위에서 정지시키거나 개설 허가를 취소하거나 의료기관 폐쇄를 명할 수 있는데(제64조 제①항 제2호), 실무상으로는 의료관계 행정처분규칙 별표 2. 개별 기준 나. 3)에 따라 업무정지 3개월을 처분한다. 보건복지부장관이나 시장·군수·구청장은 업무정지 처분에 갈음하여 5천만원 이하의 과징금을 부과할 수 있다(제67조 제①항).

(2) 의료인이 아니면 의사·치과의사·한의사·조산사 또는 간호사 명칭이나 이와 비슷한 명칭을 사용하지 못한다(제27조 제②항). 무면허 의료행위를 예방하기 위한 취지이다[154]. 실무에서는 간호조무

---

153) 헌법재판소 2005. 9. 29. 선고 2005헌바29, 2005헌마434 결정 ; 의료행위는 인간의 존엄과 가치의 근본인 사람의 신체와 생명을 대상으로 하는 것이므로 단순한 의료기술 이상의 "인체 전반에 관한 이론적 뒷받침"과 "인간의 신체 및 생명에 대한 경외심"을 체계적으로 교육받고 이 점에 관한 국가의 검증을 거친 의료인에 의하여 행하여져야 하고, 과학적으로 검증되지 아니한 방법 또는 무면허 의료행위자에 의한 약간의 부작용도 존엄과 가치를 지닌 인간에게는 회복할 수 없는 치명적인 위해를 가할 수 있는 것이다. 따라서 무면허 의료행위를 일률적, 전면적으로 금지하고 이를 위반하는 경우에는 그 치료결과에 관계없이 형사처벌을 받게 하는 이 법의 규제방법은 환자와 치료자의 기본권을 침해하거나 과잉금지의 원칙에 위반된다고 할 수 없다. 위와 같은 법리에 비추어 의료법 제25조 제1항의 본문 전단부분과 이를 위반한 경우 처벌하는 내용의 의료법 제66조 제3호 보건특조법 제5조 중 각 의료법 제25조 제1항의 본문 전단부분은 헌법에 위반되지 아니한다. "의료의 적정과 국민건강의 보호증진"이라는 의료법의 목적(의료법 제1조과 의료법 제2조에 규정된 의료인 임무의 내용 및 "질병의 예방과 치료행위 뿐만 아니라 의료인이 행하지 아니하면 보건위생상 위해가 생길 우려가 있는 행위"를 의료행위라고 판시한 대법원 판결(대법원 1992. 5. 22. 선고 91도3219 판결 참조) 그리고 의료행위 판단기준에 관하여 "질병의 예방과 치료에 사용된 기기가 의료기기냐 아니냐 하는 것은 문제되지 아니하며 의학적 전문지식이 없는 자가 이를 질병의 예방이나 치료에 사용함으로써 사람의 생명, 신체나 공중위생에 위해를 발생할 우려가 있느냐의 여부에 따라 결정하여야 한다."고 판시한 대법원 판결(대법원 1989. 9. 29. 선고 88도2190 판결 참조) 등을 종합하면 의료행위는 좁은 의미에서 "상병(傷病)의 부위와 원인을 전문적 기법으로 진단하여 그에 가장 적절한 대방법을 선택하여 치료하는 것과 질병을 미연에 방지하는 것"에 그치지 않고 "질병의 예방과 치료에 관한 행위로서 의학적 전문지식이 있는 자가 행하지 아니하면 사람의 생명, 신체나 공중위생에 위해가 발생할 우려가 있는 행위"를 의미하므로, 보건특조법 제5조에 규정된 '의료행위' 부분을 건전한 상식과 통상적인 법감정을 가진 사람이 구체적으로 어떠한 행위가 이에 해당하는지 의심을 가질 정도로 불명확한 개념으로 볼 수 없다. 그렇다면 보건특조법 제5조의 '의료행위' 부분이 죄형법정주의에서 요구하는 형벌법규의 명확성 원칙에 위반한 것으로 볼 수 없다.

154) 대법원 1992. 4. 28. 선고 91누5495 판결 ; 사회단체등록에 관한 법률은 사회단체등록에 관한 사항을 규율함으로써 건전한 사회질서 유지를 목적으로 하고 있을 뿐 아니라 등록청은 사외단체가 사위 또는 부정한 방법으로 등록하였거나 등록된 단체활동의 목적 이외의 활동을 한 때 등의 경우에 등록을 취소할 수 있도록 규정하고 있음에 비추어 이 법에 따라 등록신청한 사회단체의 명칭 또는 사업목적 자체가 다른 법령에 위배되거나 사회질서를 해칠 우려가 있음이 명백한 때에는 주무관청은 그 등록을 거부할 수 있다. 의료법 제25조에 의하면 의료인(유사의료업자도 포함된다)이 아닌 자는 의료행위를 할 수 없으며 그와 유사한 명칭을 사용할 수 없게 되어 있는바, 원고 대한침구인협회가 목적으로 하고 있는 침술에 관한 연구개발은 그 성격상 인체에 대한 실험실습이 수반되지 아니할 수 없으므로 정부가 이와 같은 무자격자의 집합단체에 대하여 사회단체등록증을 교부하는 경우 무자격자에 의한 의료행위를 간접지원하는 결과를 초래할 우려가 있고, 또 의료인단체에관하여는 유사명칭사용금지조항이 따로 없다 하더라도 그 명칭에 '침구인'이라는 용어를 사용함으로써 국민으로 하

사가 간호사 명칭을 사용하거나 의료기사가 의사 명칭을 사용하는 경우가 있는데 모두 제27조 제②항을 위반하는 행위로서 500만원 이하의 벌금에 처해질 수 있다(제90조). 변호사가 아니면서 변호사 또는 법률사무소의 표시 또는 기재를 한 경우에는 3년 이하의 징역 또는 2천만원 이하의 벌금에 처하거나 병과될 수 있는 변호사법 제112조 제3호의 규정과 유사한 내용이다.

나. 비의료인의 무면허 의료행위

(1) 비의료인이란 보건복지부장관의 면허를 받은 의사 · 치과의사 · 한의사 · 조산사 및 간호사(제2조 제①항)를 제외한 사람이다. 따라서 종업원[155], 간호조무사[156], 약사[157][158], 한약업사[159], 의료기사[160], 피부관리사[161], 의료기기 판매상, 영구문신사(tattooist)[162], 활법 사회체육지도자(척추교정원 운영

여금 적법한 침구사단체로 오인하게 할 소지가 있으므로 원고 협회의 사회단체등록은 사회질서를 해칠 우려가 있음이 명백한 때에 해당하여 이를 이유로 한 등록거부는 적법하다.

155) 대법원 1992. 7. 28. 선고 91누12455 판결 ; 한의사의 자격이 없는 한의원의 종업원이 한의사의 부재중에 신경통과 위장병을 호소하는 환자에게 아픈 증상을 물어 보고 진맥을 한 후 사물신안탕 10첩을 조제하여 주었다면 위 종업원이 한의사가 평소에 비치하였던 처방전 책자에 기재된 대로 약재를 혼합하여 조제하였다고 하더라도, 의료인이 아니면서 의료행위를 한 경우에 해당한다.

156) 대법원 2007. 6. 28. 선고 2005도8317 판결 ; 의사가 속눈썹 이식시술을 하면서 간호조무사로 하여금 피시술자의 후두부에서 채취한 모낭을 속눈썹 시술용 바늘에 일정한 각도로 끼우고 바늘을 뽑아낸 뒤 이식된 모발이 위쪽을 향하도록 모발의 방향을 수정하도록 한 행위나, 모발이식시술을 하면서 간호조무사로 하여금 식모기(植毛機)를 피시술자의 머리부위 진피층까지 찔러 넣는 방법으로 수여부에 모낭을 삽입하도록 한 행위는 진료보조행위의 범위를 벗어나 의료행위에 해당한다.

157) 대법원 2009. 5. 14. 선고 2007도5531 판결 ; 약사로서 한약조제자격을 취득하였을 뿐 한의사가 아닌 자가 진단행위를 한 후 한약을 조제 · 판매한 행위는 '영리를 목적으로 한의사가 아닌 자가 한방 의료행위를 업으로 한 때'에 해당하여 구 보건범죄단속에 관한 특별조치법 위반죄가 성립한다.

158) 대법원 2002. 1. 11. 선고 2001다27449 판결 ; 약사는 의약품을 조제할 수 있다 하여도 진단행위나 치료행위 등은 할 수 없으므로 의사가 아닌 약사가 스스로 또는 그 종업원을 통하여, 환자의 증세에 대하여 문진을 한 후 감기로 진단하고 각종 의약품을 혼합하여 조제하는 등의 행위를 한 일련의 행위는 무면허 의료행위에 해당한다. 다만, 무면허로 의료행위를 한 경우라도 그 자체가 의료상의 주의의무 위반행위는 아니라고 할 것이므로 당해 의료행위에 있어 구체적인 의료상의 주의의무 위반이 인정되지 아니한다면 그것만으로 불법행위책임을 부담하지는 아니한다.

159) 대법원 1978. 9. 26. 선고 77도3156 판결 ; 한약업사의 자격은 있으나 한의사가 아닌 자가 한의원에서 환자의 콧속에 전등을 비추어 관찰한 후 비염이라고 판단하여 기존 한의서에 기재된 처방이 위 질병에 적응한 것이라는 판단 아래 한약 10첩을 조제하여 주었다면 무면허 의료행위이다.

160) 대법원 2002. 8. 23. 선고 2002도2014 판결 ; 환자의 좌측 옆구리에 길이 약 6cm 가량의 침 4개를 0.5cm 깊이로 꽂는 행위는 물리치료사의 업무 범위를 벗어난 의료행위이다.

161) 대법원 2003. 9. 5. 선고 2003도2903 판결 ; 의사가 의사면허가 없는 소위 피부관리사들로 하여금 환자들을 상대로 산화알루미늄 성분의 연마제가 든 크리스탈 필링기를 사용하여 얼굴의 각질을 제거하여 주는 피부박피술을 시행하는 행위는 인체의 생리구조에 대한 전문지식이 없는 사람이 이를 행할 때에는 사람의 생명, 신체나 공중위생상 위해를 발생시킬 우려가 있는 것이므로 이는 단순한 미용술이 아니라 의료행위에 해당한다.

162) 대법원 1992. 5. 22. 선고 91도3219 판결 ; 고객들의 눈썹 또는 속눈썹 부위의 피부에 자동문신용 기계로 색소를 주입하는 방법으로 눈썹 또는 속눈썹 모양의 문신을 하여 준 행위는 그 시술방법이 표피에 색소를 주입함으로써 통증도 없고 출혈이나 그 부작용도 생기지 않으므로 의료인이 행하지 아니하면 사람의 생명, 신체 또는 일반 공중위생에 밀접하고 중대한 위험이 발생할 염려가 있는 행위라고 볼 수 없어 의료행위가 아니라고 본 원심판결은 과연 표피에만 색소를 주입하여 영구적인 문신을 하는 것이 가능한지 및 그 시술방법이 어떤 것인지를 가려 보지 않았고 작업자의 실수 등으로 진피를 건드리거나 진피에 색소가 주입될 가능성이 있으며 문신용 침으로 인하여 질병의 전염 우려도 있는 점을 간과함으로써 법리오해, 채증법칙 위배, 심리미진 등의 위법이 있다.

자)[163][164], 카이로프라틱(Chiropratic)사[165], 건강보조식품판매업자[166], 면허가 정지되거나 취소된 의료인 등은 비의료인이고 의료행위를 하여서는 안 된다. 다만, 간호사, 간호조무사, 의료기사 등에 관한 법률에 의한 임상병리사, 방사선사, 물리치료사, 작업치료사, 치과기공사, 치과위생사의 면허를 가진 사람이 의사, 치과의사의 지도하에 진료 또는 의학적 검사에 종사하는 행위는 허용된다(제80조의 2 제①항, 제81조 제①항, 제82조 제②항 등)[167].

[2] '의료인이 하지 않으면 보건위생상 위해가 생길 우려'는 추상적 위험으로도 충분하므로 구체적으로 환자에게 위험이 발생하지 않았다 하여 보건위생상의 위해가 없다고 할 수는 없다[168]. 그리고 형사재판에서 공소가 제기된 범죄의 구성요건을 이루는 사실에 대한 입증책임은 검사에게 있으므로, 의료인이 하지 않으면 보건위생상 위해가 생길 우려가 있는 행위라는 점은 검사가 입증하여야 한다[169]. 대법원과 헌법재판소는 의료인이 하지 않으면 보건위생상 위해가 생길 우려가 있는 행위를 아래와 같이 판시하였다.

① 대법원 2010. 5. 27. 선고 2006도9083 판결 : 암환자 등을 상대로 통증부위 및 경락부위 등에 홍화기름을 바른 후 물소뿔이나 옥돌 등의 기구로 피부를 문지르는 괄사요법 유사의 시술행위는, 인체의 경혈, 경락, 경피 및 경근에 관한 전문적인 지식 없이 부적절하게 실시할 경우 환자에게 통증과 상처를 남기는 등의 위해가 야기될 수 있으며, 특정한 기구를 사용하여 환자의 통증부위나 경락부위를 집중적으로 긁으면 그 부위의 피부가 약간 붉게 변색되는 경우도 있고, 이를 부적절하게 지속적으로 시행할 경우 위해의 발생이 충분히 예견된다는 점 등을 종합하면 의료법의 의

---

163) 대법원 2002. 5. 10. 선고 2000도2807 판결 : 기공원이라는 간판 아래 척추교정원을 운영하면서 찾아오는 환자들에게 그 용태를 묻거나 엑스레이 필름을 판독하여 그 증세를 판단한 것은 진찰 행위에 해당한다 할 것이고, 이에 따라 척추 등에 나타나는 불균형상태를 교정한다 하여 손이나 기타 방법으로 압박하는 등의 시술을 반복 계속한 것은 결국 사람의 생명이나 신체 또는 공중위생에 위해를 발생케 할 우려가 있는 의료행위에 해당한다. 정부 공인의 체육종목인 '활법'의 사회체육지도자 자격증을 취득하였다 하더라도 자신의 행위가 무면허 의료행위에 해당되지 아니하여 죄가 되지 않는다고 믿은 데에 정당한 사유가 있었다고 할 수 없다.

164) 대법원 2004. 1. 15. 선고 2001도298 판결 : 피고인의 사무실에는 인체의 해부도, 질병 및 증상에 따른 인체의 시술 위치를 정리한 게시판, 신체 모형, 인간 골격 모형 등이 비치되어 있고, 피고인은 두통, 생리통, 척추디스크 등을 호소하며 찾아온 사람들을 상대로 증상과 통증 부위, 치료경력 등을 확인한 다음 회원카드에 이를 기재하여 관리하여 왔으며, 피고인은 손님의 질병 종류에 따라 손을 이용하거나 누워 있는 손님 위에 올라가 발로 특정 환부를 집중적으로 누르거나 주무르거나 두드리는 방법으로 길게는 1개월 이상 시술을 하고 그 대가로 일정한 금액을 받았음을 알 수 있는바, 사실관계가 이와 같다면, 피고인의 이러한 행위는 단순한 피로회복을 위한 시술을 넘어 질병의 치료행위에까지 이른 것으로 그 부작용을 우려하지 않을 수 없어 의료인이 행하지 아니하면 보건위생상의 위해가 생길 우려가 있는 의료행위에 해당할 뿐만 아니라 영리를 목적으로 한 행위로 보아야 한다. 피고인이 대학교에서 활법지도자 과정과 수기지압·척추교정술 과정을 수료하여 수료증을 취득하였고 의료기구를 사용하지 않고 시술하였다고 하더라도 그것만으로 자신의 행위가 무면허 의료행위에 해당되지 아니하여 죄가 되지 않는다고 믿은 데 정당한 사유가 있었다고 할 수 없다.

165) 부산지방법원 1984. 8. 17. 선고 83노1574 판결 : 이른바 카이로프라틱(Chiropratic)기법으로 척추교정한 행위는 척추교정술을 타인의 손을 이용하여 치료를 받아 건강을 유지하고자 하는 방법으로 시술하는 이상 치료라는 용어 대신에 운동이란 용어를 사용한다고 한들 이는 정형외과 의사, 의사의 지도하에 시술하는 물리치료사, 접골사 등의 의료분야에 속하는 것으로서 의료법상의 의료행위에 해당한다.

166) 대법원 2001. 12. 28. 선고 2001도6130 판결 : 건강보조식품판매업자가 사실상 운영하는 회사가 고객들에게 체질검사를 하여 체질에 맞는 식이요법이나 운동요법을 곁들여 전문적인 다이어트 관리를 해주겠다고 하면서 의료기기인 체지방측정기를 사용하여 고객의 체지방 분포율과 비만도를 측정하는 한편 고객의 체질 및 증상에 대한 72개 항목의 질문사항이 기재되어 있는 고객기록카드를 작성하게 하고, 살을 빼는 데 효능이 있다는 아무런 검증결과가 없고 오히려 이를 남용할 경우 설사 등의 부작용이 있는 건강보조식품 5, 6종 등을 마치 비만을 치유하는 데 효력이 있는 것처럼 판매를 하고, 위 식품을 복용한 고객들이 복통과 구토, 설사 등의 증상을 호소하자 그 대처방법이나 복용방법의 변경 등을 상담하였다면 건강보조식품판매업자의 그와 같은 행위는 무면허 의료행위에 해당한다.

167) 대법원 2002. 8. 23. 선고 2002도2014 판결, 대법원 2003. 9. 5. 선고 2003도2903 판결

168) 대법원 1993. 8. 27. 선고 93도153 판결 등

169) 대법원 2009. 10. 15. 선고 2006도6870 판결

료행위에 해당한다.

② 대법원 2005. 8. 19. 선고 2005도4102 판결 ; 피고인이 베스트론이라는 혼합물질분석기를 이용한 머리카락 성분의 성질에 관한 검사 결과를 토대로 자신 나름대로의 의학적 지식을 기초로 하는 경험과 기능을 이용하여 만든 컴퓨터 프로그램을 사용하여 머리카락 제공자의 건강 상태, 질병의 유무 등을 규명 · 판단한 행위는 의료행위로서 진찰에 해당한다.

③ 대법원 2004. 10. 28. 선고 2004도3405 판결 ; 피고인이 찜질방 내에 침대, 부항기 및 부항침 등을 갖추어 놓고 찾아오는 사람들에게 아픈 부위와 증상을 물어 본 다음 양손으로 아픈 부위의 혈을 주물러 근육을 풀어주는 한편, 그 부위에 부항을 뜬 후 그 곳을 부항침으로 10회 정도 찌르고 다시 부항을 뜨는 방법으로 치료를 하여 주고 치료비 명목으로 15,000원 또는 25,000원을 받은 행위는 의학적 전문지식이 있는 의료인이 행하지 아니하면 사람의 생명, 신체나 공중위생에 위해를 발생시킬 우려가 있는 것이므로 의료행위에 해당한다. 다만, 부항 시술행위가 광범위하고 보편화된 민간요법이고, 그 시술로 인한 위험성이 적다는 사정만으로 그것이 바로 사회상규에 위배되지 아니하는 행위에 해당한다고 보기는 어렵고, 다만 개별적인 경우에 그 부항 시술행위의 위험성의 정도, 일반인들의 시각, 시술자의 시술의 동기, 목적, 방법, 횟수, 시술에 대한 지식수준, 시술경력, 피시술자의 나이, 체질, 건강상태, 시술행위로 인한 부작용 내지 위험발생 가능성 등을 종합적으로 고려하여 법질서 전체의 정신이나 그 배후에 놓여 있는 사회윤리 내지 사회통념에 비추어 용인될 수 있는 행위에 해당한다고 인정되는 경우에만 사회상규에 위배되지 아니하는 행위로서 위법성이 조각된다.

④ 대법원 2004. 1. 15. 선고 2001도298 판결 ; 안마나 지압이 의료행위에 해당하는지에 대해서는 그 것이 단순한 피로회복을 위하여 시술하는 데 그치는 것이 아니라 신체에 대하여 상당한 물리적인 충격을 가하는 방법(두통, 생리통, 척추디스크 등을 호소하며 찾아온 사람들을 상대로 증상과 통증 부위, 치료경력 등을 확인한 다음 회원카드에 이를 기재하여 관리하여 왔으며, 손님의 질병 종류에 따라 손을 이용하거나 누워 있는 손님 위에 올라가 발로 특정 환부를 집중적으로 누르거나 주무르거나 두드리는 방법으로 길게는 1개월 이상 시술을 하고 그 대가로 일정한 금액을 받음)으로 어떤 질병의 치료행위에까지 이른다면 이는 보건위생상 위해가 생길 우려가 있는 행위, 즉 의료행위에 해당한다.

⑤ 대법원 2001. 12. 28. 선고 2001도6130 판결 ; 건강보조식품판매업자가 사실상 운영하는 회사가 고객들에게 체질검사를 하여 체질에 맞는 식이요법이나 운동요법을 곁들여 전문적인 다이어트 관리를 해주겠다고 하면서 의료기기인 체지방측정기를 사용하여 고객의 체지방분포율과 비만도를 측정하는 한편 고객의 체질 및 증상에 대한 72개 항목의 질문사항이 기재되어 있는 고객기록카드를 작성하게 하고, 살을 빼는 데 효능이 있다는 아무런 검증결과가 없고 오히려 이를 남용할 경우 설사 등의 부작용이 있는 건강보조식품 5, 6종 등을 마치 비만을 치유하는 데 효력이 있는 것처럼 판매를 하고, 위 식품을 복용한 고객들이 복통과 구토, 설사 등의 증상을 호소하자 그 대처방법이

나 복용방법의 변경 등을 상담하였다면 건강보조식품판매업자의 그와 같은 행위는 무면허 의료행위에 해당한다.

⑥ 대법원 2000. 9. 8. 선고 2000도432 판결 ; 돌 등이 들어있는 스테인레스 용기를 천과 가죽으로 덮은 찜질기구를 가열하여 암 등 난치성 질환을 앓는 환자들에게 건네주어 환부에 갖다 대도록 한 행위는 명백히 암 등 난치성 질환이라는 특정 질병에 대한 치료를 목적으로 한 것이고, 이를 장기간 사용할 경우 피부 등에 화상을 입거나 암 등 난치성 질환을 앓고 있는 환자의 신체에 다른 부작용이 일어날 가능성을 배제할 수 없으므로, 이러한 치료행위는 의학상 전문지식이 있는 의료인이 행하지 아니하면 보건위생상 위해가 생길 우려가 있는 행위, 즉 의료행위에 해당한다.

⑦ 대법원 1999. 6. 25. 선고 98도4716 판결 ; 주사기에 의한 약물투여 등의 주사는 그 약물의 성분, 그 주사기의 소독상태, 주사방법 및 주사량 등에 따라 인체에 위해를 발생시킬 우려가 높고 따라서 이는 의학상의 전문지식이 있는 의료인이 행하지 아니하면 보건위생상 위해가 생길 우려가 있는 행위임이 명백하므로 의료행위에 포함된다고 보아야 할 것이다.

⑧ 대법원 1999. 3. 26. 선고 98도2481 판결 ; 침술행위는 경우에 따라서 생리상 또는 보건위생상 위험이 있을 수 있는 행위임이 분명하므로 현행 의료법상 한의사의 의료행위(한방의료행위)에 포함된다.

⑨ 대법원 1978. 5. 9. 선고 77도2191 판결 ; 피고인이 지두로서 환부를 눌러 교감신경 등을 자극하여 그 흥분상태를 조정하는 소위 지압의 방법으로 원판시와 같이 소아마비, 신경성위장병 환자등에 대하여 치료행위를 한 것은 생리상 또는 보건위생상 위험이 있다고 보아야 하고, 이와 같은 경우에는 피고인이 위 소위를 위 법조 소정의 의료행위로 봄이 상당하다.

⑩ 대법원 1985. 5. 14. 선고 84도2888 판결 ; 의료행위라 함은 의학적 전문지식으로 질병의 진찰, 검안, 처방, 투약 및 외형적 시술을 시행하여 질병의 예방 또는 치료행위를 하는 것을 말하는 바 피고인이 한국생활정체교정체육협회 부산지부를 설치하여 위 지부 사무실을 찾아오는 환자로부터 그 용태를 물어 그 증세를 판단하였다면 이는 문진에 의한 진찰이라 할 것이고 그에 따라 환부 또는 반대부위 및 척추나 골반에 나타나는 구조상의 이상 상태를 도수 또는 바이타기 등(정체술 또는 이른바 카이로 프락틱)으로 압박하는 등의 시술을 반복 계속한 것은 결국 사람의 생명이나 신체 또는 공중위생에 위해를 발생케 할 우려가 있는 의료행위에 해당함이 명백하다.

⑪ 헌법재판소 2007. 11. 29. 선고 2006헌마876 결정 ; 청구인은 청구인이 처벌을 받게 된 근거조항인 '보건범죄단속에 관한 특별조치법' 제5조와 구 의료법 제25조의 내용 자체의 불완전성을 다투고 있는 것이 아니라, 비의료인도 문신시술을 업으로 할 수 있도록 그 자격 및 요건에 관하여 입법을 하지 아니한 것이 청구인의 기본권을 침해한다고 주장하며 이를 적극적으로 다투고 있는바, 이는 진정입법부작위에 해당하나, 헌법이 명시적으로 비의료인의 문신시술업에 관한 법률을 만들어야 할 입법의무를 부여하였다고 볼 수 없고, 그러한 입법의무가 헌법해석상 도출된다고 볼 수 없으므로 이 사건 심판청구는 부적법하다.(재판관 1인의 반대의견 – 청구인의 청구취지는 진피문

신행위를 하기 위하여 반드시 의료행위에 관한 고도의 전문적 자격인 의사 면허를 받도록 강요하는 것은 헌법상 허용될 수 없는 과잉규제라는 것인바, 대법원과 같이 '의사가 하지 아니하면 보건위생상 위해가 생길 우려가 있는 행위'를 모두 '의사가 하지 않으면 처벌되는 의료행위'에 포함된다고 해석하는 것은, 형사처벌의 요건을 광범위하고 포괄적으로 인정함으로써 죄형법정주의가 요구하는 명확성의 원칙에 맞지 아니하고, 일반인의 행동의 자유를 과도하게 제한하는 것이어서, 헌법에 위반된다고 선언하여야 한다. 그리고 위와 같은 해석은 보건위생상 위해가 생길 우려가 있는 행위이지만 의사면허를 취득할 정도의 전문적인 지식과 기술이 필요하다고 보기 어려운 행위에 대하여 별도의 자격제도가 없기 때문에 비롯된 것이라고 보여지므로 그러한 행위에 대하여 의사의 면허보다 낮은 수준의 의료기능만으로도 자격을 취득하고 시행할 수 있도록 허용하는 제도에 관한 입법을 촉구할 필요가 있다.)

(3) 대법원과 하급심은 의료인이 하지 않으면 보건위생상 위해가 생길 우려가 없는 행위를 아래와 같이 판시하였다.

① 대법원 2001. 7. 13. 선고 99도2328 판결 ; 건강원을 운영하는 피고인이 손님들에게 뱀가루를 판매함에 있어 그들의 증상에 대하여 듣고 손바닥을 펴보게 하거나 혀를 내보이게 한 후 뱀가루를 복용할 것을 권유하였을 뿐 병상이나 병명이 무엇인지를 규명하여 판단을 하거나 설명을 한 바가 없는 경우, 의료행위에 해당하지 않는다. 다만, 피고인이 몸이 아프다며 찾아온 손님들에게 질병치료에 효과가 있다고 선전하면서 캡슐에 넣어져 있거나 약첩에 담겨져 있는 뱀가루를 80만 원 내지 160만 원의 고가에 판매한 경우, 판매한 뱀가루의 외관, 사용목적, 효과, 용법, 용량 등의 선전내용, 포장방법, 판매가격 등을 고려하면 피고인이 판매한 뱀가루는 약사법상의 의약품에 해당한다.

② 대법원 2000. 2. 22. 선고 99도4541 판결 ; 지압서비스업소에서 근육통을 호소하는 손님들에게 엄지손가락과 팔꿈치 등을 사용하여 근육이 뭉쳐진 허리와 어깨 등의 부위를 누르는 방법으로 근육통을 완화시켜 준 행위는 의료행위에 해당하지 않는다.

③ 대법원 1992. 3. 10. 선고 91도3340 판결 ; 어느 행위가 의료행위인지 여부는 구체적 사안에 따라 가려져야 하고, 그 판단 기준은 의학상의 전문지식과 자격을 가진 의료인(의사 등)이 아닌 일반 사람에게 어떤 시술행위를 하게 하는 것이 사람의 생명, 신체나 일반 보건위생상의 위험이 발생할 수 있는 것인지 여부에 의하여 가려져야 할 것이므로 환자들에게 질병을 낫게 해 달라고 기도를 하게 한 다음, 환부나 다른 신체부위를 손으로 쓰다듬거나 만져 주는 방법으로 시술을 하였다면 이러한 행위는 사람의 생명, 신체나 공중보건위생에 무슨 위험을 초래할 개연성은 없는 것이므로, 이를 의료행위에 속하는 것으로 볼 수 없다.

④ 대법원 1980. 1. 15. 선고 79도1003 판결 ; 당국으로부터 인가를 받아 웅변학원을 운영하고 있는 자가 연설 강습과 함께 열등감, 대인공포, 불안, 초조, 말더듬 등 노이로제 증세를 나타내는 수강생들의 감정 요인에 대해서 반복된 언어훈련을 통해 그 능력을 개발하려는 행위는 언어교육의 전

수를 목적으로 인가받은 웅변이나 연설에 관한 강습에 포함되고 정신신경과적 전문의의 치료 범주에 속하는 의료행위라고 볼 수 없다.

⑤ 서울행정법원 2009. 2. 3. 선고 2008구합22938 판결 ; 안과병원에서 안경사가 시행한 비접촉성 안압계를 이용한 선별검사용 안압검사 행위는 의사의 지시에 따라 기계적인 방법으로 이루어지는 것으로써, 의학적 전문지식을 기초로 하는 경험과 기능으로 진료, 검안, 처방, 투약 또는 외과적 시술을 시행하여 하는 질병의 예방 또는 치료행위에 해당한다거나 의료인이 행하지 아니하면 보건위생상 위해가 생길 우려가 있는 행위에 해당한다고 보기 어려워, 이를 의료행위에 해당한다고 볼 수 없으므로, 의사가 안경사에게 그 검사를 실시하게 하였다는 이유로 의사면허자격정지처분을 한 것은 위법하다.

(4) 의료인이 아니지만 예외적으로 보건복지부령으로 정하는 범위에서 의료행위를 할 수 있는 사람들이 있다(제27조 제①항 단서).

(가) 외국의 의료인 면허를 가진 자로서 일정 기간 국내에 체류하는 사람 ; 외국의 의료인 면허를 가진 사람으로서 ① 외국과의 교육 또는 기술협력에 따른 교환교수의 업무, ② 교육연구사업을 위한 업무 또는 ③ 국제의료봉사단의 의료봉사 업무를 수행하기 위하여 국내에 체류하는 사람은 그 업무를 수행하기 위하여 필요한 범위에서 보건복지부장관의 승인을 받아 의료행위를 할 수 있다(의료법 시행규칙 제18조).

(나) 의과대학, 치과대학, 한의과대학, 의학전문대학원, 치의학전문대학원, 한의학전문대학원, 종합병원 또는 외국 의료원조기관의 의료봉사 또는 연구 및 시범사업을 위하여 의료행위를 하는 자 ; ① 국민에 대한 의료봉사활동을 위한 의료행위, ② 전시·사변이나 그 밖에 이에 준하는 국가비상사태 시에 국가나 지방자치단체의 요청에 따라 행하는 의료행위 또는 ③ 일정한 기간의 연구 또는 시범 사업을 위한 의료행위를 할 수 있다(의료법 시행규칙 제19조 제①항).

(다) 의학·치과의학·한방의학 또는 간호학[170]을 전공하는 학교의 학생 : ① 전공 분야와 관련되는 실습을 하기 위하여 지도교수의 지도·감독을 받아 행하는 의료행위, ② 국민에 대한 의료봉사활동으로서 의료인의 지도·감독을 받아 행하는 의료행위 또는 ③ 전시·사변이나 그 밖에 이에 준하는 국가비상사태 시에 국가나 지방자치단체의 요청에 따라 의료인의 지도·감독을 받아 행하는 의료행위를 할 수 있다(의료법 시행규칙 제19조 제②항).

다. 의료인의 면허 범위 외의 의료행위

(1) 의료인은 종별에 따라 임무를 수행하는데(제2조 제②항), 의료인이라 하더라도 면허된 것(종별에 따른 임무) 이외의 의료행위를 할 수 없다(제27조 제①항 본문). 그런데 의료법에는 의료인 등의 면허

---

170) 대법원 2005. 12. 9. 선고 2005도5652 판결 ; 간호조무사 자격시험에 응시하기 위하여 국·공립 간호조무사 양성소 또는 '학원의 설립·운영 및 과외교습에 관한 법률'의 규정에 의한 간호조무사 양성학원에서 학과교육을 받고 있거나 간호조무사 양성학원장 등의 위탁에 따라 의료기관에서 실습교육을 받고 있는 사람은 의료법 제25조 제①항 단서 제3호에서 규정하고 있는 '의학·치과의학·한방의학 또는 간호학을 전공하는 학교의 학생'이라고 볼 수 없다.

된 의료행위의 내용에 관한 정의를 내리고 있는 법조문이 없으므로 구체적인 행위가 '면허된 것 이 외의 의료행위'에 해당하는지 여부는 구체적 사안에 따라 의료법의 목적, 구체적인 의료행위에 관련 된 규정의 내용, 구체적인 의료행위의 목적, 태양 등을 감안하여 사회통념에 비추어 판단하여야 한 다[171]. 의료인이 의료인 아닌 자의 의료행위에 가공한 경우 무면허 의료행위의 공동정범으로서의 책 임을 진다[172].

(2) 대법원은 의사가 한방의서에서 혈액순환 등 약재로 보고 있는 소목의 성분분석과 분석된 성분의 인 체나 병원에 대한 기능에 관하여는 연구결과를 얻은 바 없이, 이를 끓여 거기에다가 감맥대조탕과립 을 섞어 '코디아'를 예비 조제하여 두고 당뇨병 환자가 찾아오면 임상검사를 하고 나서 아울러 한방 의 이른바 팔상의학에 따라 환자체질을 진단하여 '코디아'를 투약한 사건에서 체질진단과 '코디아'의 조제 및 투약행위는 한방의료 행위이므로 의사가 한의사의 면허없이 한방의료행위를 한 것(면허된 이외의 의료행위를 한 것)으로서 무면허 의료행위라고 판결하였다[173].

(3) 치과의사

(가) 치과는 치아와 그 주위 조직 및 구강을 포함한 악안면 영역의 질병이나 비정상적 상태 등을 예방 하고 진단하며 치료를 도모하는 의학의 한 분야이다. 따라서 구강 위생 상태를 개선하고 건강한 치아를 유지하는데 필요한 진료를 제공하는 교정, 치주, 보철에 한정되지 않으며 구강악안면외 과까지 그 영역으로 한다.

(나) 구강악안면외과의 영역에 보톡스 또는 필러술이 포함되는지가 논란 중이다. 형사재판 실무에서 는 치과에서 다루는 구강악안면에 구강과 턱을 포함해 안면부 전체가 포함되고 치과의사의 교과 서에도 모발이식이나 레이저 성형술, 필러·보톡스 시술 등 얼굴부위에 대한 모든 형태의 미용 성형술이 포함되어 있음을 근거로 치과 의료행위에 포함된다는 견해와 의료법상 치과 의료행위 를 치아와 그 주위 조직 등 악안면 부분에 한정됨을 이유로 치과 의료행위에 포함되지 않는다는 견해가 대립하였다. 이 논쟁은 구강악안면의 범위가 어디까지인가와 레이저 시술이나 보톡스 시 술에서 의사가 치과의사보다 더 깊은 전문성을 지니는지 여부가 쟁점이다. 치과의사측은 구강악 안면 영역의 보톡스나 필러 시술은 이미 각 치과대학과 치의학전문대학원이 교과서와 교재를 통 해 학생들에게 가르치고 있는 부분이기에 치과의사의 정당한 업무범위에 포함되며 안면비대칭 이나 턱에 이상이 있는 환자에게는 치과의사도 보톡스 시술을 할 수 있게 되어 있다고 주장한다. 그러나 구강악안면은 전체 얼굴을 의미하는 것이 아니라 입과 턱 주위만을 의미할 뿐이며 학문 적 원리도 전혀 다르고 치과의 교과서에는 피부 레이저 시술은 전혀 언급돼 있지 않고 치과의가 되기 위한 시험에도 그 내용은 포함되지 않는다는 점, 레이저 시술은 고유 파장을 고르게 쏘는 기술로 종류가 다양해 피부에 대한 기초적 지식이 필요하며 시술 부작용이 발생할 가능성도 커

반드시 의사가 진료해야 한다는 점에서 치과의료행위에 포함되지 않는다는 견해가 더 설득력이 있다. 그러나 대법원은 치과의사가 면허 없이 환자의 안면에 보톡스 시술을 했더라도 의료법 위반으로 볼 수 없다는 입장이며[174], 안면부위에 미용 목적의 프락셀 레이저 시술도 마찬가지라고 판시하였다[175].

(4) 한의사

(가) 한의사가 면허없이 환자에게 주사를 하였다면 사실상 의사의 자질을 갖고 있다거나 그 진료대금을 받지 않았다 하더라도 무면허 의료행위의 성립에는 아무런 영향이 없다[176]. 따라서 일반 주사보다 위험성이 큰 태반주사 또는 보톡스 주사는 한방 의료행위에 포함되지 않는다.

(나) 한의사가 아님에도 침을 사용한 한방 의료행위를 하여 의료법을 위반하였다는 공소사실로 기소된 정형외과 의사가 IMS 시술(Intramuscular Stimulation, 근육 내 자극 치료법)을 하였을 뿐 한방 의료행위인 침술행위를 한 것이 아니라고 주장한 사건이다. 원심은 피고인이 IMS 시술을 한 것이라고 전제한 후, ① IMS 시술과 한방 의료행위인 침술행위 사이에는 침이라는 치료수단을 사용한다는 점은 동일하나 그 이론적 근거나 시술 부위, 시술 방법 등에서 구별될 수 있는 여지가 있는 점, ② 단순히 침이라는 치료수단을 사용한다는 사정만으로 IMS 시술을 전통적으로 내려오는 한의학을 기초로 한 한방의료행위인 침술행위라고 보기는 어려운 점, ③ 어떠한 의료행위가 현대의학에 속하는 의료행위인지 또는 한방 의료행위인지 여부는 학문적, 제도적으로 확정되어야 하므로 IMS 시술의 성격에 관하여 아직 학문적, 제도적으로 확정되지 아니한 이상 IMS 시술을 한방 의료행위라고 단정할 수는 없는 점 등을 판단 이유로 무죄 판결을 선고하였다. 이에 반해 대법원은 "의료법에서 의사와 한의사가 동등한 수준의 자격을 갖추고 면허를 받아 각자 면허를 받은 것 외의 의료행위를 할 수 없도록 하는 이원적 의료체계를 규정한 것은 한의학이 서양의학과 나란히 독자적으로 발전할 수 있도록 함으로써 국민으로 하여금 서양의학뿐만 아니라 한의학으로부터도 그 발전에 따른 의료혜택을 누릴 수 있도록 하는 한편, 의사와 한의사가 각자의 영역에서 체계적인 교육을 받고 국가로부터 관련 의료에 관한 전문지식과 기술을 검증받은 범위를 벗어난 의료행위를 할 경우 사람의 생명, 신체나 일반 공중위생에 발생할 수 있는 위험을 방지하기 위한 것이다. 그런데 의료법령에는 의사, 한의사 등이 면허를 받은 의료행위의 내용을 정의하거나 그 구분 기준을 제시한 규정이 없으므로, 의사나 한의사의 구체적인 의료행위가 '면허받은 것 외의 의료행위'에 해당하는지 여부는 구체적 사안에 따라 이원적 의료체계의 입법 목적, 당해 의료행위에 관련된 법령의 규정 및 취지, 당해 의료행위의 기초가 되는 학문적 원리, 당해 의료행위의 경위·목적·태양, 의과대학 및 한의과대학의 교육과정이나 국가시험 등을 통해 당해 의료행위의 전문성을 확보할 수 있는지 여부 등을 종합적으로 고려하여 사회통념에 비추어 합리적으로 판단하여야

---

174) 대법원 2016. 7. 21. 선고 2013도850 판결
175) 대법원 2016. 8. 29. 선고 2013도7796 판결
176) 대법원 1987. 12. 8. 선고 87도2108 판결

한다(대법원 2014. 2. 13. 선고 2010도10352 판결 참조). 한편, 한방 의료행위는 '우리 선조들로부터 전통적으로 내려오는 한의학을 기초로 한 질병의 예방이나 치료행위'로서 앞서 본 의료법의 관련 규정에 따라 한의사만이 할 수 있고, 이에 속하는 침술행위는 '침을 이용하여 질병을 예방, 완화, 치료하는 한방 의료행위'로서, 의사가 위와 같은 침술행위를 하는 것은 면허된 것 외의 의료행위를 한 경우에 해당한다(대법원 2011. 5. 13. 선고 2007두18710 판결 참조). 위 법리 및 원심이 판시하고 있는 바와 같은 IMS 시술과 한방 의료행위인 침술행위의 성격 및 그 둘 사이의 관계 등을 종합하여 볼 때, 의사가 IMS 시술이라고 주장하는 시술이 과연 침술행위인 한방 의료행위에 해당하는지 아니면 침술행위와 구별되는 별개의 시술에 해당하는지 여부를 가리기 위해서는 해당 시술행위의 구체적인 시술방법, 시술도구, 시술부위 등을 면밀히 검토하여 개별 사안에 따라 이원적 의료체계의 입법목적 등에 부합하게끔 사회통념에 비추어 합리적으로 판단하여야 한다. 이러한 관점에서 이 사건을 살펴보면, 피고인은 자신은 IMS 시술을 한 것뿐이라고 주장하는바, 기록상 피고인이 구체적으로 어떠한 방법으로 환자의 어느 부위에 시술하였는지에 관하여 제대로 알 수 없고, 피고인을 수사기관에 고발한 제1심 증인의 증언은 한의원에서 침을 놓는 것과 똑같이 한다는 환자들의 제보를 받았고, 피고인 병원을 방문하였을 때 실제 한의원에서 사용되는 침을 발견하였다는 것이므로, 원심으로서는 피고인이 행한 구체적 시술방법, 시술도구, 시술부위 등에 관하여 면밀히 심리하여 피고인 주장의 이 사건 IMS 시술이 한방 의료행위인 침술행위에 해당하는지 여부를 가렸어야 한다. 그럼에도 불구하고 원심은 단지 그 판시와 같이 IMS 시술을 한방 의료행위라고 단정할 수 없다는 이유만으로 곧바로 이 사건 공소사실을 무죄로 판단하였는바, 이는 한방 의료행위인 침술행위에 관한 법리를 오해하여 필요한 심리를 다하지 아니한 것이다."라고 판단하여 유죄 취지로 원심판결을 파기·환송하였다[177]. 원심 법원은 파기환송의 취지를 존중하여 정형외과 의사의 IMS 시술을 무면허 의료행위로 판단하였다. 피고인이 한 부위에 여러 대의 침을 놓았고 사용한 침이 한방에서 사용하는 통상의 침과 다르지 않았다는 점, 침을 놓은 부위도 대체로 한방에서 시술하는 부위인 경혈, 경외기혈 등에 해당하고, 침을 깊숙이 꽂을 수 없는 이마 등도 시술부위에 포함된 점 등을 고려해서 IMS 시술이 의사의 독자적인 의료행위 영역이 아니고 한의사의 침술행위와 유사하다는 점을 중시한 판결이다.

(다) 우리나라 의료체계는 서양의학과 한의학으로 이원적으로 구분되어 있고, 의료법상 의사는 의료행위, 한의사는 한방의료행위에 종사하도록 되어 있으며 면허도 그 범위에 한하여 주어지는 점, 전산화단층촬영장치(CT기기)와 관련된 규정들[178]은 한의사가 CT기기를 이용하거나 한방병원에 CT기기를 설치하는 것을 예정하고 있지 않은 점, 의학과 한의학은 그 원리 및 기초가 다르고,

---

[177] 대법원 2014. 10. 30. 선고 2014도3285 판결

[178] **의료기사 등에 관한 법률 제1조의 2(정의)** 이 법에서 사용하는 용어의 뜻은 다음과 같다.

  1. '의료기사'란 의사 또는 치과의사의 지도 아래 진료나 의화학적(醫化學的) 검사에 종사하는 사람을 말한다.

진단용 방사선 발생장치의 안전관리에 관한 규칙 제10조 제①항 [별표 6]

해부학에 기초를 두고 인체를 분석적으로 보는 서양의학과 달리 한의학은 인체를 하나의 소우주로 보고 종합적으로 바라보는 등 인체와 질병을 보는 관점도 달라 진찰방법에 있어서도 차이가 있는 점 등에 비추어, 한의사가 방사선사로 하여금 CT기기로 촬영하게 하고 이를 이용하여 방사선진단행위를 한 것은 '한방의료행위'에 포함된다고 보기 어렵다[179].

(라) 대법원은 한의사인 피고인이 자신이 운영하는 한의원에서 진단용 방사선 발생장치인 X-선 골밀도측정기를 이용하여 환자들을 상대로 성장판검사를 하였다고 하여 의료법 위반으로 기소된 사건에서, "구 의료법 제37조 제①항이 모든 의료기관이 진단용 방사선 발생장치를 설치·운영할 수 있는 것을 전제로 규정하고 있다고 볼 여지도 있으나, 이는 진단용 방사선 발생장치의 설치·운영에 관한 규정으로 의료기관에 대하여 그 위험에 따른 의무를 부과하기 위하여 규정한 것이지 한의사와 의사의 면허 범위에 관한 것을 규정한 것은 아니어서 이를 근거로 한의사가 진단용 방사선 발생장치인 이 사건 측정기를 사용하여 성장판검사를 한 것을 한방의료행위에 해당한다고 볼 수는 없는 점, 오히려 구 의료법 제37조 제①항은 앞서 본 우리나라 의료체계의 이원성 및 구 의료법상 의료인의 임무, 면허의 범위 등에 비추어 위 규정이 정하는 '의료기관'에 한의사는 포함되지 않는 것으로 해석함이 상당하고, 구 의료법 제37조의 위임에 따라 제정된 구 '진단용 방사선 발생장치의 안전관리에 관한 규칙' 제10조 제①항 [별표 6]이 안전관리책임자를 두어야 하는 의료기관에 한의원을 포함시키지 않은 것은 이를 확인한 것으로 볼 수 있는 점, 이 사건 측정기와 같이 주당 최대 동작부하가 10mA/분 이하의 것은 구 '진단용 방사선 발생장치의 안전관리에 관한 규칙'에 정한 각종 의무가 면제된다고 하더라도, 그 의무가 면제되는 대상은 종합병원, 병원, 치과병원, 의원 등 원래 안전관리책임자 선임의무 등이 부과되어 있는 의료기관을 전제로 한 것이어서 이를 근거로 한의사가 주당 최대 동작부하의 총량이 10mA/분 이하인 진단용 방사선 발생장치를 사용할 수 있다고 보기는 어려운 점 등을 종합하여 피고인이 이 사건 측정기를 이용하여 환자들에 대하여 성장판검사를 한 것이 한의사의 면허 범위 이외의 의료행위를 한 때에 해당한다."고 판시하였다[180].

(마) 의료법과 의료기사 등에 관한 법률 규정에 비추어, 한의사의 물리치료사에 대한 물리치료 지시행위가 당연히 금지된다거나 물리치료사에게 처방을 하여 물리치료행위를 하도록 지시한 한의사에 대하여 직접적으로 형사처벌 규정인 의료법 제87조 제①항 제2호의 규정이 적용된다고 해석할 수는 없다. 또한, 한의사가 수행할 수 있는 한방의료행위에 한방물리요법은 당연히 포함되고, 물리치료사는 온열치료, 전기치료, 광선치료 등 기타 물리치료적 치료업무에 종사하게 되는데, 이는 의사가 지시하는 양방 물리치료행위 뿐만 아니라 한의사가 수행할 수 있는 한방 물리치료행위도 포함된다고 볼 여지가 크다. 한편, 의료법에서 규정하고 있는 '면허받은 외의 의료행

---

179) 서울고등법원 2006. 6. 30. 선고 2005누1758 판결

180) 대법원 2011. 5. 26. 선고 2009도6980 판결, 헌법재판소가 인정한 한의사 사용 의료기기는 안압측정기, 자동안굴절검사기, 세극등현미경, 자동시야측정장비, 청력검사기 등이다.

위'의 규정을 해석하는 경우에는 '의료행위의 범위'가 주로 문제되고, 의료인이 수행한 '의료행위의 방법'에 대하여는 상당한 재량이 인정되어야 한다. 따라서 한의사가 자신의 업무범위 내인 한방 물리치료행위를 수행하는 때에 그 능력을 갖춘 자를 고용하여 처방에 따른 보조업무를 시켰다고 하여 이러한 행위가 당연히 '면허받은 외의 의료행위'에 해당한다고 단정하기는 어렵다[181].

(5) 조산사

(가) 조산사도 의료법에서 정한 의료인이기는 하나 조산사는 의료행위 중 조산과 임부·해산부·산욕부 및 신생아에 대한 보건과 양호지도에 종사함을 그 임무로 하므로, 조산사가 이를 넘어서 의사만이 할 수 있는 부녀자에 대한 진찰 및 치료 등의 의료행위를 한 경우에는 무면허 의료행위에 해당한다. 또한, 의사가 간호사에게 진료의 보조행위를 하도록 지시하거나 위임할 수는 있으나, 의사만이 할 수 있는 진료행위 자체를 하도록 지시하거나 위임하는 것은 허용될 수 없으므로, 간호사가 의사의 지시나 위임을 받고 그와 같은 행위를 하였다고 하더라도 이는 무면허 의료행위에 해당한다. 따라서 조산사가 자신이 근무하는 산부인과를 찾아온 환자들을 상대로 진찰·환부소독·처방전발행 등의 행위를 한 것은 진료의 보조행위가 아닌 진료행위 자체로서 의사의 지시가 있었다고 하더라도 무면허 의료행위에 해당한다(대법원 2007. 9. 6. 선고 2006도2306 판결).

(나) 조산사가 조산원을 개설하여 할 수 있는 의료행위인 '조산'이란 임부가 정상분만하는 경우에 안전하게 분만할 수 있도록 도와주는 것을 뜻하므로, 이상분만으로 인하여 임부·해산부에게 이상현상이 생겼을 때 그 원인을 진단하고 이에 대처하는 조치(약물투여를 포함한다)를 강구하는 것은 그러한 의료행위를 임무로 하는 산부인과의사 등 다른 의료인의 임무범위에 속하는 것으로서 조산사에게 면허된 의료행위인 '조산'에 포함되지 않는다. 따라서 조산사가 그와 같은 면허 범위 외의 의료행위를 하였다면, 그 행위가 조산원 지도의사의 구체적인 지시에 따른 것이었다거나 또는 임부·해산부 등에 대한 응급처치가 절실함에도 지도의사와 연락을 할 수 없고 그 지시를 기다리거나 산부인과 의원으로 옮길 시간적 여유도 없어 조산사의 독자적인 판단에 의하여 응급처치를 할 수밖에 없었다는 등의 특별한 사정이 없는 한, 원칙적으로 무면허 의료행위에 해당한다. 조산사가 산모의 분만과정 중 별다른 응급상황이 없음에도 독자적 판단으로 포도당 또는 옥시토신을 투여한 행위는 조산원에서 산모의 분만을 돕거나 분만 후의 처치를 위하여 옥시토신과 포도당이 일반적으로 사용되고 있고, 위 약물들을 산모의 건강을 위해 투여하였다고 하더라도 지도의사로부터 지시를 받지 못할 정도의 긴급상황을 인정할 수 없는 이상 정당한 응급의료행위라거나 사회상규에 반하지 않는 행위라고 볼 수 없다[182].

(6) 간호사

(가) 자궁질도말세포병리검사를 위한 검체 채취는 질경으로 여자의 질을 열어 자궁경부 내부에 브러쉬를 넣고 돌려 분비물을 채취하는 것으로 의학적 전문지식이 있는 의료인이 행하지 아니하

---

181) 청주지방법원 2009. 11. 9. 선고 2009고정747 판결

182) 대법원 2007. 9. 6. 선고 2005도9670 판결

면 사람의 생명, 신체나 공중위생에 위해를 발생시킬 우려가 있고, 의료법상 간호사가 할 수 있는 요양상의 간호, 진료의 보조, 보건활동의 범위를 넘어 의사가 행하여야 할 의료행위에 해당한다. 따라서 피고인이 검진센터에서 간호사들로 하여금 의사의 현장감독조차 없이 단독으로 자궁질도말세포병리검사를 위한 검체 채취를 하게 한 것은 의사가 아닌 간호사에게 의사의 의료행위를 하도록 교사한 것이다[183].

(나) 마취전문간호사가 의사의 구체적 지시 없이 독자적으로 마취약제와 사용량을 결정하여 피해자에게 척수마취시술을 한 경우 무면허 의료행위이다[184].

(다) 내진행위는 산모의 자궁경관의 소실과 개대 및 태아의 하강도 등을 확인하는 행위로서 구체적인 방법은 손가락 중 검지와 중지를 동시에 편 상태에서 질 입구에 넣고 상하 좌우로 돌려보는 행위로서 특별한 의학적 지식이나 수기를 요하지 않는 행위어서 의사가 직접 행하지 않더라도 의사의 지시, 감독 아래 행해지는 경우 환자에게 보건위생상 어떠한 위해가 가해질 것으로 보이지는 않으므로 의사만이 할 수 있는 진료행위에 해당한다고 보기 어렵고 간호사의 업무 범위에 속하는 진료 보조행위에 해당한다[185].

라. 보건범죄단속에 관한 특별조치법 위반행위

(1) 의료법 제27조를 위반하여 영리를 목적으로 업(業)으로 ① 의사가 아닌 사람이 의료행위를, ② 치과의사가 아닌 사람이 치과의료행위를 또는 ③ 한의사가 아닌 사람이 한방의료행위를 하면 무기 또는 2년 이상의 징역에 처해질 수 있고 100만원 이상 1천만원 이하의 벌금이 병과되어(필요적 병과) 부정의료업자로 처벌된다(보건범죄 단속에 관한 특별조치법 제5조).

(2) 보건범죄 단속에 관한 특별조치법 제5조가 의료법보다 가중처벌하는 취지는 국민의 생명과 건강에 직결되는 의료행위의 중요성에 비추어 의사가 아닌 자가 '영리를 목적'으로 '업'으로 하는 것이라는 비난가능성과 무면허의료업자에 대한 일반예방적 효과를 달성하려는 형사정책적 고려에서 입법자가 국민보건의 향상을 위하여 필요 최소한의 범위 내에서 형벌을 가중한 것이어서 입법형성의 범위 내의 것이라고 할 것이다. 또한 보건범죄 단속에 관한 특별조치법 제5조는 법정형이 징역형의 경우 무기 또는 2년 이상이어서, 법률상 감경사유가 없어도 집행유예를 선고할 수 있으므로 법관의 형벌의 종류 및 형량을 선택할 권한을 제한하고 있다고 할 수 없다. 그러므로 동 조항이 무기 또는 2년 이상의 징역형과 100만원 이상 1천만원 이하의 벌금형을 병과하도록 규정하고 있는 점만으로는 그것이 곧 전체 형벌체계상 현저히 균형을 잃게 되어 다른 범죄자 특히 의료법상 무면허 의료행위자와의 관계에 있어서 헌법 제11조가 보장하는 평등의 원리에 반한다고 할 수 없고, 그러한 유형의 범죄에 대한 형벌 본래의 기능과 목적을 달성함에 있어 필요한 정도를 일탈함으로써 헌법 제37조 제②항

---

183) 대법원 2007. 7. 26. 선고 2005도5579 판결
184) 대법원 2010. 3. 25. 선고 2008도590 판결
185) 인천지방법원 2012. 5. 11. 선고 2011노4356 판결

의 과잉입법금지 원칙에 위배된다고 할 수도 없을 뿐만 아니라, 나아가 그 법정형이 지나치게 가혹하여 인간으로서의 존엄과 가치 및 국가의 기본권 보호의무를 보장한 헌법 제10조에 위반되는 것이라고 볼 수도 없다[186].

(3) '영리 목적'이란 널리 경제적인 이익을 취득할 목적을 의미하고, '업'으로는 무면허 의료행위자가 무면허 의료행위를 일회적으로 함에 그치는 것이 아니라 영업으로 반복, 계속할 의사로써 하는 것을 의미한다[187]. 의사가 영리의 목적으로 비의료인과 공모하여 무면허 의료행위를 하였다면 그 행위는 보건범죄 단속에 관한 특별조치법 제5조에 해당한다. 영리의 목적이란 널리 경제적인 이익을 취득할 목적을 말하는 것으로서 무면허 의료행위를 행하는 자가 반드시 그 경제적 이익의 귀속자나 경영의 주체와 일치하여야 할 필요는 없다[188].

(4) 무면허 의료행위는 그 범죄의 구성요건의 성질상 동종범죄의 반복이 예상되는 것이므로 반복된 수 개의 행위는 포괄적으로 한 개의 범죄를 구성하는 점, 영리를 목적으로 무면허 의료행위를 업으로 한 자가 일부 돈을 받지 않고 무면허 의료행위를 한 경우에 그 행위에 대한 평가는 이미 보건범죄 단속에 관한 특별조치법 위반죄의 구성요건적 평가에 포함되어 있다고 보는 것이 타당한 점, 보건범죄 단속에 관한 특별조치법 위반죄 외에 돈을 받지 않고 한 무면허 의료행위에 대하여 별개로 의료법 위반죄가 성립한다고 본다면 전부 돈을 받고 무면허 의료행위를 한 경우에는 보건범죄 단속에 관한 특별조치법 위반죄 1죄로서 그 법정형기 내에서 처단하게 되는 반면 일부 돈을 받지 아니하고 무면허 의료행위를 한 경우에는 보건범죄 단속에 관한 특별조치법 위반죄와 의료법 위반죄의 경합범이 되어 처단형이 오히려 무겁게 되는 불합리한 결과가 되는 점 등에 비추어, 영리를 목적으로 무면허 의료행위를 업으로 하는 자가 일부 돈을 받지 아니하고 무면허 의료행위를 한 경우에도 보건범죄 단속에 관한 특별조치법 위반죄의 1죄만이 성립하고 별개로 의료법 위반죄를 구성하지 않는다고 보아야 한다[189].

---

186) 헌법재판소 2001. 11. 29. 선고 2000헌바37 결정
187) 헌법재판소 2007. 3. 29. 선고 2003헌바15, 2005헌바9 결정
188) 대법원 2003. 9. 5. 선고 2003도2903 판결
189) 대법원 2010. 5. 13. 선고 2010도2468 판결

2 환자 유인행위 금지와 외국인 환자 유치

제27조 【무면허 의료행위 등 금지】 ③ 누구든지 「국민건강보험법」이나 「의료급여법」에 따른 본인부담금을 면제하거나 할인하는 행위, 금품 등을 제공하거나 불특정 다수인에게 교통편의를 제공하는 행위 등 영리를 목적으로 환자를 의료기관이나 의료인에게 소개 · 알선 · 유인하는 행위 및 이를 사주하는 행위를 하여서는 아니 된다. 다만, 다음 각 호의 어느 하나에 해당하는 행위는 할 수 있다.

　　1. 환자의 경제적 사정 등을 이유로 개별적으로 관할 시장 · 군수 · 구청장의 사전승인을 받아 환자를 유치하는 행위
　　2. 「국민건강보험법」 제109조에 따른 가입자나 피부양자가 아닌 외국인(보건복지부령으로 정하는 바에 따라 국내에 거주하는 외국인은 제외한다)환자를 유치하기 위한 행위

④ 제③항 제2호에도 불구하고 「보험업법」 제2조에 따른 보험회사, 상호회사, 보험설계사, 보험대리점 또는 보험중개사는 외국인환자를 유치하기 위한 행위를 하여서는 아니 된다.

제27조의 2 【외국인환자 유치에 대한 등록 등】 삭제 〈2015. 12. 22.〉
[시행일 : 2016. 6. 23.]

제66조 【자격정지 등】 ① 보건복지부장관은 의료인이 다음 각 호의 어느 하나에 해당하면 1년의 범위에서 면허자격을 정지시킬 수 있다. 이 경우 의료기술과 관련한 판단이 필요한 사항에 관하여는 관계 전문가의 의견을 들어 결정할 수 있다.

　　10. 그 밖에 이 법 또는 이 법에 따른 명령을 위반한 때

제88조 【벌칙】 다음 각 호의 어느 하나에 해당하는 자는 3년 이하의 징역이나 3천만원 이하의 벌금에 처한다.

　　1. ──중략── 제27조 제③항 · 제④항, ──중략── 을 위반한 자.

제91조 【양벌규정】

가. 쟁점

[1] 의료법 제27조 제③항은 1981. 12. 31.자 개정으로 신설된 조항이다. 신설 당시의 조문 내용은 "누구든지 영리를 목적으로 환자를 의료기관 또는 의료인에게 소개 · 알선 기타 유인하거나 이를 사주하는 행위를 할 수 없다."이었다. 위 조항의 신설 취지는 그 당시 사회적으로 많은 물의를 야기시켰던 이른바 '환자유인 브로커'의 횡행으로 인한 폐해를 방지하기 위함이었다. 그런데 위 신설 조항은 금지되는 행위 태양을 구체적으로 적시하지 않았다. '소개 · 알선 기타 유인하거나 이를 사주하는 행위'를 무조건 금지함으로써 죄형법정주의의 명확성 원칙에 적합하지 않고 의료인의 직업 수행의 자유를 침해한다는 비판에 직면하였다.

[2] 직업 수행의 자유를 제한하는 처벌법규는 소극적으로 적용되어야 한다. 헌법 정신에 따라 직업수행의 자유는 최대한 보장하고, 직업수행의 자유 제한은 엄격한 기준에 따라야 한다. 이에 국회는 2002. 3. 30. 법률 제6686호로 위 조항을 개정하고 영리를 목적으로 환자를 소개 · 알선 · 유인하거나 이를

사주하는 행위를 구체적으로 열거함으로써 금지되는 행위의 범위와 한계를 명백히 하여 죄형법정주의의 명확성의 원칙에 충실하게 의료법 제27조 제③항을 개정하였다(누구든지 국민건강보험법 또는 의료급여법의 규정에 의한 본인부담금을 면제 또는 할인하는 행위, 금품 등을 제공하거나 불특정 다수인에게 교통편의를 제공하는 행위 등 영리를 목적으로 환자를 의료기관 또는 의료인에게 소개·알선·유인하는 행위 및 이를 사주하는 행위를 하여서는 안 된다).

(3) 따라서 영리를 목적으로 환자를 의료기관 또는 의료인에게 소개·알선·유인하는 행위 및 이를 사주하는 행위가 모두 의료법에 위반되는 것이 아니라 '국민건강보험법 또는 의료급여법의 규정에 의한 본인부담금을 면제 또는 할인하는 행위, 금품 등을 제공하거나 불특정 다수인에게 교통편의를 제공하는 행위'에 해당되는 행위만이 이른바 환자 유인행위로서 의료법에 위반되는 것이다.

(4) 그런데 일부 견해는 환자 유인행위 금지조항을 넓게 해석한다. 특히 금지되는 행위를 열거(列擧) 규정이 아니라 예시(例示) 규정이라고 해석함으로써 처분청과 학계가 과거 독재 정권 시절에 횡행했던 막걸리법을 창조·조장하는 것이 아닌가 하는 의구심이 생길 정도이다[190]. 실무에서 형사소송과 행정소송이 빈번히 발생되는 원인이기도 하다. 그러나 헌법 정신과 입법의 연혁 그리고 의료질서에 대한 과도한 규제의 탈피라는 측면에서 대법원의 입장을 고려하여 신중하고 조심스럽게 관련 규정을 해석하여야 한다.

나. 환자 유인행위 금지

(1) '누구든지' 영리를 목적으로 환자를 의료기관 또는 의료인에게 소개·알선 기타 유인하거나 또는 이를 사주하는 행위를 할 수 없다(제27조 제③항). 따라서 환자 유인행위 금지조항은 의료인 또는 의료기관 개설자가 아닌 자의 환자 유인행위 등을 금지함은 물론 의료인 또는 의료기관 개설자의 환자 유인행위나 그 사주행위까지도 금지하는 취지임이 명백하다[191]. 국가 기관 또는 지방자치단체의 기관이라고 제외되는 것은 아니다. 다만, 의료기관·의료인이 스스로 자신에게 환자를 유치하는 행위는 그 과정에서 환자 또는 행위자에게 금품이 제공되거나 의료시장의 질서를 근본적으로 해하는 등의 특별한 사정이 없는 한, 의료법 제27조 제③항의 환자의 '유인'이라 할 수 없고 그 행위가 의료인이 아닌 직원을 통하여 이루어졌더라도 환자의 '소개·알선' 또는 그 '사주'에 해당하지 않는다[192]. 의료기관도 현실적으로 영리를 목적으로 하는 이상 소비자인 환자들에게 접근을 완전히 봉쇄할 수는 없으므로 의료법인·의료기관·의료인이 보건복지부령이 정하는 방법에 의하여 광고를 할 수 있도록 하되 허위 또는 과장 광고를 하지 못하도록 규정(제56조)하고 있을 뿐인 점, 환자유치과정에서의

---

190) 유추해석 금지의 원칙은 죄형법정주의의 중요한 내용으로서 법률에 규정이 없는 사항에 대하여 그것과 유사한 성질을 가지는 사항에 관한 법률을 적용하는 것을 금지하는 원칙이다. 유추해석은 법률의 규정이 없는 사항에 대하여 법관이 법률의 규정이 있는 것처럼 취급하는 것이므로 법관에 의한 법창조에 해당되어 헌법상의 권력분립의 원칙, 법치주의 그리고 죄형법정주의에 위반된다. 대법원은 "형벌법규의 해석은 엄격하여야 하고 명문규정의 의미를 피고인에게 불리한 방향으로 지나치게 확장해석하거나 유추해석하는 것은 죄형법정주의의 원칙에 어긋나는 것으로서 허용되지 않는다."는 입장이다(대법원 2005. 11. 24. 선고 2002도4758 판결 등 참조).

191) 대법원 1996. 2. 9. 선고 95도1765 판결

192) 대법원 2004. 10. 27. 선고 2004도5724 판결

위법행위는 상당 부분 의료법 제56조 위반으로 처벌이 가능한 점 등에서 이해가 되는 판시이다.

(2) (가) 금지되는 행위 방법·수단은 '국민건강보험법이나 의료급여법에 따른 본인부담금을 면제하거나 할인하는 행위, 금품 등을 제공하거나 불특정 다수인에게 교통편의를 제공하는 행위 등'이다. 구성요건은 ① 국민건강보험법이나 의료급여법에 따른 본인부담금을 면제하거나 할인하는 행위, ② 금품 등을 제공하는 행위 또는 ③ 불특정 다수인에게 교통편의를 제공하는 행위 등의 행위를 소개·알선·유인하는 행위 및 이를 사주하는 행위의 방법 또는 수단으로 삼는 것이다(①, ② 또는 ③의 행위를 통해서 환자를 소개·알선·유인).

(나) 국민건강보험법 제41조는 "제39조 제①항(요양급여)의 규정에 의한 요양급여를 받는 자는 대통령령이 정하는 바에 의하여 그 비용의 일부(이하 "본인부담금"이라 한다)를 본인이 부담한다."고 규정함으로써 본인부담금이 국민건강보험법상의 요양급여비용 중의 일부분임을 명시하고 있다. 또한 의료급여법 제10조 역시 "급여비용은 대통령령이 정하는 바에 따라 그 전부 또는 일부를 제25조의 규정에 의한 의료급여기금에서 부담하되, 의료급여기금에서 일부를 부담하는 경우 그 나머지의 비용은 본인이 부담한다."고 규정함으로써 본인부담금이 의료급여법상의 의료급여비용 중의 일부분임을 명시하고 있다. 따라서 국민건강보험법상의 요양급여대상이 아니거나 의료급여법상의 의료급여대상이 아닌 경우에는 본인부담금의 할인 또는 면제 행위가 문제되지 않는다. 즉, 100% 자비부담(본인부담금과의 혼동을 피하기 위하여 自費라고 표현한다)의 환자들에 대한 면제·할인행위는 국민건강보험법상의 요양급여대상이 아닐 뿐만 아니라 의료급여법상의 의료급여대상도 역시 아니기 때문에 할인을 통한 환자 유인행위가 성립될 여지는 없다[193].

(다) 대법원 2012. 9. 13. 선고 2010도1763 판결은 의료광고행위가 의료법상 금지되는 환자유인행위에 해당되지 않는다고 판단하였다. 대상 판결의 공소사실 요지는 "안과의원 원장인 피고인이 주식회사의 대표이사인 피고인 A와 공모하여 피고인 A가 운영하는 인터넷 사이트의 30만명의 회원들에게 '라식 90만원 체험단 모집'이라는 제목으로 이벤트 광고를 이메일로 2회 발송하여 환자 20명이 이벤트 광고 내용대로 90만원에 라식술을 받도록 하였다."이다. 이 공소사실에 대하여 대법원은 피고인이 피고인 A를 통하여 이메일을 발송한 행위는 불특정 다수인을 상대로 한 의료광고에 해당하므로 특별한 사정이 없는 한 의료법이 금지하는 환자의 '유인'이라고 볼 수 없고, 위와 같은 광고 등 행위가 피고인(의료인)의 부탁을 받은 피고인 A(비의료인)를 통하여 이루어졌다 하더라도 환자의 '소개·알선' 또는 그 '사주'에 해당하지 아니한다고 판단하였다.

(라) 인천지방법원은 2008. 12. 12. 2007고정5328 판결에서 요실금 수술비를 할인한 피고인에 대하여 의료법상의 환자 유인행위에 해당되지 않는다고 무죄 판결하였다(항소심은 검사의 항소를 기각하였고 검사가 상고하지 않음으로써 확정되었다).

(마) 서울중앙지방검찰청은 2008. 10. 20. 2008형제107102호 의료법 위반 사건에서 성형수술비를 할

---

193) 대법원 2008. 2. 28. 선고 2007도10542 판결

인해주겠다고 광고한 피고인에 대하여 의료법상의 환자 유인행위에 해당되지 않는다고 무혐의 처분하였다(범죄 성립 안됨).

(바) 서울중앙지방검찰청은 2009. 5. 29. 2009형제58822호 의료법 위반 사건에서 다음 카페의 취업뽀 개기라는 사이트(http://cafe.daum.net/breakjob)에 이벤트 의료광고를 게시한 피고인들에 대하여 의료법상의 환자 유인행위에 해당되지 않는다고 무혐의 처분하였다(범죄 성립 안됨).

(사) 서울동부지방검찰청은 2011. 9. 29. 2011형제35381호 의료법 위반 사건에서 인터넷을 통하여 보톡스 시술권을 정상가 20만원에서 65% 할인된 7만원으로 판매한 피고인에 대하여 의료법상의 환자 유인행위에 해당되지 않는다고 무혐의 처분하였다.

(아) 환자에게 금품 등을 제공하는 방법·수단은 금지된다. 서울서부지방검찰청은 2011. 10. 27. 2011형제24493호 의료법 위반 사건에서 스케일링과 구강검진을 공짜로 제공하겠다면서 물티슈를 무료로 배부한 피의자에 대하여 의료법상의 환자 유인행위에 해당되지 않는다고 무혐의 처분하였다. 실무상으로는 의례적인 수준의 개업·이전 인사 목적으로 저가로 제공되는 물품, 예를 들면 휴지, 손난로, 1회용 칫솔·치약 등을 제공하는 행위는 금지되는 방법·수단이 아니라고 본다.

(자) 불특정 다수인에게 교통편의를 제공하는 방법·수단은 금지된다. 불특정 다수인이므로 특정 환자만을 위한 교통편의 제공행위는 금지되지 않는다.

(3) (가) 금지되는 행위는 위 세 가지 방법·수단으로 "영리를 목적으로 환자를 의료기관이나 의료인에게 소개·알선·유인하는 행위 및 이를 사주하는 행위"이다. 구성요건은 ① 영리를 목적으로 ② 환자를 의료기관이나 의료인에게 소개·알선·유인하는 행위 및 이를 사주하는 행위이다.

(나) '영리 목적'은 보건범죄 단속에 관한 특별조치법 제5조의 부정의료업자의 영리 목적과 같은 의미이다. 따라서 '영리 목적'이란 널리 경제적인 이익을 취득할 목적을 의미하지만 '업'과는 구별되므로 반드시 영업으로 반복, 계속할 의사로써 하는 것을 의미하지는 않는다. 환자유인행위자가 반드시 그 경제적 이익의 귀속자나 경영의 주체와 일치하여야 할 필요는 없다.

(다) 소개·알선이란 환자와 특정 의료기관이나 의료인 사이에서 의료계약 체결을 매개하거나 주선하는 행위이다[194]. 자기 명의로 하거나 의료기관·의료인 명의로 하거나를 불문한다. 유인이란 기망 또는 유혹을 수단으로 환자를 보호받는 상태 내지 자유로운 생활관계로부터 환자를 의료기관이나 의료인의 실력적 지배하에 옮기는 행위로서 유치행위와는 구별되는 개념이다. 대법원은 의료법 제27조 제③항의 해석과 적용에 신중한 입장을 보이고 있다. 대법원은 의료법 제③항의 '유인'을 기망 또는 유혹을 수단으로 환자로 하여금 특정 의료기관 또는 의료인과 치료위임계약

---

[194] 대법원 1999. 6. 22. 선고 99도803 판결 ; 구 의료법 제25조 제③항은 "누구든지 영리를 목적으로 환자를 의료기관 또는 의료인에게 소개·알선 기타 유인하거나 이를 사주하는 행위를 할 수 없다."고 규정하고 있는바, 위 조항에서 소개라 함은 환자와 특정 의료기관 또는 의료인 사이에서 두 편이 서로 알게 되어 치료위임계약이 성립되도록 관계를 맺어주는 행위를 말하는 것이므로, 환자측과는 아무런 접촉도 없는 상태에서 특정 의료기관 등에게 응급치료를 요하는 환자의 발생사실과 그 환자가 있는 장소를 알려주고 그 결과 특정 의료기관에서 출동한 구급차로 그 환자를 후송하여 치료를 개시함으로써 치료위임계약이 성립되었다고 하더라도 위와 같은 환자의 발생사실과 그 환자가 있는 장소를 알려준 행위를 일컬어 환자를 특정 의료기관 등에 소개한 것이라고 할 수는 없다.

을 체결하도록 유도하는 행위라고 엄격하게 해석하며[195], 행위가 의료시장의 질서를 근본적으로 해할 정도에 이르러야 환자 유인행위에 해당된다고 판단한다[196), 197]. 위와 같은 대법원의 입장은 ① 의료기관도 영리를 목적으로 할 수 밖에 없기 때문에 소비자인 환자들에 대한 접근을 완전히 봉쇄할 수 없다는 점, ② 의료기관 경영 기법의 전문화·다변화로 의료기관이 네트워크화되고 MSO(병원경영지원체제)화 되고 있다는 점, ③ 의료법 제27조 제③항을 제한적으로 해석하여야 한다는 점, ④ 의료기관의 환자유치과정에서의 위법행위는 의료법 제56조(과대광고금지) 위반으로 처벌이 가능하다는 점 그리고 ⑤ 유인행위와 유치행위는 구별되어야 한다는 점을 판단 배경으로 한다.

(라) 사주하는 행위란 타인으로 하여금 영리를 목적으로 환자를 특정 의료기관 또는 의료인에게 소개·알선·유인할 것을 결의하도록 유혹하는 행위이다. 어떠한 행위가 사주행위에 해당하는가의 판단은 일반인을 기준으로 당해 행위의 결과 영리를 목적으로 환자를 특정 의료기관 또는 의료인에게 소개·알선·유인할 것을 결의하도록 할 정도의 행위인지의 여부에 의하여야 할 것이다. 또한 사주행위가 범죄행위를 교사하는 행위와 유사하나 이를 별개의 구성요건으로 규정하고 있는 이상 당해 행위가 일반인을 기준으로 영리를 목적으로 환자를 의료기관에 소개·알선·유인할 것을 결의하도록 할 정도의 행위이기만 하면 환자유인죄가 성립하고, 그 결과 사주받은 자가 실제로 소개·알선·유인행위를 결의하였거나 실제로 소개·알선·유인행위를 행할 것까지 요구되는 것은 아니다. 따라서 의료기관 또는 의료인이 자신에게 환자를 소개·알선 또는 유인한 자에게 법률상 의무 없이 사례비, 수고비, 세탁비, 청소비, 응급치료비 기타 어떠한 명목으로든 돈을 지급하면서 앞으로도 환자를 데리고 오면 돈을 지급하겠다는 태도를 취하였다면 일반인을 기준으로 볼 때 장차 돈을 받기 위하여 그 의료기관 또는 의료인에게 환자를 소개·알선 또는 유인할 것을 결의하게 하기에 충분하다고 할 것이므로 이와 같이 의료기관 또는 의료인이 돈을 지급하는 행위는 의료법 제27조 제③항이 금지하는 사주행위에 해당하고, 그러한 사주행위가 현재 의료업계에서 널리 행해지고 있다거나 관행이라는 등의 이유로 정당화 될 수 없다[198].

[4] 원칙적으로 환자유인 등의 행위는 금지되지만(제27조 제③항 본문), ① 환자의 경제적 사정 등을 이

---

195) 대법원 1998. 5. 29. 선고 97도1126 판결

196) 대법원 2008. 2. 28. 선고 2007도10542 판결

197) 대법원 2005. 4. 15. 선고 2003도2780 판결 ; 구 의료법(2002. 3. 30. 법률 제6686호로 개정되기 전의 것) 제25조 제③항 소정의 '유인'이라 함은 기망 또는 유혹을 수단으로 환자로 하여금 특정 의료기관 또는 의료인과 치료위임계약을 체결하도록 유도하는 행위를 말하는 것으로서, 의료인 또는 의료기관 개설자의 환자 유인행위도 환자 또는 행위자에게 금품이 제공되거나 의료시장의 질서를 근본적으로 해하는 등의 특별한 사정이 있는 경우에는 같은 법 제25조 제3항의 유인행위에 해당한다고 할 것이고, "의료의 적정을 기하고 국민의 건강을 보호증진한다."는 의료법의 제정 목적(같은 법 제1조)에 비추어 보면, 합법적인 의료행위를 하면서 환자를 유인할 목적으로 금품을 제공하는 경우는 물론, 법(法)이 금지하고 있어 의료인으로서는 마땅히 거부하여야 할 의료행위를 해 주겠다고 제의하거나 약속함으로써 환자를 유혹하여 치료위임계약을 체결하도록 유도하는 경우도 같은 법 제25조 제③항의 유인행위에 해당한다고 보아야 한다. 산부인과 의사인 피고인이 자신이 개설한 인터넷 홈페이지의 상담게시판을 이용하여 낙태 관련 상담을 하면서 합법적인 인공임신중절수술이 허용되는 경우가 아님에도 낙태시술을 해줄 수 있다고 약속하면서 자신의 병원을 방문하도록 권유하고 안내한 행위는 구 의료법(2002. 3. 30. 법률 제6686호로 개정되기 전의 것) 제25조 제③항에 정한 '유인'에 해당한다.

198) 대법원 1998. 5. 29. 선고 97도1126 판결

유로 개별적으로 관할 시장·군수·구청장의 사전승인을 받아 환자를 유치하는 행위와 ② 국민건강보험법 제109조에 따른 가입자나 피부양자가 아닌 외국인(보건복지부령으로 정하는 바에 따라 국내에 거주하는 외국인은 제외한다) 환자를 유치하기 위한 행위는 할 수 있다(제27조 제③항 단서). ①과 관련하여 보건복지부는 2003년 6월경 지방자치단체의 장이 승인할 수 있는 경제적 사정 등 특정한 사정에 대한 세부기준을 정하여 그 범위 내에서 승인 조치토록 함으로써 국민들의 의료기관 이용에 대한 불편을 최소화하고, 지도·감독기관의 업무처리 혼선을 사전 예방하는 한편 의료기관간의 공정한 의료행위 확립을 통한 의료질서의 정착 등을 도모하기 위하여 '경제적 사정 등에 관한 지방자치단체장의 사전승인 기준'을 제정하였고 2004년 7월경 '의료법 제25조 제③항 단서조항 기준 변경'을 각 시도에 시달하였다[199]. 행위별 승인 기준을 보면, 본인부담금 면제·할인 대상의 범위는 국민건강보험법에 의한 건강보험료 납부자 전체 중 납부금액이 하위 20% 범위 내에 속하는 세대의 65세 이상 노인 또는 장애 1~3등급으로 등록된 장애인과 국가가 예산을 확보하여 지원하거나 관할 지방자치단체 조례의 규정에 의해 본인부담금을 면제 또는 할인 받는 사람에 한한다. 교통편의 제공 행위의 범위는 동일 지역 안에 경쟁관계에 있는 의료기관이 없고 의료기관 이용에 따른 대중교통편(버스, 열차)이 1일 8회(편도) 이하인 지역으로서 해당 지역과 의료기관 사이를 운행하는 경우와 동일 지역 안[200]에 경쟁관계[201]에 있는 의료기관이 없고 의료기관과 제일 가까운 정류장 사이에 대중교통편이 없는 지역으로서 제일 가까운 정류장과 의료기관 사이를 운행하는 경우 그리고 타인의 도움 없이는 의료기관을 이용할 수 없는 신체·정신상의 중대한 질병을 앓고 있는 자로서 관할 시장·군수·구청장이 인정하는 경우이다. 다만, 차량 이용시 외부적 표시가 부착되거나 안내판이 설치되어야 하고 진료증 또는 예약증 등을 통해 확인된 환자에 대해서만 차량을 이용하도록 하여야 하며 가급적 의료기관과 가까운 장소로 한정하여 운영할 수 있다. ②는 외국인 환자 유치행위인데 아래에서 별도의 다. 항으로 살펴보기로 한다.

(5) 환자 유인행위 금지(제27조 제③항)를 위반하면 3년 이하의 징역이나 3천만원 이하의 벌금에 처해질 수 있다(제88조). 보건복지부장관은 1년의 범위에서 면허자격을 정지시킬 수 있는데(제66조 제①항 제10호), 실무상으로는 의료관계 행정처분규칙 별표 2. 개별 기준 가. 20)에 따라 2개월의 자격정지를 처분한다.

다. 외국인 환자 유치

(1) 국민건강보험법 제109조에 따른 가입자나 피부양자가 아닌 외국인(보건복지부령으로 정하는 바에 따라 국내에 거주하는 외국인은 제외한다) 환자를 유치하기 위한 행위는 환자 유인행위 금지의 예외

---

199) http://www.mohw.go.kr/front_new/jb/sjb030301vw.jsp?PAR_MENU_ID=03&MENU_ID=0322&CONT_SEQ=263414&page=1

200) 시·군·구를 단위로 동일 지역을 판단한다.

201) 종별이 같은 의료기관이 2개 이상 개설되어 동일한 진료를 하거나 종별이 다르더라도 일부 진료과목이 동일한 경우로서 상호 경쟁관계에 있다고 판단되는 경우이다.

이다(제27조 제③항 단서 제2호). 구 의료법이 내·외국인을 불문하고 환자를 의료기관이나 의료인에게 소개·알선·유인하는 행위를 금지하고 있어서 의료기관이 지니고 있는 대외경쟁력을 약화하게 하는 측면이 있었다. 이를 시정하기 위하여 보건복지부장관에게 등록을 한 의료기관 등에게 국내에 거주하지 아니하는 외국인 환자에 대한 유치활동을 허용하려는 것이 개정 입법의 취지이다. 다만, 외국인 환자 유치 허용과 관련한 우려를 고려하여 보험업법에 따른 보험회사 등은 유치활동을 할 수 없도록 제한하고 상급 종합병원의 경우 일정 병상 수를 초과하여 외국인 환자를 유치할 수 없도록 규정하며 불법적인 유치활동에 대한 제재를 강화하는 등 제도적 장치를 마련하였다(제27조 제④항, 제27조의 2).

(2) 국민건강보험법은 국내에 거주하는 국민에 대하여 적용된다. 즉, 국내에 거주하는 국민만이 국민건강보험법에 따른 건강보험의 가입자 또는 피부양자가(이하 '가입자'라 한다) 되는 것이 원칙이다(국민건강보험법 제5조 제①항). 그런데 정부는 외국 정부가 사용자인 사업장의 근로자의 건강보험에 관하여는 외국 정부와 한 합의에 따라 이를 따로 정할 수 있고 국내에 체류하는 재외국민 또는 외국인으로서 대통령령으로 정하는 사람은 제5조에도 불구하고 이 법의 적용을 받는 가입자 또는 피부양자가 된다(국민건강보험법 제109조). 이에 따라 대통령령인 국민건강보험법 시행령은 재외동포의 출입국과 법적 지위에 관한 법률[202] 제6조에 따라 국내 거소 신고를 한 사람과 출입국관리법 제31조에 따라 외국인 등록을 한 사람은 직장가입자가 될 수 있고 국내에 3개월 이상 거주하였거나 유학·취업 등의 사유로 3개월 이상 거주할 것이 명백한 사람은 지역가입자가 될 수 있음을 규정하고 있다(제76조). 따라서 국민건강보험법에 따른 건강보험의 가입자가 되는 재외동포와 외국인 환자에 대해서는 의료법 제27조 제③항의 '국민건강보험법 또는 의료급여법의 규정에 의한 본인부담금을 면제 또는 할인하는 행위 금지' 규정이 적용된다는 점을 유의하여야 한다.

(3) 국내 지리나 언어가 익숙하지 않은 외국인 환자에게는 의사나 치과의사의 처방을 받아 약사나 한약사에게 의약품을 조제 받는 것이 매우 불편하고 정확한 복약지도가 이루어지지 않을 경우에 약화사고 등의 우려가 있어, 의사나 치과의사가 의약품을 직접 조제할 수 있는 경우에 의료법에 따라 유치하는 외국인 환자에 대하여 원내조제를 허용하였다(약사법 제23조 제④항 14호, 약사법 시행령 제23조 7호)

(4) 외국인 환자 유치사업 등록 대상은 외국인 환자를 유치하고자 하는 국내 의료기관과 유치업자로 정하며 의료 해외진출 및 외국인환자 유치 지원에 관한 법률[203]에 따라 외국인 환자를 유치하고자 하

---

202) 재외동포는 '대한민국 국적을 가진 해외 영주권자', '대한민국의 국적을 보유하였던 자(대한민국정부 수립 이전에 국외로 이주한 동포를 포함한다) 또는 그 직계비속으로서 외국국적을 취득한 자'이다.

203) 국회는 의료 해외진출 및 외국인환자 유치 사업은 고부가가치를 창출하는 산업으로서 새로운 국가 성장 동력으로 높은 관심을 받고 있으나 이에 대한 법적·제도적 지원이 미흡한 상황이어서 이에 의료 해외진출 및 외국인환자 유치에 필요한 법률적 근거를 마련하여 외국인환자의 권익 및 국내 의료 이용편의 증진을 지원하여 외국인이 안전하고 수준 높은 보건의료서비스를 받을 수 있도록 하고 국가경제·사회 발전에 기여하려는 목적으로 의료법 제27의 2를 삭제하고 2015. 12. 22. 의료 해외진출 및 외국인환자 유치 지원에 관한 법률을 제정하였다.

◇ 주요내용

가. 의료 해외진출을 하려는 의료기관의 개설자는 보건복지부장관에게 신고하도록 하고, 외국인환자를 유치하려는 자는 일정한 요건

는 의료기관과 유치업자는 일정 요건을 갖추어 등록하여야 한다.

(5) 보건복지부장관은 외국인환자 유치의료기관 또는 외국인환자 유치업자가 다음 각 호의 어느 하나에 해당하는 경우 등록을 취소할 수 있다(임의적 취소). 다만, 제1호에 해당하는 경우에는 그 등록을 취소하여야 한다(필요적 취소, 의료 해외진출 및 외국인환자 유치 지원에 관한 법률 제24조 제①항).

1. 거짓이나 그 밖의 부정한 방법으로 등록을 한 경우

2. 외국인환자가 아닌 자를 유치한 경우

3. 외국인환자 유치업자가 외국인환자 유치의료기관이 아닌 의료기관에 외국인환자와의 진료계약을 소개 · 알선한 경우

4. 외국인환자 유치의료기관이 외국인환자 유치업자가 아닌 자에게 외국인환자와의 진료계약 소개 · 알선을 받은 경우

5. 제7조 제①항을 위반하여 성명 · 상호 또는 등록증을 양도하거나 대여한 경우

6. 제9조 제①항을 위반하여 중대한 시장질서 위반행위를 한 경우

7. 제15조에서 정한 기준을 위반하여 의료광고를 한 경우

8. 제16조에서 정한 방법과 절차 등을 위반하여 외국인환자 사전 · 사후관리를 한 경우

9. 제22조의 시정명령을 이행하지 아니하거나 해당 등록기간 중 2회 이상의 시정명령을 받고 새로 시정명령에 해당하는 사유가 발생한 경우

을 갖추어 등록하도록 함(제4조 및 제6조).

나. 의료기관의 개설자는 외국에 의료기관을 개설 · 운영하기 위한 목적으로 설립한 국외법인을 통한 우회투자를 금지함(제5조).

다. 외국인환자 유치의료기관과 유치업자는 등록증을 게시하고 외국인환자 권익보호에 관한 사항을 외국인환자가 알 수 있도록 조치하며, 과도한 수수료 요구 등을 금지함(제8조 및 제9조).

라. 외국인환자 유치의료기관 중 종합병원은 보건복지부령으로 정하는 병상 수를 초과하여 외국인환자를 유치하는 것을 금지함(제10조).

마. 보건복지부장관은 의료 해외진출 및 외국인환자 유치를 지원하기 위한 사업을 추진하고, 국가 또는 지방자치단체는 필요한 전문인력을 양성하도록 함(제12조 및 제13조).

바. 외국인환자 유치의료기관은 공항, 무역항 등 제한된 장소에서 외국어로 표기된 의료광고를 할 수 있도록 함(제15조).

사. 외국인환자 유치의료기관의 개설자 및 해당 의료기관에 소속된 의사 · 치과의사 · 한의사는 정보통신기술을 활용하여 국외에 있는 의료인에게 의료지식이나 기술지원, 환자의 건강 또는 질병에 대한 상담 · 교육 등 외국인환자 사전 · 사후관리를 할 수 있음(제16조).

아. 국가는 의료 해외진출 지원을 위하여 신고한 의료기관에게 중소기업 대상 자금공급 등 관계 법령에서 정하는 금융 또는 세제 지원을 할 수 있음(제17조).

자. 보건복지부장관은 정책심의위원회의 심의를 거쳐 의료 해외진출 및 외국인환자 유치 지원 종합계획을 수립하고, 정책의 추진현황 및 평가결과에 대한 보고서를 작성하여 매년 국회 소관 상임위원회에 보고하도록 함(제18조부터 제20조까지).

차. 실효성 있는 관리감독을 위하여 시정명령, 등록의 취소 및 과징금, 벌칙 등을 규정함(제22조부터 제31조까지).

II

본론

제3장

의료기관

제1절 | # 의료기관의 개설

제33조【개설 등】 ① 의료인은 이 법에 따른 의료기관을 개설하지 아니하고는 의료업을 할 수 없으며, 다음 각 호의 어느 하나에 해당하는 경우 외에는 그 의료기관 내에서 의료업을 하여야 한다.

1. 「응급의료에 관한 법률」 제2조 제1호에 따른 응급환자를 진료하는 경우

2. 환자나 환자 보호자의 요청에 따라 진료하는 경우

3. 국가나 지방자치단체의 장이 공익상 필요하다고 인정하여 요청하는 경우

4. 보건복지부령으로 정하는 바에 따라 가정간호를 하는 경우

5. 그 밖에 이 법 또는 다른 법령으로 특별히 정한 경우나 환자가 있는 현장에서 진료를 하여야 하는 부득이한 사유가 있는 경우

② 다음 각 호의 어느 하나에 해당하는 자가 아니면 의료기관을 개설할 수 없다. 이 경우 의사는 종합병원·병원·요양병원 또는 의원을, 치과의사는 치과병원 또는 치과의원을, 한의사는 한방병원·요양병원 또는 한의원을, 조산사는 조산원만을 개설할 수 있다.

1. 의사, 치과의사, 한의사 또는 조산사

2. 국가나 지방자치단체

3. 의료업을 목적으로 설립된 법인(이하 "의료법인"이라 한다)

4. 「민법」이나 특별법에 따라 설립된 비영리법인

5. 「공공기관의 운영에 관한 법률」에 따른 준정부기관, 「지방의료원의 설립 및 운영에 관한 법률」에 따른 지방의료원, 「한국보훈복지의료공단법」에 따른 한국보훈복지의료공단

③ 제②항에 따라 의원·치과의원·한의원 또는 조산원을 개설하려는 자는 보건복지부령으로 정하는 바에 따라 시장·군수·구청장에게 신고하여야 한다.

④ 제②항에 따라 종합병원·병원·치과병원·한방병원 또는 요양병원을 개설하려면 보건복지부령으로 정하는 바에 따라 시·도지사의 허가를 받아야 한다. 이 경우 시·도지사는 개설하려는 의료기관이 제36조에 따른 시설기준에 맞지 아니하는 경우에는 개설허가를 할 수 없다.

⑤ 제③항과 제④항에 따라 개설된 의료기관이 개설 장소를 이전하거나 개설에 관한 신고 또는 허가사항 중 보건복지부령으로 정하는 중요사항을 변경하려는 때에도 제③항 또는 제④항과 같다.

⑥ 조산원을 개설하는 자는 반드시 지도의사(指導醫師)를 정하여야 한다.

⑦ 다음 각 호의 어느 하나에 해당하는 경우에는 의료기관을 개설할 수 없다.

1. 약국 시설 안이나 구내인 경우

2. 약국의 시설이나 부지 일부를 분할·변경 또는 개수하여 의료기관을 개설하는 경우

3. 약국과 전용 복도·계단·승강기 또는 구름다리 등의 통로가 설치되어 있거나 이런 것들을 설치하여 의료기관을 개설하는 경우

⑧ 제②항 제1호의 의료인은 어떠한 명목으로도 둘 이상의 의료기관을 개설·운영할 수 없다. 다만, 2 이상의 의료인 면허를 소지한 자가 의원급 의료기관을 개설하려는 경우에는 하나의 장소에 한하여 면허 종별에 따른 의료기관을 함께 개설할 수 있다.

⑨ 의료법인 및 제②항 제4호에 따른 비영리법인(이하 이 조에서 "의료법인등"이라 한다)이 의료기관을 개설하려면 그 법인의 정관에 개설하고자 하는 의료기관의 소재지를 기재하여 대통령령으로 정하는 바에 따라 정관의 변경허가를 얻어야 한다(의료법인등을 설립할 때에는 설립 허가를 말한다. 이하 이 항에서 같다). 이 경우 그 법인의 주무관청은 정관의 변경허가를 하기 전에 그 법인이 개설하고자 하는 의료기관이 소재하는 시·도지사 또는 시장·군수·구청장과 협의하여야 한다.

⑩ 의료기관을 개설·운영하는 의료법인등은 다른 자에게 그 법인의 명의를 빌려주어서는 아니 된다.

제35조【의료기관 개설 특례】 ① 제33조 제①항·제②항 및 제⑧항에 따른 자 외의 자가 그 소속 직원, 종업원, 그 밖의 구성원(수용자를 포함한다)이나 그 가족의 건강관리를 위하여 부속 의료기관을 개설하려면 그 개설 장소를 관할하는 시장·군수·구청장에게 신고하여야 한다. 다만, 부속 의료기관으로 병원급 의료기관을 개설하려면 그 개설 장소를 관할하는 시·도지사의 허가를 받아야 한다.

② 제①항에 따른 개설 신고 및 허가에 관한 절차·조건, 그 밖에 필요한 사항과 그 의료기관의 운영에 필요한 사항은 보건복지부령으로 정한다.

제63조【시정 명령 등】 보건복지부장관 또는 시장·군수·구청장은 의료기관이 ──중략── 제35조 제②항, ──중략── 을 위반한 때 또는 ──중략── 된 때에는 일정한 기간을 정하여 그 시설·장비 등의 전부 또는 일부의 사용을 제한 또는 금지하거나 위반한 사항을 시정하도록 명할 수 있다.

제64조【개설 허가 취소 등】 ① 보건복지부장관 또는 시장·군수·구청장은 의료기관이 다음 각 호의 어느 하나에 해당하면 그 의료업을 1년의 범위에서 정지시키거나 개설 허가를 취소하거나 의료기관 폐쇄를 명할 수 있다. 다만, 제8호에 해당하는 경우에는 의료기관 개설 허가를 취소하거나 의료기관 폐쇄를 명하여야 하며, 의료기관 폐쇄는 제33조 제③항과 제35조 제①항 본문에 따라 신고한 의료기관에만 명할 수 있다.

  3. 제61조에 따른 관계 공무원의 직무 수행을 기피 또는 방해하거나 제59조 또는 제63조에 따른 명령을 위반한 때

  4. 제33조 제②항 제3호부터 제5호까지의 규정에 따른 의료법인·비영리법인, 준정부기관·지방의료원 또는 한국보훈복지의료공단의 설립허가가 취소되거나 해산된 때

  4의 2. 제33조 제②항을 위반하여 의료기관을 개설한 때

  5. 제33조 제⑥항·제⑨항·제⑩항, 제40조 또는 제56조를 위반한 때

  6. 제63조에 따른 시정명령을 이행하지 아니한 때

  7. 「약사법」제24조 제②항을 위반하여 담합행위를 한 때

제66조【자격정지 등】 ① 보건복지부장관은 의료인이 다음 각 호의 어느 하나에 해당하면 1년의 범위에서 면허자격을 정지시킬 수 있다. 이 경우 의료기술과 관련한 판단이 필요한 사항에 관하여는 관계 전문가의 의견을 들어 결정할 수 있다.

  2. 의료기관 개설자가 될 수 없는 자에게 고용되어 의료행위를 한 때

  10. 그 밖에 이 법 또는 이 법에 따른 명령을 위반한 때

제67조【과징금 처분】 ① 보건복지부장관이나 시장·군수·구청장은 의료기관이 제64조 제①항 각 호의 어느 하나에 해당할 때에는 대통령령으로 정하는 바에 따라 의료업 정지 처분을 갈음하여 5천만원 이하의 과징금을 부과할 수 있으며, 이 경우 과징금은 3회까지만 부과할 수 있다. 다만, 동일한 위반행위에 대하여「표시·광고의 공정화에 관한 법률」제9조에 따른 과징금 부과처분이 이루어진 경우에는 과징금(의료업 정지 처분을 포함한다)을 감경하여 부과하거나 부과하지 아니할 수 있다.

제87조【벌칙】 ① 다음 각 호의 어느 하나에 해당하는 자는 5년 이하의 징역이나 5천만원 이하의 벌금에 처한다.
  2. ──중략── 제33조 제②항·제⑧항(제82조 제③항에서 준용하는 경우를 포함한다)·제⑩항을 위반한 자

제88조【벌칙】 다음 각 호의 어느 하나에 해당하는 자는 3년 이하의 징역이나 3천만원 이하의 벌금에 처한다.
  1. ──중략── 제33조 제④항, 제35조 제①항 단서, ──중략── 을 위반한 자.

제89조【벌칙】 다음 각 호의 어느 하나에 해당하는 자는 1년 이하의 징역이나 1천만원 이하의 벌금에 처한다.
  1. ──중략── 제33조 제⑨항, ──중략── 을 위반한 자

제90조【벌칙】 ──중략── 제33조 제①항·제③항(제82조 제③항에서 준용하는 경우를 포함한다)·제⑤항 (허가의 경우만을 말한다), 제35조 제①항 본문 ──중략── 을 위반한 자나 제63조에 따른 명령을 위반한 자와 의료기관 개설자가 될 수 없는 자에게 고용되어 의료행위를 한 자는 500만원 이하의 벌금에 처한다.

제91조【양벌규정】

제92조【과태료】 ③ 다음 각 호의 어느 하나에 해당하는 자에게는 100만원 이하의 과태료를 부과한다.
  2. 제33조 제⑤항(제82조 제③항에서 준용하는 경우를 포함한다)에 따른 변경신고를 하지 아니한 자

1 의료기관 개설의 주체

가. 개설 적격자

　　의료법 제33조 제②항과 제87조 제①항 제2호는 의료기관 개설자의 자격을 의사, 한의사 등으로 한정함으로써 의료기관 개설자격이 없는 자가 의료기관을 개설하는 것을 금지하면서 이를 위반한 경우 형사처벌을 하도록 정하고 있다. 이는 의료기관 개설자격을 전문성을 가진 의료인이나 공적인 성격을 가진 자로 엄격히 제한함으로써 건전한 의료질서를 확립하고 영리 목적으로 의료기관을 개설하는 경우에 발생할지도 모르는 국민 건강상의 위험을 미리 방지하기 위한 것이다[204]. ① 의사, 치과의사, 한의사, 조산사 ② 국가, 지방자치단체 ③ 의료법인 ④ 민법 또는 특별법에 따라 설립된 비영리법인 ⑤ 공공기관의 운영에 관한 법률에 따른 준정부기관, 지방의료원의 설립 및 운영에 관한 법률에 따른 지방의료원, 한국보훈복지의료공단법에 따른 한국보훈복지의료공단만이 의료기관을 개설할 수 있고 그 이외의

────────────

204) 대법원 2015. 7. 9. 선고 2014도11843 판결

자는 의료기관을 개설할 수 없다(제33조 제②항)[205]. 다만, 이 경우 의사, 치과의사, 한의사, 조산사는 하나의 의료기관만을 개설할 수 있으며, 의사는 종합병원·병원·요양병원 또는 의원을, 치과의사는 치과병원 또는 치과의원을, 한의사는 한방병원·요양병원 또는 한의원을, 조산사는 조산원만을 개설할 수 있다(제33조 제②항). 따라서 의사가 종합병원·병원·요양병원 또는 의원을 개설하고 한의사나 치과의사를 고용하여 한방 또는 치과 진료과목을 표방하는 것은 의료법 위반행위이다. 이를 위반하면 5년 이하의 징역이나 5천만원 이하의 벌금에 처해질 수 있다(제87조 제①항 제2호).

나. 의료업 장소의 제한

(1) 의료인(의사, 치과의사, 한의사, 조산사)[206]은 의료법에 따른 의료기관을 개설하지 아니하고는 의료업[207]을 할 수 없으며, ① 응급의료에 관한 법률 제2조 제1호에 따른 응급환자를 진료하는 경우, ② 환자나 환자 보호자의 요청에 따라 진료하는 경우, ③ 국가나 지방자치단체의 장이 공익상 필요하다고 인정하여 요청하는 경우, ④ 보건복지부령으로 정하는 바에 따라 가정간호를 하는 경우 또는 ⑤ 의료법 또는 다른 법령으로 특별히 정한 경우나 환자가 있는 현장에서 진료를 하여야 하는 부득이한 사유가 있는 경우 이외에는 개설한 의료기관 내에서 의료업을 하여야 한다(제33조 제①항). 이를 위반하면 500만원 이하의 벌금에 처해질 수 있으며(제90조), 보건복지부장관은 1년의 범위에서 면허자격을 정지시킬 수 있는데(제66조 제①항 제10호), 실무상으로는 의료관계 행정처분규칙 별표 2. 개별 기준 가. 22)에 따라 3월의 자격정지를 처분한다.

(2) 보건복지부령으로 정하는 바에 따라 가정간호를 하는 경우의 범위는 ① 간호, ② 검체의 채취(보건복지부장관이 정하는 현장검사를 포함한다. 이하 같다) 및 운반, ③ 투약, ④ 주사, ⑤ 응급처치 등에 대한 교육 및 훈련, ⑥ 상담, ⑦ 다른 보건의료기관 등에 대한 건강관리에 관한 의뢰에 한정된다(의료법 시행규칙 제24조 제①항). 가정간호를 실시하는 간호사는 전문간호사 자격인정 등에 관한 규칙에 따른 가정전문간호사이어야 하고(의료법 시행규칙 제24조 제②항), 가정간호는 의사나 한의사가 의료기관 외의 장소에서 계속적인 치료와 관리가 필요하다고 판단하여 가정전문간호사에게 치료나 관리를 의뢰한 자에 대하여만 실시하여야 한다(의료법 시행규칙 제24조 제③항). 가정전문간

---

205) 의료기관을 개설한 의료법인·비영리법인·준정부기관·지방의료원 또는 한국보훈복지의료공단이 그 설립허가가 취소되거나 해산되면 보건복지부장관 또는 시장·군수·구청장이 그 의료업을 1년의 범위에서 정지시키거나 개설 허가를 취소하거나 의료기관 폐쇄를 명할 수 있는데(제64조 제①항 제4호), 실무상으로는 의료관계 행정처분규칙 별표 2. 개별 기준 나. 4)에 따라 허가취소 또는 의료기관 폐쇄를 명한다.

206) 간호사는 의료인이지만(제2조 제①항) 의료기관을 개설할 수 있는 적격자는 아니다.

207) 의료행위가 아니라 의료업을 행할 수 없다는 점이 중요하다. 의료업으로 하지 않는 의료행위가 존재하기 때문이다. 따라서 봉직의는 개설 의사가 아니므로 복수의 의료기관에서 의료행위를 할 수 있으며 중복개설 금지(제33조 제⑧항)에 해당되지 않는다. 개설 의사는 제33조 제①항의 제한으로 개설한 의료기관에서만 의료업을 할 수 있는데, 실무는 개설한 의료기관에서만 의료행위를 할 수 있다고 해석한다. 반면에 업무정지처분을 받은 의료기관의 개설의가 업무정지 기간 중에 다른 의료기관에서 대진의 또는 봉직의로 의료행위를 할 수 있다는 실무례도 있다. 의료업으로 하지 않는 의료행위가 존재하기 때문에 의료행위와 의료업은 구별되는 개념이라는 점, 제33조 제①항의 제한은 의료행위가 아니라 의료업을 행할 수 없다고 규정한 점에서 업무정지처분의 존재 여부에 관계없이 개설의는 개설한 의료기관 이외의 의료기관에서도 의료행위를 할 수 있다고 해석함이 의료 현실이나 논리적으로 타당하다. 대법원 1974. 3. 12. 선고 73다1736 판결 ; 병원을 개설하지 않은 자는 의료업을 할 수 없다는 의료법의 규정은 의료행위를 할 수 있는 의사가 의료행위를 하는 것까지 금지하는 취지는 아니므로 의료법에 위반된 치료행위가 의료법에 의한 제재적인 조치를 받은 것은 별론으로 하고 치료비 청구권 행사에는 지장이 없다.

호사는 가정간호 중 검체의 채취 및 운반, 투약, 주사 또는 치료적 의료행위인 간호를 하는 경우에는 의사나 한의사의 진단과 처방에 따라야 한다. 이 경우 의사 및 한의사 처방의 유효기간은 처방일부터 90일까지로 한다(의료법 시행규칙 제24조 제④항). 가정간호를 실시하는 의료기관의 장은 가정전문간호사를 2명 이상 두어야 하고(의료법 시행규칙 제24조 제⑤항), 가정간호에 관한 기록을 5년간 보존하여야 한다(의료법 시행규칙 제24조 제⑥항).

(3) 조산원을 개설하는 조산사는 반드시 지도의사(指導醫師)를 정하여야 하며(제33조 제⑥항), 지도의사를 정하거나 변경한 경우에는 지도의사신고서에 그 지도의사의 승낙서 및 면허증 사본을 첨부하여 관할 시장·군수·구청장에게 제출하여야 한다(의료법 시행규칙 제31조). 조산원 개설자가 지도의사를 정하지 않으면 보건복지부장관이 1년의 범위에서 면허자격을 정지시킬 수 있는데(제66조 제①항 제10호), 실무상으로는 의료관계 행정처분규칙 별표 2. 개별 기준 가. 23)에 따라 경고한다.

다. 개설 장소의 제한

(1) 의료기관 개설자와 약국 개설자간의 담합행위 금지규정이 2001. 8. 14.자 개정 약사법에 구체적으로 신설[208]됨에 따라 2002. 3. 30.자 개정으로 ① 약국 시설 안이나 구내인 경우, ② 약국의 시설이나 부

---

[208] **약사법 제24조(의무 및 준수 사항)** ① 약국에서 조제에 종사하는 약사 또는 한약사는 조제 요구를 받으면 정당한 이유 없이 조제를 거부할 수 없다.

② 약국개설자(해당 약국 종사자를 포함한다. 이하 이 조에서 같다)와 의료기관 개설자(해당 의료기관의 종사자를 포함한다. 이하 이 조에서 같다)는 다음 각 호의 어느 하나에 해당하는 담합 행위를 하여서는 아니 된다.

  1. 약국개설자가 특정 의료기관의 처방전을 가진 자에게 약제비의 전부 또는 일부를 면제하여 주는 행위

  2. 약국개설자가 의료기관 개설자에게 처방전 알선의 대가로 금전, 물품, 편익, 노무, 향응, 그 밖의 경제적 이익을 제공하는 행위

  3. 의료기관 개설자가 처방전을 가진 자에게 특정 약국에서 조제 받도록 지시하거나 유도하는 행위(환자의 요구에 따라 지역 내 약국들의 명칭·소재지 등을 종합하여 안내하는 행위는 제외한다)

  4. 의사 또는 치과의사가 제25조제2항에 따라 의사회 분회 또는 치과의사회 분회가 약사회 분회에 제공한 처방의약품 목록에 포함되어 있는 의약품과 같은 성분의 다른 품목을 반복하여 처방하는 행위(그 처방전에 따라 의약품을 조제한 약사의 행위도 또한 같다)

  5. 제1호부터 제4호까지의 규정에 해당하는 행위와 유사하여 담합의 소지가 있는 행위로서 대통령령으로 정하는 행위

약사법 시행령 제24조(유사담합행위) ① 법 제24조 제②항 제5호에서 "제1호부터 제4호까지의 규정에 해당하는 행위와 유사하여 담합의 소지가 있는 행위로서 대통령령으로 정하는 행위"란 다음 각 호의 행위를 말한다.

  1. 약국개설자와 의료기관 개설자 사이의 사전 약속에 따라 처방전에 의약품의 명칭 등을 기호나 암호로 적어 특정 약국에서만 조제할 수 있도록 하는 행위

  2. 의료기관 개설자가 법 제25조에 따른 처방의약품 목록 외의 의약품을 처방하여 특정 약국에서만 조제할 수 있도록 하는 행위

  3. 약국개설자와 의료기관 개설자 사이에 의약품 구매사무, 의약품 조제업무 또는 「국민건강보험법」에 따른 요양급여비용 심사청구업무 등을 지원하거나 관리하는 행위

  4. 의료기관 개설자가 처방전 소지자의 요구가 없음에도 불구하고 특정 약국에서 조제하도록 처방전을 모사전송·컴퓨터통신 등을 이용하여 전송하는 행위

  5. 의료기관 개설자가 사실상 그의 지휘·감독을 받는 약사로 하여금 약국을 개설하도록 하거나 약국을 개설한 약사를 지휘·감독하여 의료기관개설자가 그 약국을 사실상 운영하는 행위

② 보건복지부장관, 특별시장·광역시장·도지사·특별자치도지사(이하 "시·도지사"라 한다), 시장·군수·구청장(자치구의 구청장을 말한다. 이하 같다)은 법 제24조 제②항에 따른 담합행위를 방지하기 위하여 다음 각 호의 어느 하나에 해당하는 경우에는 의료기관 개설자 또는 약국개설자에 대하여 보건복지부장관이 정하는 기준에 따라 관계공무원으로 하여금 법 제69조에 따른 검사를 하게 하여야 한다.

  1. 의료기관 개설자(의료기관개설자가 법인인 경우에는 그 법인의 임원을 포함한다)와 약국개설자가 배우자·부모·형제·자매·자녀 또는 그 배우자의 관계에 있는 경우로서 해당 약국이 해당 의료기관에서 발행한 처방전을 독점적으로 유치하고 있다고 판단되는 경우

  2. 동일한 건물 안에 의료기관과 약국이 출입구를 함께 사용하도록 개설된 경우로서 해당 약국이 해당 의료기관에서 발행한 처방전을 독점적으로 유치하고 있다고 판단되는 경우

지 일부를 분할 · 변경 또는 개수하여 의료기관을 개설하는 경우 또는 ③ 약국과 전용 복도 · 계단 · 승강기 또는 구름다리 등의 통로가 설치되어 있거나 이런 것들을 설치하여 의료기관을 개설하는 행위는 금지되었다(제33조 제⑦항). 의료기관의 외래환자에 대한 원외조제(의약분업)를 의무화하기 위해 약국을 의료기관과 공간적 · 기능적으로 독립된 장소에 두고자 하는 취지이다. 따라서 의료기관과 약국이 같은 건물에 위치하더라도 출입구가 서로 다르다면 독립적인 별개의 공간에 해당할 뿐 아니라 의료기관 이용자와 일반인들도 약국을 의료기관의 시설 안 혹은 구내로 인식할 가능성이 없으므로 개설할 수 있다[209].

(2) 의료기관이 약사법 제24조 제②항을 위반하여 담합행위를 하면 보건복지부장관 또는 시장 · 군수 · 구청장은 의료업을 1년의 범위에서 정지시키거나 개설 허가를 취소하거나 의료기관 폐쇄를 명할 수 있는데(제64조 제①항 제7호), 실무상으로는 의료관계 행정처분규칙 별표 2. 개별 기준 가. 28)에 따라 1차 위반시 업무정지 1개월, 2차 위반시(1차 처분일부터 2년 이내에 다시 위반한 경우에만 해당한다) 업무정지 3개월, 3차 위반시(2차 처분일부터 2년 이내에 다시 위반한 경우에만 해당한다) 허가취소 또는 의료기관 폐쇄를 명한다. 보건복지부장관이나 시장 · 군수 · 구청장은 정지 처분에 갈음하여 5천만원 이하의 과징금을 부과할 수 있다(제67조 제①항).

라. 의료기관 개설의 특례

(1) 의료인 · 의료법인 · 국가 · 지방자치단체 · 비영리법인 또는 공공기관의 운영에 관한 법률에 따른 준정부기관(제33조 제①항 · 제②항 및 제⑧항에 따른 자) 외의 자가 그 소속 직원, 종업원, 그 밖의 구성원(수용자를 포함한다) 이나 그 가족의 건강관리를 위하여 부속 의료기관을 개설하려면 그 개설 장소를 관할하는 시장 · 군수 · 구청장에게 신고하여야 한다(제35조 제①항 본문). 다만, 부속 의료기관으로 병원급 의료기관을 개설하려면 그 개설 장소를 관할하는 시 · 도지사의 허가를 받아야 한다(제35조 제①항 단서). 부속 의료기관을 개설 신고하지 않고 의료업을 하면 500만원 이하의 벌금에 처해질 수 있으며(제90조), 부속 의료기관 개설 허가를 받지 않고 의료업을 하면 3년 이하의 징역 또는 1천만원 이하의 벌금에 처해질 수 있다(제88조). 부속 의료기관을 개설하지 않고 의료업을 하면 보건복지부장관이 1년의 범위에서 면허자격을 정지시킬 수 있는데(제66조 제①항 제10호), 실무상으로는 의료관계 행정처분규칙 별표 2. 개별 기준 가. 22)에 따라 3월의 자격정지를 처분한다. 그리고 개설 신고를 하거나 개설 허가를 받은 날부터 3개월 이내에 정당한 사유 없이 그 업무를 시작하지 않으면 보건복지부장관 또는 시장 · 군수 · 구청장이 그 의료업을 1년의 범위에서 정지시키거나 개설 허가를 취소하거나 의료기관 폐쇄를 명할 수 있는데(제64조 제①항 제1호), 실무상으로는 의료관계 행정처분규칙 별표 2. 개별 기준 나. 5)에 따라 허가취소 또는 의료기관 폐쇄를 명한다.

(2) 제35조 제①항은 의료기관 개설의 특례 조항이다. 특례에 따른 개설 신고 및 허가에 관한 절차 ·

---

209) 대법원 2016. 7. 22. 선고 2014두44311 판결

조건, 그 밖에 필요한 사항과 그 의료기관의 운영에 필요한 사항은 보건복지부령[210]으로 정한다(제35조 제②항). 이를 위반하여 부속 의료기관의 운영에 관하여 정한 사항을 지키지 않으면 보건복지부장관 또는 시장·군수·구청장이 일정한 기간을 정하여 그 시설·장비 등의 전부 또는 일부의 사용을 제한 또는 금지하거나 위반한 사항을 시정하도록 명할 수 있는데(제63조), 실무상으로는 의료관계 행정처분규칙 별표 2. 개별 기준 나. 7)에 따라 시정명령을 처분한다. 시정명령을 이행하지 않으면 보건복지부장관 또는 시장·군수·구청장이 그 의료업을 1년의 범위에서 정지시키거나 개설허가를 취소하거나 의료기관 폐쇄를 명할 수 있는데(제64조 제①항 제6호), 실무상으로는 의료관계 행정처분규칙 별표 2. 개별 기준 나. 27)에 따라 업무정지 15일을 처분한다. 보건복지부장관이나 시장·군수·구청장은 정지 처분에 갈음하여 5천만원 이하의 과징금을 부과할 수 있다(제67조 제①항).

(3) 외국인 또는 외국인이 의료업을 목적으로 설립한 상법상 법인으로서 ① 경제자유구역에 소재하고 ② 외국인투자 촉진법 제5조 제③항에 따른 외국인 투자비율이 100분의 50 이상이며 ③ 그 밖에 자본금의 규모 등 대통령령[211]으로 정하는 사항을 충족하는 법인은 의료법 제33조 제②항에도 불구하고 보건복지부장관의 허가를 받아 경제자유구역에 외국의료기관을 개설할 수 있다. 이 경우 외국의료기관의 종류는 의료법 제3조 제②항 제3호에 따른 종합병원·병원·치과병원 및 요양병원으로 한다(경제자유구역의 지정 및 운영에 관한 특별법 제23조 제①항).

마. 법인의 정관 변경 허가

(1) 의료법인 및 민법이나 특별법에 따라 설립된 비영리법인(제33조 제②항 제4호)이 의료기관을 개설하려면 그 법인의 정관에 개설하고자 하는 의료기관의 소재지를 기재하여 대통령령으로 정하는 바에 따라 정관의 변경허가를 얻어야 한다(의료법인 또는 비영리법인을 설립할 때에는 설립 허가를 말한다). 이 경우 그 법인의 주무관청은 정관의 변경허가를 하기 전에 그 법인이 개설하고자 하는 의

---

[210] **의료법 시행규칙 제32조(부속 의료기관의 개설 특례)** ① 법 제35조 제①항에 따라 의료인·의료법인·국가·지방자치단체·비영리법인 또는 「공공기관의 운영에 관한 법률」에 따른 준정부기관 외의 자가 그 종업원 및 가족의 건강관리를 위하여 부속 의료기관을 개설하려면 별지 제20호 서식의 부속 의료기관 개설신고서 또는 개설허가신청서에 다음 각 호의 서류를 첨부하여 시·도지사나 시장·군수·구청장에게 제출하여야 한다.
  1. 건물평면도 사본 및 그 구조설명서 사본
  2. 의료인 등 근무인원에 대한 확인이 필요한 경우: 면허(자격)증 사본 1부
② 부속 의료기관의 개설신고 및 개설허가에 따른 신고 수리 등에 관하여는 제25조 제②항부터 제⑤항까지, 제26조, 제27조 제②항부터 제⑤항까지 및 제28조의 규정을 각각 준용한다. 이 경우 "별지 15호 서식"은 "별지 제15호의 2 서식"으로, "별지 제17호 서식"은 "별지 제17호의 2 서식"으로 본다.

[211] **경제자유구역의 지정 및 운영에 관한 특별법 시행령 제20조의 2(외국의료기관의 개설요건 등)** ① 법 제23조 제①항 제3호에서 "자본금 규모 등 대통령령으로 정하는 사항"이란 다음 각 호의 사항을 말한다.
  1. 자본금이 50억원 이상일 것
  2. 외국의 법률에 따라 설립·운영되는 의료기관과 운영협약 체결 등 협력체계를 갖추고 있을 것
  3. 법 제23조제6항에 따른 외국의 의사 면허 소지자를 보건복지부령으로 정하는 기준 이상 확보할 것
② 제①항 제1호의 자본금에 관한 사항은 「상법」 중 자본금에 관한 규정에 따른다.
③ 제①항 제2호에 따른 협력체계 및 법 제23조 제①항에 따른 외국의료기관의 개설허가절차에 관하여 필요한 사항은 보건복지부령으로 정한다.

료기관이 소재하는 시 · 도지사 또는 시장 · 군수 · 구청장과 협의하여야 한다(제33조 제⑨항).[212]

(2) 의료기관을 개설 · 운영하는 의료법인 또는 비영리법인은 다른 자에게 그 법인의 명의를 빌려주어서는 안 된다(제33조 제⑩항).

(3) 의료법인 또는 비영리법인이 제33조 제⑨항 또는 제⑩항을 위반하여 의료기관을 설립하거나 법인의 명의를 빌려준 경우에는 보건복지부장관 또는 시장 · 군수 · 구청장이 그 의료업을 1년의 범위에서 정지시키거나 개설 허가를 취소하거나 의료기관 폐쇄를 명할 수 있다(제64조 제①항 제5호). 의료법인 또는 비영리법인이 제33조 제⑨항을 위반하여 의료기관을 설립하면 1년 이하의 징역이나 1천만원 이하의 벌금에 처해질 수 있다(제89조).

바. 개설 부적격자(흠결자)의 개설(사무장 병원)

(1) 의료인의 자격이 없는 일반인이 필요한 자금을 투자하여 시설을 갖추고 유자격 의료인을 고용하여 그 명의로 의료기관 개설신고를 한 행위는 형식적으로만 적법한 의료기관의 개설로 가장한 것이어서 의료법 제87조 제①항, 제33조 제②항 위반죄가 성립되고[213], 그 개설신고 명의인인 의료인이 직접 의료행위를 하였다 하여 달리 볼 것은 아니다[214].

(2) 의료기관 개설자가 될 수 없는 자에게 고용되어 종별에 따른 의료행위를 한 의료인은 500만원 이하의 벌금에 처해질 수 있으며(제90조)[215], 보건복지부장관이 1년의 범위에서 면허자격을 정지시킬 수 있는데(제66조 제1항 제2호), 실무상으로는 의료관계 행정처분규칙 별표 2. 개별 기준 가. 36)에 따라 3월의 자격정지를 처분한다. 그리고 무자격자 피고용행위를 하였다는 사유로 국민건강보험공단의 장으로부터 요양급여비 환수처분을 받는다(국민건강보험법 제57조). 그리고 의료법 제90조는 단순히 의료기관을 개설할 수 없는 자에게 고용된 자를 처벌하는 것이 아니라 적극적으로 그러한 사정을 알고 의료행위에까지 나아간 자를 처벌하는 것으로 규정하고 있으므로, 의사가 의료기관을 개설할 수 없는 자에게 고용되면서 그 당시에는 그러한 사정을 알지 못하였다가 후에 알았으면서도 그 즉시 의료행위를 중단하거나 폐업신고 등을 하지 아니한 채 계속 의료행위를 하였다면 그 때로부터 의료법 제90조의 구성요건에 해당하는 행위를 한 것으로서 이는 단순한 불가벌적인 행위로 볼 수 없고 사회상규에 반하지 않는 정당행위로도 볼 수 없다[216].

(3) 의료기관 개설자가 될 수 없는 자에게 자신의 면허(증)를 대여한 의료인은 5년 이하의 징역이나 5천만원 이하의 벌금에 처해질 수 있으며(제87조 제①항 제1호), 보건복지부장관이 면허를 취소할 수

---

212) 2015. 12. 29.자 개정으로 신설되었으며 2016. 9. 30.부터 시행된다.

213) 비의료인이 개설한 의료기관이 국민건강보험공단에 요양급여비용의 지급을 청구하는 행위는 공단의 요양급여비용 지급에 관한 의사결정에 착오를 일으키게 하는 것에 해당되어 사기죄의 구성요건에 해당될 수 있다.

214) 대법원 1987. 10. 26. 선고 87도1926 판결, 대법원 1995. 12. 12. 선고 95도2154 판결

215) 검찰 실무에서는 종종 제87조 제①항 제2호(제33조 제②항을 위반한 때)로 기소하는 경우가 있으나 제90조가 올바른 적용법조이다.

216) 전주지방법원 2005. 4. 7. 선고 2004고단1622, 1856 판결

있는데(제65조 제①항 제4호, 제5호)[217], 실무상으로는 의료관계 행정처분규칙 별표 2. 개별 기준 가.
36)에 따라 면허를 취소한다. 다만 면허증 대여 후 대여자인 의료인 자신이 면허증을 대여 받은 자
가 개설·운영하는 의료기관에서 의료행위를 할 의사로 그리하였고 또 실제로 위 의료기관에서 위
의료인이 의료행위를 계속하여 왔으며, 무자격자가 의료행위를 한 바 없는 경우에는 면허증을 대여
한 것으로는 볼 수 없다[218].

(4) 개설 비적격자가 의료기관을 개설하여 운영하는 행위는 형사처벌의 대상이 되는 범죄행위에 해당할
뿐 아니라, 거기에 따를 수 있는 국민보건상의 위험성에 비추어 사회통념상으로 도저히 용인될 수
없는 정도로 반사회성을 띠고 있다는 점, 위와 같은 위반행위에 대하여 단순히 형사 처벌하는 것만
으로는 의료법의 실효를 거둘 수 없다고 보이는 점 등에서 의료법 제33조 제②항은 의료인이나 의료
법인 등이 아닌 자가 의료기관을 개설하여 운영하는 경우에 초래될 국민 보건위생상의 중대한 위험
을 방지하기 위하여 제정된 이른바 강행법규에 속하는 것으로서 이에 위반하여 이루어진 약정은 무
효이다[219]. 따라서 의사와 의사 아닌 자가 각 그 재산을 출자하여 함께 병원을 개설한 후 그것을 운
영하여 얻은 수입을 동등한 비율로 배분하기로 하는 내용의 약정은 강행법규 위반으로 무효이므로
병원 운영과 관련하여 얻은 이익이나 취득한 재산, 부담하게 된 채무 등은 모두 의사 개인에게 귀속
되는 것이고, 의사 아닌 동업자는 위 동업약정이 무효로 돌아감에 따라 그 출자물의 반환만을 구할
수 있을 뿐이어서, 대출금 반환 채무는 법적 외관에 있어서 뿐만이 아니라 그 실질에 있어서도 전액
의사 개인의 채무로 보아야 한다[220]. 그리고 형법상 업무방해죄의 보호 대상이 되는 '업무'는 직업 또
는 계속적으로 종사하는 사무나 사업으로서 타인의 위법한 침해로부터 형법상 보호할 가치가 있는
것이어야 하므로 어떤 사무나 활동 자체가 위법의 정도가 중하여 사회생활상 도저히 용인될 수 없는
정도로 반사회성을 띠는 경우에는 업무방해죄의 보호대상이 되는 '업무'에 해당한다고 볼 수 없어서
의료인이나 의료법인이 아닌 자가 의료기관을 개설하여 운영하는 행위는 그 위법의 정도가 중하여
사회생활상 도저히 용인될 수 없는 정도로 반사회성을 띠고 있으므로 업무방해죄의 보호대상이 되
는 '업무'에 해당하지 않는다[221].

---

217) 보건복지부장관은 면허가 취소된 자라도 취소의 원인이 된 사유가 없어지거나 개전(改悛)의 정이 뚜렷하다고 인정되면 면허를 재교
부할 수 있는데, 면허(증) 대여로 인한 취소의 경우에는 취소된 날부터 2년 이내 재교부하지 못한다(제65조 제②항 단서).

218) 대법원 1994. 12. 23. 선고 94도1937 판결, 대법원 2003. 6. 24. 선고 2002도6829 판결, 대법원 2005. 1. 13. 선고 2004도7282 판결, 대
법원 2005. 7. 22. 선고 2005도3468 판결

219) 대법원 2003. 4. 22. 선고 2003다2390, 2406 판결, 대법원 2004. 6. 11. 선고 2003다1601 판결 등

220) 대법원 2003. 9. 23. 선고 2003두1493 판결

221) 대법원 2001. 11. 30. 선고 2001도2015 판결

2 1인 1개소 개설 · 운영의 문제

가. 서설(위헌 요소)

(1) 의사, 치과의사, 한의사 또는 조산사(제33조 제②항 제1호의 의료인)는 어떠한 명목으로도 둘 이상의 의료기관을 개설 · 운영할 수 없다. 다만, 2 이상의 의료인 면허를 소지한 자가 의원급 의료기관을 개설하려는 경우에는 하나의 장소에 한하여 면허 종별에 따른 의료기관을 함께 개설할 수 있다[222](1인 1개소 조항, 제33조 제⑧항). 이를 위반하면 5년 이하의 징역이나 5천만원 이하의 벌금에 처해질 수 있으며(제87조 제①항 제2호), 보건복지부장관은 1년의 범위에서 면허자격을 정지시킬 수 있는데(제66조 제①항 제10호), 실무상으로는 의료관계 행정처분규칙 별표 2. 개별 기준 가. 22)에 따라 3월의 자격정지를 처분한다. 의료기관의 개설명의자가 의료행위를 하면 의료기관 개설자가 될 수 없는 자에게 고용된 경우에 해당되어 500만원 이하의 벌금에 처해질 수 있으며(제90조)[223], 보건복지부장관이 1년의 범위에서 면허자격을 정지시킬 수 있는데(제66조 제1항 제2호), 실무상으로는 의료관계 행정처분규칙 별표 2. 개별 기준 가. 36)에 따라 3월의 자격정지를 처분한다. 그리고 무자격자 피고용행위를 하였다는 사유로 국민건강보험공단의 장으로부터 요양급여비 환수처분을 받는다(국민건강보험법 제57조)[224].

(2) 2011년 12월경 "어떠한 명목으로도 한 명의 의사가 둘 이상의 의료기관을 개설 · 운영할 수 없다."는 내용의 의료법 제33조 제⑧항의 개정안(1인 1개소 조항)이 국회를 통과하였다. 1인 1개소법 신설 당시 보건복지부는 국회 보건복지위원회에 제출한 의견서를 통하여 "현실적으로 의료기관이 공동 투자, 공동경영이 의료기관 경쟁력 강화에 기여하는 측면 등이 있으므로 신중한 검토가 필요하다."는 의견을 피력하였다. 그리고 공정거래위원회와 법제처도 과잉규제라는 의견을 개진하였다.

---

222) 헌법재판소가 헌법불합치 결정을 하기 전에는 "의료인은 하나의 의료기관만을 개설할 수 있다."는 내용이었다. 그런데 헌법재판소가 2007. 12. 27. 선고 2004헌마1021 결정으로 헌법불합치 결정을 하자 복수면허 의료인들의 직업의 자유, 평등권을 침해하지 않는 내용으로 개정하였다. 헌법재판소 2007. 12. 27. 선고 2004헌마1021 결정 ; 복수면허 의료인이든, 단수면허 의료인이든 '하나의' 의료기관만을 개설할 수 있다는 점에서는 '같은' 대우를 받는다. 그런데 복수면허 의료인은 의과 대학과 한의과 대학을 각각 졸업하고, 의사와 한의사 자격 국가고시에 모두 합격하였다. 따라서 단수면허 의료인에 비하여 양방 및 한방의 의료행위에 대하여 상대적으로 지식 및 능력이 뛰어나거나, 그가 행하는 양방 및 한방의 의료행위의 내용과 그것이 인체에 미치는 영향 등에 대하여도 상대적으로 더 유용한 지식과 정보를 취득하고 이를 분석하여 적절하게 대처할 수 있다고 한 이 사건 법률조항은 '다른 것을 같게' 대우하는 것으로 합리적인 이유를 찾기 어렵다. 이 사건 심판대상 법률조항은 복수면허 의료인인 청구인들의 직업의 자유, 평등권을 침해한다. 다만, 이 조항이 단수면허의 의료인에게도 적용되고, 위헌으로 선언되어 효력을 잃으면 의료인이 직접 의료행위를 수행할 수 있는 장소적 제한마저 풀리게 되어 법적 공백이 발생할 것이 명백하다. 또한 복수면허 의료인이 의사 및 한의사로서 각 직업을 모두 수행할 수 있도록 함에 있어서 어느 범위에서 어떠한 방식에 의할 것인지는 궁극적으로 입법자가 충분한 사회적 합의를 거쳐 형성해야 할 사항에 속한다. 따라서 이 조항에 대하여 2008. 12. 31.을 시한으로 계속 적용을 명하는 헌법불합치를 선언한다.

223) 검찰 실무에서는 종종 제87조 제①항 제2호(제33조 제②항을 위반한 때)로 기소하는 경우가 있으나 제90조가 올바른 적용법조이다.

224) 최근에 국민건강보험공단의 요양급여비용 환수처분에 대한 행정소송이 제기되어 서울고등법원에서 이중개설금지 위반 등에도 불과하고 당연 무효가 아닌 한 실제로 제공한 유효한 진료행위에 대한 건강보험 요양급여비용청구를 환수할 것은 아니라는 취지의 판결이 선고되었다(서울고등법원 2016. 9. 23. 선고 2014누69442 판결). 의료법위반의 행위가 국민건강보험법상 '속임수나 그 밖의 부당한 방법으로 보험급여비용을 받은 경우'에 해당하기 위해서는 의료법 위반행위가 반사회적이거나 그에 준할 정도로 보호가치가 없는 행위로 국민건강보험법상의 보험체계를 교란시키는 정도에 해당하여야 할 것이라는 판단기준을 제시한 후, 중복개설 금지규정을 위반하는 등 반사회성이 크지 않은 의료법 위반행위가 있으나 실제 유효한 진료행위를 제공하였고 그것에 대해 청구한 건강보험 요양급여 중 환자본인부담금 부분까지 환수하는 것은 타당하지 않다는 취지의 판결로서 대법원의 최종적인 판단이 기대된다.

(3) 1인 1개소 조항은 특정 중앙회의 입장만을 대변하였을 뿐이고 자율경쟁이라는 시장경제의 원리와 의료 소비자 권익을 무시한 위헌적인 입법이며 의료산업 활성화, 규제 완화 등 전 세계적인 의료계 흐름에도 배치된다. 네트워크 의료기관의 가장 큰 장점은 의료행위나 경영 등의 노하우를 공유해서 상향 표준화할 수 있다는 것으로 전 세계 의료의 흐름이다. 1인 1개소 조항은 비의료인인 사무장이 운영하는 의료기관 때문에 입법화된 것으로서 이익집단간 분쟁으로 대한민국 의료의 근간을 흔들어 놓고 있다. 즉 '사무장 병원' 같은 빈대를 잡으려고 '대한민국 의료계'란 초가삼간을 불태웠는데 정작 빈대는 죽지 않고 초가삼간만 태운 꼴이 되고 있다.

(4) 1인 1개소 조항은 "의료인은 어떠한 명목으로도 둘 이상의 의료기관을 개설·운영할 수 없다."라고 규정하는데 '개설·운영'이라는 표현이 명확성의 원칙에 반한다. 특히 '운영'이라는 표현이 의료법 어디를 찾아보아도 그 의미가 분명하지 않으므로, 명확성의 원칙에 반한다. 의사가 다른 의사의 병원 운영에 조언을 한 경우도 대가의 수령여부를 불문하고 의료법에 저촉될 여지가 있으며, 다른 의사의 병원 운영을 위하여 돈을 빌려준 경우도 저촉될 여지가 있다.

(5) 의료법상 가장 큰 벌칙은 제87조 제①항의 '5년 이하의 징역 또는 5,000만원 이하의 벌금'이다. 그런데 1인 1개소 조항을 위반하면 이 조항으로 처벌된다. 사회적 비난가능성이 큰 리베이트 수수로 적발되어도 '2년 이하의 징역에 1,000만원 이하의 벌금'이며 의료생활협동조합을 악용하여 사무장 병원을 운영하다 적발되어도 '1년 이하의 징역'인데 의사로서 의료업을 하면 '5년 이하의 징역 또는 2,000만원 이하의 벌금'이라는 점에서 비난가능성과 형벌간에 균형이 맞지 않는다. 그러므로 1인 1개소 조항은 책임과 형벌의 비례하지 않은 위헌인 조항이다.

(6) 의사와 변호사는 고도의 공익적 업무를 수행하고 고도의 윤리성을 갖는 점에서 본질적으로 동일한 전문직이다. 변호사법 제21조 제③항은 "변호사는 어떠한 명목으로도 둘 이상의 법률사무소를 둘 수 없다."라고 규정하고 있다. 그런데 변호사법에는 처벌 규정이 없다. 따라서 1인 1개소 조항은 의료법상 가장 무겁게 처벌하고 있다는 점에서 너무 자의적인 법률조항이며 헌법상의 평등권에 위반된다. 현재 헌법재판소에서 1인 1개소 조항에 대한 위헌법률심판과 헌법소원 사건들이 심리 중에 있으므로 1인 1개소 조항에 관한 분설을 지양하고 개정 전의 규정인 복수개설의 금지를 검토하기로 한다.

나. 복수개설(이중개설)의 금지

(1) 1인 1개소 조항 신설 전에는 헌법재판소 2007. 12. 27. 선고 2004헌마1021 결정을 반영하여 2009. 1. 30. "의료인은 하나의 의료기관만 개설할 수 있다. 다만, 2 이상의 의료인 면허를 소지한 자가 의원급 의료기관을 개설하려는 경우에는 하나의 장소에 한하여 면허 종별에 따른 의료기관을 함께 개설할 수 있다(제33조 제⑧항)."는 내용으로 개정되었다. 이른바 복수개설 또는 이중개설 금지 조항이다.

(2) 의료인이 개설할 수 있는 의료기관의 수를 1개소[225]로 제한(복수개설 금지)하는 입법 취지는 의사가 의

---

225) 같은 종별의 의료인들이 같은 장소에서 공동으로 자본을 출자해서 공동 명의 의료기관을 개설하는 공동개원 또는 동업개원은 의료기관 1개소를 개설하는 것이므로 중복 개설이 아니다. 공동개원의 개설자가 같은 종별의 의료인 2인 이상이면 개설자 대표 1인을 선정하여야 한다.

료행위를 직접 수행할 수 있는 장소적 범위 내에서만 의료기관의 개설을 허용함으로써 의사 아닌 자에 의하여 의료기관이 관리되는 것을 그 개설단계에서 미리 방지하고 의료인 1인이 복수의 의료기관을 개설하여 의료행위를 함으로써 발생될 수 있는 역량의 분산 또는 의료 질의 저하를 예방하여 환자가 수준 높은 최선의 의료 혜택을 받을 수 있도록 함에 있다. 따라서 자신의 명의로 의료기관을 개설하고 있는 의사가 다른 의사의 명의로 또 다른 의료기관을 개설하여 그 소속의 직원들을 직접 채용하여 급료를 지급하고 그 영업에 따라 발생하는 이익을 취하는 등 새로 개설한 의료기관의 경영에 직접 관여한 점만으로는 다른 의사의 면허증을 대여받아 실질적으로 별도의 의료기관을 개설한 것이라고 볼 수 없으나, 다른 의사의 명의로 개설된 의료기관에서 자신이 직접 의료행위를 하거나 무자격자를 고용하여 자신의 주관하에 의료행위를 하게 한 경우는 비록 그 개설명의자인 다른 의사가 새로 개설한 의료기관에서 직접 일부 의료행위를 하였다고 하더라도 이미 자신의 명의로 의료기관을 개설한 위 의사로서는 중복하여 의료기관을 개설한 경우에 해당한다고 할 것이다[226]. 그리고 의료법 제33조 제②항 본문 규정의 취지는 의료기관 개설자격을 의료전문성을 가진 의료인이나 공적인 성격을 가진 법인, 기관 등으로 엄격히 제한하여 그 이외의 자가 의료기관을 개설하는 행위를 금지함으로써 의료의 적정을 기하여 국민의 건강을 보호 증진하려는 데 있는 것이므로, 의료기관을 개설할 자격이 있는 의료인이 의료법 제33조 제②항의 의료인들로부터 명의를 빌려 그 명의로 의료기관을 개설하더라도 이는 의료기관을 개설할 자격이 없는 자가 의료기관을 개설하는 경우와는 다르다 할 것이어서 의료법 제33조 제②항 본문에 위반되는 행위로 볼 수 없다[227]. 이러한 해석은 의료인 자신의 개설 명의가 아닌 다른 의료인의 명의를 사용하기만 한다면 여러 곳의 의료기관을 운영할 수 있게 된다는 것으로서 의료기관의 프랜차이즈화 내지 병원경영지원회사(MSO)의 활성화가 가능해지고 이른바 의료기관 간에도 합병과 통합이 촉진되는 효과가 있다. 의료법은 법인에 대해서는 영리를 취득하지 못하도록 영리법인의 설립을 불허하고 있으나 개인 병원이나 의원에 대해서는 사실상 영리 취득을 허용하고 있는 상태이다.

(3) 의료법의 입법 취지와 의료인의 자격과 면허에 관한 규정 내용을 종합하여 보면, 의료법 제87조 제①항 제1호에서 금하고 있는 '면허증의 대여'는 '다른 사람이 그 면허증을 이용하여 그 면허증의 명의자인 의사인 것처럼 행세하면서 의료행위를 하려는 것을 알면서도 면허증을 빌려 주는 것'을 의미한다고 해석함이 상당하므로 면허증 대여의 상대방이 무자격자인 경우뿐만 아니라 자격 있는 의료인인 경우도 포함하며, 다만 면허증 대여 후 대여자인 의료인 자신이 면허증을 대여 받은 자가 개설·운영하는 의료기관에서 의료행위를 할 의사로 그리하였고 또 실제로 위 의료기관에서 위 의료인이 의료행위를 계속하여 왔으며, 무자격자가 의료행위를 한 바 없는 경우에는 면허증을 대여한 것으로는 볼 수 없다[228].

---

226) 대법원 1998. 10. 27. 선고 98도2119 판결 참조

227) 대법원 2004. 9. 24. 선고 2004도3875 판결

228) 대법원 1994. 12. 23. 선고 94도1937 판결, 대법원 2003. 6. 24. 선고 2002도6829 판결, 대법원 2005. 1. 13. 선고 2004도7282 판결, 대법원 2005. 7. 22. 선고 2005도3468 판결

3 개설 신고와 허가

가. 개설 신고

(1) 의료기관 개설 적격자가 의원·치과의원·한의원 또는 조산원을 개설하고자 할 때에는 보건복지부 령[229]으로 정하는 바에 따라 시장·군수·구청장에게 신고하여야 한다(제33조 제③항). 개설신고를 하지 않고 의료업을 하거나 폐업 신고(제40조 제①항)를 하고 재개업 신고를 하기 전에 의료업을 하면 500만원 이하의 벌금에 처해질 수 있으며(제90조), 보건복지부장관은 1년의 범위에서 면허자격을 정지시킬 수 있는데(제66조 제①항 제10호), 실무상으로는 의료관계 행정처분규칙 별표 2. 개별 기준 가. 22)에 따라 3월의 자격정지를 처분한다. 그리고 개설신고를 한 날부터 3개월 이내에 정당한 사유 없이 그 업무를 시작하지 않으면 보건복지부장관 또는 시장·군수·구청장이 그 의료업을 1년의 범위에서 정지시키거나 개설 허가를 취소하거나 의료기관 폐쇄를 명할 수 있는데(제64조 제①항 제1호), 실무상으로는 의료관계 행정처분규칙 별표 2. 개별 기준 나. 5)에 따라 의료기관 폐쇄를 명한다.

(2) 의료법 제33조 제③항은 의원, 치과의원, 한의원 또는 조산소의 개설을 단순한 신고사항으로만 규정하고 있고 또 그 신고의 수리여부를 심사, 결정할 수 있게 하는 별다른 규정도 두고 있지 않다. 따라서 의원의 개설신고를 받은 행정관청으로서는 별다른 심사, 결정없이 그 신고를 당연히 수리하여야 하고 의료법 시행규칙 제25조 제③항에 의하면 의원개설 신고서를 수리한 행정관청이 소정의 신고필증을 교부하도록 되어 있다 하여도 이는 신고사실의 확인행위로서 신고필증을 교부하도록 규정한 것에 불과하고 그와 같은 신고필증의 교부가 없다 하여 개설신고의 효력을 부정할 수 없다[230].

---

[229] **의료법 시행규칙 제25조(의료기관 개설신고)** ① 법 제33조 제③항에 따라 의원·치과의원·한의원 또는 조산원을 개설하려는 자는 별지 제14호서식의 의료기관 개설신고서에 다음 각 호의 서류를 첨부하여 시장·군수·구청장(자치구의 구청장을 말한다. 이하 같다)에게 신고하여야 한다. 이 경우 시장·군수·구청장은 「전자정부법」 제36조 제①항에 따른 행정정보의 공동이용을 통하여 법인 등기사항증명 서를 확인하여야 한다.

  1. 개설하려는 자가 법인(「공공기관의 운영에 관한 법률」에 따른 준정부기관 및 의료법인은 제외한다)인 경우: 법인설립허가증 사본, 정관 사본 및 사업계획서 사본

  2. 개설하려는 자가 의료인인 경우: 면허증 사본

  3. 건물평면도 사본 및 그 구조설명서 사본

  4. 의료인 등 근무인원에 대한 확인이 필요한 경우: 면허(자격)증 사본 1부

  5. 삭제 〈2010. 1. 29〉

② 제①항에 따라 신고를 받은 시장·군수·구청장은 신고를 수리하기 전에 「소방시설 설치·유지 및 안전관리에 관한 법률 시행령」 별표 5에 따라 의료시설이 갖추어야 하는 소방시설에 대하여 「소방시설 설치·유지 및 안전관리에 관한 법률」 제7조 제⑥항 전단에 따라 그 의료기관의 소재지를 관할하는 소방본부장이나 소방서장에게 그 의료시설이 같은 법 또는 같은 법에 따른 명령을 따르고 있는지에 대한 확인을 요청하여야 한다.

③ 시장·군수·구청장은 제①항에 따른 신고를 수리한 경우에는 별지 제15호 서식의 의료기관 개설신고증명서를 발급하여야 한다.

④ 시장·군수·구청장은 분기별 의료기관의 개설신고 수리 상황을 매 분기가 끝난 후 15일까지 시·도지사를 거쳐 보건복지부장관에게 보고하여야 한다.

⑤ 시장·군수·구청장은 제③항에 따라 의료기관 개설신고증명서를 발급한 경우에는 의료기관별로 관리카드를 작성·비치하여 신고 사항의 변경신고 및 행정처분 내용 등을 기록·관리하여야 한다.

[230] 대법원 1985. 4. 23. 선고 84도2953 판결

나. 개설 허가

(1) 의료기관 개설 적격자가 종합병원 · 병원 · 치과병원 · 한방병원 또는 요양병원을 개설하려면 보건복지부령[231]으로 정하는 바에 따라 시 · 도지사의 허가를 받아야 한다. 이 경우 시 · 도지사는 개설하려는 의료기관이 제36조(개설시 준수사항)에 따른 시설기준에 맞지 아니하는 경우에는 개설허가를 할 수 없다(제33조 제④항). 개설허가를 받지 않고 의료업을 하거나 폐업 신고(제40조 제①항)를 하고 재개설 허가를 받기 전에 의료업을 하면 3년 이하의 징역이나 3천만원 이하의 벌금에 처해질 수 있으며(제88조), 보건복지부장관은 1년의 범위에서 면허자격을 정지시킬 수 있는데(제66조 제①항 제10호), 실무상으로는 의료관계 행정처분규칙 별표 2. 개별 기준 가. 22)에 따라 3월의 자격정지를 처분한다. 그리고 개설허가를 받은 날부터 3개월 이내에 정당한 사유 없이 그 업무를 시작하지 않으면 보건복지부장관 또는 시장 · 군수 · 구청장이 그 의료업을 1년의 범위에서 정지시키거나 개설 허가를 취소하거나 의료기관 폐쇄를 명할 수 있는데(제64조 제①항 제1호), 실무상으로는 의료관계 행정처분규칙 별표 2. 개별 기준 나. 5)에 따라 허가취소를 명한다.

(2) 개설 허가는 의료법에 의한 일반적인 상대적 금지를 특정한 경우에 해제하여 적법하게 일정한 행위를 할 수 있게 하여 주는 행정행위이다. 개설 허가가 재량행위인지 아니면 기속행위인지에 관하여 논란의 여지는 있으나 관계 법령상의 허가 요건이 충족되면 당해 자유권의 행사에 공익상의 장해요인이 없다는 것을 의미하므로 개성 허가권자는 허가를 하여야 할 기속을 받는다. 관계 법령상의 요건이 충족됨에도 불구하고 개설 허가권자가 허가를 거부하거나 반려하는 것은 부당하게 헌법상의 자유권 행사를 제한하는 처분으로서 허용되지 않는다[232), 233)].

---

231) **의료법 시행규칙 제27조(의료기관 개설허가)** ① 법 제33조 제④항에 따라 종합병원 · 병원 · 치과병원 · 한방병원 또는 요양병원의 개설허가를 받으려는 자는 별지 제16호 서식의 의료기관 개설허가신청서(전자문서로 된 신청서를 포함한다)에 다음 각 호의 서류(전자문서를 포함한다)를 첨부하여 시 · 도지사에게 제출하여야 한다. 이 경우 시 · 도지사는 「전자정부법」 제36조 제①항에 따른 행정정보의 공동이용을 통하여 법인 등기사항증명서를 확인하여야 한다.
1. 개설하려는 자가 법인(의료법인은 제외한다)인 경우: 법인설립허가증 사본(「공공기관의 운영에 관한 법률」에 따른 준정부기관은 제외한다), 정관 사본 및 사업계획서 사본
2. 개설하려는 자가 의료인인 경우: 면허증 사본과 사업계획서 사본
3. 건물평면도 사본 및 그 구조설명서 사본
4. 의료인 등 근무인원에 대한 확인이 필요한 경우: 면허(자격)증 사본 1부
5. 삭제 〈2010. 1. 29〉
② 제①항에 따라 개설허가 신청을 받은 시 · 도지사는 의료기관의 개설허가를 하기 전에 「소방시설 설치 · 유지 및 안전관리에 관한 법률 시행령」 별표 5에 따라 의료시설이 갖추어야 하는 소방시설에 대하여 「소방시설 설치 · 유지 및 안전관리에 관한 법률」 제7조 제⑥항 전단에 따라 그 의료기관의 소재지를 관할하는 소방본부장이나 소방서장에게 그 의료시설이 같은 법 또는 같은 법에 따른 명령을 따르고 있는지에 대한 확인을 요청하여야 한다.
③ 시 · 도지사는 제①항에 따라 의료기관의 개설허가를 한 때에는 지체 없이 별지 제17호 서식의 의료기관 개설허가증을 발급하여야 한다.
④ 시 · 도지사는 분기별 의료기관의 개설허가 상황을 매 분기가 끝난 후 15일까지 보건복지부장관에게 보고하여야 한다.
⑤ 시 · 도지사는 제③항에 따라 의료기관의 개설허가증을 발급한 때에는 의료기관별로 관리카드를 작성 · 비치하여 허가 사항의 변경허가 및 행정처분 내용 등을 기록 · 관리하여야 한다.

232) 대법원 1992. 12. 11. 선고 92누3038 판결 ; 건축허가권자는 건축허가신청이 건축법 등 관계 법규에서 정하는 어떠한 제한에 배치되지 않는 이상 당연히 같은 법조에서 정하는 건축허가를 하여야 하고, 중대한 공익상의 필요가 없음에도 불구하고, 요건을 갖춘 자에 대한 허가를 관계 법령에서 정하는 제한사유 이외의 사유를 들어 거부할 수는 없다.

233) 대법원 2000. 3. 24. 선고 97누12532 판결 ; 식품위생법상 일반음식점영업허가는 성질상 일반적 금지의 해제에 불과하므로 허가권자는 허가신청이 법에서 정한 요건을 구비한 때에는 허가하여야 하고 관계 법령에서 정하는 제한사유 외에 공공복리 등의 사유를 들어 허가신청을 거부할 수는 없고, 이러한 법리는 일반음식점 허가사항의 변경허가에 관하여도 마찬가지이다.

4 이전과 변경의 신고 · 허가

가. 절차

개설된 의료기관이 개설 장소를 이전하거나 개설에 관한 신고 또는 허가사항 중 보건복지부령[234)]으로 정하는 중요사항을 변경하려는 때에도 개설 신고(제③항) 또는 개설 허가(제④항)와 같은 절차를 밟아야 한다(제33조 제⑤항).

나. 위반 시 제재

변경 신고를 하지 않으면 100만원 이하의 과태료가 부과되며(제92조 제③항 제2호), 변경 허가를 받지 않으면 500만원 이하의 벌금에 처해질 수 있다(제90조). 신고하거나 허가받지 않고 개설장소를 이전하거나 개설신고한 사항 또는 허가받은 사항을 변경하면 보건복지부장관이 1년의 범위에서 면허자격을 정지시킬 수 있는데(제66조 제①항 제5호), 실무상으로는 의료관계 행정처분규칙 별표 2. 개별 기준 나. 6)에 따라 경고한다. 의료기관이 신고하거나 허가받지 않고 개설장소를 이전하거나 개설신고한 사

---

234) **의료법 시행규칙 제26조(의료기관 개설신고사항의 변경신고)** ① 법 제33조 제⑤항에 따라 의원 · 치과의원 · 한의원 또는 조산원 개설자가 그 개설 장소를 이전하거나 다음 각 호의 어느 하나에 해당하는 개설신고사항의 변경신고를 하려면 의료기관 개설신고증명서와 변경 사항을 확인할 수 있는 서류의 사본을 첨부하여 별지 제14호 서식의 신고사항 변경신고서(전자문서로 된 신고서를 포함한다)를 시장 · 군수 · 구청장에게 제출하여야 한다.

  1. 의료기관 개설자의 변경 사항
  2. 의료기관 개설자가 입원, 해외 출장 등으로 다른 의사 · 치과의사 · 한의사 또는 조산사에게 진료하게 할 경우 그 기간 및 해당 의사 등의 인적 사항
  3. 의료기관의 진료과목의 변동 사항
  4. 진료과목 증감이나 입원실 등 주요 시설의 변경에 따른 시설 변동 내용
  5. 의료기관의 명칭 변경 사항
  6. 의료기관의 의료인 수

② 제①항 각 호 외의 부분에 따른 개설 장소의 이전이나 같은 항 제4호에 따른 시설 변동 내용의 변경신고를 받은 시장 · 군수 · 구청장은 변경신고를 수리하기 전에 「소방시설 설치 · 유지 및 안전관리에 관한 법률 시행령」 별표 5에 따라 의료시설이 갖추어야 하는 소방시설에 대하여 「소방시설 설치 · 유지 및 안전관리에 관한 법률」 제7조 제⑥항 전단에 따라 그 의료기관의 소재지를 관할하는 소방본부장이나 소방서장에게 그 의료시설이 같은 법 또는 같은 법에 따른 명령을 따르고 있는지에 대한 확인을 요청하여야 한다.

③ 시장 · 군수 · 구청장은 제①항에 따른 변경신고를 수리한 경우에 의료기관개설신고증명서의 기재사항을 고쳐쓸 필요가 있으면 이를 개서(改書)하여 주거나 재발급하여야 한다.

제28조(의료기관 개설허가 사항의 변경허가) ① 법 제33조 제⑤항에 따라 의료기관의 개설허가를 받은 자가 그 개설 장소를 이전하거나 다음 각 호의 어느 하나에 해당하는 개설허가 사항의 변경허가를 받으려면 의료기관 개설허가증과 변경 사항을 확인할 수 있는 서류의 사본을 첨부하여 별지 제16호 서식의 허가사항 변경신청서를 시 · 도지사에게 제출하여야 한다.

  1. 의료기관 개설자의 변경 사항
  2. 법 제3조 제②항에 따른 의료기관의 종류 변경 또는 진료과목의 변동 사항
  3. 진료과목 증감이나 입원실 등 주요시설 변경에 따른 시설 변동 내용
  4. 의료기관의 명칭 변경 사항
  5. 의료기관의 의료인 수

② 제①항 각 호 외의 부분에 따른 개설 장소의 이전, 같은 항 제2호에 따른 의료기관의 종류 변경 및 같은 항 제3호에 따른 시설 변동 내용의 변경허가 신청을 받은 시 · 도지사는 변경허가를 하기 전에 「소방시설 설치 · 유지 및 안전관리에 관한 법률 시행령」 별표 5에 따라 의료시설이 갖추어야 하는 소방시설에 대하여 「소방시설 설치 · 유지 및 안전관리에 관한 법률」 제7조 제⑥항 전단에 따라 그 의료기관의 소재지를 관할하는 소방본부장이나 소방서장에게 그 의료시설이 같은 법 또는 같은 법에 따른 명령을 따르고 있는지에 대한 확인을 요청하여야 한다.

③ 시 · 도지사는 제①항에 따라 변경허가를 한 때에 의료기관 개설허가증을 고쳐쓸 필요가 있으면 이를 개서하여 주거나 재발급하여야 한다.

항 또는 허가받은 사항 중 보건복지부령으로 정하는 중요사항을 변경하면 보건복지부장관 또는 시장·군수·구청장이 일정한 기간을 정하여 그 시설·장비 등의 전부 또는 일부의 사용을 제한 또는 금지하거나 위반한 사항을 시정하도록 명할 수 있고(제63조), 명령을 위반하거나 시정명령을 이행하지 않으면 보건복지부장관 또는 시장·군수·구청장이 그 의료업을 1년의 범위에서 정지시키거나 개설 허가를 취소하거나 의료기관 폐쇄를 명할 수 있는데(제64조 제①항 제3호, 제6호), 의료관계 행정처분규칙 별표 2. 개별 기준에 그 내용이 없다.

5 원격의료

제34조【원격의료】 ① 의료인(의료업에 종사하는 의사·치과의사·한의사만 해당한다)은 제33조 제①항에도 불구하고 컴퓨터·화상통신 등 정보통신기술을 활용하여 먼 곳에 있는 의료인에게 의료지식이나 기술을 지원하는 원격의료(이하 "원격의료"라 한다)를 할 수 있다.
② 원격의료를 행하거나 받으려는 자는 보건복지부령으로 정하는 시설과 장비를 갖추어야 한다.
③ 원격의료를 하는 자(이하 "원격지의사"라 한다)는 환자를 직접 대면하여 진료하는 경우와 같은 책임을 진다.
④ 원격지의사의 원격의료에 따라 의료행위를 한 의료인이 의사·치과의사 또는 한의사(이하 "현지의사"라 한다)인 경우에는 그 의료행위에 대하여 원격지의사의 과실을 인정할 만한 명백한 근거가 없으면 환자에 대한 책임은 제③항에도 불구하고 현지의사에게 있는 것으로 본다.

제63조【시정 명령 등】 보건복지부장관 또는 시장·군수·구청장은 의료기관이 ——중략—— 제34조 제②항, ——중략——을 위반한 때 또는 ——중략—— 아니하게 된 때에는 일정한 기간을 정하여 그 시설·장비 등의 전부 또는 일부의 사용을 제한 또는 금지하거나 위반한 사항을 시정하도록 명할 수 있다.

제64조【개설 허가 취소 등】 ① 보건복지부장관 또는 시장·군수·구청장은 의료기관이 다음 각 호의 어느 하나에 해당하면 그 의료업을 1년의 범위에서 정지시키거나 개설 허가를 취소하거나 의료기관 폐쇄를 명할 수 있다. 다만, 제8호에 해당하는 경우에는 의료기관 개설 허가를 취소하거나 의료기관 폐쇄를 명하여야 하며, 의료기관 폐쇄는 제33조 제③항과 제35조 제①항 본문에 따라 신고한 의료기관에만 명할 수 있다.
   3. 제61조에 따른 관계 공무원의 직무 수행을 기피 또는 방해하거나 제59조 또는 제63조에 따른 명령을 위반한 때
   6. 제63조에 따른 시정명령(제4조 제⑤항 위반에 따른 시정명령을 제외한다)을 이행하지 아니한 때

제67조【과징금 처분】 ① 보건복지부장관이나 시장·군수·구청장은 의료기관이 제64조 제①항 각 호의 어느 하나에 해당할 때에는 대통령령으로 정하는 바에 따라 의료업 정지 처분을 갈음하여 5천만원 이하의 과징금을 부과할 수 있으며, 이 경우 과징금은 3회까지만 부과할 수 있다. 다만, 동일한 위반행위에 대하여 「표시·광고의 공정화에 관한 법률」 제9조에 따른 과징금 부과처분이 이루어진 경우에는 과징금(의료업 정지 처분을 포함한다)을 감경하여 부과하거나 부과하지 아니할 수 있다.

제90조【벌칙】 ——중략—— 제33조 제①항·제③항(제82조 제③항에서 준용하는 경우를 포함한다)·제⑤항 (허가의 경우만을 말한다), 제35조 제①항 본문 ——중략—— 을 위반한 자나 제63조에 따른 명령을 위반한 자와 의료기관 개설자가 될 수 없는 자에게 고용되어 의료행위를 한 자는 500만원 이하의 벌금에 처한다.

제91조【양벌규정】

가. 의의

(1) 의사·치과의사·한의사는 개설한 의료기관 내에서 의료업을 하여야 함이 원칙이지만(제33조 제① 항) 이에 대한 예외로 의료업에 종사하는 의사·치과의사·한의사는 컴퓨터·화상통신 등 정보통신 기술을 활용하여 먼 곳에 있는 의료인에게 의료지식이나 기술을 지원하는 원격의료를 할 수 있다(제 34조 제①항).

(2) 원격의료(telemedicine)는 상호작용하는 정보통신 기술을 이용하여 원거리에 의료정보와 의료서비스 를 전달하는 모든 활동이다. 환자 또는 의료정보가 먼 거리에 떨어져 있거나 시간적으로 많은 차이 가 발생하는 등의 문제로 인해 도달할 수 없는 경우 의료정보 및 전문적 조언을 원격으로 제공하는 시스템으로 진료 뿐만 아니라 의료행정, 의학교육, 자문과 의뢰 등을 포함하는 포괄적인 개념이다. 원격진료의 응용범위는 가장 일반적이고 개발이 활발히 진행되고 있는 재택진료, 그리고 원격화상 회의, 그 밖에 원격 의료영상저장전송시스템(PACS: Picture Archiving and Communications System), 원 격 영상진단, 가상병원 등이 있다.

나. 허용 범위

(1) 의사·치과의사·한의사가 정보통신기술을 활용하여 원격지에 있는 다른 의료인에게 의료지식이나 기술을 지원하는 행위만이 허용될 뿐이고 환자에 대한 의료행위를 허용한 것은 아니다.

(2) 환자에 대한 원격진료를 허용할 것인가에 관한 찬반 양론이 대립 중에 있으며 원격진료 전문의료기 관을 금지하고 의원급에 한해서만 환자에 대한 원격진료를 허용하며 원격 진단·처방 시 주기적인 대면진료를 의무화하자는 개정 움직임도 있었다. 그러나 부정확한 진료의 위험성, 즉 환자의 신체 가 보내는 신호 중에서 정보통신(데이터)화 할 수 있는 것은 활력징후(혈압, 맥박, 호흡수, 체온)와 심전도 등의 기초적인 것들에 불과한데 의사·치과의사·한의사가 이 정보만으로는 환자의 상태를 정확하게 알 수 없다는 위험성으로 인하여 신중론이 개원가에서는 지배적이다. 오지나 도서 지역과 같이 첨단 의료 혜택을 받지 못하는 지역의 환자, 장기요양 환자, 또는 교도소나 군대와 같은 특수 구역의 환자에 대한 원격진료 허용은 입법론으로 고려할 가치가 있다.

(3) 원격의료를 행하거나 받으려는 자는 보건복지부령[235]으로 정하는 시설과 장비를 갖추어야 한다(제

---

[235] **의료법 시행규칙 제29조(원격의료의 시설 및 장비)** 법 제34조 제②항에 따라 원격의료를 행하거나 받으려는 자가 갖추어야 할 시설과 장비는 다음 각 호와 같다.

34조 제②항). 이를 위반하여 시설과 장비를 갖추지 않으면 보건복지부장관 또는 시장 · 군수 · 구청장이 일정한 기간을 정하여 그 시설 · 장비 등의 전부 또는 일부의 사용을 제한 또는 금지하거나 위반한 사항을 시정하도록 명할 수 있고(제63조), 명령을 위반하거나 시정명령을 이행하지 않으면 보건복지부장관 또는 시장 · 군수 · 구청장이 그 의료업을 1년의 범위에서 정지시키거나 개설 허가를 취소하거나 의료기관 폐쇄를 명할 수 있는데(제64조 제①항 제3호, 제6호), 의료관계 행정처분규칙 별표 2. 개별 기준에 그 내용이 없다. 제63조에 따른 명령을 위반하면 500만원 이하의 벌금에 처해질 수 있다(제90조).

다. 책임

(1) 원격의료를 하는 자(원격지 의사)는 환자를 직접 대면하여 진료하는 경우와 같은 책임을 진다(제34조 제③항).

(2) 원격지 의사의 원격의료에 따라 의료행위를 한 의료인이 의사 · 치과의사 또는 한의사(현지 의사)인 경우에는 그 의료행위에 대하여 원격지 의사의 과실을 인정할 만한 명백한 근거가 없으면 환자에 대한 책임은 원격지 의사의 책임(제③항)에도 불구하고 현지 의사에게 있는 것으로 본다(제34조 제④항).

6 준수사항과 공중보건의사 고용금지

제36조【준수사항】 제33조 제②항 및 제⑧항에 따라 의료기관을 개설하는 자는 보건복지부령으로 정하는 바에 따라 다음 각 호의 사항을 지켜야 한다.
    1. 의료기관의 종류에 따른 시설기준 및 규격에 관한 사항
    2. 의료기관의 안전관리시설 기준에 관한 사항
    3. 의료기관 및 요양병원의 운영 기준에 관한 사항
    4. 고가의료장비의 설치 · 운영 기준에 관한 사항
    5. 의료기관의 종류에 따른 의료인 등의 정원 기준에 관한 사항
    6. 급식관리 기준에 관한 사항

제36조의 2【공중보건의사 고용금지】 의료기관 개설자는 「농어촌 등 보건의료를 위한 특별조치법」 제5조의 2에 따른 배치기관 및 배치시설이나 같은 법 제6조의 2에 따른 파견근무기관 및 시설이 아니면 같은 법 제2조 제1호의 공중보건의사에게 의료행위를 하게 하거나, 제41조에 따른 당직의료인으로 두어서는 아니 된다.

제63조【시정 명령 등】 보건복지부장관 또는 시장 · 군수 · 구청장은 의료기관이 ──중략── 제36조, 제36조의 2, ──중략──을 위반한 때 또는 ──중략── 아니하게 된 때에는 일정한 기간을 정하여 그 시설 · 장비 등의 전부 또는 일부의 사용을 제한 또는 금지하거나 위반한 사항을 시정하도록 명할 수 있다.

---

1. 원격진료실
2. 데이터 및 화상(畵像)을 전송 · 수신할 수 있는 단말기, 서버, 정보통신망 등의 장비

제64조【개설 허가 취소 등】 ① 보건복지부장관 또는 시장·군수·구청장은 의료기관이 다음 각 호의 어느 하나에 해당하면 그 의료업을 1년의 범위에서 정지시키거나 개설 허가를 취소하거나 의료기관 폐쇄를 명할 수 있다. 다만, 제8호에 해당하는 경우에는 의료기관 개설 허가를 취소하거나 의료기관 폐쇄를 명하여야 하며, 의료기관 폐쇄는 제33조 제③항과 제35조 제①항 본문에 따라 신고한 의료기관에만 명할 수 있다.

    3. 제61조에 따른 관계 공무원의 직무 수행을 기피 또는 방해하거나 제59조 또는 제63조에 따른 명령을 위반한 때

    6. 제63조에 따른 시정명령(제4조 제⑤항 위반에 따른 시정명령을 제외한다)을 이행하지 아니한 때

제67조【과징금 처분】 ① 보건복지부장관이나 시장·군수·구청장은 의료기관이 제64조 제①항 각 호의 어느 하나에 해당할 때에는 대통령령으로 정하는 바에 따라 의료
업 정지 처분을 갈음하여 5천만원 이하의 과징금을 부과할 수 있으며, 이 경우 과징금은 3회까지만 부과할 수 있다. 다만, 동일한 위반행위에 대하여 「표시·광고의 공정화에 관한 법률」 제9조에 따른 과징금 부과처분이 이루어진 경우에는 과징금(의료업 정지 처분을 포함한다)을 감경하여 부과하거나 부과하지 아니할 수 있다.

가. 서설

[1] 의료기관을 개설하는 자는 보건복지부령[236]으로 정하는 바에 따라 ① 의료기관의 종류에 따른 시설 기준 및 규격에 관한 사항, ② 의료기관의 안전관리시설 기준에 관한 사항, ③ 의료기관 및 요양병원의 운영 기준에 관한 사항, ④ 고가의료장비의 설치·운영 기준에 관한 사항, ⑤ 의료기관의 종류에 따른 의료인 등의 정원 기준에 관한 사항 그리고 ⑥ 급식관리 기준에 관한 사항을 지켜야 한다(제36조). 이를 위반하여 의료기관의 종류에 따른 시설·장비의 기준 및 규격, 의료인의 정원, 그 밖에 의료기관의 운영에 관하여 정한 사항을 지키지 않으면 보건복지부장관 또는 시장·군수·구청장이 일정한 기간을 정하여 그 시설·장비 등의 전부 또는 일부의 사용을 제한 또는 금지하거나 위반한 사항을 시정하도록 명할 수 있는데(제63조), 실무상으로는 의료관계 행정처분규칙 별표 2. 개별기준 나. 8)에 따라 시정명령을 처분한다. 시정명령을 이행하지 않으면 보건복지부장관 또는 시장·

---

[236] **의료법 시행규칙 제33조(개설자 또는 관리자의 준수 사항)** 법 제36조에 따라 의료기관을 개설·운영하는 개설자나 관리자는 다음 각 호의 사항을 지켜야 한다.
  1. 입원실의 정원을 초과하여 입원시키지 아니할 것
  2. 입원실은 남·여별로 구별할 것
  3. 입원실이 아닌 장소에 환자·임부 또는 해산부를 입원시키지 아니할 것
  4. 정신병환자는 정신병 입원실 외에는 입원시키지 아니할 것
  5. 전염의 우려가 있는 환자와 그 밖의 환자를 같은 입원실에 입원시키지 아니할 것
  6. 전염의 우려가 있는 환자가 입원하였던 입원실 및 그 옷·침구·식기 등은 완전히 소독하기 전에는 사용하지 아니할 것
  7. 변질·오염·손상되었거나 유효기간 또는 사용기한이 지난 의약품은 진열하거나 사용하지 아니할 것
  8. 한방병원 또는 한의원의 개설자나 관리자는 「의약품 등의 안전에 관한 규칙」 제62조 제5호에 따라 규격품으로 판매하도록 지정·고시된 한약을 조제하는 경우에는 규격품을 사용할 것
  9. 외래진료실에 진료 중인 환자 외에 다른 환자를 대기시키지 않도록 할 것
  10. 의료기관에서 환자의 처치에 사용되는 기구 및 물품(1회용품은 제외한다)은 보건복지부장관이 정하여 고시하는 방법에 따라 소독하여 사용할 것

군수·구청장이 그 의료업을 1년의 범위에서 정지시키거나 개설 허가를 취소하거나 의료기관 폐쇄를 명할 수 있는데(제64조 제①항 제3호, 제6호), 실무상으로는 의료관계 행정처분규칙 별표 2. 개별 기준 나. 27)에 따라 업무정지 15일을 처분한다. 보건복지부장관이나 시장·군수·구청장은 정지 처분에 갈음하여 5천만원 이하의 과징금을 부과할 수 있다(제67조 제①항).

(2) 병역법과 농어촌 등 보건의료를 위한 특별조치법에 따라, 의사·치과의사 또는 한의사 자격을 가진 사람이 3년 동안 농어촌 등 보건의료 취약지역의 정해진 기관에서 공중보건의사로 복무하면 사회복무요원으로서 병역의 의무를 마친 것으로 인정받는다. 공중보건의사는 직장 또는 근무지역을 이탈하거나 공중보건업무 외의 업무를 하여서는 안 되며 국가공무원법상의 임기제 공무원으로서 영리업무 및 겸직 금지 의무를 준수하여야 한다. 그런데 공중보건의사가 의무복무기간에 일반 민간 의료기관에서 돈을 받고 불법 의료행위를 한 것이 적발되어 사회적 논란이 되었다. 이 경우 불법 의료행위를 한 공중보건의사는 농어촌 등 보건의료를 위한 특별조치법에 따라 의무복무기간 연장 등의 제재를 받게 되나, 공중보건의사를 고용한 의료기관의 경우 기존 의료법에 이를 제재할 수 있는 법적 근거가 없어 불법 의료행위를 근절하는 데 한계가 있었다. 이에 2015. 12. 29.자 개정으로 제36조의 2가 신설되었다. 의료기관 개설자는 농어촌 등 보건의료를 위한 특별조치법 제5조의 2[237]에 따른 배치기관 및 배치시설이나 같은 법 제6조의 2[238]에 따른 파견근무기관 및 시설이 아니면 같은 법 제2조 제1호의 공중보건의사에게 의료행위를 하게 하거나, 제41조에 따른 당직의료인으로 두어서는 아니 된다(제36조의 2). 이를 위반하여 공중보건의사에게 의료행위를 하게 하거나 당직의료인으로 두면 보건복지부장관 또는 시장·군수·구청장이 일정한 기간을 정하여 그 시설·장비 등의 전부 또는 일부의 사용을 제한 또는 금지하거나 위반한 사항을 시정하도록 명할 수 있다(제63조). 명령을 위반하거나 시정명령을 이행하지 않으면 보건복지부장관 또는 시장·군수·구청장이 그 의료업을 1년의 범위에서 정지시키거나 개설 허가를 취소하거나 의료기관 폐쇄를 명할 수 있다(제64조 제①항 제3호, 제6호).

---

237) **농어촌 등 보건의료를 위한 특별조치법 제5조의 2(공중보건의사의 배치기관 및 배치시설)** ① 제5조 제①항 및 제②항에 따라 보건복지부장관 또는 시·도지사가 공중보건의사를 배치할 수 있는 기관 또는 시설은 다음 각 호와 같다.
  1. 보건소 또는 보건지소
  2. 국가·지방자치단체 또는 공공단체가 설립·운영하는 병원으로서 보건복지부장관이 정하는 병원(이하 이 조에서 "공공병원"이라 한다)
  3. 공공보건의료연구기관
  4. 공공보건사업의 위탁사업을 수행하는 기관 또는 단체
  5. 보건의료정책을 수행할 때에 공중보건의사의 배치가 필요한 기관 또는 시설로 대통령령으로 정하는 기관 또는 시설
② 제①항에 따른 보건소 및 공공병원은 특별시·광역시(광역시의 관할구역에 있는 군 지역은 제외한다) 외의 지역에 있는 기관 및 시설로 한정한다.

238) **농어촌 등 보건의료를 위한 특별조치법 제6조의 2(파견근무)** ① 보건복지부장관은 감염병 또는 재해 발생 등의 사유로 의료 인력이 긴급히 필요하다고 인정할 때에는 공중보건의사를 다른 지역·기관 또는 시설에 파견하여 근무하게 할 수 있다. 다만, 같은 시·도 내 또는 같은 시·군·구 내의 파견은 해당 시·도지사 또는 시장·군수·구청장이 한다.
② 제①항 단서에 따라 공중보건의사의 파견을 명령한 시·도지사 또는 시장·군수·구청장은 그 결과를 지체 없이 보건복지부장관에게 보고하여야 한다.
③ 제①항에 따른 파견근무는 제5조의 2에 따른 배치기관 또는 배치시설이 아닌 경우에도 할 수 있다. 이 경우 시·도지사 또는 시장·군수·구청장은 보건복지부장관의 승인을 받아야 한다.

나. 의료기관의 종류에 따른 시설기준 및 규격

(1) 의료기관의 종류별 시설기준은 별표 3과 같고, 그 시설규격은 별표 4와 같다(의료법 시행규칙 제34조).

(2) [별표 3] 의료기관의 종류별 시설기준 (제34조 관련)

시설	종합병원 병원 요양병원	치과 병원	한방 병원	의원	치과 의원	한의원	조산원
1. 입원실	입원환자 100명 이상(병원·요양병원의 경우는 30명 이상)을 수용할 수 있는 입원실		입원환자 30명 이상을 수용할 수 있는 입원실	입원실을 두는 경우 입원환자 29명 이하를 수용할 수 있는 입원실	의원과 같음	의원과 같음	1 (분만실 겸용)
2. 중환자실	1 (병상이 300개 이상인 종합병원만 해당한다)						
3. 수술실	1 (외과계 진료과목이 있는 종합병원이나 병원인 경우에만 갖춘다)	1 (외과계 진료과목이 있는 경우에만 갖춘다)	1 (외과계 진료과목이 있는 경우에만 갖춘다)	1 (외과계 진료과목이 있고, 전신마취하에 수술을 하는 경우에만 갖춘다)	1 (외과계 진료과목이 있고, 전신마취하에 수술을 하는 경우에만 갖춘다)		
4. 응급실	1 (병원·요양병원의 경우는 「응급의료에 관한 법률」에 따라 지정받은 경우에만 갖춘다)						
5. 임상검사실	1 (요양병원의 경우 관련 치과 진료과목이 있는 경우에만 갖춘다)	1	1 (관련 의과 또는 치과 진료 과목이 있는 경우에만 갖춘다)				
6. 방사선 장치	1 (요양병원의 경우 관련 치과 진료과목이 있는 경우에만 갖춘다)	1	1 (관련 의과 또는 치과 진료 과목이 있는 경우에만 갖춘다)				
7. 회복실	1 (수술실이 설치되어 있는 경우에만 갖춘다)	1 (수술실이 설치되어 있는 경우에만 갖춘다)	1 (수술실이 설치되어 있는 경우에만 갖춘다)	1 (수술실이 설치되어 있는 경우에만 갖춘다)	1 (수술실이 설치되어 있는 경우에만 갖춘다)		
8. 물리치료실	1 (종합병원에만 갖춘다)						
9. 한방요법실	1 (관련 한의과 진료과목이 있는 경우에만 갖춘다)	1 (관련 한의과 진료과목이 있는 경우에만 갖춘다)	1				

시설	종합병원 병원 요양병원	치과 병원	한방 병원	의원	치과 의원	한의원	조산원
10. 병리해부실	1 (종합병원에만 갖춘다)						
11. 조제실	1 (조제실을 두는 경우에만 갖춘다)	1 (조제실을 두는 경우에만 갖춘다)	1 (조제실을 두는 경우에만 갖춘다)	1 (조제실을 두는 경우에만 갖춘다)	1 (조제실을 두는 경우에만 갖춘다)	1 (조제실을 두는 경우에만 갖춘다)	1 (조제실을 두는 경우에만 갖춘다)
11의 2. 탕전실	1 (관련 한의과 진료과목을 두고 탕전을 하는 경우에만 갖춘다)	1 (관련 한의과 진료과목을 두고 탕전을 하는 경우에만 갖춘다)	1 (탕전을 하는 경우에만 갖춘다)			1 (탕전을 하는 경우에만 갖춘다)	
12. 의무기록실	1	1	1				
13. 소독시설	1	1	1	1 (외래환자를 진료하지 아니하는 의원은 제외한다)	1	1	1
14. 급식시설	1 (외부 용역업체에 급식을 맡기는 경우에는 적용되지 아니한다)	1 (외부 용역업체에 급식을 맡기는 경우에는 적용되지 아니한다)	1 (외부 용역업체에 급식을 맡기는 경우에는 적용되지 아니한다)				
15. 세탁물 처리시설	1 (세탁물 전량을 위탁처리하는 경우에는 갖추지 아니하여도 된다)	1 (세탁물 전량을 위탁처리하는 경우에는 갖추지 아니하여도 된다)	1 (세탁물 전량을 위탁처리하는 경우에는 갖추지 아니하여도 된다)				
16. 시체실	1 (종합병원만 갖춘다)						
17. 적출물 처리시설	1 (적출물 전량을 위탁처리하는 경우에는 해당하지 아니한다)	1 (적출물전량을 위탁처리 하는 경우에는 해당하지 아니한다)	1 (적출물전량을 위탁처리 하는 경우에는 해당하지 아니한다)				
18. 자가발전 시설	1	1	1				
19. 구급자동차	1 (요양병원은 제외한다)						
20. 그 밖의 시설	가. 탕전실, 의무기록실, 급식시설, 세탁처리시설 및 적출물소각시설은 의료기관이 공동으로 사용할 수 있다. 나. 요양병원은 거동이 불편한 환자가 장기간 입원하는 데에 불편함이 없도록 식당, 휴게실, 욕실, 화장실, 복도 및 계단과 엘리베이터(계단과 엘리베이터는 2층 이상인 건물만 해당하고, 층간 경사로를 갖춘 경우에는 엘리베이터를 갖추지 아니할 수 있다)를 갖추어야 한다. 다. 탕전실은 의료기관에서 분리하여 따로 설치할 수 있다. 라. 종합병원, 병원, 한방병원, 요양병원은 해당 병원에서 사망하는 사람 등의 장사 관련 편의를 위하여 「장사 등에 관한 법률」 제29조에 따른 장례식장을 설치할 수 있다.						

(3) [별표 4] 의료기관의 종류별 시설기준 (제34조 관련)

1. 입원실

가. 입원실은 3층 이상 또는 「건축법」 제2조 제①항 제5호에 따른 지하층에는 설치할 수 없다. 다만, 「건축법 시행령」 제56조에 따른 내화구조(耐火構造)인 경우에는 3층 이상에 설치할 수 있다.

나. 입원실의 면적은 환자 1명을 수용하는 곳인 경우에는 6.3제곱미터 이상이어야 하고(면적의 측정 방법은 「건축법 시행령」 제119조의 산정 방법에 따른다. 이하 같다) 환자 2명 이상을 수용하는 곳인 경우에는 환자 1명에 대하여 4.3제곱미터 이상으로 하여야 한다.

다. 소아만을 수용하는 입원실의 면적은 위 "나"의 입원실 면적의 3분의 2 이상으로 할 수 있다. 다만, 입원실 한 개의 면적은 6.3제곱미터 이상이어야 한다.

라. 산모가 있는 입원실에는 입원 중인 산모가 신생아에게 모유를 먹일 수 있도록 산모와 신생아가 함께 있을 수 있는 시설을 설치하도록 노력하여야 한다.

마. 감염병환자등의 입원실은 다른 사람이나 외부에 대하여 감염예방을 위한 차단 등 필요한 조치를 하여야 한다.

2. 중환자실

가. 병상이 300개 이상인 종합병원은 입원실 병상 수의 100분의 5 이상을 중환자실 병상으로 만들어야 한다.

나. 중환자실은 출입을 통제할 수 있는 별도의 단위로 독립되어야 하며, 무정전(無停電) 시스템을 갖추어야 한다.

다. 중환자실의 의사당직실은 중환자실 내 또는 중환자실과 가까운 곳에 있어야 한다.

라. 병상 1개당 면적은 10제곱미터 이상으로 하되, 신생아만을 전담하는 중환자실(이하 "신생아중환자실"이라 한다)의 병상 1개당 면적은 5제곱미터 이상으로 한다. 이 경우 "병상 1개당 면적"은 중환자실 내 간호사실, 당직실, 청소실, 기기창고, 청결실, 오물실, 린넨보관실을 제외한 환자 점유 공간[중환자실 내에 있는 간호사 스테이션(station)과 복도는 병상 면적에 포함한다]을 병상 수로 나눈 면적을 말한다.

마. 병상마다 중앙공급식 의료가스시설, 심전도모니터, 맥박산소계측기, 지속적수액주입기를 갖추고, 병상 수의 10퍼센트 이상 개수의 침습적 동맥혈압모니터, 병상 수의 30퍼센트 이상 개수의 인공호흡기, 병상 수의 70퍼센트 이상 개수의 보육기(신생아중환자실에만 해당한다)를 갖추어야 한다.

바. 중환자실 1개 단위(Unit)당 후두경, 앰부백(마스크 포함), 심전도기록기, 제세동기를 갖추어야 한다. 다만, 신생아중환자실의 경우에는 제세동기 대신 광선기와 집중치료기를 갖추어야 한다.

사. 중환자실에는 전담의사를 둘 수 있다. 다만, 신생아중환자실에는 전담전문의를 두어야 한다.

아. 전담간호사를 두되, 간호사 1명당 연평균 1일 입원환자수는 1.2명(신생아 중환자실의 경우에는 1.5명)을 초과하여서는 아니 된다.

3. 수술실

가. 수술실은 수술실 상호 간에 격벽으로 구획되어야 하고, 각 수술실에는 하나의 수술대만 두어야 하며, 환자의 감염을 방지하기 위하여 먼지와 세균 등이 제거된 청정한 공기를 공급할 수 있는 공기정화설비를 갖추고, 내부 벽면은 불침투질로 하여야 하며, 적당한 난방, 조명, 멸균수세(滅菌水洗), 수술용 피복, 붕대재료, 기계기구, 의료가스, 소독 및 배수 등 필요한 시설을 갖추어야 하고, 바닥은 접지가 되도록 하여야 하며, 콘센트의 높이는 1미터 이상을 유지하게 하고, 호흡장치의 안전관리시설을 갖추어야 한다.

나. 수술실에는 기도 내 삽관유지장치, 인공호흡기, 마취환자의 호흡감시장치, 심전도 모니터 장치를 갖추어야 한다.

다. 수술실 내 또는 수술실에 인접한 장소에 상용전원이 정전된 경우 나목에 따른 장치를 작동할 수 있는 축전지 또는 발전기 등의 예비전원설비를 갖추어야 한다. 다만, 나목에 따른 장치에 축전지가 내장되어 있는 경우에는 예비전원설비를 갖춘 것으로 본다.

4. **응급실** : 외부로부터 교통이 편리한 곳에 위치하고 산실(産室)이나 수술실로부터 격리되어야 하며, 구급용 시설을 갖추어야 한다.

5. **임상검사실** : 임상검사실은 자체적으로 검사에 필요한 시설 · 장비를 갖추어야 한다.

6. **방사선 장치**

   가. 방사선 촬영투시 및 치료를 하는 데에 지장이 없는 면적이어야 하며, 방사선 위해(危害) 방호시설(防護施設)을 갖추어야 한다.

   나. 방사선 사진필름을 현상 · 건조하는 데에 지장이 없는 면적과 이에 필요한 시설을 갖춘 건조실을 갖추어야 한다.

   다. 방사선 사진필름을 판독하는 데에 지장이 없는 면적과 이에 필요한 설비가 있는 판독실을 갖추어야 한다.

7. **회복실** : 수술 후 환자의 회복과 사후 처리를 하는 데에 지장이 없는 면적이어야 하며, 이에 필요한 시설을 갖추어야 한다.

8. **물리치료실** : 물리요법을 시술하는 데에 지장이 없는 면적과 기능회복, 재활훈련, 환자의 안전관리 등에 필요한 시설을 갖추어야 한다.

9. **한방요법실** : 경락자극요법시설 등 한방요법시설과 특수생약을 증기, 탕요법에 의하여 치료하는 시설을 갖추어야 한다.

10. **병리해부실** : 병리 · 병원에 관한 세포학검사 · 생검 및 해부를 할 수 있는 시설과 기구를 갖추어 두어야 한다.

11. **조제실** : 약품의 소분(小分) · 혼합조제 및 생약의 보관, 혼합약제에 필요한 조제대 등 필요한 시설을 갖추어야 한다.

11의2. 탕전실

   가. 탕전실에는 조제실, 한약재 보관시설, 작업실, 그 밖에 탕전에 필요한 시설을 갖추어야 한다. 다만, 의료기관 내에 조제실 및 한약재 보관시설을 구비하고 있는 경우에는 이를 충족한 것으로 본다.

   나. 조제실에는 개봉된 한약재를 보관할 수 있는 한약장 또는 기계 · 장치와 한약을 조제할 수 있는 시설을 두어야 한다.

   다. 한약재 보관시설에는 쥐 · 해충 · 먼지 등을 막을 수 있는 시설과 한약재의 변질을 예방할 수 있는 시설을 갖추어야 한다.

   라. 작업실에는 수돗물이나 「먹는물관리법」 제5조에 따른 먹는 물의 수질기준에 적합한 지하수 등을 공급할 수 있는 시설, 한약의 탕전 등에 필요한 안전하고 위생적인 장비 및 기구, 환기 및 배수에 필요한 시설, 탈의실 및 세척시설 등을 갖추어야 한다.

   마. 작업실의 시설 및 기구는 항상 청결을 유지하여야 하며 종사자는 위생복을 착용하여야 한다.

   바. 의료기관에서 분리하여 따로 설치한 탕전실에는 한의사 또는 한약사를 배치하여야 한다.

   사. 의료기관에서 분리하여 따로 설치한 탕전실에서 한약을 조제하는 경우 조제를 의뢰한 한의사의 처방전, 조제 작업일지, 한약재의 입출고 내역, 조제한 한약의 배송일지 등 관련 서류를 작성 · 보관하여야 한다.

12. **의무기록실** : 의무기록(외래 · 입원 · 응급 환자 등의 기록)을 보존기간에 따라 비치하여 기록 · 관리 및 보관할 수 있는 서가 등 필요한 시설을 설치하여야 한다.

13. 소독시설 : 증기 · 가스장치 및 소독약품 등의 자재와 소독용 기계기구를 갖추어 두고, 위생재료 · 붕대 등을 집중 공급하는 데에 적합한 시설을 갖추어야 한다.

14. 급식시설

　가. 조리실은 식품의 운반과 배식이 편리한 곳에 위치하고, 조리, 보관, 식기 세정, 소독 등 식품을 위생적으로 처리할 수 있는 설비와 공간을 갖추어야 한다.

　나. 식품저장실은 환기와 통풍이 잘 되는 곳에 두되, 식품과 식품재료를 위생적으로 보관할 수 있는 시설을 갖추어야 한다.

　다. 급식 관련 종사자가 이용하기 편리한 준비실 · 탈의실 및 옷장을 갖추어야 한다.

15. 세탁물 처리시설 : 「의료기관세탁물관리규칙」에서 정하는 적합한 시설과 규모를 갖추어야 한다.

16. 시체실 : 시체의 부패 방지를 위한 냉장시설과 소독시설을 갖추어야 한다.

17. 적출물 처리시설 : 「폐기물관리법 시행규칙」 제14조에 따른 시설과 규모를 갖추어야 한다.

18. 자가발전시설 : 공공전기시설을 사용하지 아니하더라도 해당 의료기관의 필요한 곳에 전기를 공급할 수 있는 자가발전시설을 갖추어야 한다.

19. 구급자동차 : 보건복지부장관이 정하는 산소통 · 산소호흡기와 그 밖에 필요한 장비를 갖추고 환자를 실어 나를 수 있어야 한다.

20. 그 밖의 시설

　가. 장례식장의 바닥면적은 해당 의료기관의 연면적의 5분의 1을 초과하지 못한다.

　나. 요양병원의 식당 등 모든 시설에는 휠체어가 이동할 수 있는 공간이 확보되어야 하며, 복도에는 병상이 이동할 수 있는 공간이 확보되어야 한다.

　다. 별표 3 제20호 나목에 따라 엘리베이터를 설치하여야 하는 경우에는 「승강기시설 안전관리법 시행규칙」 별표 1에 따른 침대용 엘리베이터를 설치하여야 하며, 층간 경사로를 설치하는 경우에는 「장애인 · 노인 · 임산부 등의 편의증진에 관한 법률 시행규칙」 별표 1에 따른 경사로 규격에 맞아야 한다.

　라. 요양병원의 복도 등 모든 시설의 바닥은 문턱이나 높이차이가 없어야 하고, 불가피하게 문턱이나 높이차이가 있는 경우 환자가 이동하기 쉽도록 경사로를 설치하여야 하며, 복도, 계단, 화장실 대 · 소변기, 욕실에는 안전을 위한 손잡이를 설치하여야 한다. 다만, 「장애인 · 노인 · 임산부 등의 편의증진에 관한 법률」 제9조에 따라 요양병원에 출입구 · 문, 복도, 계단을 설치하는 경우에 그 시설은 같은 법에 따른 기준에도 맞아야 한다.

　마. 요양병원의 입원실, 화장실, 욕실에는 환자가 의료인을 신속하게 호출할 수 있도록 병상, 변기, 욕조 주변에 비상연락장치를 설치하여야 한다.

　바. 요양병원의 욕실

　　1) 병상이 이동할 수 있는 공간 및 보조인력이 들어가 목욕을 시킬 수 있는 공간을 확보하여야 한다.

　　2) 적정한 온도의 온수가 지속적으로 공급되어야 하고, 욕조를 설치할 경우 욕조에 환자의 전신이 잠기지 않는 깊이로 하여야 한다.

　사. 요양병원의 외부로 통하는 출입구에 잠금장치를 갖추되, 화재 등 비상시에 자동으로 열릴 수 있도록 하여야 한다.

다. 의료기관의 안전관리시설 기준

의료기관은 환자, 의료관계인, 그 밖의 의료기관 종사자의 안전을 위하여 ① 화재나 그 밖의 긴급한 상황에 대처하기 위하여 필요한 시설, ② 방충, 방서(防鼠)[239], 세균오염 방지에 관한 시설, ③ 채광·환기에 관한 시설, ④ 전기·가스 등의 위해 방지에 관한 시설, ⑤ 방사선 위해 방지에 관한 시설 그리고 ⑥ 그 밖에 진료과목별로 안전관리를 위하여 필수적으로 갖추어야 할 시설을 갖추어야 한다(의료법 시행규칙 제35조).

라. 의료기관 및 요양병원의 운영 기준

(1) 요양병원의 입원 대상은 노인성 질환자, 만성질환자, 외과적 수술 후 또는 상해 후 회복기간에 있는 사람으로서 주로 요양이 필요한 사람으로 한다(제36조 제3호, 의료법 시행규칙 제33조 제①항). 그러나 감염병의 예방 및 관리에 관한 법률 제41조 제①항에 따라 보건복지부장관이 고시한 감염병에 걸린 같은 법 제2조 제13호부터 제15호까지에 따른 감염병환자, 감염병의사환자 또는 병원체보유자(이하 "감염병환자 등"이라 한다) 및 같은 법 제42조 제①항 각 호의 어느 하나에 해당하는 감염병환자 등과 정신보건법 제3조 제1호에 따른 정신질환자(노인성 치매환자는 제외한다)는 같은 법 제3조 제3호에 따른 정신의료기관 외의 요양병원의 입원 대상으로 하지 아니한다(의료법 시행규칙 제33조 제②항, 제③항).

(2) 각급 의료기관은 노인성 질환자, 만성질환자, 외과적 수술 후 또는 상해 후 회복기간에 있는 사람으로서 주로 요양이 필요한 환자를 요양병원으로 옮긴 경우에는 환자 이송과 동시에 진료기록 사본 등을 그 요양병원에 송부하여야 한다(의료법 시행규칙 제33조 제④항).

(3) 요양병원 개설자는 요양환자의 상태가 악화되는 경우에 적절한 조치를 할 수 있도록 환자 후송 등에 관하여 다른 의료기관과 협약을 맺거나 자체 시설 및 인력 등을 확보하여야 한다(의료법 시행규칙 제33조 제⑤항).

(4) 요양병원 개설자가 요양병원에 입원한 환자의 안전을 위하여 환자의 움직임을 제한하거나 신체를 묶는 경우에 준수하여야 하는 사항은 별표 4의 2와 같다(의료법 시행규칙 제33조 제⑥항).

---

239) 鼠는 쥐(mouse)이다.

[별표 4의 2] 요양병원 개설자가 환자의 움직임을 제한하거나 신체를 묶는 경우에 준수해야 할 사항(제36조 제 ⑤항 관련)

1. "신체보호대"란 전신 혹은 신체 일부분의 움직임을 제한할 때 사용되는 물리적 장치 및 기구를 말한다.

2. 신체보호대는 입원 환자가 생명유지 장치를 스스로 제거하는 등 환자 안전에 위해가 발생할 수 있어 그 환자 의 움직임을 제한하거나 신체를 묶을 필요가 있는 경우에 제3호에서 정하는 바에 따라 최소한의 시간만 사용 한다.

3. 신체보호대 사용 사유 및 절차는 다음 각 목과 같다.

   가. 주된 증상, 과거력(過去歷), 투약력(投藥歷), 신체 및 인지 기능, 심리 상태, 환경적 요인 등 환자의 상태를 충분히 파악한 후 신체보호대를 대신할 다른 방법이 없는 경우에 한하여 신체보호대를 사용한다.

   나. 의사는 신체보호대 사용 사유 · 방법 · 신체 부위, 종류 등을 적어 환자에 대한 신체보호대 사용을 처방하 여야 한다.

   다. 의료인은 의사의 처방에 따라 환자에게 신체보호대 사용에 대하여 충분히 설명하고 그 동의를 얻어야 한다. 다만, 환자가 의식이 없는 등 환자의 동의를 얻을 수 없는 경우에는 환자 보호자의 동의를 얻을 수 있다.

   라. 다목에 따른 동의는 신체보호대 사용 사유 · 방법 · 신체 부위 및 종류, 처방한 의사와 설명한 의료인의 이 름 및 처방 · 설명 날짜를 적은 문서로 얻어야 한다. 이 경우 다목 단서에 따라 환자의 보호자가 대신 동의 한 경우에는 그 사유를 함께 적어야 한다.

4. 신체보호대를 사용하는 경우에는 다음 각 목을 준수하여야 한다.

   가. 신체보호대는 응급상황에서 쉽게 풀 수 있거나 즉시 자를 수 있는 방법으로 사용한다.

   나. 신체보호대를 사용하고 있는 환자의 상태를 주기적으로 관찰 · 기록하여 부작용 발생을 예방하며 환자의 기본 욕구를 확인하고 충족시켜야 한다.

   다. 의료인은 신체보호대의 제거 또는 사용 신체 부위를 줄이기 위하여 환자의 상태를 주기적으로 평가하여야 한다.

5. 의사는 다음 각 목의 어느 하나에 해당하는 사유가 발생한 경우에는 신체보호대 사용을 중단한다.

   가. 신체보호대의 사용 사유가 해소된 경우

   나. 신체보호대를 대신하여 사용할 수 있는 다른 효과적인 방법이 있는 경우

   다. 신체보호대의 사용으로 인하여 환자에게 부작용이 발생한 경우

6. 요양병원 개설자는 신체보호대 사용을 줄이기 위하여 연 1회 이상 의료인을 포함한 요양병원 종사자에게 신체 보호대 사용에 관한 교육을 하여야 한다. 이 경우 신체보호대의 정의 · 사용 방법 · 준수 사항, 신체보호대를 사 용할 경우 발생할 수 있는 부작용, 신체보호대 외의 대체수단 및 환자의 권리 등을 포함하여 교육하여야 한다.

마. 고가의료장비의 설치 · 운영 기준

보건복지부령인 특수의료장비의 설치 및 운영에 관한 규칙에서 후술하기로 한다.

바. 의료기관의 종류에 따른 의료인 등의 정원 기준

(1) 의료기관의 종류에 따른 의료인의 정원 기준에 관한 사항은 별표 5와 같다(의료법 시행규칙 제38조 제①항).

[별표 5] 의료기관에 두는 의료인의 정원(제38조 관련)

구분	종합병원	병원	치과병원	한방병원	요양병원	의원	치과의원	한의원
의사	연평균 1일 입원환자를 20명으로 나눈 수(이 경우 소수점은 올림). 외래환자 3명은 입원환자 1명으로 환산함	종합병원과 같음	추가하는 진료과목당 1명(법 제43조 제②항에 따라 의과 진료과목을 설치하는 경우)	추가하는 진료과목당 1명(법 제43조 제②항에 따라 의과 진료과목을 설치하는 경우)	연평균 1일 입원환자 40명마다 1명을 기준으로 함(한의사를 포함하여 환산함). 외래환자 3명은 입원환자 1명으로 환산함	종합병원과 같음		
치과의사	의사의 경우와 같음	추가하는 진료과목당 1명(법 제43조 제③항에 따라 치과 진료과목을 설치하는 경우)	종합병원과 같음	추가하는 진료과목당 1명(법 제43조 제③항에 따라 치과 진료과목을 설치하는 경우)	추가하는 진료과목당 1명(법 제43조 제③항에 따라 치과 진료과목을 설치하는 경우)		종합병원과 같음	
한의사	추가하는 진료과목당 1명(법 제43조제1항에 따라 한의과 진료과목을 설치하는 경우)	추가하는 진료과목당 1명(법 제43조제1항에 따라 한의과 진료과목을 설치하는 경우)	추가하는 진료과목당 1명(법 제43조제1항에 따라 한의과 진료과목을 설치하는 경우)	연평균 1일 입원환자를 20명으로 나눈 수(이 경우 소수점은 올림). 외래환자 3명은 입원환자 1명으로 환산함	연평균 1일 입원환자 40명마다 1명을 기준으로 함(의사를 포함하여 환산함). 외래환자 3명은 입원환자 1명으로 환산함			한방병원과 같음
조산사	산부인과에 배정된 간호사 정원의 3분의 1 이상	종합병원과 같음(산부인과가 있는 경우에만 둠)		종합병원과 같음(법 제43조 제②항에 따라 산부인과를 설치하는 경우)		병원과 같음		
간호사 (치과의료 기관의 경우에는 치과위생사 또는 간호사)	연평균 1일 입원환자를 2.5명으로 나눈 수(이 경우 소수점은 올림). 외래환자 12명은 입원환자 1명으로 환산함	종합병원과 같음	종합병원과 같음	연평균 1일 입원환자를 5명으로 나눈 수(이 경우 소수점은 올림). 외래환자 12명은 입원환자 1명으로 환산함	연평균 1일 입원환자 6명마다 1명을 기준으로 함(다만, 간호조무사는 간호사 정원의 3분의 2 범위 내에서 둘 수 있음). 외래환자 12명은 입원환자 1명으로 환산함	종합병원과 같음	종합병원과 같음	한방병원과 같음

(2) 의료기관은 기준 정원 의료인 외에 다음의 기준에 따라 필요한 인원을 두어야 한다(의료법 시행규칙 제38조 제②항).

① 병원급 의료기관에는 별표 5의 2에 따른 약사 또는 한약사(법률 제8365호 약사법 전부개정법률 부칙 제9조에 따라 한약을 조제할 수 있는 약사를 포함한다. 이하 같다)를 두어야 한다.

② 입원시설을 갖춘 종합병원·병원·치과병원·한방병원 또는 요양병원에는 1명 이상의 영양사를 둔다.

③ 의료기관에는 보건복지부장관이 정하는 바에 따라 각 진료과목별로 필요한 수의 의료기사를 둔다.

④ 종합병원에는 보건복지부장관이 정하는 바에 따라 필요한 수의 의무기록사(醫務記錄士)를 둔다.

⑤ 의료기관에는 보건복지부장관이 정하는 바에 따라 필요한 수의 간호조무사를 둔다.

⑥ 종합병원에는 사회복지사업법에 따른 사회복지사 자격을 가진 자 중에서 환자의 갱생·재활과 사회복귀를 위한 상담 및 지도 업무를 담당하는 요원을 1명 이상 둔다.

⑦ 요양병원에는 시설 안전관리를 담당하는 당직근무자를 1명 이상 둔다.

(3) 보건복지부장관은 간호사나 치과위생사의 인력 수급상 필요하다고 인정할 때에는 제①항에 따른 간호사 또는 치과위생사 정원의 일부를 간호조무사로 충당하게 할 수 있다(의료법 시행규칙 제38조 제③항).

사. 급식관리 기준

(1) 입원시설을 갖춘 종합병원·병원·치과병원·한방병원 또는 요양병원은 별표 6에서 정하는 바에 따라 환자의 식사를 위생적으로 관리·제공하여야 한다(의료법 시행규칙 제39조).

(2) [별표 6] 의료기관의 급식관리 기준(제39조 관련)

1. 환자의 영양관리에 관한 사항을 심의하기 위하여 병원장이나 부원장을 위원장으로 하는 영양관리위원회를 둔다.
2. 환자의 식사는 일반식과 치료식으로 구분하여 제공한다.
3. 환자급식을 위한 식단은 영양사가 작성하고 환자의 필요 영양량을 충족시킬 수 있어야 한다.
4. 환자음식은 뚜껑이 있는 식기나 밀폐된 배식차에 넣어 적당한 온도를 유지한 상태에서 공급하여야 한다.
5. 영양사는 완성된 식사를 평가하기 위하여 매 끼 검식(檢食)을 실시하며, 이에 대한 평가 결과를 검식부(檢食簿)에 기록하여야 한다.
6. 영양사는 의사가 영양지도를 의뢰한 환자에 대하여 영양 상태를 평가하고, 영양 상담 및 지도를 하며, 그 내용을 기록하여야 한다.
7. 식기와 급식용구는 매 식사 후 깨끗이 세척·소독하여야 하며, 전염성 환자의 식기는 일반 환자의 식기와 구분하여 취급하고, 매 식사 후 완전 멸균소독하여야 한다.
8. 수인성 전염병환자가 남긴 음식은 소독 후 폐기하여야 한다.
9. 병원장은 급식 관련 종사자에 대하여 연 1회 이상 정기건강진단을 실시하여야 하며, 종사자가 전염성 질병에 감염되었을 경우에는 필요한 조치를 취하여야 한다.
10. 병원장은 급식 관련 종사자에게 위생교육을 실시하여야 한다.

7 진단용 방사선 발생장치

제37조【진단용 방사선 발생장치】 ① 진단용 방사선 발생장치를 설치ㆍ운영하려는 의료기관은 보건복지부령으로 정하는 바에 따라 시장ㆍ군수ㆍ구청장에게 신고하여야 하며, 보건복지부령으로 정하는 안전관리기준에 맞도록 설치ㆍ운영하여야 한다.

② 의료기관 개설자나 관리자는 진단용 방사선 발생장치를 설치한 경우에는 보건복지부령으로 정하는 바에 따라 안전관리책임자를 선임하고, 정기적으로 검사와 측정을 받아야 하며, 방사선 관계 종사자에 대한 피폭관리(被曝管理)를 하여야 한다.

③ 제①항과 제②항에 따른 진단용 방사선 발생장치의 범위ㆍ신고ㆍ검사ㆍ설치 및 측정기준 등에 필요한 사항은 보건복지부령으로 정한다.

제63조【시정 명령 등】 보건복지부장관 또는 시장ㆍ군수ㆍ구청장은 의료기관이 ——중략—— 제37조 제①항ㆍ제②항, ——중략—— 을 위반한 때 또는 ——중략—— 아니하게 된 때에는 일정한 기간을 정하여 그 시설ㆍ장비 등의 전부 또는 일부의 사용을 제한 또는 금지하거나 위반한 사항을 시정하도록 명할 수 있다.

제64조【개설 허가 취소 등】 ① 보건복지부장관 또는 시장ㆍ군수ㆍ구청장은 의료기관이 다음 각 호의 어느 하나에 해당하면 그 의료업을 1년의 범위에서 정지시키거나 개설 허가를 취소하거나 의료기관 폐쇄를 명할 수 있다. 다만, 제8호에 해당하는 경우에는 의료기관 개설 허가를 취소하거나 의료기관 폐쇄를 명하여야 하며, 의료기관 폐쇄는 제33조 제③항과 제35조 제①항 본문에 따라 신고한 의료기관에만 명할 수 있다.

   3. 제61조에 따른 관계 공무원의 직무 수행을 기피 또는 방해하거나 제59조 또는 제63조에 따른 명령을 위반한 때

   6. 제63조에 따른 시정명령(제4조 제⑤항 위반에 따른 시정명령을 제외한다)을 이행하지 아니한 때

제67조【과징금 처분】 ① 보건복지부장관이나 시장ㆍ군수ㆍ구청장은 의료기관이 제64조 제①항 각 호의 어느 하나에 해당할 때에는 대통령령으로 정하는 바에 따라 의료업 정지 처분을 갈음하여 5천만원 이하의 과징금을 부과할 수 있으며, 이 경우 과징금은 3회까지만 부과할 수 있다. 다만, 동일한 위반행위에 대하여 「표시ㆍ광고의 공정화에 관한 법률」 제9조에 따른 과징금 부과처분이 이루어진 경우에는 과징금(의료업 정지 처분을 포함한다)을 감경하여 부과하거나 부과하지 아니할 수 있다.

제92조【과태료】 ① 다음 각 호의 어느 하나에 해당하는 자에게는 300만원 이하의 과태료를 부과한다.

   2. 제37조 제①항에 따른 신고를 하지 아니하고 진단용 방사선 발생장치를 설치ㆍ운영한 자

   3. 제37조 제②항에 따른 안전관리책임자를 선임하지 아니하거나 정기검사와 측정 또는 방사선 관계 종사자에 대한 피폭관리를 실시하지 아니한 자

가. 서설

[1] 진단용 방사선 발생장치를 설치ㆍ운영하려는 의료기관은 보건복지부령으로 정하는 바에 따라 시장ㆍ군수ㆍ구청장에게 신고하여야 하며, 보건복지부령으로 정하는 안전관리기준에 맞도록 설치ㆍ운영하여야 하며(제37조 제①항), 의료기관 개설자나 관리자는 진단용 방사선 발생장치를 설치한

경우에는 보건복지부령으로 정하는 바에 따라 안전관리책임자를 선임하고 정기적으로 검사와 측정을 받아야 하며 방사선 관계 종사자에 대한 피폭관리(被曝管理)를 하여야 한다(제37조 제②항). 진단용 방사선 발생장치의 범위·신고·검사·설치 및 측정기준 등에 필요한 사항은 보건복지부령[240]으로 정한다(제37조 제③항).

(2) 제37조를 위반하여 의료기관에 진단용 방사선 발생장치를 설치·운영하면서 신고하지 않거나, 안전관리기준에 맞지 않거나, 안전관리책임자를 선임하지 않거나, 정기적으로 검사와 측정을 받지 않거나 또는 종사자에 대한 피폭관리를 실시하지 않으면 보건복지부장관 또는 시장·군수·구청장이 일정한 기간을 정하여 그 시설·장비 등의 전부 또는 일부의 사용을 제한 또는 금지하거나 위반한 사항을 시정하도록 명할 수 있는데(제63조), 실무상으로는 의료관계 행정처분규칙 별표 2. 개별 기준 나. 9)에 따라 시정명령을 처분한다. 시정명령을 이행하지 않으면 보건복지부장관 또는 시장·군수·구청장이 그 의료업을 1년의 범위에서 정지시키거나 개설 허가를 취소하거나 의료기관 폐쇄를 명할 수 있는데(제64조 제①항 제3호, 제6호), 실무상으로는 의료관계 행정처분규칙 별표 2. 개별 기준 나. 27)에 따라 업무정지 15일을 처분한다. 보건복지부장관이나 시장·군수·구청장은 정지 처분에 갈음하여 5천만원 이하의 과징금을 부과할 수 있다(제67조 제①항). 제37조 제①항에 따른 신고를 하지 아니하고 진단용 방사선 발생장치를 설치·운영거나 제37조 제②항에 따른 안전관리책임자를 선임하지 아니하거나 정기검사와 측정 또는 방사선 관계 종사자에 대한 피폭관리를 실시하지 않으면 300만원 이하의 과태료를 부과한다(제92조 제①항 제2호, 제3호).

나. 신고

(1) 의료법 제37조 제①항에 따라 의료기관(지역보건법 제10조·제12조 및 제13조에 따른 보건소·보건의료원·보건지소, 병역법 제11조에 따라 징병검사를 실시하는 지방병무청, 국군의무사령부령 제6조에 따른 군 병원과 각 군 및 직할기관의 모든 의료시설, 학교보건법 제3조에 따른 보건실, 형의 집행 및 수용자의 처우에 관한 법률 제2조 제4호에 따른 교정시설을 포함한다.)의 개설자 또는 관리자는 진단용 방사선 발생장치를 설치하는 경우에는 사용일 3일 전까지, 사용을 중지한 경우에는 사용 중지일부터 3일 이내에, 사용 중지 후 다시 사용하려는 경우에는 사용일 3일 전까지, 양도·폐기 또는 이전[의료기관 소재지 시·군·구(자치구를 말한다)의 관할구역 안에서 의료기관을 이전함에 따른 이전의 경우는 제외한다]한 경우에는 그 사유가 발생한 날부터 45일 이내에 신고서에 서류를 첨부하여 해당 의료기관의 소재지를 관할하는 시장·군수·구청장(자치구의 구청장을 말한다. 이하 같다)에게 제출하여야 한다(진단용 방사선 발생장치의 안전관리에 관한 규칙 제3조 제①항).

(2) 신고받은 시장·군수·구청장은 신고증명서를 발급하여야 한다(진단용 방사선 발생장치의 안전관리에 관한 규칙 제3조 제②항).

---

240) 진단용 방사선 발생장치의 안전관리에 관한 규칙

다. 검사와 측정

(1) 의료기관의 개설자 또는 관리자는 ① 진단용 방사선 발생장치를 설치하거나 이전하여 설치하는 경우, ② 진단용 방사선 발생장치의 전원시설을 변경하는 경우, ③ 사용중지신고를 한 진단용 방사선 발생장치를 다시 사용하려는 경우 또는 ④ 진단용 방사선 발생장치의 안전에 영향을 줄 수 있는 고전압발생장치, X−선관 또는 제어장치를 수리하거나 X−선관을 교체하는 경우에는 의료법 제37조 제②항에 따라 해당 진단용 방사선 발생장치를 사용하기 전에 그 진단용 방사선 발생장치에 대하여 진단용 방사선 발생장치의 검사기준(별표 1)에 따라 검사기관의 검사를 받아야 한다. 다만, 의료기기법 시행규칙 제5조 제①항 및 제18조 제①항에 따라 의료기기 제조허가 또는 수입허가를 받을 때에 의료기기법 제27조에 따른 시험검사기관에서 별표 1의 검사항목이 포함된 시험검사를 받아 해당 시험성적서를 제출하는 경우에는 본문에 따른 검사를 받지 않고 사용할 수 있다(진단용 방사선 발생장치의 안전관리에 관한 규칙 제4조 제①항).

(2) 의료기관의 개설자 또는 관리자는 제①항에 따라 검사받은 진단용 방사선 발생장치에 대하여는 검사를(제①항 단서의 경우에는 시험검사기관의 검사를 말한다) 받은 날부터 3년마다 제6조에 따른 검사기관의 검사를 받아야 한다. 이 경우 검사기간은 기간 만료일 전후 각각 31일로 한다(진단용 방사선 발생장치의 안전관리에 관한 규칙 제4조 제②항).

(3) 의료기관의 개설자 또는 관리자는 의료법 제37조 제②항에 따라 방사선 방어시설에 대하여 방사선 방어시설 검사기준(별표 2)에 따라 해당 진단용 방사선 발생장치를 사용하기 전에 제6조에 따른 검사기관의 검사를 받아야 한다(진단용 방사선 발생장치의 안전관리에 관한 규칙 제4조 제③항).

(4) 의료기관의 개설자 또는 관리자는 제③항에 따라 검사받은 방사선 방어시설 중 방사선 차폐시설을 변경설치하거나 방사선 차폐시설을 설계할 때에 설정한 주당 최대 동작부하(動作負荷)를 초과한 경우에는 지체 없이 그 방사선 방어시설에 대하여 제6조에 따른 검사기관의 검사를 받아야 한다(진단용 방사선 발생장치의 안전관리에 관한 규칙 제4조 제④항).

(5) 의료기관의 개설자 또는 관리자는 의료법 제37조 제②항에 따라 방사선 관계 종사자에게 티・엘배지를 사용하게 하는 경우에는 3개월마다 1회 이상 방사선 피폭선량(被曝線量) 측정을 받도록 하여야 하며, 필름배지를 사용하게 하는 경우에는 1개월마다 1회 이상 방사선 피폭선량 측정을 받도록 하여야 한다(진단용 방사선 발생장치의 안전관리에 관한 규칙 제4조 제⑤항).

라. 준수사항

의료기관의 개설자 또는 관리자는 다음 각 호의 사항을 지켜야 한다(진단용 방사선 발생장치의 안전관리에 관한 규칙 제12조).

　① 안전관리책임자가 그 직무수행에 필요한 사항을 요청하면 지체 없이 조치하고, 정당한 사유 없이 거부하지 아니할 것

　② 안전관리책임자가 안전관리업무를 성실히 수행하지 아니하면 지체 없이 그 직으로부터 해임하고

다른 직원을 안전관리책임자로 선임할 것

③ 진단용 방사선 발생장치에 대하여는 검사유효기간이 끝나기 전에 검사를 완료하고, 검사기관이 검사를 할 때에는 안전관리책임자를 참여시킬 것

④ 방사선 관계 종사자가 진단용 방사선 발생장치의 운영·조작·관리·점검 및 검사 등 방사선 피폭 우려가 있는 업무를 할 때에는 필름배지 또는 티·엘배지 등 피폭선량계를 착용하게 하고, 방사선 관계 종사자의 피폭선량 측정을 신청할 때에는 측정 대상에 해당하는 자를 누락하지 아니할 것

⑤ 제8조 제③항에 따라 시장·군수·구청장으로부터 진단용 방사선 발생장치 또는 방사선 방어시설의 사용 금지와 수리·교정 및 재검사명령을 받으면 지체 없이 이행할 것

⑥ 방사선 관계 종사자에 대한 피폭선량을 측정한 결과 별표 3의 방사선 관계 종사자의 선량한도를 초과한 자에 대하여는 지체 없이 건강진단 등 필요한 조치를 할 것

⑦ 방사선 관계 종사자 외에 방사선구역에 출입하는 자에 대한 방사선 피폭을 방지하기 위한 조치를 할 것

⑧ 적정한 진단 영상정보를 얻을 수 있도록 그 설비의 안전관리에 필요한 조치를 할 것

8 특수의료장비의 설치 · 운영

제38조【특수의료장비의 설치·운영】 ① 의료기관은 보건의료 시책상 적정한 설치와 활용이 필요하여 보건복지부장관이 정하여 고시하는 의료장비(이하 "특수의료장비"라 한다)를 설치·운영하려면 보건복지부령으로 정하는 바에 따라 시장·군수·구청장에게 등록하여야 하며, 보건복지부령으로 정하는 설치인정기준에 맞게 설치·운영하여야 한다.

② 의료기관의 개설자나 관리자는 제①항에 따라 특수의료장비를 설치하면 보건복지부령으로 정하는 바에 따라 보건복지부장관에게 정기적인 품질관리검사를 받아야 한다.

③ 의료기관의 개설자나 관리자는 제②항에 따른 품질관리검사에서 부적합하다고 판정받은 특수의료장비를 사용하여서는 아니 된다.

④ 보건복지부장관은 제②항에 따른 품질관리검사업무의 전부 또는 일부를 보건복지부령으로 정하는 바에 따라 관계 전문기관에 위탁할 수 있다.

제63조【시정 명령 등】 보건복지부장관 또는 시장·군수·구청장은 의료기관이 ——중략—— 제38조 제① 항·제②항, ——중략——을 위반한 때 또는 ——중략—— 아니하게 된 때에는 일정한 기간을 정하여 그 시설·장비 등의 전부 또는 일부의 사용을 제한 또는 금지하거나 위반한 사항을 시정하도록 명할 수 있다.

제64조【개설 허가 취소 등】 ① 보건복지부장관 또는 시장·군수·구청장은 의료기관이 다음 각 호의 어느 하나에 해당하면 그 의료업을 1년의 범위에서 정지시키거나 개설 허가를 취소하거나 의료기관 폐쇄를 명할 수 있다. 다만, 제8호에 해당하는 경우에는 의료기관 개설 허가를 취소하거나 의료기관 폐쇄를 명하여야 하며, 의료기관 폐쇄는 제33조 제③항과 제35조 제①항 본문에 따라 신고한 의료기관에만 명할 수 있다.

3. 제61조에 따른 관계 공무원의 직무 수행을 기피 또는 방해하거나 제59조 또는 제63조에 따른 명령을 위반한 때

6. 제63조에 따른 시정명령(제4조 제⑤항 위반에 따른 시정명령을 제외한다)을 이행하지 아니한 때

제67조【과징금 처분】 ① 보건복지부장관이나 시장·군수·구청장은 의료기관이 제64조 제①항 각 호의 어느 하나에 해당할 때에는 대통령령으로 정하는 바에 따라 의료업 정지 처분을 갈음하여 5천만원 이하의 과징금을 부과할 수 있으며, 이 경우 과징금은 3회까지만 부과할 수 있다. 다만, 동일한 위반행위에 대하여 「표시·광고의 공정화에 관한 법률」 제9조에 따른 과징금 부과처분이 이루어진 경우에는 과징금(의료업 정지 처분을 포함한다)을 감경하여 부과하거나 부과하지 아니할 수 있다.

제88조【벌칙】 다음 각 호의 어느 하나에 해당하는 자는 3년 이하의 징역이나 3천만원 이하의 벌금에 처한다.

1. ──중략── 제38조 제③항, ──중략── 을 위반한 자.

제90조【벌칙】 ──중략── 제63조에 따른 명령을 위반한 자와 의료기관 개설자가 될 수 없는 자에게 고용되어 의료행위를 한 자는 500만원 이하의 벌금에 처한다.

제91조【양벌규정】

가. 서설

(1) 의료기관은 보건의료 시책상 적정한 설치와 활용이 필요하여 보건복지부장관이 정하여 고시하는 의료장비(특수의료장비)를 설치·운영하려면 보건복지부령[241]으로 정하는 바에 따라 시장·군수·구청장에게 등록하여야 하며, 보건복지부령으로 정하는 설치인정기준에 맞게 설치·운영하여야 한다(제38조 제①항). 의료기관의 개설자나 관리자는 특수의료장비를 설치하면 보건복지부령으로 정하는 바에 따라 보건복지부장관에게 정기적인 품질관리검사를 받아야 하고(제38조 제②항), 품질관리검사에서 부적합하다고 판정받은 특수의료장비를 사용하여서는 안 된다(제38조 제③항). 보건복지부장관은 품질관리검사업무의 전부 또는 일부를 보건복지부령으로 정하는 바에 따라 관계 전문기관에 위탁할 수 있다(제38조 제③항).

(2) 제38조를 위반하여 의료기관에 특수의료장비를 설치·운영하면서 등록하지 않거나, 설치인정기준에 맞지 않거나, 정기 품질관리검사를 받지 않으면 보건복지부장관 또는 시장·군수·구청장이 일정한 기간을 정하여 그 시설·장비 등의 전부 또는 일부의 사용을 제한 또는 금지하거나 위반한 사항을 시정하도록 명할 수 있는데(제63조), 명령을 위반하거나 시정명령을 이행하지 않으면 보건복지부장관 또는 시장·군수·구청장이 그 의료업을 1년의 범위에서 정지시키거나 개설 허가를 취소하거나 의료기관 폐쇄를 명할 수 있다(제64조 제①항 제3호, 제6호). 의료기관의 개설자나 관리자가 품질관리검사에서 부적합하다고 판정받은 특수의료장비를 사용하면 3년 이하의 징역 또는 3천만원

---

241) 특수의료장비의 설치 및 운영에 관한 규칙

이하의 벌금에 처해질 수 있다(제88조 제1호)[242]. 제63조에 따른 명령을 위반하면 500만원 이하의 벌금에 처해질 수 있다(제90조).

나. 등록

[1] 특수의료장비를 설치 · 운영하려는 의료기관의 개설자나 관리자는 해당 의료기관의 소재지를 관할하는 시장 · 군수 · 구청장(자치구의 구청장)에게 등록하여야 한다(특수의료장비의 설치 및 운영에 관한 규칙 제2조 제①항). 등록시에는 특수의료장비 등록신청서(별지 제1호 서식, 전자문서로 된 신청서 포함)에 ① 별표 1의 운용인력기준에 해당하는 특수의료장비를 운용할 인력의 영상의학과 전문의 자격증 및 방사선사 면허증 사본 각 1부, ② 특수의료장비 등록신청을 한 의료기관의 개설허가증명서 또는 개설신고증명서 사본 1부, ③ 별지 제2호 서식의 특수의료장비 공동활용 동의서 1부(유방 촬영용 장치 외의 특수의료장비로서 다른 의료기관과 공동활용하려는 경우에만 제출한다), ④ 의료기기 제조허가증 또는 수입허가증 사본 1부 그리고 ⑤ 세금계산서, 계약서 등 구입 또는 임차 사실 증명자료 사본 1부를 첨부하여 시장 · 군수 · 구청장에게 제출하여야 한다(특수의료장비의 설치 및 운영에 관한 규칙 제2조 제②항).

[2] 등록신청을 받은 시장 · 군수 · 구청장은 특수의료장비가 제3조에 따른 특수의료장비 설치인정기준에 맞다고 인정되면 특수의료장비 등록증명서(별지 제3호 서식)를 신청인에게 내주고, 그 사실을 특수의료장비 등록대장(별지 제4호 서식, 전자문서로 된 대장 포함)에 적어야 하며, 설치인정기준에 맞지 아니한 경우에는 그 사유를 구체적으로 밝혀 문서(전자문서를 포함한다)로 통보하여야 한다(특수의료장비의 설치 및 운영에 관한 규칙 제2조 제③항).

---

[242] 대법원 2013. 3. 14. 선고 2010도16157 판결 ; 의료법 제1조는 이 법은 모든 국민이 수준 높은 의료 혜택을 받을 수 있도록 국민의료에 필요한 사항을 규정함으로써 국민의 건강을 보호하고 증진하는 데에 목적이 있다고 규정하고 있고, 구 의료법(2008. 2. 29. 법률 제8852호로 개정되기 전의 것, 이하 같다) 제38조 제①항은 의료기관이 보건의료 시책상 적정한 설치와 활용이 필요하여 보건복지부장관이 정하여 고시하는 의료장비(이하 "특수의료장비"라 한다)를 설치 · 운영하려면 보건복지부령으로 정하는 바에 따라 등록하여야 하며, 보건복지부령으로 정하는 설치인정기준에 맞게 설치 · 운영하여야 한다고 규정하고 있다. 구 의료법 제38조 제②항, 제③항은 특수의료장비를 설치한 의료기관의 개설자나 관리자는 보건복지부령이 정하는 바에 따라 정기적인 품질관리검사를 받아야 하고, 그 품질관리검사에서 부적합하다고 판정받은 특수의료장비를 사용하여서는 아니 된다고 규정하고 있고, 이를 위반한 자는 같은 법 제87조 제②항에 의하여 처벌된다. 그 위임을 받은 구 특수의료장비의 설치 및 운영에 관한 규칙(2008. 1. 9. 보건복지부령 제431호로 전부 개정되기 전의 것, 이하 "규칙"이라고만 한다) 제5조 제①항 [별표 2]는 특수의료장비는 3년마다 ① 인력검사, ② 시설검사, ③ 정도관리기록검사, ④ 팬텀영상검사, ⑤ 임상영상검사의 항목으로 이루어지는 정밀검사를 받아야 하고, 정밀검사에서 적합 판정을 받기 위하여는 위와 같은 5개 항목에서 모두 합격하여야 한다고 규정하고, 규칙 제5조 제②항 [별표 3]은 그 중 특수의료장비인 전산화단층촬영장치(CT, 이하 "CT"라 한다)의 임상영상검사 방법에 관하여, 제출된 영상의 일반정보항목(20점)과 영상정보항목(80점)의 점수가 각각 60/100 이상이어야 하되, CT의 등록된 용도가 특정 신체 부위를 위한 전용기기인 경우에는 해당 부위에 관한 영상을 검사하고, 등록된 용도가 전신용인 경우 두부, 흉부, 복부 중 2개를 택하여 영상을 제출하도록 한 후 제출된 영상이 모두 일반정보항목(20점)과 영상정보항목(80점)의 점수에서 각각 60/100 이상인 경우 합격으로 인정한다고 규정하고 있다. 상고이유 논지는 전신용 CT의 임상영상검사 합격기준에 관하여 규정한 규칙 제5조 제②항 [별표 3]이 헌법상 과잉금지원칙과 평등의 원칙에 위배하였으므로 이를 적용하여 피고인에게 유죄를 인정한 원심에는 위 규정의 합헌성에 관한 법리를 오해한 위법이 있다는 것이다. 그러나, CT와 같은 특수의료장비의 영상이 기준에 미달하는 경우 이를 이용하는 환자는 고액의 검사료를 부담하면서도 오진의 위험성까지 존재하므로 적절한 사후관리를 통하여 그 유효성 및 안정성을 지속적으로 확보할 필요가 있어 특수의료장비에 대하여 등록, 설치인정기준, 품질관리검사 등의 엄격한 규제를 하고 있는 점, 전신용 CT에 대한 품질관리검사는 당해 CT가 전신용으로 사용하기에 적합한지 여부를 판정하기 위한 것인 점, 개별 부위에 대한 사용 적합성은 의료기관의 개설자나 관리자가 당해 CT를 개별 부위에 대한 전용기기로 등록하면 판정받을 수 있는 점에 비추어 보면, 전신용 CT에 대한 품질관리검사에서 임상영상검사 결과 일부 신체 부위의 영상에 대한 점수가 60/100 이상인 경우 그 부위에 대한 품질관리검사에서 적합 판정을 할 수 있도록 하지 아니하고 CT의 사용 자체를 금지한 것이 헌법상의 과잉금지원칙이나 평등의 원칙에 위배하였다고 보기 어렵다.

다. 설치인정기준

(1) 등록하려는 특수의료장비는 특수의료장비 설치인정기준(별표 1)에 맞게 설치 · 운영하여야 한다(특수의료장비의 설치 및 운영에 관한 규칙 제3조 제①항).

(2) [별표 1] 특수의료장비 설치인정기준(제3조 관련)

(가) 운용인력기준

항목 \ 특수의료장비의 종류		자기공명영상 촬영장치	전산화단층 촬영장치	유방 촬영용 장치
용 도 구 분		전신용 두부 전용 척추 전용 관절 전용 척추 및 관절 전용 두부 및 척추 전용 두부 및 관절 전용	전신용 두부 전용 척추 전용 두부 및 척추 전용	유방용
운용인력기준	영상의학과 전문의	전속 1명 이상	비전속 1명 이상	비전속 1명 이상
	방사선사	전속 1명 이상	전속 1명 이상	비전속 1명 이상

(나) 시설기준

① 자기공명영상 촬영장치 및 전산화단층 촬영장치

항목 \ 특수의료장비		자기공명영상 촬영장치	전산화단층 촬영장치
시설 기준	시 지역 (광역시의 군 포함)	1) 200병상 이상인 의료기관만 설치할 수 있다. 2) 200병상 미만인 의료기관이 특수의료장비를 설치하려면 다른 의료기관과 공동활용하여야 하고, 이 경우 공동활용을 위하여 별지 제2호 서식의 특수의료장비 공동활용 동의서를 제출한 의료기관과의 병상 합계가 200병상 이상이어야 한다.	1) 200병상 이상인 의료기관만 설치할 수 있다. 2) 200병상 미만인 의료기관이 특수의료장비를 설치하려면 다른 의료기관과 공동활용하여야 하고, 이 경우 공동활용을 위하여 별지 제2호서식의 특수의료장비 공동활용 동의서를 제출한 의료기관과의 병상합계가 200병상 이상이어야 한다.
	군 지역 (인구가 10만 명 이하인 시 지역 포함)		1) 100병상 이상인 의료기관만 설치할 수 있다. 2) 100병상 미만인 의료기관이 특수의료장비를 설치하려면 다른 의료기관과 공동활용하여야 하고, 이 경우 공동활용을 위하여 별지 제2호서식의 특수의료장비 공동활용 동의서를 제출한 의료기관과의 병상합계가 100병상 이상이어야 한다.

비 고	1. 종합병원은 전산화단층 촬영장치의 시설기준을 적용받지 아니한다. 2. 시설기준 중 자기공명영상 촬영장치 및 전산화단층 촬영장치의 공동활용에 관한 동의는 각각의 장비에 대하여 둘 이상의 의료기관에 중복하여 할 수 없다. 3. 특수의료장비를 공동활용할 수 있는 의료기관은 특수의료장비를 설치한 의료기관이 소재한 시 · 군 · 구(자치구를 말한다. 이하 같다)와 동일한 시 · 군 · 구에 소재하거나 지리적으로 경계가 인접한 시 · 군 · 구에 소재한 의료기관으로 한정한다. 4. 다음 각 목의 병원 등의 병상은 공동활용병상으로 인정되지 아니한다. 　　가. 「의료법」 제3조에 따른 의료기관 중 치과병원, 한방병원, 요양병원, 치과의원, 한의원 및 조산원. 다만, 「의료법」 제43조 제②항에 따라 관련 의과 진료과목을 추가로 설치한 한방병원은 제외한다. 　　나. 「정신보건법」 제3조 제3호에 따른 정신의료기관 중 같은 법 제12조 제①항 및 「정신보건법 시행규칙」 제7조의 시설기준 등에 따른 정신병원 · 정신과의원 　　다. 「결핵예방법」 제25조에 따른 결핵병원 5. 공동활용병상으로 인정되지 아니하는 의료기관은 자체병상을 확보하여도 특수의료장비를 설치할 수 없다. 6. 도서지역 등 설치인정기준을 충족하기 어렵다고 보건복지부장관이 인정하는 경우에는 예외적으로 설치인정기준을 적용받지 아니할 수 있다.

　② 유방 촬영용 장치

　　해당 없음

(3) 특수의료장비 설치인정기준에 따라 특수의료장비를 운용할 영상의학과 전문의와 방사선사는 다음 각 호의 업무를 수행한다.

　① 영상의학과 전문의 : 특수의료장비의 의료영상 품질관리 업무의 총괄 및 감독, 영상화질 평가, 임상영상 판독

　② 방사선사 : 특수의료장비의 취급, 정도관리항목 실행, 그 밖의 품질관리에 관한 업무

라. 등록사항의 변경 통보

(1) 특수의료장비를 설치 · 운영하고 있는 의료기관의 개설자나 관리자는 ① 인력등록사항에 변동이 있는 경우, ② 시설등록사항에 변동이 있는 경우 또는 ③ 특수의료장비를 설치 · 운용하고 있는 의료기관의 개설자 또는 명칭이 변경되거나 특수의료장비의 용도 또는 설치장소가 변경되면 그 사유가 발생한 날부터 30일 이내에 서류(전자문서를 포함한다)를 시장 · 군수 · 구청장에게 제출하여야 한다(특수의료장비의 설치 및 운영에 관한 규칙 제4조 제①항).

(2) 변경통보를 받은 시장 · 군수 · 구청장은 변경사항이 특수의료장비 설치인정기준에 맞다고 인정하면 특수의료장비 등록증명서를 고쳐 적거나 재발급하고, 변경사항을 특수의료장비 등록대장(별지 제4호 서식, 전자문서대장 포함)에 적어야 한다(특수의료장비의 설치 및 운영에 관한 규칙 제4조 제②항).

마. 품질관리검사의 종류

(1) 특수의료장비를 설치 · 운영하는 의료기관의 개설자나 관리자가 받아야 하는 정기적인 품질관리검사는 서류검사와 정밀검사로 하되, 그 내용은 특수의료장비 품질관리검사의 종류(별표 2)와 같다(특수의료장비의 설치 및 운영에 관한 규칙 제5조 제①항).

(2) [별표 2] 특수의료장비 품질관리검사의 종류(제5조 제①항 관련)

	서류검사	정밀검사
검사주기	1년	3년
검사방법	서류	현지 출장검사
검사항목	1. 인력검사 2. 시설검사 3. 정도관리기록 검사 4. 팬텀영상 검사	1. 인력검사 2. 시설검사 3. 정도관리기록 검사 4. 팬텀영상 검사 5. 임상영상 검사
비고	1. 제5조 제③항 제1호의 검사에서는 정도관리기록 검사 및 임상영상 검사를 제외한다. 2. 정밀검사를 받은 경우에는 해당 연도에만 서류검사를 면제한다. 3. 검사기간은 검사주기 만료일 전후 각각 31일로 한다.	

9 시설 등의 공동이용

제39조【시설 등의 공동이용】 ① 의료인은 다른 의료기관의 장의 동의를 받아 그 의료기관의 시설 · 장비 및 인력 등을 이용하여 진료할 수 있다.

② 의료기관의 장은 그 의료기관의 환자를 진료하는 데에 필요하면 해당 의료기관에 소속되지 아니한 의료인에게 진료하도록 할 수 있다.

③ 의료인이 다른 의료기관의 시설 · 장비 및 인력 등을 이용하여 진료하는 과정에서 발생한 의료사고에 대하여는 진료를 한 의료인의 과실 때문이면 그 의료인에게, 의료기관의 시설 · 장비 및 인력 등의 결함 때문이면 그것을 제공한 의료기관 개설자에게 각각 책임이 있는 것으로 본다.

가. 의의

(1) 의료인은 다른 의료기관의 장의 동의를 받아 그 의료기관의 시설 · 장비 및 인력 등을 이용하여 진료할 수 있고(제39조 제①항), 의료기관의 장은 그 의료기관의 환자를 진료하는 데에 필요하면 해당 의료기관에 소속되지 아니한 의료인에게 진료하도록 할 수 있다(제39조 제②항).

(2) 시설 등의 공동이용(제39조)은 이른바 개방형 병원 형태를 가정하여 2000. 7. 13.부터 시행된 조항이다. 특히 제39조 제②항은 의료기관의 장이 그 의료기관에 내원한 환자를 먼저 진료하여 그 환자의 진료를 위해 그 의료기관에 속하지 아니한 의료인의 진료가 필요한지를 먼저 판단한 다음, 필요하다

고 인정한 경우에 비로소 외부 의료인으로 하여금 그 환자를 진료하게 할 수 있다는 것으로 의료기관을 개설한 의료인만이 의료업을 할 수 있고 의료기관을 개설한 의료인은 자신의 의료기관에 상주하여 진료하는 것을 원칙으로 한 의료법 제33조 제①항의 입법 취지를 고려할 때 특정 분야에 대해 전문적 지식과 경험을 가진 외부 의료인의 진료에 관한 규정으로 그것이 허용되는 요건으로서 외부 의료인의 진료의 필요성에 대한 판단이 선행될 것을 전제로 하고 있으며 그 판단은 환자별로 개별적 · 구체적으로 이루어질 것을 요한다. 그러므로 개별 환자에 대해 외부 의료인의 진료 필요성에 관한 구체적인 판단이 선행되지 않은 상태에서 일괄적으로 특정 요일에 내원하는 환자 전부를 외부 의료인에게 진료하도록 하는 행위를 의료법 제39조 제②항에 의해 허용되는 행위라고 볼 수 없다[243].

(3) 국민건강보험법상의 요양기관인 의료기관을 개설한 의료인이 매주 일정한 요일에 그 의료기관에 소속되지 아니한 다른 의료인으로 하여금 그 의료기관에 내원한 환자를 일률적으로 진료하도록 하고 개설자 본인의 이름으로 원외처방전을 발행하도록 한 행위는 보험자인 국민건강보험공단에 대한 관계에서 민법 제750조의 위법행위에 해당한다[244].

나. 책임

의료인이 다른 의료기관의 시설 · 장비 및 인력 등을 이용하여 진료하는 과정에서 발생한 의료사고에 대하여는 진료를 한 의료인의 과실 때문이면 그 의료인에게, 의료기관의 시설 · 장비 및 인력 등의 결함 때문이면 그것을 제공한 의료기관 개설자에게 각각 책임이 있는 것으로 본다(제39조 제③항).

10 폐업 · 휴업 신고와 진료기록부 등의 이관

제40조 【폐업 · 휴업 신고와 진료기록부등의 이관】 ① 의료기관 개설자는 의료업을 폐업하거나 1개월 이상 휴업하려면 보건복지부령으로 정하는 바에 따라 관할 시장 · 군수 · 구청장에게 신고하여야 한다.

② 의료기관 개설자는 제①항에 따라 폐업 또는 휴업 신고를 할 때 제22조나 제23조에 따라 기록 · 보존하고 있는 진료기록부등을 관할 보건소장에게 넘겨야 한다. 다만, 의료기관 개설자가 보건복지부령으로 정하는 바에 따라 진료기록부등의 보관계획서를 제출하여 관할 보건소장의 허가를 받은 경우에는 직접 보관할 수 있다.

③ 시장 · 군수 · 구청장은 제①항에 따른 신고에도 불구하고 「감염병의 예방 및 관리에 관한 법률」 제18조 및 제29조에 따라 질병관리본부장, 시 · 도지사 또는 시장 · 군수 · 구청장이 감염병의 역학조사 및 예방접종에 관한 역학조사를 실시하거나 같은 법 제18조의 2에 따라 의료인 또는 의료기관의 장이 보건복지부장관 또는 시 · 도지사에게 역학조사 실시를 요청한 경우로서 그 역학조사를 위하여 필요하다고 판단하는 때에는 의료기관 폐업 신고를 수리하지 아니할 수 있다.

243) 서울행정법원 2009. 8. 13. 선고 2009구합10192 판결
244) 대법원 2013. 6. 13. 선고 2012다91262 판결

④ 의료기관 개설자는 의료업을 폐업 또는 휴업하는 경우 보건복지부령으로 정하는 바에 따라 해당 의료기관에 입원 중인 환자를 다른 의료기관으로 옮길 수 있도록 하는 등 환자의 권익을 보호하기 위한 조치를 하여야 한다. 〈신설 2016. 12. 20.〉

⑤ 시장·군수·구청장은 제1항에 따른 폐업 또는 휴업 신고를 받은 경우 의료기관 개설자가 제4항에 따른 환자의 권익을 보호하기 위한 조치를 취하였는지 여부를 확인하는 등 대통령령으로 정하는 조치를 하여야 한다. 〈신설 2016. 12. 20.〉 [시행일 : 2017. 6. 21.]

제64조 【개설 허가 취소 등】 ① 보건복지부장관 또는 시장·군수·구청장은 의료기관이 다음 각 호의 어느 하나에 해당하면 그 의료업을 1년의 범위에서 정지시키거나 개설 허가를 취소하거나 의료기관 폐쇄를 명할 수 있다. 다만, 제8호에 해당하는 경우에는 의료기관 개설 허가를 취소하거나 의료기관 폐쇄를 명하여야 하며, 의료기관 폐쇄는 제33조 제③항과 제35조 제①항 본문에 따라 신고한 의료기관에만 명할 수 있다.

5. ──중략── 제40조 또는 제56조를 위반한 때

제89조 【벌칙】 다음 각 호의 어느 하나에 해당하는 자는 1년 이하의 징역이나 1천만원 이하의 벌금에 처한다.

2. 정당한 사유 없이 제40조 제④항에 따른 권익보호조치를 하지 아니한 자

제92조 【과태료】 ③ 다음 각 호의 어느 하나에 해당하는 자에게는 100만원 이하의 과태료를 부과한다.

3. 제40조 제①항(제82조 제③항에서 준용하는 경우를 포함한다)에 따른 휴업 또는 폐업 신고를 하지 아니하거나 제40조 제②항을 위반하여 진료기록부등을 이관(移管)하지 아니한 자

가. 폐업과 휴업 신고

(1) 의료기관 개설자는 의료업을 폐업하거나 1개월 이상 휴업하려면 보건복지부령[245]으로 정하는 바에 따라 관할 시장·군수·구청장에게 신고하여야 한다(제40조 제①항). 1개월 미만으로 휴업하는 경우는 신고할 필요가 없지만 대진의 고용시에는 대진의 고용기간과 대진의 인적사항 등을 시장·군수·구청장에게 신고하여야 한다(의료법 시행규칙 제26조 제①항 제2호). 신고된 휴업 기간 중에 의료업을 재개하려면 휴업 신고를 철회하고 재개하는 것이 좋다.

(2) 폐업이나 휴업을 신고하지 않으면 보건복지부장관 또는 시장·군수·구청장이 그 의료업을 1년의 범위에서 정지시키거나 개설 허가를 취소하거나 의료기관 폐쇄를 명할 수 있는데(제64조 제①항 제5호), 실무상으로는 의료관계 행정처분규칙 별표 2. 개별 기준 나. 10), 11)에 따라 휴업 미신고이면 경고, 폐업 미신고이면 허가 취소 또는 폐쇄를 명한다. 위반시 100만원 이하의 과태료 부과 대상이다(제92조 제③항 제3호).

(3) 시장·군수·구청장은 폐업이나 휴업 신고에도 불구하고 감염병의 예방 및 관리에 관한 법률 제

---

245) **의료법 시행규칙 제30조(폐업·휴업의 신고)** ① 법 제40조에 따라 의료기관의 개설자가 의료업을 폐업하거나 휴업하려면 별지 제18호 서식의 신고서를 관할 시장·군수·구청장에게 제출하여야 한다.
② 시장·군수·구청장은 매월의 의료기관 폐업신고의 수리 상황을 그 다음달 15일까지 보건복지부장관에게 보고하여야 한다.
③ 법 제33조 제②항 및 제⑧항에 따라 의원·치과의원·한의원 또는 조산원을 개설한 의료인이 부득이한 사유로 6개월을 초과하여 그 의료기관을 관리할 수 없는 경우 그 개설자는 폐업 또는 휴업 신고를 하여야 한다.

18조 및 제29조에 따라 질병관리본부장, 시·도지사 또는 시장·군수·구청장이 감염병의 역학조사 및 예방접종에 관한 역학조사를 실시하거나 같은 법 제18조의 2에 따라 의료인 또는 의료기관의 장이 보건복지부장관 또는 시·도지사에게 역학조사 실시를 요청한 경우로서 그 역학조사를 위하여 필요하다고 판단하는 때에는 의료기관 폐업 신고를 수리하지 않을 수 있다(제40조 제③항).

(4) 의료기관 개설자는 의료업을 폐업 또는 휴업하는 경우 보건복지부령으로 정하는 바에 따라 해당 의료기관에 입원 중인 환자를 다른 의료기관으로 옮길 수 있도록 하는 등 환자의 권익을 보호하기 위한 조치를 하여야 한다(제40조 제④항). 정당한 사유 없이 환자의 권익을 보호하기 위한 조치를 하지 않으면 1년 이하의 징역이나 1천만원 이하의 벌금에 처해질 수 있다(제89조 제2호). 2016. 12. 20.자 개정으로 신설되었으며 2017. 6. 21.부터 시행된다.

(5) 시장·군수·구청장은 폐업 또는 휴업 신고를 받은 경우 의료기관 개설자가 보건복지부령으로 정하는 바에 따라 해당 의료기관에 입원 중인 환자를 다른 의료기관으로 옮길 수 있도록 하는 등 환자의 권익을 보호하기 위한 조치를 취하였는지 여부를 확인하는 등 대통령령으로 정하는 조치를 하여야 한다(제40조 제⑤항).

나. 진료기록부 등의 이관

(1) 의료기관 개설자는 폐업 또는 휴업 신고를 할 때 기록·보존하고 있는 진료기록부 등을 관할 보건소장에게 넘겨야 한다. 다만, 의료기관 개설자가 보건복지부령[246]으로 정하는 바에 따라 진료기록부등의 보관계획서를 제출하여 관할 보건소장의 허가를 받은 경우에는 직접 보관할 수 있다(제40조 제②항).

(2) 폐업 또는 휴업 신고를 할 때 기록·보존하고 있는 진료기록부 등을 이관이나 보관 등의 조치를 하지 않으면 보건복지부장관 또는 시·군·군수·구청장이 그 의료업을 1년의 범위에서 정지시키거나 개설 허가를 취소하거나 의료기관 폐쇄를 명할 수 있는데(제64조 제①항 제5호), 실무상으로는 의료 관계 행정처분규칙 별표 2. 개별 기준 나. 12)에 따라 경고한다. 위반시 100만원 이하의 과태료 부과 대상이다(제92조 제③항 제3호).

다. 대진의 신고

(1) 의원·치과의원·한의원 또는 조산원 개설자가 입원, 해외 출장 등으로 다른 의사·치과의사·한의사 또는 조산사에게 진료하게 할 경우 그 기간 및 해당 의사 등의 인적 사항을 확인할 수 있는 서류[247]의 사본을 첨부하여 신고사항 변경신고서(별지 제14호 서식, 전자문서로 된 신고서 포함)를 시

---

246) **의료법 시행규칙 제30조(폐업·휴업의 신고)** ④ 법 제40조 제②항 단서에 따라 폐업 또는 휴업의 신고를 하는 의료기관 개설자가 진료기록부등을 직접 보관하려면 별지 제19호 서식의 진료기록 보관계획서에 다음 각 호의 서류를 첨부하여 폐업 또는 휴업 예정일 전까지 관할 보건소장의 허가를 받아야 한다.
  1. 진료기록부등의 종류별 수량 및 목록
  2. 진료기록부등에 대한 체계적이고 안전한 보관계획에 관한 서류
247) 대진의에 대한 성범죄경력조회서, 대진의 의사면허증 사본

장 · 군수 · 구청장에게 제출하여야 한다(의료법 시행규칙 제26조 제①항 제2호). 이를 실무상 대진의 신고라고 한다.

(2) 의원 · 치과의원 · 한의원 또는 조산원을 개설한 의료인이 부득이한 사유로 3개월을 초과하여 그 의료기관을 관리할 수 없는 경우 그 개설자는 폐업 또는 휴업 신고를 하여야 한다(의료법 시행규칙 제30조 제③항). 따라서 대진의사를 둘 수 있는 최장 기간은 3개월이다.

(3) 국민건강보험법상의 요양기관은 대진의사를 두어 건강보험심사평가원에 신고한 내용이 변경되면 변경된 날부터 15일 이내에 요양기관 현황 변경신고서(별지 제17호 서식)에 변경된 사항을 증명하는 서류를 첨부하여 건강보험심사평가원에 제출하여야 한다(국민건강법 제43조 제②항, 국민건강보험법 시행규칙 제12조 제②항).

(4) 대진의가 진료하더라도 요양급여비용을 청구하는 명의는 해당 요양기관이다(국민건강보험법 시행규칙 제19조 제①항 참조). 반면에 진단서 등(제17조)과 처방전(제18조)의 작성 명의자는 대진의이다.

11 당직의료인

제41조【당직의료인】 각종 병원에는 응급환자와 입원환자의 진료 등에 필요한 당직의료인을 두어야 한다.

제63조【시정 명령 등】 보건복지부장관 또는 시장 · 군수 · 구청장은 의료기관이 ——중략—— 제41조부터 제43조까지, ——중략——을 위반한 때 또는 ——중략—— 아니하게 된 때
에는 일정한 기간을 정하여 그 시설 · 장비 등의 전부 또는 일부의 사용을 제한 또는 금지하거나 위반한 사항을 시정하도록 명할 수 있다.

제64조【개설 허가 취소 등】 ① 보건복지부장관 또는 시장 · 군수 · 구청장은 의료기관이 다음 각 호의 어느 하나에 해당하면 그 의료업을 1년의 범위에서 정지시키거나 개설 허가를 취소하거나 의료기관 폐쇄를 명할 수 있다. 다만, 제8호에 해당하는 경우에는 의료기관 개설 허가를 취소하거나 의료기관 폐쇄를 명하여야 하며, 의료기관 폐쇄는 제33조 제③항과 제35조 제①항 본문에 따라 신고한 의료기관에만 명할 수 있다.

　3. 제61조에 따른 관계 공무원의 직무 수행을 기피 또는 방해하거나 제59조 또는 제63조에 따른 명령을 위반한 때

　6. 제63조에 따른 시정명령(제4조 제⑤항 위반에 따른 시정명령을 제외한다)을 이행하지 아니한 때

제90조【벌칙】 ——중략—— 제41조, ——중략——을 위반한 자나 제63조에 따른 명령을 위반한 자와 의료기관 개설자가 될 수 없는 자에게 고용되어 의료행위를 한 자는 500만원 이하의 벌금에 처한다.

제91조【양벌규정】

(1) 당직의료인은 자신이 근무하는 의료기관에서 숙직이나 일직 따위의 당번으로서 환자 내원시 즉시 진료에 임할 수 있는 상태로 근무 중인 의료인이다. 각종 병원에는 응급환자와 입원환자의 진료 등에 필요한 당직의료인을 두어야 한다(제41조). 따라서 의원급 의료기관(제3조 제②항 제1호)에는 적용되지 않는다. 다만, 보건복지부장관, 시 · 도지사 또는 시장 · 군수 · 구청장은 공휴일 또는 야간이

나 그 밖에 응급환자 진료에 지장을 줄 우려가 있다고 인정할 만한 이유가 있는 경우에는 응급환자에 대한 응급의료를 위하여 보건복지부령으로 정하는 바에 따라 의료기관의 종류별·진료과목별 및 진료기간별로 당직의료기관을 지정하고 이들로 하여금 응급의료를 하게 할 수 있는데(응급의료에 관한 법률 제34조) 실무상 의원급을 지정하는 경우는 거의 없다.

(2) 각종 병원에 두어야 하는 당직의료인의 수는 입원 환자 200명까지는 의사·치과의사 또는 한의사의 경우에는 1명, 간호사의 경우에는 2명을 두되, 입원환자 200명을 초과하는 200명마다 의사·치과의사 또는 한의사의 경우에는 1명, 간호사의 경우에는 2명을 추가한 인원 수로 한다(의료법 시행령 제18조 제①항). 다만, 정신병원, 재활병원, 결핵병원 등은 입원환자를 진료하는 데에 지장이 없도록 해당 병원의 자체 기준에 따라 배치할 수 있다(의료법 시행령 제18조 제②항).

(3) 병원에 당직의료인을 두지 않으면 500만원 이하의 벌금에 처해질 수 있으며(제90조), 보건복지부장관 또는 시장·군수·구청장이 일정한 기간을 정하여 그 시설·장비 등의 전부 또는 일부의 사용을 제한 또는 금지하거나 위반한 사항을 시정하도록 명할 수 있는데(제63조), 실무상으로는 의료관계 행정처분규칙 별표 2. 개별 기준 나. 13)에 따라 시정명령을 처분한다. 시정명령을 이행하지 않으면 보건복지부장관 또는 시장·군수·구청장이 그 의료업을 1년의 범위에서 정지시키거나 개설 허가를 취소하거나 의료기관 폐쇄를 명할 수 있는데(제64조 제①항 제3호, 제6호), 실무상으로는 의료관계 행정처분규칙 별표 2. 개별 기준 나. 27)에 따라 업무정지 15일을 처분한다. 보건복지부장관이나 시장·군수·구청장은 정지 처분에 갈음하여 5천만원 이하의 과징금을 부과할 수 있다(제67조 제①항).

12 의료기관의 명칭과 진료과목 등의 표시

제42조【의료기관의 명칭】 ① 의료기관은 제3조 제②항에 따른 의료기관의 종류에 따르는 명칭 외의 명칭을 사용하지 못한다. 다만, 다음 각 호의 어느 하나에 해당하는 경우에는 그러하지 아니하다.

  1. 종합병원이 그는 명칭 외의 명칭을 사용하지 못한다. 다만, 다음 각 호의 어느 하나에 해당하는 경우에는 그러하지 아니하다. 명칭을 병원으로 표시하는 경우
  2. 제3조의 4 제①항에 따라 상급종합병원으로 지정받거나 제3조의 5 제①항에 따라 전문병원으로 지정받은 의료기관이 지정받은 기간 동안 그 명칭을 사용하는 경우
  3. 제33조 제⑧항 단서에 따라 개설한 의원급 의료기관이 면허 종별에 따른 종별명칭을 함께 사용하는 경우
  4. 국가나 지방자치단체에서 개설하는 의료기관이 보건복지부장관이나 시·도지사와 협의하여 정한 명칭을 사용하는 경우
  5. 다른 법령으로 따로 정한 명칭을 사용하는 경우

② 의료기관의 명칭 표시에 관한 사항은 보건복지부령으로 정한다.

③ 의료기관이 아니면 의료기관의 명칭이나 이와 비슷한 명칭을 사용하지 못한다.

제43조【진료과목 등】 ① 병원 · 치과병원 또는 종합병원은 한의사를 두어 한의과 진료과목을 추가로 설치 · 운영할 수 있다.

② 한방병원 또는 치과병원은 의사를 두어 의과 진료과목을 추가로 설치 · 운영할 수 있다.

③ 병원 · 한방병원 또는 요양병원은 치과의사를 두어 치과 진료과목을 추가로 설치 · 운영할 수 있다.

④ 제①항부터 제③항까지의 규정에 따라 추가로 진료과목을 설치 · 운영하는 경우에는 보건복지부령으로 정하는 바에 따라 진료에 필요한 시설 · 장비를 갖추어야 한다.

⑤ 제①항부터 제③항까지의 규정에 따라 추가로 설치한 진료과목을 포함한 의료기관의 진료과목은 보건복지부령으로 정하는 바에 따라 표시하여야 한다. 다만, 치과의 진료과목은 종합병원과 제77조 제②항에 따라 보건복지부령으로 정하는 치과병원에 한하여 표시할 수 있다.

제63조【시정 명령 등】 보건복지부장관 또는 시장 · 군수 · 구청장은 의료기관이 ——중략—— 제41조부터 43조까지, ——중략——을 위반한 때 또는 ——중략—— 아니하게 된 때에는 일정한 기간을 정하여 그 시설 · 장비 등의 전부 또는 일부의 사용을 제한 또는 금지하거나 위반한 사항을 시정하도록 명할 수 있다.

제64조【개설 허가 취소 등】 ① 보건복지부장관 또는 시장 · 군수 · 구청장은 의료기관이 다음 각 호의 어느 하나에 해당하면 그 의료업을 1년의 범위에서 정지시키거나 개설 허가를 취소하거나 의료기관 폐쇄를 명할 수 있다. 다만, 제8호에 해당하는 경우에는 의료기관 개설 허가를 취소하거나 의료기관 폐쇄를 명하여야 하며, 의료기관 폐쇄는 제33조 제③항과 제35조 제①항 본문에 따라 신고한 의료기관에만 명할 수 있다.

　3. 제61조에 따른 관계 공무원의 직무 수행을 기피 또는 방해하거나 제59조 또는 제63조에 따른 명령을 위반한 때

　6. 제63조에 따른 시정명령(제4조 제⑤항 위반에 따른 시정명령을 제외한다)을 이행하지 아니한 때

제67조【과징금 처분】 ① 보건복지부장관이나 시장 · 군수 · 구청장은 의료기관이 제64조 제①항 각 호의 어느 하나에 해당할 때에는 대통령령으로 정하는 바에 따라 의료업 정지 처분을 갈음하여 5천만원 이하의 과징금을 부과할 수 있으며, 이 경우 과징금은 3회까지만 부과할 수 있다. 다만, 제①항 제8호에 따라 의료기관 개설 허가를 취소당하거나 폐쇄 명령을 받은 자는 취소당한 날이나 폐쇄 명령을 받은 날부터 3년 안에는 의료기관을 개설 · 운영하지 못한다.

제90조【벌칙】 ——중략—— 제42조 제①항, ——중략—— 을 위반한 자나 제63조에 따른 명령을 위반한 자와 의료기관 개설자가 될 수 없는 자에게 고용되어 의료행위를 한 자는 500만원 이하의 벌금에 처한다.

제91조【양벌규정】

제92조【과태료】 ③ 다음 각 호의 어느 하나에 해당하는 자에게는 100만원 이하의 과태료를 부과한다.

　4. 제42조 제③항을 위반하여 의료기관의 명칭 또는 이와 비슷한 명칭을 사용한 자

　5. 제43조 제⑤항에 따른 진료과목 표시를 위반한 자

가. 의료기관의 명칭

[1] 의료기관은 제3조 제2항에 따른 의료기관의 종류에 따르는 명칭(의원, 치과의원, 한의원, 조산원, 병원, 치과병원, 한방병원, 요양병원, 종합병원) 외의 명칭을 사용하지 못한다(제42조 제①항 본문).

이에 위반되면 500만원 이하의 벌금에 처해질 수 있으며(제90조), 보건복지부장관 또는 시장·군수·구청장이 일정한 기간을 정하여 그 시설·장비 등의 전부 또는 일부의 사용을 제한 또는 금지하거나 위반한 사항을 시정하도록 명할 수 있는데(제63조), 실무상으로는 의료관계 행정처분규칙 별표 2. 개별 기준 나. 14)에 따라 시정명령을 처분한다. 시정명령을 이행하지 않으면 보건복지부장관 또는 시장·군수·구청장이 그 의료업을 1년의 범위에서 정지시키거나 개설 허가를 취소하거나 의료기관 폐쇄를 명할 수 있다(제64조 제①항 제3호, 제6호). 실무상으로는 의료관계 행정처분규칙 별표 2. 개별 기준 나. 27)에 따라 업무정지 15일을 처분한다. 보건복지부장관이나 시장·군수·구청장은 정지 처분에 갈음하여 5천만원 이하의 과징금을 부과할 수 있다(제67조 제①항). 의료기관의 명칭 표시에 관한 사항은 보건복지부령으로 정한다(제42조 제②항).

(2) 의료기관이 명칭을 표시하는 경우에는 법 제3조 제②항에 따른 의료기관의 종류에 따르는 명칭(종합병원의 경우에는 종합병원 또는 병원) 앞에 고유명칭[248]을 붙인다[249]. 이 경우 그 고유명칭은 의료기관의 종류 명칭과 동일한 크기로 하되, 의료기관의 종류 명칭과 혼동할 우려가 있거나 특정 진료과목 또는 질환명과 비슷한 명칭을 사용하지 못한다(의료법 시행규칙 제40조 제1호)[250]. 의료법 시행규칙이 의료기관의 종류를 규정하고 그 명칭 사용을 규제하는 것은 일반인으로 하여금 의료기관의 종류를 구분할 수 있게 하고 의료기관의 명칭 표기에 따르는 혼동이나 혼란을 방지하고자 함에 있다. 그리고 의료법 시행규칙이 정한 의료기관의 명칭 이외의 명칭(의료기관의 종류 명칭과 혼동할 우려가 있거나 특정 진료과목 또는 질환명과 비슷한 명칭)은 그 의료기관의 종별에 따르는 명칭으로서 뿐만 아니라 고유명사의 일부로서도 사용하는 것을 허용하지 아니하는 취지이므로 의료기관의 고유명칭인 '강남'과 의료기관의 종별표시인 '의원' 사이에 '크리닉'이라는 명칭을 사용하였다면 이를 고유명사의 일부로서 사용하였건 의료기관의 종류나 성질의 표시로서 사용하였건 의료법에 위배된다[251].

(3) 병원·한방병원·치과병원·의원·한의원 또는 치과의원의 개설자가 전문의인 경우에는 그 의료기관의 고유명칭과 의료기관의 종류 명칭 사이에 인정받은 전문과목을 삽입하여 표시할 수 있다(의료법 시행규칙 제40조 제4호). 그리고 전문의는 진료과목 표시판에 진료과목 외에 '전문과목'이라는 글자와 전문과목의 명칭을 표시할 수 있다(전문의의 수련 및 자격 인정 등에 관한 규정 제20조). 공동 개원의 경우에 복수의 개설자가 전문의들이면 각각 인정받은 전문과목들을 모두 삽입하고 전문과목이라는 부분을 표시하는 것도 가능하다. 전문의를 고용한 의료법인이나 비영리법인 등은 전문의인 개설자가 아니므로 전문과목을 의료기관 명칭으로 표시할 수 없다.

---

248) 고유명칭(固有名稱)은 낱낱의 특정한 사물이나 사람을 다른 것들과 구별하여 부르기 위하여 고유의 기호를 붙인 이름이다.

249) 다만, 의료법 제3조의 4 제①항에 따라 상급종합병원으로 지정받은 종합병원은 의료기관의 종류에 따른 명칭 대신 상급종합병원의 명칭을 표시할 수 있다(의료법 시행규칙 제40조 제2호).

250) 다만, 의료법 제3조의 5 제①항에 따라 전문병원으로 지정받은 병원은 지정받은 특정 진료과목 또는 질환명을 표시할 수 있으며, 의료기관의 종류에 따른 명칭 대신 전문병원의 명칭을 표시할 수 있다(의료법 시행규칙 제40조 제3호).

251) 대법원 1992. 5. 12. 선고 92도686 판결

(4) 부속 의료기관[252]이 명칭을 표시하는 경우에는 의료기관의 종류에 따르는 명칭 앞에 그 개설기관의 명칭과 "부속"이라는 문자를 붙여야 한다(의료법 시행규칙 제40조 제5호).

(5) 의료기관의 명칭표시판에는 ① 의료기관의 명칭, ② 전화번호, ③ 진료에 종사하는 의료인의 면허 종류 및 성명, ④ 의료법 제3조의 4 제①항에 따라 상급종합병원으로 지정받은 사실, ⑤ 의료법 제3조의 5 제①항에 따라 전문병원으로 지정받은 사실(의료기관의 명칭은 한글로 표시하되, 보건복지부장관이 정하는 바에 따라 외국어를 함께 표시할 수 있다)의 사항만을 표시할 수 있다. 다만, 장소가 좁거나 그 밖에 부득이한 사유가 있는 경우에는 의료법 시행규칙 제41조 제④항[253]에도 불구하고 진료과목을 명칭표시판에 함께 표시할 수 있다(의료법 시행규칙 제40조 제6호).

(6) ① 종합병원이 그 명칭을 병원으로 표시하는 경우, ② 제3조의 4 제①항에 따라 상급종합병원으로 지정받거나 제3조의 5 제①항에 따라 전문병원으로 지정받은 의료기관이 지정받은 기간 동안 그 명칭을 사용하는 경우, ③ 제33조 제⑧항 단서에 따라 개설한 의원급 의료기관이 면허 종별에 따른 종별명칭을 함께 사용하는 경우, ④ 국가나 지방자치단체에서 개설하는 의료기관이 보건복지부장관이나 시 · 도지사와 협의하여 정한 명칭을 사용하는 경우 또는 ⑤ 다른 법령으로 따로 정한 명칭을 사용하는 경우에는 의료기관의 종류에 따르는 명칭을 사용하지 않아도 된다(제42조 제①항 단서).

(7) 의료기관이 아니면 의료기관의 명칭이나 이와 비슷한 명칭을 사용하지 못한다(제42조 제③항). 이를 위반하면 100만원 이하의 과태료가 부과되는데(제92조 제③항 제4호), 실무에서 부과된 사례가 거의 없다.

나. 진료과목 등의 표시

(1) 병원 · 치과병원 또는 종합병원은 한의사를 두어 한의과 진료과목을 추가로 설치 · 운영할 수 있고(제43조 제①항), 한방병원 또는 치과병원은 의사를 두어 의과 진료과목을 추가로 설치 · 운영할 수 있으며(제43조 제②항), 병원 · 한방병원 또는 요양병원은 치과의사를 두어 치과 진료과목을 추가로 설치 · 운영할 수 있다(제43조 제③항). 같은 의료기관 내에서 양 · 한방 등 다른 직종 간 의료인의 협진체계를 허용하여 환자가 양질의 의료서비스를 받도록 하기 위함이다. 위와 같이 추가로 진료과목을 설치 · 운영하는 경우에는 보건복지부령[254]으로 정하는 바에 따라 진료에 필요한 시설 · 장비를

---

252) 의료법 제35조 제①항에 따라 의료인 · 의료법인 · 국가 · 지방자치단체 · 비영리법인 또는 공공기관의 운영에 관한 법률에 따른 준정부기관 외의 자가 그 종업원 및 가족의 건강관리를 위하여 부속 의료기관을 개설하는 경우이다.

253) 의료법 시행규칙 제41조 제④항 의료기관의 진료과목 표시판에는 "진료과목"이라는 글자와 진료과목의 명칭을 표시하여야 한다.

254) **의료법 시행규칙 제41조(진료과목의 표시)** ① 법 제43조에 따라 의료기관이 표시할 수 있는 진료과목은 다음 각 호와 같다.

  1. 종합병원 : 제2호 및 제3호의 진료과목

  2. 병원이나 의원 : 내과, 신경과, 정신건강의학과, 외과, 정형외과, 신경외과, 흉부외과, 성형외과, 마취통증의학과, 산부인과, 소아청소년과, 안과, 이비인후과, 피부과, 비뇨기과, 영상의학과, 방사선종양학과, 병리과, 진단검사의학과, 재활의학과, 결핵과, 가정의학과, 핵의학과, 직업환경의학과 및 응급의학과

  3. 「치과의사전문의의 수련 및 자격인정 등에 관한 규정」 제6조에 따라 지정받은 수련치과병원 : 구강악안면외과, 치과보철과, 치과교정과, 소아치과, 치주과, 치과보존과, 구강내과, 영상치의학과, 구강병리과 및 예방치과

  4. 한방병원이나 한의원 : 한방내과, 한방부인과, 한방소아과, 한방안 · 이비인후 · 피부과, 한방신경정신과, 한방재활의학과, 사상체질과 및 침구과

171

갖추어야 하고(제43조 제④항), 보건복지부령으로 정하는 바에 따라 추가로 설치한 진료과목을 포함한 의료기관의 진료과목을 표시하여야 한다. 다만, 치과의 진료과목은 종합병원과 제77조 제②항[255]에 따라 보건복지부령으로 정하는 치과병원에 한하여 표시할 수 있다(제43조 제⑤항).

(2) [별표 8] 추가로 진료과목을 설치한 의료기관이 표시할 수 있는 진료과목 및 진료에 필요한 시설·장비 기준 (제41조 제②항 관련)

① 표시할 수 있는 진료과목

의료기관 종류	표시할 수 있는 진료과목
종합병원	한의과 진료과목을 추가로 설치하는 경우: 한방내과, 한방부인과, 한방소아과, 한방안·이비인후·피부과, 한방신경정신과, 한방재활의학과, 사상체질과 및 침구과
병원	가. 한의과 진료과목을 추가로 설치하는 경우 　1) 모든 병원: 한방내과, 사상체질과 및 침구과 　2) 신경과, 정신과, 신경외과 또는 재활의학과를 설치·운영하고 있는 병원: 한방신경정신과 및 한방재활의학과 　3) 내과, 산부인과, 성형외과, 소아청소년과, 안과, 이비인후과 또는 피부과를 설치·운영하고 있는 병원: 한방부인과, 한방소아과 및 한방안·이비인후·피부과 나. 치과 진료과목을 추가로 설치하는 경우 　1) 모든 병원 : 구강내과 　2) 외과, 성형외과 또는 응급의학과를 설치·운영하고 있는 병원: 구강악안면외과, 치과보철과, 치과교정과, 치주과 및 치과보존과 　3) 소아청소년과를 설치·운영하고 있는 병원: 소아치과

---

5. 요양병원 : 제2호 및 제4호의 진료과목

② 법 제43조 제①항부터 제③항까지의 규정에 따라 추가로 진료과목을 설치한 의료기관이 표시할 수 있는 진료과목과 법 제43조 제④항에 따라 추가로 설치한 진료과목의 진료에 필요한 시설·장비는 별표 8과 같다.

③ 의료기관이 진료과목을 표시하는 경우에는 제①항 및 제②항의 진료과목 중 그 의료기관이 확보하고 있는 시설·장비 및 의료관계인에 해당하는 과목만을 표시할 수 있다.

④ 의료기관의 진료과목 표시판에는 '진료과목'이라는 글자와 진료과목의 명칭을 표시하여야 한다.

255) **제77조(전문의)** ② 제①항에 따라 전문의 자격을 인정받은 자가 아니면 전문과목을 표시하지 못한다. 다만, 보건복지부장관은 의료체계를 효율적으로 운영하기 위하여 전문의 자격을 인정받은 치과의사와 한의사에 대하여 종합병원·치과병원·한방병원 중 보건복지부령으로 정하는 의료기관에 한하여 전문과목을 표시하도록 할 수 있다.

한방병원	가. 의과 진료과목을 추가로 설치하는 경우 　1) 모든 한방병원: 내과, 가정의학과, 마취통증의학과 　2) 한방내과, 한방신경정신과, 한방재활의학과 또는 침구과를 설치·운영하고 있는 한방병원: 　　신경과, 정신과, 신경외과, 정형외과, 비뇨기과 및 재활의학과 　3) 한방부인과, 한방소아과 또는 한방안·이비인후·피부과를 설치·운영하고 있는 한방병원: 　　산부인과, 소아청소년과, 안과, 이비인후과 및 피부과 　4) 1)에서 3)까지의 의과과목을 1개 이상 설치·운영하고 있는 한방병원 : 영상의학과 및 진단 　　검사의학과 나. 치과 진료과목을 추가로 설치하는 경우 　1) 모든 한방병원: 구강내과 　2) 한방소아과를 설치·운영하고 있는 한방병원: 소아치과
치과병원	가. 의과 진료과목을 추가로 설치하는 경우 　1) 모든 치과병원: 내과, 가정의학과, 마취통증의학과 　2) 구강악안면외과, 치과보철과, 치과교정과, 치주과 또는 치과보존과를 설치·운영하고 있는 　　치과병원: 성형외과 및 정신과 　3) 구강내과 또는 소아치과를 설치·운영하고 있는 치과병원: 이비인후과, 정신과, 신경과 및 　　소아청소년과 나. 한의과 진료과목을 추가로 설치하는 경우 　1) 모든 치과병원: 한방내과, 침구과 　2) 소아치과를 설치·운영하고 있는 치과병원: 한방소아과
요양병원	치과 진료과목을 추가로 설치하는 경우: 구강악안면외과, 치과보철과, 치주과, 치과보존과 및 구강 내과

비고: 치과 진료과목을 추가로 설치하는 의료기관은 2013년 12월 31일까지 진료과목을 "치과"로 표시한다.

② 진료에 필요한 시설·장비 등

　가. 종합병원·병원·치과병원에 추가로 한의과 진료과목을 설치하는 경우

　　1) 관련된 시설·장비 및 의료관계인을 확보하고 있는 경우에는 한방요법실을 갖출 수 있다.

　　2) 탕전을 하는 경우에는 관련된 시설·장비 및 의료관계인을 확보하고 탕전실을 갖추어야 한다.

　나. 한방병원·치과병원에 추가로 의과 진료과목을 설치하는 경우

　　1) 외과계 진료과목을 설치하는 경우에는 관련된 시설·장비 및 의료관계인을 확보하고 수술실을 갖추어야 한다.

　　2) 관련된 시설·장비 및 의료관계인을 확보하고 있는 경우에는 임상검사실을 갖출 수 있다.

　　3) 관련된 시설·장비 및 의료관계인을 확보하고 있는 경우에는 방사선장치를 갖출 수 있다.

　　4) 수술실이 설치되어 있는 경우에는 회복실을 갖추어야 한다.

　다. 요양병원에 추가로 치과 진료과목을 설치하는 경우

1) 관련된 시설 · 장비 및 의료관계인을 확보하고 있는 경우에는 임상검사실을 갖출 수 있다.

2) 관련된 시설 · 장비 및 의료관계인을 확보하고 있는 경우에는 방사선장치를 갖출 수 있다.

라. 가목부터 다목까지의 규정에 따라 추가로 진료과목을 설치한 의료기관은 진료절차, 의료인 간 업무분장, 응급환자 대응방법, 관련 시설 · 장비의 활용방안, 환자의 선택권 등이 포함된 진료지침을 비치하여야 한다.

(3) 이를 위반하면 100만원 이하의 과태료가 부과되며(제92조 제③항 제5호), 보건복지부장관 또는 시장 · 군수 · 구청장이 일정한 기간을 정하여 그 시설 · 장비 등의 전부 또는 일부의 사용을 제한 또는 금지하거나 위반한 사항을 시정하도록 명할 수 있는데(제63조), 실무상으로는 의료관계 행정처분규칙 별표 2. 개별 기준 나. 14)에 따라 시정명령을 처분한다. 시정명령을 이행하지 않으면 보건복지부장관 또는 시장 · 군수 · 구청장이 그 의료업을 1년의 범위에서 정지시키거나 개설 허가를 취소하거나 의료기관 폐쇄를 명할 수 있다(제64조 제①항 제3호, 제6호). 실무상으로는 의료관계 행정처분규칙 별표 2. 개별 기준 나. 27)에 따라 업무정지 15일을 처분한다. 보건복지부장관이나 시장 · 군수 · 구청장은 정지 처분에 갈음하여 5천만원 이하의 과징금을 부과할 수 있다(제67조 제①항).

(4) 의료기관의 명칭 표시판에 진료과목을 함께 표시하는 경우에는 진료과목을 표시하는 글자의 크기를 의료기관의 명칭을 표시하는 글자 크기의 2분의 1 이내로 하여야 한다(의료법 시행규칙 제42조).

13 비급여 진료비용 등의 고지 등

제45조【비급여 진료비용 등의 고지】 ① 의료기관 개설자는 「국민건강보험법」 제41조 제④항에 따라 요양급여의 대상에서 제외되는 사항 또는 「의료급여법」 제7조 제③항에 따라 의료급여의 대상에서 제외되는 사항의 비용(이하 "비급여 진료비용"이라 한다)을 환자 또는 환자의 보호자가 쉽게 알 수 있도록 보건복지부령으로 정하는 바에 따라 고지하여야 한다.

② 의료기관 개설자는 보건복지부령으로 정하는 바에 따라 의료기관이 환자로부터 징수하는 제증명수수료의 비용을 게시하여야 한다.

③ 의료기관 개설자는 제①항 및 제②항에서 고지 · 게시한 금액을 초과하여 징수할 수 없다.

제45조의 2【비급여 진료비용 등의 현황조사 등】 ① 보건복지부장관은 모든 의료기관에 대하여 비급여 진료비용 및 제45조 제②항에 따른 제증명수수료(이하 이 조에서 "비급여진료비용등"이라 한다)의 항목, 기준 및 금액 등에 관한 현황을 조사 · 분석하여 그 결과를 공개할 수 있다. 다만, 병원급 의료기관에 대하여는 그 결과를 공개하여야 한다.

② 보건복지부장관은 제1항에 따른 비급여진료비용등의 현황에 대한 조사 · 분석을 위하여 의료기관의 장에게 관련 자료의 제출을 명할 수 있다. 이 경우 해당 의료기관의 장은 특별한 사유가 없으면 그 명령에 따라야 한다.

③ 제①항에 따른 현황조사 · 분석 및 결과 공개의 범위 · 방법 · 절차 등에 필요한 사항은 보건복지부령으로 정한다.

제45조의 3 【제증명수수료의 기준 고시】 보건복지부장관은 제45조의 2 제①항에 따른 현황조사 · 분석의 결과를 고려하여 제증명수수료의 항목 및 금액에 관한 기준을 정하여 고시하여야 한다. [본조신설 2016. 12. 20.] [시행일 : 2017. 9. 21.]

제63조 【시정 명령 등】 보건복지부장관 또는 시장 · 군수 · 구청장은 의료기관이 ──중략── 제45조, ──중략──을 위반한 때 또는 ──중략── 아니하게 된 때에는 일정한 기간을 정하여 그 시설 · 장비 등의 전부 또는 일부의 사용을 제한 또는 금지하거나 위반한 사항을 시정하도록 명할 수 있다.

제64조 【개설 허가 취소 등】 ① 보건복지부장관 또는 시장 · 군수 · 구청장은 의료기관이 다음 각 호의 어느 하나에 해당하면 그 의료업을 1년의 범위에서 정지시키거나 개설 허가를 취소하거나 의료기관 폐쇄를 명할 수 있다. 다만, 제8호에 해당하는 경우에는 의료기관 개설 허가를 취소하거나 의료기관 폐쇄를 명하여야 하며, 의료기관 폐쇄는 제33조 제③항과 제35조 제①항 본문에 따라 신고한 의료기관에만 명할 수 있다.

　3. 제61조에 따른 관계 공무원의 직무 수행을 기피 또는 방해하거나 제59조 또는 제63조에 따른 명령을 위반한 때

　6. 제63조에 따른 시정명령(제4조 제⑤항 위반에 따른 시정명령을 제외한다)을 이행하지 아니한 때

제67조 【과징금 처분】 ① 보건복지부장관이나 시장 · 군수 · 구청장은 의료기관이 제64조 제①항 각 호의 어느 하나에 해당할 때에는 대통령령으로 정하는 바에 따라 의료업 정지 처분을 갈음하여 5천만원 이하의 과징금을 부과할 수 있으며, 이 경우 과징금은 3회까지만 부과할 수 있다. 다만, 제①항 제8호에 따라 의료기관 개설 허가를 취소당하거나 폐쇄 명령을 받은 자는 취소당한 날이나 폐쇄 명령을 받은 날부터 3년 안에는 의료기관을 개설 · 운영하지 못한다.

제92조 【과태료】 ② 다음 각 호의 어느 하나에 해당하는 자에게는 200만원 이하의 과태료를 부과한다.

　2. 제45조의 2 제②항을 위반하여 자료를 제출하지 아니하거나 거짓으로 제출한 자

가. 고지 · 게시 의무

[1] 의료기관 개설자는 업무나 일상생활에 지장이 없는 질환, 그 밖에 보건복지부령으로 정하는 사항 (국민건강보험법 제41조 제③항, 의료급여법 제7조 제③항)이어서 요양급여 또는 의료급여의 대상에서 제외되는 사항의 비용(비급여 진료비용)을 환자 또는 환자의 보호자가 쉽게 알 수 있도록 보건복지부령[256]으로 정하는 바에 따라 고지하여야 하고(제45조 제①항), 보건복지부령으로 정하는 바에 따라 의료기관이 환자로부터 징수하는 제증명수수료의 비용을 게시하여야 하며(제45조 제②항), 고

---

256) **의료법 시행규칙 제42조의 2(비급여 진료비용 등의 고지)** ① 법 제45조 제①항에 따라 의료기관 개설자는 비급여 대상의 항목(행위 · 약제 및 치료재료를 말한다. 이하 이 조에서 같다)과 그 가격을 적은 책자 등을 접수창구 등 환자 또는 환자의 보호자가 쉽게 볼 수 있는 장소에 갖추어 두어야 한다. 이 경우 비급여 대상의 항목을 묶어 1회 비용으로 정하여 총액을 표기할 수 있다.
② 법 제45조 제②항에 따라 의료기관 개설자는 진료기록부 사본 · 진단서 등 제증명수수료의 비용을 접수창구 등 환자 및 환자의 보호자가 쉽게 볼 수 있는 장소에 게시하여야 한다.
③ 인터넷 홈페이지를 운영하는 의료기관은 제①항 및 제②항의 사항을 제①항 및 제②항의 방법 외에 이용자가 알아보기 쉽도록 인터넷 홈페이지에 따로 표시하여야 한다.
④ 제①항부터 제③항까지에서 규정한 사항 외에 비급여 진료비용 등의 고지방법의 세부적인 사항은 보건복지부장관이 정하여 고시한다.

지·게시한 금액을 초과하여 징수할 수 없다(제45조 제③항).

(2) 의료기관 개설자가 환자 또는 환자의 보호자에게 비급여 진료비용을 미고지 또는 제증명수수료 비용을 미게시하거나 비급여 진료비용의 고지 방법을 위반하거나 제증명수수료 비용의 게시 방법을 위반한 경우 또는 고지·게시한 금액을 초과하여 징수한 경우에는 보건복지부장관 또는 시장·군수·구청장이 일정한 기간을 정하여 그 시설·장비 등의 전부 또는 일부의 사용을 제한 또는 금지하거나 위반한 사항을 시정하도록 명할 수 있는데(제63조), 실무상으로는 의료관계 행정처분규칙 별표 2. 개별 기준 나. 16)에 따라 시정명령을 처분한다. 시정명령을 이행하지 않으면 보건복지부장관 또는 시장·군수·구청장이 그 의료업을 1년의 범위에서 정지시키거나 개설 허가를 취소하거나 의료기관 폐쇄를 명할 수 있다(제64조 제①항 제3호, 제6호). 실무상으로는 의료관계 행정처분규칙 별표 2. 개별 기준 나. 27)에 따라 업무정지 15일을 처분한다. 보건복지부장관이나 시장·군수·구청장은 정지 처분에 갈음하여 5천만원 이하의 과징금을 부과할 수 있다(제67조 제①항).

나. 현황조사 등

(1) 보건복지부장관은 모든 의료기관에 대하여 비급여 진료비용 및 제45조 제②항에 따른 제증명수수료 (이하 '비급여진료비용등')의 항목, 기준 및 금액 등에 관한 현황을 조사·분석하여 그 결과를 공개할 수 있다. 다만, 병원급 의료기관에 대하여는 그 결과를 공개하여야 한다(제45조의 2 제①항). 환자의 알권리와 의료기관 선택권을 보장하기 위하여 의료기관으로 하여금 비급여 진료비용 및 제증명수수료를 접수창구의 책자나 인터넷 홈페이지 등을 통해 고지·게시하도록 하였다. 그러나 의료기관에 따라 그 금액의 차이가 큼에도 불구하고 이를 비교할 수 있는 객관적인 자료나 적정 기준을 마련하도록 하는 법적 근거가 없어서 환자 입장에서는 해당 의료기관의 비급여 진료비용 등을 고지받는다 하더라도 이를 사전에 알기는 어려우며 다른 의료기관과 비교하여 의료기관을 선택하는 것은 현실적으로 더욱 어렵기 때문에 비급여 진료비용 등을 고지·게시하도록 한 제도의 실효성이 담보되지 못하였다. 국민건강보험공단과 건강보험심사평가원에서 자체적으로 비급여 진료항목 자료를 조사 또는 공개하고 있으나 조사·공개의 법적 근거가 미비하여 한계가 있었다. 이에 보건복지부장관이 의료기관별 비급여 진료비용 및 제증명수수료를 조사·분석하여 그 결과를 공개하고 적정 금액기준을 고시할 수 있도록 함으로써 환자의 실질적인 의료기관 선택권을 보장하고 가계의 의료비 부담을 완화하려는 목적으로 2015. 12. 29.자 개정으로 신설되었다.

(2) 보건복지부장관은 비급여진료비용등의 현황에 대한 조사·분석을 위하여 의료기관의 장에게 관련 자료의 제출을 명할 수 있다. 이 경우 해당 의료기관의 장은 특별한 사유가 없으면 그 명령에 따라야 한다(제45조의 2 제②항). 명령에 따르지 않으면 200만원 이하의 과태료가 부과된다(제92조 제②항). 현황조사·분석 및 결과 공개의 범위·방법·절차 등에 필요한 사항은 보건복지부령으로 정한다(제45조의 2 제③항).

14 환자의 진료의사 선택 등

제46조【환자의 진료의사 선택 등】 ① 환자나 환자의 보호자는 보건복지부령으로 정하는 바에 따라 종합병원·병원·치과병원·한방병원 또는 요양병원의 특정한 의사·치과의사 또는 한의사를 선택하여 진료(이하 "선택진료"라 한다)를 요청할 수 있다. 이 경우 의료기관의 장은 특별한 사유가 없으면 환자나 환자의 보호자가 요청한 의사·치과의사 또는 한의사가 진료하도록 하여야 한다.

② 제①항에 따라 선택진료를 받는 환자나 환자의 보호자는 선택진료의 변경 또는 해지를 요청할 수 있다. 이 경우 의료기관의 장은 지체 없이 이에 응하여야 한다.

③ 의료기관의 장은 보건복지부령으로 정하는 바에 따라 환자 또는 환자의 보호자에게 선택진료의 내용·절차 및 방법 등에 관한 정보를 제공하여야 한다.

④ 의료기관의 장은 제①항에 따라 선택진료를 하게 한 경우에도 환자나 환자의 보호자로부터 추가비용을 받을 수 없다.

⑤ 의료기관의 장은 제④항에도 불구하고 일정한 요건을 갖추고 선택진료를 하게 하는 경우에는 추가비용을 받을 수 있다.

⑥ 제⑤항에 따른 추가비용을 받을 수 있는 의료기관의 의사·치과의사 또는 한의사의 자격 요건과 범위, 진료 항목과 추가 비용의 산정 기준, 그 밖에 필요한 사항은 보건복지부령으로 정한다.

제63조【시정 명령 등】 보건복지부장관 또는 시장·군수·구청장은 의료기관이 ──중략── 제46조, ──중략──을 위반한 때 또는 ──중략── 아니하게 된 때에는 일정한 기간을 정하여 그 시설·장비 등의 전부 또는 일부의 사용을 제한 또는 금지하거나 위반한 사항을 시정하도록 명할 수 있다.

제64조【개설 허가 취소 등】 ① 보건복지부장관 또는 시장·군수·구청장은 의료기관이 다음 각 호의 어느 하나에 해당하면 그 의료업을 1년의 범위에서 정지시키거나 개설 허가를 취소하거나 의료기관 폐쇄를 명할 수 있다. 다만, 제8호에 해당하는 경우에는 의료기관 개설 허가를 취소하거나 의료기관 폐쇄를 명하여야 하며, 의료기관 폐쇄는 제33조 제③항과 제35조 제①항 본문에 따라 신고한 의료기관에만 명할 수 있다.

  3. 제61조에 따른 관계 공무원의 직무 수행을 기피 또는 방해하거나 제59조 또는 제63조에 따른 명령을 위반한 때

  6. 제63조에 따른 시정명령(제4조 제⑤항 위반에 따른 시정명령을 제외한다)을 이행하지 아니한 때

제67조【과징금 처분】 ① 보건복지부장관이나 시장·군수·구청장은 의료기관이 제64조 제①항 각 호의 어느 하나에 해당할 때에는 대통령령으로 정하는 바에 따라 의료업 정지 처분을 갈음하여 5천만원 이하의 과징금을 부과할 수 있으며, 이 경우 과징금은 3회까지만 부과할 수 있다. 다만, 동일한 위반행위에 대하여「표시·광고의 공정화에 관한 법률」제9조에 따른 과징금 부과처분이 이루어진 경우에는 과징금(의료업 정지 처분을 포함한다)을 감경하여 부과하거나 부과하지 아니할 수 있다.

제92조【과태료】 ① 다음 각 호의 어느 하나에 해당하는 자에게는 300만원 이하의 과태료를 부과한다.

  4. 제46조 제③항을 위반하여 선택진료에 관한 정보를 제공하지 아니한 자

가. 의의

(1) 선택진료란 환자나 환자의 보호자가 보건복지부령[257]으로 정하는 바에 따라 종합병원·병원·치과병원·한방병원 또는 요양병원의 특정한 의사·치과의사 또는 한의사를 선택하여 진료(선택진료)를 요청할 수 있는 제도이다. 이 경우 의료기관의 장은 특별한 사유가 없으면 환자나 환자의 보호자가 요청한 의사·치과의사 또는 한의사가 진료하도록 하여야 한다(제46조 제①항).

(2) 1963년 국립병원 의료진의 저임금을 보전하기 위하여 특진규정을 도입한 이후에 민간병원으로도 확산되어 병원급 이상의 의료기관을 이용하는 환자 또는 보호자의 의사 선택권을 보장하기 위하여 1991년 지정진료제도, 2000년 선택진료제도로 변경되었다.

나. 내용

(1) 선택진료를 받는 환자나 환자의 보호자는 선택진료의 변경 또는 해지를 요청할 수 있고 이 경우 의료기관의 장은 지체 없이 이에 응하여야 한다(제46조 제②항). 선택진료를 요청하거나 그 변경 또는 해지를 요청하는 경우에는 신청서를 의료기관의 장에게 제출하거나 전화 등 통신매체를 이용하여 그 신청을 하여야 한다(선택진료에 관한 규칙 제2조). 의료기관의 장은 선택진료 중 진료과목 등을 변경할 필요가 있거나 선택진료를 담당하는 의사 등의 부득이한 사유로 선택진료를 중단하고자 하는 경우에는 그 사유를 환자 또는 그 보호자에 알리고, 그 동의를 얻어 선택진료를 변경 또는 해지할 수 있다(선택진료에 관한 규칙 제3조).

(2) 의료기관의 장은 보건복지부령으로 정하는 바에 따라 환자 또는 환자의 보호자에게 선택진료의 내용·절차 및 방법 등에 관한 정보를 제공하여야 한다(제46조 제③항). 의료기관의 장은 ① 진료과목별로 추가비용을 징수할 수 있는 선택진료를 담당하는 의사 등과 추가비용을 징수하지 아니하는 의사 등의 명단 및 진료시간표, ② 추가비용을 징수할 수 있는 선택진료를 담당하는 의사 등의 경력·세부전문분야 등 환자 또는 그 보호자가 특정한 의사 등을 선택할 수 있는 정보 그리고 ③ 추가비용을 징수하고자 하는 선택진료의 항목과 추가비용의 산정기준에 의하여 산출된 금액의 사항을 기재한 안내문을 선택진료신청서 접수창구 등 환자 또는 그 보호자가 쉽게 볼 수 있는 장소에 게시 또는 비치하여야 하고, 환자 또는 그 보호자가 제출한 신청서의 사본을 요청하는 경우에는 의료기관의 장은 사본을 발급해 주어야 한다(선택진료에 관한 규칙 제6조). 선택진료에 관한 정보를 제공하지 않으면 300만원 이하의 과태료가 부과된다(제92조 제①항 제4호).

(3) 의료기관의 장은 선택진료를 하게 한 경우에도 환자나 환자의 보호자로부터 추가비용을 받을 수 없음이 원칙이지만(제46조 재 ④항), 일정한 요건을 갖추고 선택진료를 하게 하는 경우에는 추가비용을 받을 수 있다(제46조 제⑤항). 추가비용을 받을 수 있는 의료기관의 의사·치과의사 또는 한의사의 자격 요건과 범위, 진료 항목과 추가 비용의 산정 기준, 그 밖에 필요한 사항은 보건복지부령[258]

---

257) 선택진료에 관한 규칙

258) **선택진료에 관한 규칙 제4조(추가비용징수의사 등의 자격 및 범위 등)** ① 법 제46조 제⑤항 및 제⑥항에 따라 추가비용을 징수하려는

으로 정한다(제46조 제⑥항).

[4] 선택진료에 관한 규칙 제4조 제①항을 위반하여 선택진료 담당 의사 등을 지정하거나 선택진료에 관한 규칙 제4조 제②항 각 호에 해당하는 자를 선택진료 담당 의사 등으로 지정한 경우, 선택진료에 관한 규칙 제4조 제③항을 위반하여 추가비용을 징수하지 아니하는 의사 등을 진료과목별로 1명 이상 두지 아니하거나 보건복지부장관이 지정하여 고시하는 필수진료과목에 전 진료시간 동안 추가비용을 징수하지 아니하는 의사 등을 1명 이상 두지 아니하는 경우, 선택진료에 관한 규칙 제6조를 위반하여 선택진료의료기관의 장이 안내문을 게시 또는 비치하지 아니하거나 선택진료 신청서의 사본을 발급해 주지 아니하는 경우, 선택진료에 관한 규칙 제7조[259]를 위반하여 선택진료의료기관의 장이 신청서 등의 서류를 보존기간까지 보존하지 아니하거나 선택진료에 관한 규칙 제8조[260]를 위반

선택진료의료기관의 장은 다음 각 호의 어느 하나에 해당하는 재직 의사등 중 실제로 진료가 가능한 의사등의 67퍼센트의 범위에서 추가비용을 징수할 수 있는 선택진료 담당 의사등을 지정하여야 한다. 이 경우 추가비용을 징수할 수 있는 선택진료 담당 의사등은 각 진료과목별로 75퍼센트를 초과할 수 없다.

1. 법 제5조에 따른 면허취득 후 15년이 경과한 치과의사 및 한의사
2. 법 제77조에 따른 전문의 자격인정을 받은 후 10년이 경과한 의사
3. 법 제77조 제①항에 따른 전문의 자격 인정을 받은 후 5년이 경과한 의사등으로서 다음 각 목의 어느 하나에 해당하는 사람
   가. 「고등교육법」 제2조 제1호 및 같은 법 시행령 제25조 제①항에 따른 의과대학·한의과대학·치과대학에서 같은 법 제14조 제②항에 따른 조교수 이상인 사람
   나. 「서울대학교병원 설치법」 제11조의 2, 「서울대학교치과병원 설치법」 제12조, 「국립대학병원 설치법」 제16조 및 「국립대학치과병원 설치법」 제14조에 따른 조교수 이상의 임상교수요원인 사람
   다. 「고등교육법」 제2조 제1호 및 같은 법 시행령 제25조 제①항에 따른 의과대학·한의과대학·치과대학에서 「사립학교법」 제70조의 2에 따른 사무직원으로서 나목에 따른 조교수 이상의 임상교수요원과 동일한 자격을 갖춘 사람(보건복지부장관이 인정한 사람에 한정한다)
4. 법 제5조에 따른 면허 취득 후 10년이 경과한 치과의사로서 다음 각 목의 어느 하나에 해당하는 사람
   가. 「고등교육법」 제2조 제1호 및 같은 법 시행령 제25조 제①항에 따른 의과대학·치과대학에서 같은 법 제14조 제②항에 따른 조교수 이상인 사람
   나. 「서울대학교치과병원 설치법」 제12조, 「국립대학병원 설치법」 제16조 및 「국립대학치과병원 설치법」 제14조에 따른 조교수 이상의 임상교수요원인 사람
   다. 「고등교육법」 제2조 제1호 및 같은 법 시행령 제25조 제①항에 따른 의과대학·치과대학에서 「사립학교법」 제70조의 2에 따른 사무직원으로서 나목에 따른 조교수 이상의 임상교수요원과 동일한 자격을 갖춘 사람(보건복지부장관이 인정한 사람에 한정한다)

② 제①항 본문에서 '실제로 진료가 가능한 의사 등'이란 의사 등 가운데 다음 각 호의 자를 제외한 자를 말한다.

1. 진료는 하지 아니하고 교육·연구에만 종사하는 자
2. 6개월 이상의 연수 또는 유학 등으로 부재중인 자

③ 선택진료의료기관의 장은 진료과목별로 1명 이상의 추가비용을 징수하지 아니하는 의사등을 두어야 한다. 이 경우 상급종합병원 또는 종합병원인 선택진료의료기관의 장은 보건복지부장관이 지정하여 고시하는 필수진료과목에 대해서는 전 진료시간 동안 추가비용을 징수하지 아니하는 의사등을 1명 이상 두어야 한다.

제5조(추가비용의 산정기준 등) ① 선택진료의료기관의 장은 추가비용을 징수할 수 있는 선택진료를 담당하는 의사등이 직접 진료한 진료행위에 한하여 환자 또는 그 보호자로부터 추가비용을 징수할 수 있다. 다만, 「암관리법」 제22조에 따라 완화의료전문기관으로 지정된 의료기관에 입원하여 같은 법 제24조에 따른 완화의료 입원진료를 받는 경우에는 추가비용을 징수할 수 없다.

② 제①항의 규정에 의한 추가비용은 환자 또는 그 보호자가 전액을 부담하여야 한다.

③ 추가비용을 징수할 수 있는 선택진료의 항목과 추가비용의 산정기준은 별표와 같다.

259) **선택진료에 관한 규칙 제7조(기록의 보존)** ① 선택진료의료기관의 장은 다음 각 호의 서류를 5년간 보존하여야 한다.

1. 제2조 각 호에 따른 신청서
2. 제4조에 따른 추가비용을 징수할 수 있는 선택진료를 담당하는 의사등의 지정관련 서류
3. 제5조제3항에 따른 선택진료의 항목과 추가비용의 산정기준 관련 서류

② 제①항에 따른 서류의 보존방법 등에 관하여는 「의료법 시행규칙」 제15조 제②항 및 제③항을 준용한다.

260) **선택진료에 관한 규칙 제8조(선택진료의료기관 현황 통보)** 선택진료의료기관의 장은 제4조에 따라서 추가비용을 징수할 수 있는 선택진료 담당 의사 등을 지정하거나 지정내용을 변경한 때에는 별지 제3호 서식의 선택진료의료기관(신규·변경) 현황 통보서(전자문서로 된

하여 선택진료 담당 의사 등의 지정 내용 등을 건강보험심사평가원장에게 통보하지 아니한 경우 또는 특별한 사유 없이 환자 또는 그 보호자의 선택진료 요청을 거부거나 선택진료의 변경 또는 해지 요청에 따르지 않은 경우에는 보건복지부장관 또는 시장·군수·구청장이 일정한 기간을 정하여 그 시설·장비 등의 전부 또는 일부의 사용을 제한 또는 금지하거나 위반한 사항을 시정하도록 명할 수 있는데(제63조), 실무상으로는 의료관계 행정처분규칙 별표 2. 개별 기준 나. 17), 18), 19)에 따라 시정명령을 처분한다. 시정명령을 이행하지 않으면 보건복지부장관 또는 시장·군수·구청장이 그 의료업을 1년의 범위에서 정지시키거나 개설 허가를 취소하거나 의료기관 폐쇄를 명할 수 있다(제64조 제①항 제3호, 제6호). 실무상으로는 의료관계 행정처분규칙 별표 2. 개별 기준 나. 27)에 따라 업무정지 15일을 처분한다. 보건복지부장관이나 시장·군수·구청장은 정지 처분에 갈음하여 5천만원 이하의 과징금을 부과할 수 있다(제67조 제①항).

15 병원감염 예방 등

제47조【병원감염 예방】 ① 보건복지부령으로 정하는 일정 규모 이상의 병원급 의료기관의 장은 병원감염 예방을 위하여 감염관리위원회와 감염관리실을 설치·운영하고 보건복지부령으로 정하는 바에 따라 감염관리 업무를 수행하는 전담 인력을 두는 등 필요한 조치를 하여야 한다.

② 의료기관의 장은 「감염병의 예방 및 관리에 관한 법률」 제2조 제1호에 따른 감염병이 유행하는 경우 환자, 환자의 보호자, 의료인, 의료기관 종사자 및 「경비업법」 제2조 제3호에 따른 경비원 등 해당 의료기관 내에서 업무를 수행하는 사람에게 감염병의 예방을 위하여 보건복지부령으로 정하는 바에 따라 필요한 정보를 제공하거나 관련 교육을 실시하여야 한다.〈신설 2015.12. 29.〉

③ 제①항에 따른 감염관리위원회의 구성과 운영, 감염관리실 운영 등에 필요한 사항은 보건복지부령으로 정한다.〈개정 2015. 12. 29.〉 [시행일 : 2016. 9. 30.]

제63조【시정 명령 등】 보건복지부장관 또는 시장·군수·구청장은 의료기관이 ——중략—— 제47조 제①항, ——중략——을 위반한 때 또는 ——중략—— 아니하게 된 때에는 일정한 기간을 정하여 그 시설·장비 등의 전부 또는 일부의 사용을 제한 또는 금지하거나 위반한 사항을 시정하도록 명할 수 있다.

제64조【개설 허가 취소 등】 ① 보건복지부장관 또는 시장·군수·구청장은 의료기관이 다음 각 호의 어느 하나에 해당하면 그 의료업을 1년의 범위에서 정지시키거나 개설 허가를 취소하거나 의료기관 폐쇄를 명할 수 있다. 다만, 제8호에 해당하는 경우에는 의료기관 개설 허가를 취소하거나 의료기관 폐쇄를 명하여야 하며, 의료기관 폐쇄는 제33조 제③항과 제35조 제①항 본문에 따라 신고한 의료기관에만 명할 수 있다.

　3. 제61조에 따른 관계 공무원의 직무 수행을 기피 또는 방해하거나 제59조 또는 제63조에 따른 명령을 위반한 때

　6. 제63조에 따른 시정명령(제4조 제⑤항 위반에 따른 시정명령을 제외한다)을 이행하지 아니한 때

통보서를 포함한다)에 따라서 해당 월의 다음 달 15일까지 「국민건강보험법」에 따른 건강보험심사평가원장에게 통보하여야 한다.

제67조【과징금 처분】 ① 보건복지부장관이나 시장·군수·구청장은 의료기관이 제64조 제①항 각 호의 어느 하나에 해당할 때에는 대통령령으로 정하는 바에 따라 의료업 정지 처분을 갈음하여 5천만원 이하의 과징금을 부과할 수 있으며, 이 경우 과징금은 3회까지만 부과할 수 있다. 다만, 동일한 위반행위에 대하여 「표시·광고의 공정화에 관한 법률」 제9조에 따른 과징금 부과처분이 이루어진 경우에는 과징금(의료업 정지 처분을 포함한다)을 감경하여 부과하거나 부과하지 아니할 수 있다.

제90조【벌칙】 ——중략—— 제63조에 따른 명령을 위반한 자와 ——중략—— 한 자는 500만원 이하의 벌금에 처한다.

제91조【양벌규정】

가. 서설

(1) 보건복지부령으로 정하는 일정 규모 이상의 병원급 의료기관의 장은 병원감염 예방을 위하여 감염관리위원회와 감염관리실을 설치·운영하고 보건복지부령으로 정하는 바에 따라 감염관리 업무를 수행하는 전담 인력을 두는 등 필요한 조치를 하여야 하고(제47조 제①항), 감염병의 예방 및 관리에 관한 법률 제2조 제1호에 따른 감염병이 유행하는 경우 환자, 환자의 보호자, 의료인, 의료기관 종사자 및 경비업법 제2조 제3호에 따른 경비원 등 해당 의료기관 내에서 업무를 수행하는 사람에게 감염병의 예방을 위하여 보건복지부령으로 정하는 바에 따라 필요한 정보를 제공하거나 관련 교육을 실시하여야 한다(제47조 제②항)[261]. 감염관리위원회의 구성과 운영, 감염관리실 운영 등에 필요한 사항은 보건복지부령으로 정한다(제47조 제③항).

(2) 감염관리위원회와 감염관리실을 설치·운영하지 않거나 보건복지부령으로 정하는 바에 따라 감염관리 업무를 수행하는 전담 인력을 두는 등 필요한 조치를 하지 않은 경우에는 보건복지부장관 또는 시장·군수·구청장이 일정한 기간을 정하여 그 시설·장비 등의 전부 또는 일부의 사용을 제한 또는 금지하거나 위반한 사항을 시정하도록 명할 수 있다(제63조). 명령을 거부하거나 시정명령을 이행하지 않으면 보건복지부장관 또는 시장·군수·구청장이 그 의료업을 1년의 범위에서 정지시키거나 개설 허가를 취소하거나 의료기관 폐쇄를 명할 수 있다(제64조 제①항 제3호, 제6호). 실무상으로는 의료관계 행정처분규칙 별표 2. 개별 기준 나. 27)에 따라 업무정지 15일을 처분한다. 보건복지부장관이나 시장·군수·구청장은 정지 처분에 갈음하여 5천만원 이하의 과징금을 부과할 수 있다(제67조 제①항). 제63조에 따른 명령을 위반하면 500만원 이하의 벌금에 처해질 수 있다(제90조).

261) 제47조 제②항은 메르스 영향으로 2015. 12. 29.자 개정으로 신설되었으며 2016. 9. 30.부터 시행된다.

나. 감염관리위원회와 감염관리실

(1) 병원(병상이 200개 이상인 경우만 해당한다) 및 종합병원으로서 중환자실을 운영하는 의료기관의 장은 병원감염 예방을 위하여 감염관리위원회와 감염관리실을 설치·운영하여야 한다(의료법 시행규칙 제43조 제①항). 감염관리위원회는 ① 병원감염에 대한 대책, 연간 감염예방계획의 수립 및 시행에 관한 사항, ② 감염관리요원의 선정 및 배치에 관한 사항, ③ 감염병환자등의 처리에 관한 사항, ④ 병원의 전반적인 위생관리에 관한 사항, ⑤ 병원감염관리에 관한 자체 규정의 제정 및 개정에 관한 사항 그리고 ⑥ 그 밖에 병원감염관리에 관한 중요한 사항의 업무를 심의한다. 감염관리실은 ① 병원감염의 발생 감시, ② 병원감염관리 실적의 분석 및 평가, ③ 직원의 감염관리교육 및 감염과 관련된 직원의 건강관리에 관한 사항 그리고 ④ 그 밖에 감염 관리에 필요한 사항의 업무를 수행한다(의료법 시행규칙 제43조 제③항).

(2) 감염관리위원회는 위원장 1명을 포함한 7명 이상 15명 이하의 위원으로 구성한다. 위원장은 해당 의료기관의 장으로 하고, 부위원장은 위원 중에서 위원장이 지명한다. 위원은 ① 감염관리실장, ② 진료부서의 장, ③ 간호부서의 장, ④ 진단검사부서의 장, 또는 ⑤ 감염 관련 의사 및 해당 의료기관의 장이 필요하다고 인정하는 사람의 어느 하나에 해당하는 사람과 해당 의료기관의 장이 위촉하는 외부 전문가로 한다. 위원은 당연직 위원으로 하되 그 임기는 해당 부서의 재직기간으로 하고, 위촉하는 위원의 임기는 2년으로 한다(의료법 시행규칙 제44조). 감염관리위원회는 정기회의와 임시회의로 운영하며 정기회의는 연 2회 개최하고, 임시회의는 위원장이 필요하다고 인정하는 때 또는 위원 과반수가 소집을 요구할 때에 개최할 수 있다. 회의는 재적위원 과반수의 출석과 출석위원 과반수의 찬성으로 의결한다. 위원장은 위원회를 대표하며 업무를 총괄한다. 감염관리위원회는 회의록을 작성하여 참석자의 확인을 받은 후 비치하여야 하며 그 밖에 위원회의 운영에 필요한 사항은 위원장이 정한다(의료법 시행규칙 제45조).

(3) 감염관리실에는 ① 감염 관리에 경험과 지식이 있는 의사, ② 감염 관리에 경험과 지식이 있는 간호사 또는 ③ 감염 관리에 경험과 지식이 있는 사람으로서 해당 의료기관의 장이 인정하는 사람의 어느 하나에 해당하는 사람을 각각 1명 이상 두어야 하고 감염관리실에 두는 인력 중 1명 이상은 감염관리실에서 전담 근무하여야 하며 별표 8의 2에서 정한 교육기준에 따라 교육을 받아야 한다(의료법 시행규칙 제46조).

제2절 | 의료법인

제48조【설립 허가 등】 ① 제33조 제②항에 따른 의료법인을 설립하려는 자는 대통령령으로 정하는 바에 따라 정관과 그 밖의 서류를 갖추어 그 법인의 주된 사무소의 소재지를 관할하는 시·도지사의 허가를 받아야 한다.

② 의료법인은 그 법인이 개설하는 의료기관에 필요한 시설이나 시설을 갖추는 데에 필요한 자금을 보유하여야 한다.

③ 의료법인이 재산을 처분하거나 정관을 변경하려면 시·도지사의 허가를 받아야 한다.

④ 이 법에 따른 의료법인이 아니면 의료법인이나 이와 비슷한 명칭을 사용할 수 없다.

제49조【부대사업】 ① 의료법인은 그 법인이 개설하는 의료기관에서 의료업무 외에 다음의 부대사업을 할 수 있다. 이 경우 부대사업으로 얻은 수익에 관한 회계는 의료법인의 다른 회계와 구분하여 계산하여야 한다.

1. 의료인과 의료관계자 양성이나 보수교육

2. 의료나 의학에 관한 조사 연구

3. 「노인복지법」 제31조 제2호에 따른 노인의료복지시설의 설치·운영

4. 「장사 등에 관한 법률」 제29조 제①항에 따른 장례식장의 설치·운영

5. 「주차장법」 제19조 제①항에 따른 부설주차장의 설치·운영

6. 의료업 수행에 수반되는 의료정보시스템 개발·운영사업 중 대통령령으로 정하는 사업

7. 그 밖에 휴게음식점영업, 일반음식점영업, 이용업, 미용업 등 환자 또는 의료법인이 개설한 의료기관 종사자 등의 편의를 위하여 보건복지부령으로 정하는 사업

② 제①항 제4호·제5호 및 제7호의 부대사업을 하려는 의료법인은 타인에게 임대 또는 위탁하여 운영할 수 있다.

③ 제①항 및 제②항에 따라 부대사업을 하려는 의료법인은 보건복지부령으로 정하는 바에 따라 미리 의료기관의 소재지를 관할하는 시·도지사에게 신고하여야 한다. 신고사항을 변경하려는 경우에도 또한 같다.**제50조【「민법」의 준용】** 의료법인에 대하여 이 법에 규정된 것 외에는 「민법」 중 재단법인에 관한 규정을 준용한다.

제51조【설립 허가 취소】 보건복지부장관 또는 시·도지사는 의료법인이 다음 각 호의 어느 하나에 해당하면 그 설립 허가를 취소할 수 있다.

1. 정관으로 정하지 아니한 사업을 한 때

2. 설립된 날부터 2년 안에 의료기관을 개설하지 아니한 때

3. 의료법인이 개설한 의료기관이 제64조에 따라 개설허가를 취소당한 때

4. 보건복지부장관 또는 시·도지사가 감독을 위하여 내린 명령을 위반한 때

5. 제49조 제①항에 따른 부대사업 외의 사업을 한 때

제84조【청문】 보건복지부장관, 시·도지사 또는 시장·군수·구청장은 다음 각 호의 어느 하나에 해당하는 처분을 하려면 청문을 실시하여야 한다.

1. 제51조에 따른 설립 허가의 취소

제90조【벌칙】 ──중략── 제48조 제③항·제④항, ──중략을 위반한 자나 제63조에 따른 명령을 위반한 자와 ──중략── 자는 500만원 이하의 벌금에 처한다.

제91조【양벌규정】

제92조【과태료】 ① 다음 각 호의 어느 하나에 해당하는 자에게는 300만원 이하의 과태료를 부과한다.

　5. 제49조 제③항을 위반하여 신고하지 아니한 자

1 설립허가 등

(1) 제33조 제②항에 따른 의료법인을 설립하려는 자는 의료법인설립허가신청서에 보건복지부령으로 정하는 서류를 첨부하여 그 법인의 주된 사무소의 소재지를 관할하는 특별시장·광역시장·도지사 또는 특별자치도지사(이하 "시·도지사"라 한다)에게 제출하여 허가를 받아야 한다(제48조 제①항, 의료법 시행령 제19조)[262].

(2) 의료법인은 그 법인이 개설하는 의료기관에 필요한 시설이나 시설을 갖추는 데에 필요한 자금을 보유하여야 한다(제48조 제②항). 그리고 의료법인과 의료기관을 개설한 비영리법인은 의료업(의료법인의 부대사업 포함)을 할 때 공중위생에 이바지하여야 하며, 영리를 추구하여서는 안 된다(의료법 시행령 제20조).

(3) 의료법인이 재산을 처분하거나 정관을 변경하려면 시·도지사의 허가를 받아야 하는데(제48조 제③항), 허가를 받으려면 그 허가신청서에 보건복지부령으로 정하는 서류를 첨부하여 그 법인의 주된 사무소의 소재지를 관할하는 시·도지사에게 제출하여야 한다. 다만, 법률 제4732호 의료법 중 개정법률 부칙 제11조에 해당하는 국가로부터 공공차관을 지원받은 의료법인의 경우에는 이를 시·도지사를 거쳐 보건복지부장관에게 제출하여야 한다(의료법 시행령 제21조). 실무상으로는 재산을 처분하는 허가는 매우 소극적이다. 허가를 받지 않고 재산을 처분하거나 정관을 변경하면 500만원 이하의 벌금에 처해질 수 있다(제90조).

(4) 의료법에 따른 의료법인이 아니면 의료법인이나 이와 비슷한 명칭을 사용할 수 없다(제48조 제④항). 이를 위반하면 500만원 이하의 벌금에 처해질 수 있다(제90조).

2 부대사업

(1) 의료법인은 그 법인이 개설하는 의료기관에서 의료업무 외에 ① 의료인과 의료관계자 양성이나 보수교육, ② 의료나 의학에 관한 조사 연구, ③ 노인복지법 제31조 제2호에 따른 노인의료복지시설의 설치·운영, ④ 장사 등에 관한 법률 제29조 제①항에 따른 장례식장의 설치·운영, ⑤ 주차장법 제19조 제①항에 따른 부설주차장의 설치·운영, ⑥ 의료업 수행에 수반되는 의료정보시스템 개발·

---

[262] 의료기관의 설립 허가 참조

운영사업 중 대통령령[263]으로 정하는 사업, 또는 ⑦ 그 밖에 휴게음식점영업, 일반음식점영업, 이용업, 미용업 등 환자 또는 의료법인이 개설한 의료기관 종사자 등의 편의를 위하여 보건복지부령[264]으로 정하는 부대사업을 할 수 있다. 이 경우 부대사업으로 얻은 수익에 관한 회계는 의료법인의 다른 회계와 구분하여 계산하여야 한다(제49조 제①항).

(2) 장례식장의 설치·운영, 부설주차장의 설치·운영, 휴게음식점영업·일반음식점영업·이용업·미용업 등 환자 또는 의료법인이 개설한 의료기관 종사자 등의 편의를 위하여 보건복지부령으로 정하는 부대사업(제49조 제①항 제4호·제5호 및 제7호)을 하려는 의료법인은 타인에게 임대 또는 위탁하여 운영할 수 있다(제49조 제②항).

(3) 부대사업을 하려는 의료법인은 보건복지부령[265]으로 정하는 바에 따라 미리 의료기관의 소재지를 관할하는 시·도지사에게 신고하여야 한다. 신고사항을 변경하려는 경우에도 또한 같다(제49조 제③항). 신고하지 않고 부대사업을 하면 300만원 이하의 과태료가 부과된다(제92조 제①항 제5호). 보

---

263) **의료법 시행령 제22조(의료정보시스템 사업)** 법 제49조 제①항 제6호에서 "대통령령으로 정하는 사업"이란 다음 각 호의 사업을 말한다.
　1. 전자의무기록(電子醫務記錄)을 작성·관리하기 위한 시스템의 개발·운영사업
　2. 전자처방전을 작성·관리하기 위한 시스템의 개발·운영사업
　3. 영상기록을 저장·전송하기 위한 시스템의 개발·운영사업

264) **의료법 시행규칙 제60조(부대사업)** 법 제49조 제①항 제7호에서 "휴게음식점영업, 일반음식점영업, 이용업, 미용업 등 환자 또는 의료법인이 개설한 의료기관 종사자 등의 편의를 위하여 보건복지부령으로 정하는 사업"이란 다음 각 호의 사업을 말한다.
　1. 휴게음식점영업, 일반음식점영업, 제과점영업, 위탁급식영업
　2. 소매업 중 편의점, 슈퍼마켓, 자동판매기영업 및 서점
　2의 2. 의류 등 생활용품 판매업 및 식품판매업(건강기능식품 판매업은 제외한다). 다만, 의료법인이 직접 영위하는 경우는 제외한다.
　3. 산후조리업
　4. 목욕장업
　5. 의료기기 임대·판매업. 다만, 의료법인이 직접 영위하는 경우는 제외한다.
　6. 숙박업, 여행업 및 외국인환자 유치업
　7. 수영장업, 체력단련장업 및 종합체육시설업
　8. 장애인보조기구의 제조·개조·수리업
　9. 다음 각 목의 어느 하나에 해당하는 업무를 하려는 자에게 의료법인이 개설하는 의료기관의 건물을 임대하는 사업
　　가. 이용업 및 미용업
　　나. 안경 조제·판매업
　　다. 은행업
　　라. 의원급 의료기관 개설·운영(의료관광호텔에 부대시설로 설치하는 경우로서 진료과목이 의료법인이 개설하는 의료기관과 동일하지 아니한 경우로 한정한다)

265) **의료법 시행규칙 제61조(부대사업의 신고 등)** ① 법 제49조 제③항 전단에 따라 부대사업을 신고하려는 의료법인은 별지 제22호 서식의 신고서에 다음 각 호의 서류를 첨부하여 관할 시·도지사에게 제출하여야 한다.
　1. 의료기관 개설허가증 사본
　2. 부대사업의 내용을 적은 서류
　3. 부대사업을 하려는 건물의 평면도 및 구조설명서
② 제①항에 따른 신고를 받은 시·도지사는 별지 제23호 서식의 신고증명서를 발급하여야 한다.
③ 제①항에 따라 신고한 내용을 변경하려는 자는 별지 제22호 서식의 변경신고서에 다음 각 호의 서류를 첨부하여 관할 시·도지사에게 제출하여야 한다.
　1. 제②항에 따라 발급받은 신고증명서
　2. 변경 사항을 증명하는 서류
④ 제③항에 따라 변경신고를 받은 시·도지사는 부대사업 신고증명서에 제③항에 따라 변경한 사항을 적은 후 해당 의료법인에 발급하여야 한다.

건복지부장관 또는 시 · 도지사는 의료법인이 부대사업 외의 사업을 한 때에 해당하면 그 설립 허가를 취소할 수 있다(임의적 취소, 제51조). 취소 처분을 하려면 반드시 청문을 실시하여야 한다(필요적 청문, 제84조 제1호).

3 민법의 준용과 설립 허가의 취소

(1) 의료법인에 대하여 의료법에 규정된 것 외에는 민법 중 재단법인에 관한 규정을 준용한다(제50조). 민법상의 사법인은 사단법인과 재단법인으로 구분되는데 사단법인에는 비영리 사단법인과 영리 사단법인이 있는데 반하여 재단법인에는 비영리재단만이 인정된다(민법 제39조). 따라서 영리 의료법인은 허용되지 않는다(의료법 시행령 제20조 참조). 사단법인과 재단법인은 설립행위 · 목적 · 정관 변경 · 의사결정기관 · 해산사유 등에서 차이가 있다.

(2) 보건복지부장관 또는 시 · 도지사는 의료법인이 ① 정관으로 정하지 아니한 사업을 한 때, ② 설립된 날부터 2년 안에 의료기관을 개설하지 아니한 때, ③ 의료법인이 개설한 의료기관이 제64조에 따라 개설허가를 취소당한 때, ④ 보건복지부장관 또는 시 · 도지사가 감독을 위하여 내린 명령을 위반한 때, 또는 ⑤ 제49조 제①항에 따른 부대사업 외의 사업을 한 때에 해당하면 그 설립 허가를 취소할 수 있다(임의적 취소, 제51조). 취소 처분을 하려면 반드시 청문을 실시하여야 한다(필요적 청문, 제84조 제1호).

제3절 | # 의료기관단체

1 병원급 의료기관 단체

제52조【의료기관단체 설립】 ① 병원급 의료기관의 장은 의료기관의 건전한 발전과 국민보건 향상에 기여하기 위하여 전국 조직을 두는 단체를 설립할 수 있다.
② 제①항에 따른 단체는 법인으로 한다.

(1) 병원급 의료기관의 장은 의료기관의 건전한 발전과 국민보건 향상에 기여하기 위하여 전국 조직을 두는 법인인 단체를 설립할 수 있다(제52조 제①항, 제②항). 약업단체 설립 근거 등과의 형평성을 고려하고 향후 의료시장개방에 대비한 경쟁력 등을 강화하기 위하여 의료기관단체를 설립할 수 있도록 2003. 8. 6.자 개정으로 신설되었다.

(2) 병원급이므로 종합병원 의료기관의 장도 의료기관 단체를 설립할 수 있다(제3조 제②항 제3호 참조).

(3) 병원급 의료기관 단체는 의료기관으로 조직된 단체라는 점에서 의료인으로 조직된 의료인 단체(제28조)와 다르다.

2 대한민국의학한림원

제52조의 2【대한민국의학한림원】 ① 의료인에 관련되는 의학 및 관계 전문분야(이하 이 조에서 "의학등"이라 한다)의 연구ㆍ진흥기반을 조성하고 우수한 보건의료인을 발굴ㆍ활용하기 위하여 대한민국의학한림원(이하 이 조에서 "한림원"이라 한다)을 둔다.
② 한림원은 법인으로 한다.
③ 한림원은 다음 각 호의 사업을 한다.
  1. 의학등의 연구진흥에 필요한 조사ㆍ연구 및 정책자문
  2. 의학등의 분야별 중장기 연구 기획 및 건의
  3. 의학등의 국내외 교류협력사업
  4. 의학등 및 국민건강과 관련된 사회문제에 관한 정책자문 및 홍보
  5. 보건의료인의 명예를 기리고 보전(保全)하는 사업
  6. 보건복지부장관이 의학등의 발전을 위하여 지정 또는 위탁하는 사업

④ 보건복지부장관은 한림원의 사업수행에 필요한 경비의 전부 또는 일부를 예산의 범위에서 지원할 수 있다.

⑤ 한림원에 대하여 이 법에서 정하지 아니한 사항에 관하여는 「민법」 중 사단법인에 관한 규정을 준용한다.

⑥ 한림원이 아닌 자는 대한민국의학한림원 또는 이와 유사한 명칭을 사용하지 못한다.

⑦ 한림원의 운영 및 업무수행에 필요한 사항은 대통령령으로 정한다.

[본조신설 2015. 12. 29.] [시행일 : 2016. 9. 30.]

제92조 【과태료】 ③다음 각 호의 어느 하나에 해당하는 자에게는 100만원 이하의 과태료를 부과한다.

7. 제52조의 2 제⑥항을 위반하여 대한민국의학한림원 또는 이와 유사한 명칭을 사용한 자

(1) 의료인에 관련되는 의학 및 관계전문분야의 연구 · 진흥기반 조성과 우수한 보건의료인의 발굴 · 활용을 위하여 2015. 12. 29.자 개정으로 대한민국의학한림원을 설치하는 법적인 근거가 신설되었다 (2016. 9. 30.부터 시행된다).

(2) 의료인에 관련되는 의학 및 관계 전문분야(이하 '의학등'이라 함)의 연구 · 진흥기반을 조성하고 우수한 보건의료인을 발굴 · 활용하기 위하여 법인인 대한민국의학한림원을 둔다(제52조의 2 제①항, 제②항).

(3) 대한민국의학한림원은 ① 의학등의 연구진흥에 필요한 조사 · 연구 및 정책자문, ② 의학등의 분야별 중장기 연구 기획 및 건의, ③ 의학등의 국내외 교류협력사업, ④ 의학등 및 국민건강과 관련된 사회문제에 관한 정책자문 및 홍보, ⑤ 보건의료인의 명예를 기리고 보전하는 사업 그리고 ⑥ 보건복지부장관이 의학등의 발전을 위하여 지정 또는 위탁하는 사업을 한다(제52조의 2 제③항).

(4) 보건복지부장관은 대한민국의학한림원의 사업수행에 필요한 경비의 전부 또는 일부를 예산의 범위에서 지원할 수 있으며(제52조의 2 제④항), 한림원에 대하여 의료법에서 정하지 아니한 사항에 관하여는 민법 중 사단법인에 관한 규정을 준용한다(제52조의 2 제⑤항).

(5) 한림원이 아닌 자는 대한민국의학한림원 또는 이와 유사한 명칭을 사용하지 못하며 사용시 300만원 이하의 과태료가 부과된다(제52조의 2 제⑥항, 제92조 제③항 제7호). 한림원의 운영 및 업무수행에 필요한 사항은 대통령령으로 정한다(제52조의 2 제⑦항).

Ⅱ

본론

의료법 해설 – 쟁점과 판례 중심

제4장

신의료기술평가

제53조 【신의료기술의 평가】 ① 보건복지부장관은 국민건강을 보호하고 의료기술의 발전을 촉진하기 위하여 대통령령으로 정하는 바에 따라 제54조에 따른 신의료기술평가위원회의 심의를 거쳐 신의료기술의 안전성·유효성 등에 관한 평가(이하 "신의료기술평가"라 한다)를 하여야 한다.

② 제①항에 따른 신의료기술은 새로 개발된 의료기술로서 보건복지부장관이 안전성·유효성을 평가할 필요성이 있다고 인정하는 것을 말한다.

③ 보건복지부장관은 신의료기술평가의 결과를 「국민건강보험법」 제64조에 따른 건강보험심사평가원의 장에게 알려야 한다. 이 경우 신의료기술평가의 결과를 보건복지부령으로 정하는 바에 따라 공표할 수 있다.

④ 그 밖에 신의료기술평가의 대상 및 절차 등에 필요한 사항은 보건복지부령으로 정한다.

제54조 【신의료기술평가위원회의 설치 등】 ① 보건복지부장관은 신의료기술평가에 관한 사항을 심의하기 위하여 보건복지부에 신의료기술평가위원회(이하 "위원회"라 한다)를 둔다.

② 위원회는 위원장 1명을 포함하여 20명 이내의 위원으로 구성한다.

③ 위원은 다음 각 호의 자 중에서 보건복지부장관이 위촉하거나 임명한다. 다만, 위원장은 제1호 또는 제2호의 자 중에서 임명한다.

1. 제28조 제①항에 따른 의사회·치과의사회·한의사회에서 각각 추천하는 자
2. 보건의료에 관한 학식이 풍부한 자
3. 소비자단체에서 추천하는 자
4. 변호사의 자격을 가진 자로서 보건의료와 관련된 업무에 5년 이상 종사한 경력이 있는 자
5. 보건의료정책 관련 업무를 담당하고 있는 보건복지부 소속 5급 이상의 공무원

④ 위원장과 위원의 임기는 3년으로 하되, 연임할 수 있다. 다만, 제③항 제5호에 따른 공무원의 경우에는 재임기간으로 한다.

⑤ 위원의 자리가 빈 때에는 새로 위원을 임명하고, 새로 임명된 위원의 임기는 임명된 날부터 기산한다.

⑥ 위원회의 심의사항을 전문적으로 검토하기 위하여 위원회에 분야별 전문평가위원회를 둔다.

⑦ 그 밖에 위원회·전문평가위원회의 구성 및 운영 등에 필요한 사항은 보건복지부령으로 정한다.

제55조 【자료의 수집 업무 등의 위탁】 보건복지부장관은 신의료기술평가에 관한 업무를 수행하기 위하여 필요한 경우 보건복지부령으로 정하는 바에 따라 자료 수집·조사 등 평가에 수반되는 업무를 관계 전문기관 또는 단체에 위탁할 수 있다.

1 서설

(1) 신의료기술평가제는 의료기술의 안전성 및 유효성을 객관적인 근거와 전문가 토론을 통해 평가함으로써 국민의 안전과 건강을 보호하고 의료기술의 신뢰성 있는 발전을 도모하기 위한 제도로서 의약품, 의료기기, 의료기술을 판매하거나 적용하기 위해 안전성 및 효율성 등을 평가하는 제도이다. 우리나라에는 2007. 4. 28.부터 시행되었으며 미국, 영국, 호주, 대만 등에서 이 제도를 시행하고 있다.

(2) 의약품은 2006년 이후 식품의약품안전처 허가를 통해 판매가 가능하지만, 건강보험 급여로 인정받으려면 한국보건의료연구원(NECA) 인증이 필요하다. 의료기기 판매 역시 식품의약품안전처의 품

목 허가를 받은 후 한국보건의료연구원에서 유효성과 안전성을 인증받아야 한다. 제도의 도입 당시에는 식품의약품안전처(당시에는 '청')가 허가와 인증 업무를 모두 담당하였으나 2010년 한국보건의료연구원이 출범되어 인증 업무를 전담하고 있다.

2 신의료기술의 평가

가. 평가 절차

(1) 신의료기술이란 새로 개발된 의료기술로서 보건복지부장관이 안전성·유효성을 평가할 필요성이 있다고 인정하는 것을 말한다(제53조 제②항). 보건복지부장관은 국민건강을 보호하고 의료기술의 발전을 촉진하기 위하여 대통령령으로 정하는 바에 따라 신의료기술평가위원회의 심의를 거쳐 신의료기술의 안전성·유효성 등에 관한 평가(이하 '신의료기술평가'라 함)를 하여야 하고(제53조 제①항), 신의료기술평가의 결과를 국민건강보험법 제64조에 따른 건강보험심사평가원의 장에게 알려야 한다. 이 경우 신의료기술평가의 결과를 보건복지부령으로 정하는 바에 따라 공표할 수 있다(제53조 제③항).

(2) 신의료기술평가의 대상 및 절차 등에 필요한 사항은 보건복지부령[266]으로 정한다(제53조 제④항).

나. 신의료기술평가위원회

(1) 보건복지부장관은 신의료기술평가에 관한 사항을 심의하기 위하여 보건복지부에 신의료기술평가위원회(이하 '위원회'라 함)를 둔다(제54조 제①항). 위원회는 위원장 1명을 포함하여 20명 이내의 위원으로 구성되며(제54조 제②항), 위원은 ① 의사회·치과의사회·한의사회에서 각각 추천하는 사람, ② 보건의료에 관한 학식이 풍부한 사람, ③ 소비자단체에서 추천하는 사람, ④ 변호사의 자격을 가진 사람으로서 보건의료와 관련된 업무에 5년 이상 종사한 경력이 있는 사람 또는 ⑤ 보건의료정책 관련 업무를 담당하고 있는 보건복지부 소속 5급 이상의 공무원 중에서 보건복지부장관이 위촉하거나 임명한다. 다만, 위원장은 ① 의사회·치과의사회·한의사회에서 각각 추천하는 사람 또는 ② 보건의료에 관한 학식이 풍부한 사람 중에서 임명한다(제54조 제③항).

(2) 위원장과 위원의 임기는 3년으로 하되, 연임할 수 있다. 다만, 보건의료정책 관련 업무를 담당하고 있는 보건복지부 소속 5급 이상의 공무원의 경우에는 재임기간으로 한다(제54조 제④항). 그 밖에 위원회·전문평가위원회의 구성 및 운영 등에 필요한 사항은 보건복지부령[267]으로 정한다(제54조 제⑦항).

(3) 보건복지부장관은 신의료기술평가에 관한 업무를 수행하기 위하여 필요한 경우 보건복지부령[268]으로 정하는 바에 따라 자료 수집·조사 등 평가에 수반되는 업무를 관계 전문기관 또는 단체에 위탁할 수 있다(제55조).

---

266) 신의료기술평가에 관한 규칙
267) 신의료기술평가에 관한 규칙
268) 신의료기술평가에 관한 규칙

제5장

의료광고

제56조 【의료광고의 금지 등】 ① 의료법인·의료기관 또는 의료인이 아닌 자는 의료에 관한 광고를 하지 못한다.

② 의료법인·의료기관 또는 의료인은 다음 각 호의 어느 하나에 해당하는 의료광고를 하지 못한다.

    1. 제53조에 따른 평가를 받지 아니한 신의료기술에 관한 광고

    2. 치료효과를 보장하는 등 소비자를 현혹할 우려가 있는 내용의 광고

    3. 다른 의료기관·의료인의 기능 또는 진료 방법과 비교하는 내용의 광고

    4. 다른 의료법인·의료기관 또는 의료인을 비방하는 내용의 광고

    5. 수술 장면 등 직접적인 시술행위를 노출하는 내용의 광고

    6. 의료인의 기능, 진료 방법과 관련하여 심각한 부작용 등 중요한 정보를 누락하는 광고

    7. 객관적으로 인정되지 아니하거나 근거가 없는 내용을 포함하는 광고

    8. 신문, 방송, 잡지 등을 이용하여 기사(記事) 또는 전문가의 의견 형태로 표현되는 광고

    9. 제57조에 따른 심의를 받지 아니하거나 심의받은 내용과 다른 내용의 광고

    10. 제27조 제③항에 따라 외국인환자를 유치하기 위한 국내광고

    11. 소비자를 속이거나 소비자로 하여금 잘못 알게 할 우려가 있는 방법으로 제45조에 따른 비급여 진료비용을 할인하거나 면제하는 내용의 광고[시행일:2017. 3. 1.]

    12. 그 밖에 의료광고의 내용이 국민건강에 중대한 위해를 발생하게 하거나 발생하게 할 우려가 있는 것으로서 대통령령으로 정하는 내용의 광고

③ 의료법인·의료기관 또는 의료인은 거짓이나 과장된 내용의 의료광고를 하지 못한다.

④ 의료광고는 다음 각 호의 방법으로는 하지 못한다.

    1. 「방송법」 제2조 제1호의 방송

    2. 그 밖에 국민의 보건과 건전한 의료경쟁의 질서를 유지하기 위하여 제한할 필요가 있는 경우로서 대통령령으로 정하는 방법

⑤ 제①항이나 제②항에 따라 금지되는 의료광고의 구체적인 기준 등 의료광고에 관하여 필요한 사항은 대통령령으로 정한다.

⑥ 보건복지부장관, 시장·군수·구청장은 제②항 제2호부터 제4호까지 및 제6호·제7호와 제③항을 위반한 의료법인·의료기관 또는 의료인에 대하여 제63조, 제64조 및 제67조에 따른 처분을 하려는 경우에는 지체 없이 그 내용을 공정거래위원회에 통보하여야 한다.

제57조 【광고의 심의】 ① 의료법인·의료기관·의료인이 다음 각 호의 어느 하나에 해당하는 매체를 이용하여 의료광고를 하려는 경우 미리 광고의 내용과 방법 등에 관하여 보건복지부장관의 심의를 받아야 한다. 〈개정 2016. 1. 6.〉 [시행일 : 2016. 7. 7.]

    1. 「신문 등의 진흥에 관한 법률」 제2조에 따른 신문·인터넷신문 또는 「잡지 등 정기간행물의 진흥에 관한 법률」 제2조에 따른 정기간행물

    2. 「옥외광고물 등의 관리와 옥외광고산업 진흥에 관한 법률」 제2조 제1호에 따른 옥외광고물 중 현수막(懸垂幕), 벽보, 전단(傳單) 및 교통시설·교통수단에 표시되는 것

    3. 전광판

    4. 대통령령으로 정하는 인터넷 매체

② 제①항에 따른 심의를 받으려는 자는 보건복지부령으로 정하는 수수료를 내야 한다.

③ 보건복지부장관은 제①항에 따른 심의에 관한 업무를 제28조에 따라 설립된 단체에 위탁할 수 있다.

④ 제①항에 따른 심의 기준·절차 및 제③항에 따른 심의 업무의 위탁 등 의료광고의 심의에 관하여 필요한 사항은 대통령령으로 정한다.

제63조【시정 명령 등】 보건복지부장관 또는 시장·군수·구청장은 의료기관이 ——중략—— 제56조 제②항부터 제④항까지, 제57조 제①항, ——중략—— 을 위반한 때 또는 ——중략—— 아니하게 된 때에는 일정한 기간을 정하여 그 시설·장비 등의 전부 또는 일부의 사용을 제한 또는 금지하거나 위반한 사항을 시정하도록 명할 수 있다.

제64조【개설 허가 취소 등】 ① 보건복지부장관 또는 시장·군수·구청장은 의료기관이 다음 각 호의 어느 하나에 해당하면 그 의료업을 1년의 범위에서 정지시키거나 개설 허가를 취소하거나 의료기관 폐쇄를 명할 수 있다. 다만, 제8호에 해당하는 경우에는 의료기관 개설 허가를 취소하거나 의료기관 폐쇄를 명하여야 하며, 의료기관 폐쇄는 제33조 제③항과 제35조 제①항 본문에 따라 신고한 의료기관에만 명할 수 있다.

3. 제61조에 따른 관계 공무원의 직무 수행을 기피 또는 방해하거나 제59조 또는 제63조에 따른 명령을 위반한 때
5. ——중략—— 제56조를 위반한 때
6. 제63조에 따른 시정명령(제4조 제⑤항 위반에 따른 시정명령을 제외한다)을 이행하지 아니한 때

제66조【자격정지 등】 2012. 8. 7. 의료관계 행정처분규칙 별표 2. 개별 기준 가. 24) 내지 27)의 삭제로 적용되지 않음에 유의하여야 함

제67조【과징금 처분】 ① 보건복지부장관이나 시장·군수·구청장은 의료기관이 제64조 제①항 각 호의 어느 하나에 해당할 때에는 대통령령으로 정하는 바에 따라 의료업 정지 처분을 갈음하여 5천만원 이하의 과징금을 부과할 수 있으며, 이 경우 과징금은 3회까지만 부과할 수 있다. 다만, 동일한 위반행위에 대하여 「표시·광고의 공정화에 관한 법률」 제9조에 따른 과징금 부과처분이 이루어진 경우에는 과징금(의료업 정지 처분을 포함한다)을 감경하여 부과하거나 부과하지 아니할 수 있다.

제89조【벌칙】 다음 각 호의 어느 하나에 해당하는 자는 1년 이하의 징역이나 1천만원 이하의 벌금에 처한다.
1. ——중략—— 제56조 제①항부터 제④항까지, 제57조 제①항, ——중략—— 을 위반한 자

제91조【양벌규정】

1 서설

(1) 광고는 상품이나 용역(서비스)의 존재와 효능에 관한 정보를 매체를 통하여 세상 또는 소비자에게 널리 알리는 의도적인 활동으로서 헌법상의 직업의 자유(헌법 제15조), 재산권(헌법 제23조), 사회적 시장경제질서(헌법 제119조)의 불가결한 요소이다.

(2) 광고는 광고된 상품 또는 서비스를 구매하고 싶은 욕망을 자극하고 소비를 촉진하여 생산을 증대시키며 새로운 시장을 확대하는 경제적 기능, 다양한 정보를 제공하여 소비자의 선택 폭을 넓혀주고

소비에 대한 가치관과 건전한 소비습관을 형성하게 하는 사회 · 문화적 기능 등의 순기능이 있는 반면에 소비 문화 수준을 획일화시키고 경쟁업체를 중상 · 비방하거나 품질경쟁이 아닌 이미지 경쟁을 유발하여 상품이나 서비스의 질 향상을 저하시키는 역기능도 내포하는 양면적 존재이다.

(3) 의료광고란 의료인 · 의료기관 · 의료법인이 의료서비스에 관한 사항(건강을 유지하고 질병을 예방하거나 경감 혹은 치료하기 위하여 적용되는 과학 및 기술상의 제반활동)과 의료인, 의료기관에 관한 사항(경력, 시설, 기술 등)을 신문, 잡지 등의 매체를 이용하여 소비자에게 널리 알리거나 제시하는 행위이다. 의료기기 광고, 의약품(전문의약품으로 분류되지 않는 탕, 산, 환, 제 제외) 광고는 의료광고에 해당하지 않으며[269], 의료기기 명칭 및 기기에 대한 설명이 주 내용인 경우도 의료광고가 아니다. 다만, 의료기관 내부 시설 사진 등에 부분적으로 의료기기가 포함되어 있거나 진료방법의 장점을 소개하기 위하여 보유하고 있는 의료기기의 명칭을 언급하는 것은 의료기기 광고로 보지 않는다. 공익적 광고(건강강좌 개최 등, 예방접종 안내, 손씻기 홍보), 의료인 영입 안내, 의료기관 개설 예정 안내 등과 같이 유인적 요소가 없는 경우에도 의료광고로 보지 않는다[270].

(4) 의료광고도 광고이기 때문에 광고의 순기능과 역기능이 모두 내재되어 있다. 이에 의료법은 법률 제2533호로 1973. 2. 16.자 개정을 통하여 허위 · 과대의 의료광고를 금지하고 의료광고의 주체를 의료법인 · 의료기관 또는 의료인으로 한정하며 특정의료기관이나 특정의료인의 기능 · 진료방법 · 조산방법이나 경력 또는 약효등에 관하여 대중광고 · 암시적 기재 · 사진 · 유인물 · 방송 · 도안등에 의하여 광고를 하지 못한다는 점과 위임규정을 신설하였다(구 의료법 제46조). 그리고 구 의료법 시행규칙은 의료광고의 범위를 ① 진료담당 의료인의 성명 · 성별 및 그 면허의 종류, ② 전문과목 및 진료과목, ③ 의료기관의 명칭 및 그 소재지와 전화번호, ④ 진료일 · 진료시간, ⑤ 응급의료 전문인력 · 시설 · 장비등 응급의료시설 운영에 관한 사항, ⑥ 예약진료의 진료시간 · 접수시간 · 진료인력 · 진료과목등에 관한 사항, ⑦ 야간 및 휴일진료의 진료일자 · 진료시간 · 진료인력등에 관한 사항, ⑧ 주차장에 관한 사항으로 한정하고 TV와 라디오를 제외한 모든 매체에 의하여 할 수 있지만 일간신문에 의한 의료광고를 월 1회로 제한하였다(구 의료법 시행규칙 제33조).

(5) 헌법재판소는 2005. 10. 27. 선고 2003헌가3 결정을 통해서 '특정의료기관이나 특정의료인의 기능 · 진료방법'에 관한 광고를 금지하는 구 의료법 제46조 제③항과 이를 위반했을 때 500만원 이하의 벌

---

269) 대법원 1984. 4. 10. 선고 84도225 판결 ; 의료용구에 관한 광고는 의료에 관한 광고에는 포함되지 아니한다.

270) 대법원 2009. 11. 12. 선고 2009도7455 판결 ; 의료법은 의료인의 자격 요건을 엄격히 규정하고, 의료인이 아닌 자의 '의료행위'를 금지하는 한편, 의료법인 · 의료기관 또는 의료인이 아닌 자의 '의료에 관한 광고'를 금지하고, 그 위반자에 대한 형사처벌을 규정하고 있다. 의료광고에 관한 이러한 규제는 의료지식이 없는 자가 의학적 전문지식을 기초로 하는 경험과 기능으로 진찰 · 검안 · 처방 · 투약 또는 외과적 시술을 시행하여 하는 질병의 예방 또는 치료행위 및 그 밖에 의료인이 행하지 아니하면 보건위생상 위해가 생길 우려가 있는 행위에 해당하는 의료행위를 시행하는 내용의 광고를 함으로써 발생할 수 있는 보건위생상의 위험을 사전에 방지하기 위한 것으로 이해할 수 있다. 따라서 의료인 등이 아닌 자가 한 광고가 '의료에 관한 광고'에 해당한다고 하기 위해서는 그 광고 내용이 위에서 본 의료행위에 관한 것이어야 한다. 한편, 형사재판에서 공소가 제기된 범죄의 구성요건을 이루는 사실에 대한 증명책임은 검사에게 있으므로 위 광고내용이 의료행위에 관한 것이라는 점도 검사가 증명하여야 한다. 의료인이 아닌 피고인이 일간지에 '키 성장 맞춤 운동법과 그 보조기구'에 관한 광고를 게재한 행위는 광고의 내용, 실제 피고인이 행한 영업의 내용 등에 비추어 볼 때 비정상인 혹은 질환자에 대한 진단 · 치료 등을 내용으로 하는 광고라기보다는 고유한 의료의 영역이라고 단정하기 어려운 체육 혹은 운동생리학적 관점에서 운동 및 자세교정을 통한 청소년 신체성장의 촉진에 관한 광고이므로, 의료법 제56조에서 금지하는 '의료에 관한 광고'에 해당하지 않는다.

금에 처하도록 하는 제69조를 헌법상의 표현의 자유 내지 직업수행의 자유를 침해하는 위헌조항으로 판단하였다. 헌법재판소는 의료광고에 대한 합리적 규제가 필요함을 인정하면서도 진찰과 치료방법에 대한 광고를 일률적으로 금지하고 있는 것은 그러한 규제를 달성하기 위한 필요한 범위를 넘어선 것이라고 판시하면서 객관적인 사실에 기인한 것으로서 소비자에게 해당 의료인의 의료기술이나 진료방법을 과장함이 없이 알려주는 의료광고라면 이는 의료행위에 관한 중요한 정보에 관한 것으로서 소비자의 합리적 선택에 도움을 주고 의료인들 간에 공정한 경쟁을 촉진하므로 오히려 공익을 증진시킬 수 있다는 점을 역설하였다[271]. 이 헌법재판소의 위헌결정으로 금지조항은 장래를 향해서(ex-nunc), 형벌조항은 소급해서(ex-tunc) 그 효력을 상실하였다. 이에 의료법상의 의료광고 규정은 2007. 1. 3.자로 개정되었다.

(6) 행정법령으로 광고를 규제하는 방식에는 크게 두 가지가 있다. 첫째는 예외허용방식(positive system)으로 광고를 허용하는 범위를 명시하고 그 이외의 광고행위에 대해서는 불법으로 규정하는 방식이다. 예를 들면 의료인 성명, 전문과목, 의료기관 명칭 및 인터넷 홈페이지 주소, 입원설비 유무, 건강보험 요양급여 대상에 해당되는 진료방법 등을 제외한 의료광고를 허용하지 않는 방식으로 2007. 1. 3.자 의료법 개정 전의 의료광고 규제형식이었다. 둘째는 원칙허용방식(negative system)으로 원칙적으로 모든 의료광고를 허용하되 금지되는 몇 가지 광고행위를 열거하고(예시가 아니다) 열거된 금지행위만을 불허하는 방식이다. 구 의료법과 달리 2007. 1. 3.자 개정 의료법은 외견상 원칙허용방식(negative system)을 취하고 있다.

(7) 2007. 1. 3.자 개정 의료법은 의료광고 허용범위의 확대로 야기될 수 있는 국민의 피해를 방지하기 위하여 의료법인 · 의료기관 · 의료인이 일정한 매체를 이용하여 의료광고를 하고자 하는 경우 사전에 심의를 받도록 하였고(제46조의2 제①항), 사전심의를 받지 아니한 의료광고를 금지하였다(제46조 제②항 제9호). 그런데 보건복지부장관은 의료광고의 심의에 관한 업무를 의료인 단체에 위탁할 수 있었고(제57조 제③항), 이에 따라 의사회가 의사, 의원, 병원, 요양병원, 종합병원(치과는 제외한다), 조산원이 하는 의료광고의 심의업무를, 치과의사회가 치과의사, 치과의원, 치과병원, 종합병원(치과만 해당한다)이 하는 의료광고의 심의업무를, 한의사회가 한의사, 한의원, 한방병원, 요양병원(한의사가 설립한 경우로 한정한다)이 하는 의료광고의 심의업무를 각각 위탁받아 수행하였다(구 의료법 시행령 제24조 제②항 제1호 내지 제3호). 심의기관은 의료광고를 심의하기 위하여 심의위원회를 설치 · 운영하여야 하는바(의료법 시행령 제28조 제①항), 대한의사협회 의료광고심의위원회, 대한치과의사협회 의료광고심의위원회, 대한한의사협회 의료광고심의위원회가 설치되어 있었다[272]. 사전심의를 받지 아니하거나 심의받은 내용과 다른 내용의 광고는 금지되었다(제56조 제②항 제9호). 그런데 헌법은 특정한 표현에 대해 예외적으로 검열을 허용하는 규정을 두지 않고 있다. 이

---

271) 헌법재판소 2005. 10. 27. 선고 2003헌가3 결정

272) 실무상 대한의사협회, 대한치과의사협회, 대한한의사협회 의료광고심의위원회는 보건복지부의 '의료광고심의기준'을 그대로 사전심의 기준으로 사용한다.

러한 상황에서 표현의 특성이나 규제의 필요성에 따라 언론·출판의 자유의 보호를 받는 표현 중에서 사전검열금지원칙의 적용이 배제되는 영역을 따로 설정할 경우 그 기준에 대한 객관성을 담보할 수 없다는 점 등을 고려하면, 헌법상 사전검열은 예외 없이 금지되는 것으로 보아야 하므로 의료광고 역시 사전검열금지원칙의 적용대상이 된다. 의료광고의 사전심의는 보건복지부장관으로부터 위탁을 받은 각 의사협회가 행하고 있으나 사전심의의 주체인 보건복지부장관은 언제든지 위탁을 철회하고 직접 의료광고 심의업무를 담당할 수 있는 점, 의료법 시행령이 심의위원회의 구성에 관하여 직접 규율하고 있는 점, 심의기관의 장은 심의 및 재심의 결과를 보건복지부장관에게 보고하여야 하는 점, 보건복지부장관은 의료인 단체에 대해 재정지원을 할 수 있는 점, 심의기준·절차 등에 관한 사항을 대통령령으로 정하도록 하고 있는 점 등을 종합하여 보면, 각 의사협회는 행정권의 영향력에서 벗어나 독립적이고 자율적으로 사전심의업무를 수행하고 있다고 보기 어렵다. 따라서 사전심의를 간접적으로 강제하고 위반시 처벌하는 의료법상의 조항들(제56조 제②항 제9호, 제89조)은 사전검열금지원칙에 위배되는 위헌적인 조항이다[273]. 헌법재판소의 위헌 결정으로 위 조항들은 2015. 12. 23.부터 효력을 상실하였다.

2 의료광고의 주체

(1) 의료법인·의료기관 또는 의료인이 아닌 자는 의료에 관한 광고를 하지 못한다(제56조 제①항). 따라서 보건의료원은 의료법인 또는 의료기관이 아니기 때문에 의료광고를 할 수 없다. 그리고 약사와 각종 의료기사는 의료법 제2조 제①항의 의료인(보건복지부장관의 면허를 받은 의사·치과의사·한의사·조산사 및 간호사)가 아니기 때문에 의료광고의 주체가 될 수 없다. 그리고 의료기관단체(제52조) 역시 의료광고의 주체가 될 수 없다. 의료법인으로 개설허가를 받는 단체가 아닌 임의적 단체(법인)이기 때문이다.

(2) 현실적으로 의료광고는 광고대행사가 전담하고 있으며 기술적인 면에서 많은 조언을 담당하고 있다. 하지만 의료광고 대행업체는 의료법인·의료기관 또는 의료인이 위임한 범위 내에서 사실행위적 광고만을 대행할 수 있을 뿐이다. 광고대행업체를 함께 운영하는 의료인들이 있다 하더라도 광고는 의료인이 주체가 되어서 하는 것이고 의료광고에 따른 법적 책임은 의료인의 자격에서 부담하는 것이다. 이 책임을 광고대행업체에게 전가시킬 수는 없다.

(3) 보건복지부 의료광고심의기준

　　◇　의료광고의 주체는 원칙적으로 의료법인, 의료기관, 의료인이어야 한다.

　　◇　의료인 단체 및 공인 학회는 의료광고의 주체로 인정한다(인정 예: 대한피부과학회, 대한성형외과학회 등이 주체가 된 광고).

---

273) 헌법재판소 2015. 12. 23. 선고 2015헌바75 결정

◇ 의료광고의 주체가 없거나 불명확한 의료광고는 할 수 없다.

◇ 의료기관 부속 시설(부설연구소 및 연구센터 등)은 의료광고의 주체가 될 수 없다.

◇ 의료기관 네트워크의 브랜드 자체는 의료광고의 주체가 될 수 없으며, 브랜드 이미지만을 강조하여 광고하는 경우에도 네트워크에 속한 의료기관이 최소 한 개 이상 존재하여 주체가 되어야 한다.

※ 네트워크 병·의원 광고

◇ 네트워크 의료기관은 공동으로 같은 브랜드를 사용하는 의료기관의 그룹을 총칭함

◇ 의료기관 명칭과 별도로 네트워크 브랜드를 광고에 표현할 수 있음

◇ 네트워크의 형태임을 나타내기 위하여 그룹(group), 패밀리(family), 네트워크(network) 등의 표현 사용 가능

◇ 네트워크 브랜드만을 광고하는 것은 광고의 주체가 없는 것으로 간주하여 불허함. 즉, 네트워크에 속한 의료기관 중 최소 하나 이상 광고의 주체가 되어야 함

◇ 네트워크를 구성하고 있는 모든 의료기관들이 동일한 시설·진료수준·의료진의 수 등을 보유한 것 같은 인상을 주는 내용은 불허한다.

◇ 광고에 표시된 의료기관들의 개설자가 전문의와 비전문의가 혼재한 경우 일반의 종별명칭으로 통일하거나, 전문의와 비전문의 구분을 명확히 하여 광고해야 한다.

3 의료광고 금지 사항

가. 원칙허용방식

(1) 의료법인·의료기관 또는 의료인은 ① 미평가 신의료기술에 관한 광고, ② 소비자 현혹 광고, ③ 비교 광고, ④ 비방 광고, ⑤ 시술행위 노출 광고, ⑥ 중요 정보 누락 광고, ⑦ 객관적 근거 결여 광고, ⑧ 기사 형식 등의 광고, ⑨ 사전 심의 미필[274] 또는 심의 상이 내용 광고, ⑩ 외국인환자 유치 목적 국내광고, ⑪ 시행령상 금지 광고에 해당하는 의료광고를 하지 못한다(제56조 제②항). 의료광고의 주체 또는 금지되는 의료광고의 구체적인 기준 등 의료광고에 관하여 필요한 사항은 대통령령으로 정한다(제56조 제⑤항).

(2) 여기서 문제는 ① 미평가, ② 현혹, ③ 비교, ④ 비방, ⑤ 노출, ⑥ 누락, ⑦ 결여, ⑧ 기사, ⑨ 상이, ⑩ 유치 목적, ⑪ 시행령상의 금지 사항이 예시적인지 규정이지 아니면 열거적인 규정인지에 있다. 원칙허용방식(negative system)의 본질을 강조하려면 불허되는 사항이 열거적이어야 한다. 여기서 열거적이라는 것은 예시적에 반대되는 개념으로 구체적이고 특정된 금지행위를 나열하여야 한다. 그럼으로써 수범자 즉 의료인의 법적 안정성 내지 예측가능성을 제고시킬 수 있고 법치행정의 이상을 달성할 수 있다. 하지만 제56조 제②항은 '하는 등', '현혹', '근거없이 비교', '발생하게 할 우려'라는 형식을 취함으로써 예시적 성격에 치우친 경향이 강하다. 게다가 제56조 제③항으로 허위 또는 과

---

274) 헌법재판소 2005. 10. 27. 선고 2003헌가3 위헌 결정으로 무효화되었다.

대한 내용의 의료광고를 금지함으로써 옥상옥의 예시적 성격이 한층 더 강화되었다. 입법의 간판사기, 즉 법률의 기능이나 필요성에 관한 진지한 고민없이 여론이나 특정집단의 이해관계에 따라 조삼모사하는 식의 입법태도로 오해될 여지가 있는 부분이다. 따라서 의료법상 광고조항을 해석할 때 더욱 엄격한 긴장감을 유지할 필요가 있다.

나. 미평가 신의료기술에 관한 광고

(1) 의료법인·의료기관 또는 의료인은 제53조에 따른 평가를 받지 아니한 신의료기술에 관한 광고를 하지 못한다(제56조 제②항 제1호). 신의료기술평가위원회는 새로이 개발된 의료기술로서 보건복지부장관이 안전성·유효성을 평가할 필요성이 있다고 인정하는 이른바 '신의료기술'에 관한 심의를 담당한다(제53조, 제54조). 보건복지부장관은 심의된 신의료기술의 평가 결과를 국민건강보험법 제55조의 규정에 따른 건강보험심사평가원의 장에게 알려야 하는데, 이 경우 보건복지부장관이 신의료기술평가의 결과를 보건복지부령이 정하는 바에 따라 공표할 수 있다(제53조 제③항). 그러나 공표 여부를 재량에 일임하는 것보다는 관보 내지는 의료인단체 관련지에 당연히 공표하게 하는 것이 입법취지에 맞다. 의료인들에게 불의타 방지를 위해서도 더욱 그렇다.

(2) 보건복지부 의료광고심의기준

◇ 의료법 제53조에 따른 신의료기술평가를 받지 않은 의료기술은 광고할 수 없다.

◇ 통상적인 의학용어가 아닌 해당 의료기관이 독자적으로 만든 의학용어를 사용하여 술기·시술명을 표시할 수 없다. 다만, 관련 전문학회의 인정을 받은 경우에는 광고하는 것을 허용한다(불인정 예: '골드 해피 리프트'에서 '골드 해피'는 불인정함).

◇ 새로운 수술·재료 및 신기술 등의 정의는 새로운 기구, 새로운 재료, 새로운 방법 등으로 진료를 하는 것이고, 신기술에 대한 인증을 받아야 하며, 기존에 있었던 의료기구, 기존에 허가된 재료를 사용하여 개발한 수술이나 진료방법은 응용기술로 간주하며, 신의료기술로는 보지 않는다.

◇ 신의료기술을 신청하여 절차가 진행중인 경우나 특허출원과 같이 최종적으로 인증되지 아니한 것을 표시하는 것은 허용되지 않는다.

◇ 식약청의 허가범위외의 용도로 사용하는 재료, 의약품 등은 변경허가 등의 절차를 거친 이후에 사용할 수 있다.

다. 소비자 현혹 광고

(1) 의료법인·의료기관 또는 의료인은 치료효과를 보장하는 등 소비자를 현혹할 우려가 있는 내용의 광고를 하지 못한다(제56조 제②항 제2호). "치료효과를 보장한다"는 것은 매우 추상적인 개념이다. 암시의 제공, 가능성의 제시, 실제 치료 예를 거론하는 것이 소비자를 현혹할 우려가 있는 내용의 광고에 해당되는지 여부가 불분명하기 때문이다. 100% 완치를 보장한다든지 아니면 완치의 가능성이 현저하게 낮은 질병을 대상으로 치료효과를 보장하는 것은 소비자를 현혹할 우려가 있는 내용의

광고에 해당된다. 하지만 암시의 제공, 가능성의 제시, 실제 치료 예를 거론하는 것은 소비자가 현혹될 가능성이 적기 때문에 포함되지 않는다고 해석하여야 한다[275]. 현혹 가능성에 관한 판단은 평균적 이성인의 판단 수준에서 평가되어야 하기 때문이다[276]. 객관적인 근거 없이 특정 의료인 또는 의료기관의 기능이나 진료방법이 일정기간 내에 질병치료에 효과가 있다고 표현하는 광고는 치료효과를 보장하는 의료광고이다.

(2) '등'과 '우려가 있는'의 문구는 삭제되어야 한다. 법치행정의 원리와 원칙허용방식(negative system)에 반하기 때문이다.

(3) 의료법 시행령과 보건복지부 의료광고심의기준

　(가) 의료법 시행령 제23조 제①항 제2호

　　특정 의료기관·의료인의 기능이나 진료방법이 질병치료에 반드시 효과가 있다고 표현하거나 환자의 치료경험담 또는 6개월 이하의 임상경력을 광고하는 것

　(나) 소비자 현혹 및 치료효과 보장

　　◇ 소비자를 현혹시킬 소지가 있는 최상급을 의미하는 단어는 객관적 근거가 인정되지 않는 한 허용되지 않는다.

　　◇ 의료와 무관하거나 환자 유인의 소지가 있는 '○○신문 선정 우수의료기관', '○○○방송국 탤런트 지정 병원' 등의 문구는 기재할 수 없다.

---

275) 대법원 2010. 3. 25. 선고 2009두21345 판결 ; 의료법 제56조 제②항 제2호가 '허위·과장광고'를 금지하는 것과는 별개로 '치료효과를 보장하는 등 소비자를 현혹할 우려가 있는 내용의 광고'를 금지하고 있는 취지는, 공익상의 요구 등에 의한 의료광고 규제의 필요성과 더불어 의료광고의 경우에는 그 표현내용의 진실성 여부와 상관없이 일정한 표현방식 내지 표현방법만으로도 의료서비스 소비자의 절박하고 간절한 심리상태에 편승하여 의료기관이나 치료방법의 선택에 관한 판단을 흐리게 하고 그것이 실제 국민들의 건강보호나 의료제도에 영향을 미칠 가능성이 매우 큰 점을 고려하여 일정한 표현방식 내지 표현방법에 의한 광고를 규제하겠다는 것으로 해석된다. 어떠한 광고가 '치료효과를 보장하는 등 소비자를 현혹할 우려가 있는 내용의 광고'에 해당하는 것인지를 판단할 때에는, 표현방식과 치료효과 보장 등의 연관성, 표현방식 자체가 의료정보 제공에서 불가피한 것인지 여부, 광고가 이루어진 매체의 성격과 그 제작·배포의 경위, 광고의 표현방식이 의료서비스 소비자의 판단에 미치는 영향 등을 종합적으로 고려하여 보통의 주의력을 가진 의료서비스 소비자가 당해 광고를 받아들이는 전체적·궁극적 인상을 기준으로 객관적으로 판단하여야 한다. 자신의 의료기관 인터넷 홈페이지에 임플란트 시술과 관련하여 "레이저를 이용하여 치아나 잇몸 절삭, 절개하여 통증과 출혈이 거의 없습니다"라는 내용의 광고는 레이저 치료기에 의한 임플란트 시술이 다른 시술방법에 비해 부작용이 적다는 의료정보를 제공하는 측면이 있는 것으로 보일 뿐만 아니라, 그 표현방식 역시 치료기 제조사에서 만든 책자의 내용을 참고로 레이저 치료기에 의한 임플란트 시술의 장점을 의료서비스 소비자들에게 전달하는 차원에서 사용된 것임을 알 수 있는 점 등에 비추어, 위 광고가 곧바로 '치료효과를 보장하는 등 소비자를 현혹할 우려가 있는 내용의 광고'에 해당한다고 볼 수 없다. 제1심과 제2심은 '치료효과를 보장하는 등 소비자를 현혹할 우려가 있는 내용의 광고'에 해당한다고 판시하였다.

276) 헌법재판소 2011. 2. 24. 선고 2010헌마180 결정 ; 청구인이 병원 홈페이지에 지방흡입술에 관하여 게재한 광고 중 "가장 최신의 제5세대 방식"이라는 문구는 청구인만의 특정된 기능이나 진료방법에 대한 것이 아니라 일반적인 지방흡입술 방식 중의 하나인 워터젯 방식(WAL)을 설명하는 것이고, 그 효과를 보장하거나 장담하는 내용이라고 보기 어렵고, 치료 효과를 오인시켜 소비자를 현혹할 우려가 있는 내용의 광고라고 보기도 어려우며 달리 혐의사실을 인정할 증거를 찾아보기 어렵다. 그렇다면 피청구인으로서는 청구인에 대한 혐의사실을 인정할지를 판단함에 있어 경찰의 수사 결과에만 의존할 것이 아니라 직접 청구인을 소환하여 조사하거나 의료전문기관에 조회해 보는 등 방법을 통하여, 이 사건 광고에서 소개한 워터젯 방식(WAL)이 '가장 최신의 제5세대 방식'에 해당하는지, 그 광고내용이 치료 효과를 오인시켜 소비자를 현혹할 우려가 있는지에 관해 좀 더 밝혀 보았어야 할 것임에도, 이를 다하지 않은 채 의료법위반의 혐의를 인정하고 이에 대해 기소유예처분을 한 것은, 그 결정에 영향을 미친 중대한 사실오인이나 수사미진 등의 잘못이 있고, 이로 인하여 청구인의 평등권 및 행복추구권이 침해되었다.

헌법재판소 2010. 2. 25. 선고 2009헌마117 결정 ; 이 사건 광고는 아래 눈꺼풀 성형수술 방법 중 하나인 결막접근법으로 수술을 한 후에도 아래 눈꺼풀 바깥 피부에 반흔이나 흉터가 전혀 남지 않는다는 취지로서 위 결막접근법의 특징이나 장점을 그대로 설명한 것에 불과하고, 이는 실제로도 사실과 부합하거나 의학전문자료 등에 소개된 결막접근법에 의한 수술 방법 및 효과와도 일치하는 의료광고라 할 것이어서, 그와 같은 취지의 청구인의 변소내용이 사실이라면 이 사건 광고는 치료효과가 보장된다는 내용으로 소비자를 현혹할 우려가 있는 광고라고 할 수 없을 것임에도, 피청구인이 위 청구인의 변소 내용이 사실인지 여부를 좀 더 밝혀 보기 위한 보강수사를 하지 아니한 채 의료법위반의 혐의를 인정하고 이 사건 기소유예처분을 한 것은, 그 결정에 영향을 미친 중대한 사실오인이나 수사미진 등의 잘못이 있고, 이로 인하여 청구인의 평등권 및 행복추구권이 침해되었다고 보아야 한다.

◇ 다만, 의료와 관련하여 국제기구(예: 유니세프 등)나 정부로부터 인정받거나 지정받은 내용은 표시할 수 있다.

인정 예 : 유니세프 지정 '아기에게 친근한 병원'

보건복지부 지정 '척추 전문병원'

이 경우 의료기관평가와 같이 정부의 공식적인 발표외에 발표내용을 가공하여 임의적으로 변경하는 것은 허용되지 않는다.

인정 예: 2007년 보건복지부 의료기관 평가 결과 5개 항목에서 우수기관 지정

불인정 예 : 2007년 보건복지부 의료기관 평가결과 1위

◇ 확률적으로 0% 및 100%의 의미를 내포한 단어를 사용하여 '부작용없이', '통증없이', '완치', '가장 안전한' 등으로 표현하는 광고는 사용할 수 없다. 다만, 실제로 통증이 전혀 없거나, 부작용이 보고되지 않은 시술 및 치료방법은 신청자가 관련 논문이나 학술지, 관련 학회의 공인 근거 자료 등을 첨부한 경우에 한하여 심의위원회가 이를 판단하여 허용 여부를 결정한다.

◇ "일주일이면 치료할 수 있다"처럼 치료기간을 단정적으로 명시한 문구는 사용할 수 없다. 다만, "통상적으로 일주일정도 걸린다"와 같이 완곡하게 표현하고 교과서적으로 인정된 치료기간에 대해서는 허용한다.

◇ 의료와 관계없는 인증마크 등이 의료인의 기능·진료방법에 대한 인증으로 오인될 수 있을 경우 사용을 불허한다(예: ISO 서비스인증 등)

◇ 의료기관 부속 연구소 등 부속기관에 대한 내용에 대해서는 근거를 확인하여 실적이 없거나 객관적으로 인정되지 않은 기관은 광고를 할 수 없다.

(다) 치료경험담 등으로 표현되는 광고

◇ 환자의 치료경험담, 의료인의 환자 치료 사례 등은 모두 불허한다.

◇ 연예인, 정치인, 저명인사 등을 이미지 모델로 사용하는 것은 가능하지만, 치료경험으로 볼 수 있는 내용이 내포된 것은 불허한다.

◇ 광고 내용 중 특정인의 이름이 들어간 것은 치료경험담으로 간주한다.

◇ 질병의 증상이나 증세에 대한 이해를 돕기 위해 가명을 사용한 일반인을 언급하며 질병에 대한 설명 후 통상적인 치료방법 등을 제시하는 것은 치료경험담으로 보기 어려우며 검토 후 허용할 수 있다.

(라) 경력 관련

◇ 전문의 표시를 할 때는 전문과목과 함께 병기하여야 한다.

◇ 현행 법률상 인정되지 않은 분야의 전문의 명칭 및 세부전문의, 인정의의 명칭을 전문의라는 단어 앞에 붙여 사용할 수 없다. (예: 소아정신과 전문의(X), 정신과 전문의(O), 미국수면전문의(X))

◇ 6개월 이하의 임상경력은 광고할 수 없다.

◇ 학회 등의 회원임을 게재할 때에는 '회원'으로 통일하여 사용한다(정회원(X))

◇ 국내·외 연수 경력은 6개월 이상의 경력일 경우에만 기재할 수 있으며, 이를 확인할 수 있는 경우에만 기재를 허용한다.

◇ 의료와 무관한 자격증이나 의료와 무관한 학력기재는 허용하지 않는다.

◇ 의료와 무관한 경력 등은 기재를 불허한다(예: 미스코리아 심사위원, 바른생활운동협회의 이사 등).

◇ 외국의 의료인 면허 소지 기재는 허용한다.

◇ 전직 · 현직 구분을 명시하여야 하며, 전 · 현직을 판단할 수 없는 경력은 불허 또는 수정하도록 권고한다.

◇ 국제 학회 관련 내용을 게재하고자 하는 경우에는 국내 공인된 학회와 결연 관계가 있는 학회만 인정한다.

◇ 학술대회 등에서 발표한 내용일지라도 정식 학회에서 논문으로 발표된 내용일 경우에만 광고에 넣을 수 있으며, 일반적인 발표내용은 광고에 넣을 수 없다.

◇ 저서의 경우 자신의 전문분야와 관련이 있음이 확인된 저서에 대해서만 허용한다.

◇ TV, 잡지 등 출연 사실을 게재할 시에는 캡춰사진 외에 방송사, 프로그램명 등 해당프로그램의 내용 등 세부사항 기재는 불허한다.

라. 비교 · 비방 광고

(1) 의료법인 · 의료기관 또는 의료인은 다른 의료기관 · 의료인의 기능 또는 진료 방법과 비교하는 내용의 광고 또는 다른 의료법인 · 의료기관 또는 의료인을 비방하는 내용의 광고를 하지 못한다(제56조 제②항 제3호, 제4호).

(2) '비교하는 내용의 광고'란 비교대상 및 기준을 명시하지 않거나 객관적인 근거 없이 특정 의료인 또는 의료기관의 기능이나 진료방법이 다른 의료인이나 의료기관의 것과 비교하여 우수하거나 효과 있다고 광고하는 것을 말한다. 여기서 금지되는 비교의 대상은 기능 또는 진료방법이다. 따라서 의료인의 수, 진료체계, 소비자 만족도를 비교하여 수월성을 광고하는 것은 허용된다. 다른 의료기관의 소재지와 기관명을 이니셜로 표기하고 비교하는 것은 비방 광고 금지(제56조 제②항 제4호)와의 관계상 부정적으로 해석할 것은 아니라고 본다. 비방에 이르지 않는 자화자찬식의 광고까지 금지하는 취지는 아니기 때문이다. 입법론적으로 비교의 '부당성'을 구성요건으로 신설하는 것이 타당하다. 비교대상과 기준을 제시하지 않고 객관적인 근거 없이 비교하여 우수하다고 광고하는 행위를 금지시키는 것으로 개정할 필요가 있다. 규제 범위가 너무 광범위하기 때문이다.

(3) 비방하는 내용의 광고(4호)에 해당되려면 광고 주체가 다른 의료법인 · 의료기관 또는 의료인을 비방한다는 목적을 가지고 있어야 한다. 하지만 그 비방 목적이 현실화될 것까지 요구되는 것은 아니며 비방 내용이나 빈도 그리고 지리적 원근을 종합적으로 판단하여 간접증거로도 비방목적을 인정할 수 있다. 여기서 비방이란 타인을 비웃거나 헐뜯어서 표현하는 행위를 의미한다. 일반적으로 명예훼손과 모욕행위는 비방에 해당된다. 하지만 객관적인 근거를 제시하면서 학문적인 문제제기를 하는 것은 해당되지 않는다. 우리나라 헌법상 학문의 자유와 표현의 자유가 보장되기 때문이다.

(3) 의료법 시행령과 보건복지부 의료광고심의기준

(가) 의료법 시행령 제23조 제①항

    3. 특정 의료기관 · 의료인의 기능이나 진료방법이 다른 의료기관이나 의료인의 것과 비교하여 우수하거나

효과가 있다는 내용으로 광고하는 것

4. 다른 의료법인 · 의료기관 또는 의료인을 비방할 목적으로 해당 의료기관 · 의료인의 기능 또는 진료방법에 관하여 불리한 사실을 광고하는 것

(나) 비교광고 · 비방광고

◇ 의료 직역 간 비교광고는 원천적으로 금지한다(양 · 한방 상호 비교)

양 · 한방 상호 비교의 예

√ 칼 대지 않고 침으로 치료한다! (한방)

√ 무수히 많은 한의원을 돌아다녀 보았지만 소용 없었다. (양방)

√ 이 분야에 대해 한방에서는 아직 많은 한계가 있다. (양방)

√ 양방에서 치료할 수 없던 것을 한방치료를 받으면서 변화가 나타나기 시작했다. (한방)

◇ 특정 직역의 시술방법 등의 부작용을 부각시키면서, 자신의 직역의 시술방법 등이 우수하다고 표현해서는 안 된다.

◇ 의료기관 간 비급여 진료비용을 비교하거나 자신의 의료기관의 비급여 진료비용에 대해서는 적시할 수 없다(유인 · 알선 금지조항 관련)

◇ 광고주인 의료인 · 의료기관이 행하는 여러 시술방법 중 특정한 시술방법을 다른 시술방법과 비교하는 것은 허용한다. 다만, 타 의료기관 · 의료인의 명칭을 언급하는 등 특정의료인 · 의료기관의 것과 비교한 내용은 허용되지 않는다.

◇ 특정진료과목에 대하여 전문의에게 진료받는 것이 안전하며 비전문의에게 진료받을 시 부작용 등 위험할 수 있다는 내용의 광고는 명백한 비방광고로 본다. 다만, '전문의와 상의하세요' 등에 국한된 내용은 비방광고로 볼 수 없다.

마. 시술행위 노출 광고

(1) 의료법인 · 의료기관 또는 의료인은 수술 장면 등 직접적인 시술행위를 노출하는 내용의 광고를 하지 못한다(제56조 제②항 제5호). 직접적인 시술행위 노출만이 금지된다. '직접적인 시술행위를 노출하는 광고'란 의료인이 환자를 대상으로 수술을 행하는 장면이나 환부 등을 촬영한 동영상 또는 사진이 일반인들에게 혐오감을 일으키는 광고를 말한다(의료법 시행령 제23조 제①항 제5호). 따라서 시술부위를 노출시키지 않는 등의 간접적인 수술장면은 허용된다. 노출의 직접성과 간접성은 환자의 시술부위가 노출되는지를 기준으로 구별되어야 할 것이다. 수술장면을 노출시키는 것이 국민 정서상 맞지 않는다는 것이 입법취지로 보이기 때문이다.

(2) 보건복지부 의료광고심의기준

○ 환부의 치료 전 · 후 비교 사진

◇ 의료법 시행령 제23조 제①항 제5호에 해당하는 일반인에게 혐오감을 일으킬 수 있는 신체부위나 환부 사진은 심의위원회의 검토하여 허용 여부를 결정한다.

◇ 광고하려는 의료기관에서 치료하지 않은 환자의 환부 사진을 싣는 경우 마치 그 의료기관의 치료 사례로 보여질 수 있으므로 이는 거짓 광고로 간주한다. 따라서 실제 광고하려는 의료기관에서 치료한 환자의 사진만을 허용하는 것을 원칙으로 한다.

◇ 동일 네트워크 계열의 다른 의료기관에서 치료받은 환자의 사진을 사용하는 것은 불허한다. 또한 네트워크 광고 내에 다수의 의료기관이 명시되어 있는 경우, 환자의 사진 게재시 치료를 행한 의료기관을 명시하여야 한다.

◇ 치료 전·후의 기간을 명시하여야 하며, 그 치료방법으로 인한 교과서적인 치료기간과 상당 시간의 차이가 있을 경우 통상적인 치료 기간을 기재하도록 신청자에게 통보한다. (특별히 잘 된 한 건의 사례로 환자 유인의 소지가 있음)

◇ 전후 사진은 동일한 조건하에 촬영된 것이어야 한다.

◇ 환자의 사진을 무단으로 게재하는 것은 환자의 사생활 및 초상권 침해이므로 사전에 환자의 동의를 받았음을 확인할 수 있는 경우에만 인정한다.

바. 중요 정보 누락 광고

(1) 의료법인·의료기관 또는 의료인은 의료인의 기능, 진료 방법과 관련하여 심각한 부작용 등 중요한 정보를 누락하는 광고를 하지 못한다(제56조 제②항 제6호). 의료행위나 진료 방법 등을 광고하면서 예견할 수 있는 환자의 안전에 심각한 위해를 끼칠 우려가 있는 부작용 등 중요 정보를 빠뜨리거나 글씨 크기를 작게 하는 등의 방법으로 눈에 잘 띄지 않게 광고하는 것은 금지된다(의료법 시행령 제23조 제①항 제6호).

(2) 보건복지부 의료광고심의기준

○ 부작용 관련

◇ 진료방법, 시술방법 등을 소개하는 광고에는 원칙적으로 부작용을 명시하도록 한다.

◇ 의료기술, 시술방법 등의 장점을 소개하면서 부작용이 발생할 경우 매우 심각한 결과를 초래할 수 있음에도 누락되었을 경우 부작용에 대해 병기하도록 하거나 그 의료기술 또는 시술방법에 대한 내용을 삭제하도록 한다.

◇ 부작용에 대한 내용의 글자 크기만 다른 본문의 글자 크기에 비해 작아서는 안 된다.

◇ 부작용을 명시해야 함에도 누락되었다고 판단되는 광고물에 대해서는 심의위원회에서 그 부작용에 대한 적절한 문구를 삽입하여 수정승인 조치한다.

사. 객관적 근거 결여 광고

(1) 의료법인·의료기관 또는 의료인은 객관적으로 인정되지 아니하거나 근거가 없는 내용을 포함하는 광고를 하지 못한다(제56조 제②항 제7호). 광고 주체가 학회지나 논문을 인용하면서 유리한 부분만 발췌하여 광고하는 경우라 할지라도 전체 내용에서 의학적 객관성이 인정되지 않으면 이에 해당될

것이다. 그런데 제7호의 내용은 제56조 제②항의 일반론적인 내용으로 원칙허용방식(negative system)에 적합하지 않다. 입법론적으로 삭제할 필요성이 있다.

(2) 의료법 시행령과 보건복지부 의료광고심의기준

(가) 의료법 시행령 제23조 제①항

7. 의료기관·의료인의 기능 또는 진료 방법에 관하여 객관적으로 인정되지 아니한 내용이나 객관적인 근거가 없는 내용을 광고하는 것.

○ 진료과목 표시 관련

◇ 의료광고 내 진료과목 표시는 의료법 시행규칙 제30조(진료과목의 표시)의 규정에 따른다.

◇ 치과는 치과의사 전문의의 수련 및 자격 인정 등에 관한 규정, 한방은 한의사 전문의의 수련 및 자격 인정에 관한 규정에 따라 지정받은 수련치과병원 외에는 진료과목을 표시할 수 없으나, 광고에 있어 특정전문과목 표시가 아닌 다음 중 4개 또는 5개과 이상의 진료과목(또는 이와 유사한 진료내용 등)을 표시할 경우 이를 허용한다(2008년 12월 31일까지).

※ 치과의 경우 구강악안면외과, 치과보철과, 치과교정과, 소아치과, 치주과, 치과보존과, 구강내과, 구강악안면방사선과, 구강병리과, 예방치과 중 5개과 이상

※ 한방의 경우 한방내과, 한방부인과, 한방소아과, 한방신경정신과, 침구과, 한방안·이비인후·피부과, 한방재활의학과 및 사상체질과 중 4개과 이상

○ 객관적으로 인정되지 않거나 객관적 근거가 없는 내용

◇ 공인되지 않은 치료법, 시술명, 약제명 등은 모두 불허한다.

◇ 한방의 경우 '~탕', '~산', '~환', '~제' 등의 약제는 문헌에 나타나 있거나, 공인된 관련 학회에서 인정한 명칭이 아니면 사용할 수 없다. 다만, 고전 문헌 등을 인용한 경우에도 현대 한의학의 관점에서 보았을 때 증명될 수 없는 것은 허용되지 않는다.

◇ 다만, 한방의 경우 양방과 질병을 보는 개념이 상당 부분 다르므로 질병에 관한 설명 등은 심의위원회에서 판단하여 객관적 근거의 유무를 판단하도록 한다.

◇ 질병이나 질병의 치료에 대한 내용의 근거를 학술지에서 인용한 경우 해당 학술지는 공인받은 것이어야 한다.

아. 기사 형식 등의 광고

(1) 의료법인·의료기관 또는 의료인은 신문, 방송, 잡지 등을 이용하여 기사(記事) 또는 전문가의 의견 형태로 표현되는 광고를 하지 못한다(제56조 제②항 제8호). 이른바 기사성 의료광고를 금지하는 규정이다. 기사성 의료광고는 '의학칼럼', '의학정보', '명의탐구' 등의 제목을 넣어 사실을 제공하는 기사의 외양을 갖추었지만 실질은 해당 의료인이나 의료기관을 광고하는 것이다. 위장광고의 대표사례이며 개정전 의료법 금지규정을 회피하기 위한 편법으로 횡행하던 것을 개정 의료법이 명문으로 금지한 것이다. 여기서 '신문, 방송, 잡지 등'이란 신문 등의 진흥에 관한 법률 제2조에 따른 신문·

인터넷신문 또는 잡지 등 정기간행물의 진흥에 관한 법률에 따른 정기간행물이나 방송법 제2조 제1호에 따른 방송을 지칭한다(광고매체, 의료법 시행령 제23조 제①항 제8호). '이용'이란 광고매체에 실린 기사나 전문가의 의견이 특정 의료인 또는 의료기관의 기능이나 진료방법에 대한 광고임에도 불구하고 광고임을 명시하지 아니한 것으로 특정 의료기관 · 의료인의 연락처나 약도 등의 정보도 함께 싣거나 방송하여 광고하는 것을 말한다(광고매체, 의료법 시행령 제23조 제①항 제8호). 현실적으로 방송 미디어는 전문가 인터뷰를 통하여 프로그램의 신뢰성을 높이는 경우가 있다. 그래서 의료진에게는 각종 인터뷰 요청이 많은데 이는 소비자의 알권리를 충족시키기 위하여 작성되는 의료정보로 평가되므로 사실을 전달하는 기사로 인정될 수 있다. 기사 작성 주체가 의료인이더라도 무방하다고 해석해야 하며 실제로 초안은 거의 의료인이 작성한다는 것이 공공연한 사실이다. 하지만 기사에 특정 의료인의 명칭, 경력, 수술장면, 전화번호, 홈페이지 주소, 이메일 주소, 약도 등을 기재한 경우 기사성 의료광고로 볼 수 있다는 점을 유의해야 한다. 그리고 일회성에 그치지 않고 반복성을 띄게 된다면 더욱 광고행위로 판단될 수 있다.

(2) 보건복지부 의료광고심의기준

○ 칼럼 또는 건강정보 기사 형식의 광고

◇ 신문 · 잡지 · 기타간행물 및 인터넷신문에 기사(記事)나 전문가의 의견형태로 표현되는 광고는 할 수 없다. 여기에서 기사란 해당 언론사 · 출판사에 소속된 기자(記者)가 쓴 글로 정의한다.

– 기사가 아닌 단순히 텍스트 위주로 구성된 것은 의료광고물로 본다.

– 기사 중 의료인의 자문 등을 받았음을 표시할 때에는 기자 정보를 표시하는 위치에 자문 의료인의 전문과목 및 성명만을 표시할 수 있으며, 소속 의료기관을 표시할 수 없다.

– 전문가의 의견은 의료인이 직접 쓴 건강강좌, 칼럼 등으로 전화번호, 약도, 이메일, 홈페이지 주소 등 정보를 제공할 수 있는 내용을 게재하여서는 아니된다.

◇ 순수한 기사나 전문가의 의견은 의료광고가 아니므로 심의대상에 해당하지 않으나, 특정 의료인이나 의료기관의 약도, 전화번호, 의료기관 명칭 및 홈페이지 주소 등을 게재하였을 경우 의료광고에 해당되므로 의료법 제56조제②항 제8호 및 제9호 및 비의료인의 의료광고에 해당될 수 있다.

◇ 형식이 기사와 같은 텍스트 위주로 구성된 의료광고물에는 필수로 '광고' 문구를 표시하여야 한다.

자. 심의 상이 내용 광고

(1) 의료법인 · 의료기관 또는 의료인은 (제57조에 따른 심의를 받지 아니하거나)[277] 심의받은 내용과 다른 내용의 광고를 하지 못한다(제56조 제②항 제9호). 심의받은 내용과 상이(相異)한 내용의 광고란 글자의 크기나 모양, 광고의 배치 순서 등 형식적 사항 외에 전달하는 내용을 변경한 광고를 의미한다. 따라서 심의 받은 내용 중 일부를 삭제하거나 심의 받은 내용에 변화를 주지 아니하는 정도로

---

277) 헌법재판소 2005. 10. 27. 선고 2003헌가3 위헌 결정으로 무효화되었다.

단순히 수정하는 행위 또는 심의 받은 내용은 변경하지 아니하고 광고매체나 광고제작사 등을 변경하는 행위는 별도로 심의를 받지 않아도 되므로 적법한 광고행위로 볼 수 있다.

(2) 의료법 시행령과 보건복지부 의료광고심의기준

(가) 의료법 시행령 제23조 제①항

9. 법 제57조 제①항에 따라 심의 대상이 되는 의료광고를 심의를 받지 아니하고 광고하거나 심의 받은 내용과 다르게 광고하는 것

○ 기타 사항

◇ 이미 승인된 내용의 광고라고 하더라도 심의기준이 변경된 경우 승인된 내용의 광고가 심의기준 변경이 후 계속될 경우 의료광고심의위원회는 변경된 심의기준에 따라 광고내용을 수정하도록 권고하여야 한다.

차. 외국인환자 유치 목적 국내광고

의료법인·의료기관 또는 의료인은 제27조 제③항에 따라 외국인환자를 유치하기 위한 국내광고를 하지 못한다(제56조 제②항 제10호). 외국인환자를 유치하는 의료기관은 공항, 무역항 등 제한된 장소에서 외국어로 표기된 의료광고를 할 수 있을 뿐이다(의료 해외진출 및 외국인환자 유치 지원에 관한 법률 제15조).

카. 비급여 항목 할인·면제 광고

(1) 의료법인·의료기관 또는 의료인은 소비자를 속이거나 소비자로 하여금 잘못 알게 할 우려가 있는 방법으로 제45조에 따른 비급여 진료비용을 할인하거나 면제하는 내용의 광고를 하지 못한다(제56조 제②항 제11호). 2016. 5. 29.자 개정으로 신설되었으며 2017. 3. 1.부터 시행된다.

(2) 100% 자비부담(본인부담금과의 혼동을 피하기 위하여 自費라고 표현한다)의 환자들에 대한 면제·할인행위는 국민건강보험법상의 요양급여대상이 아닐 뿐만 아니라 의료급여법상의 의료급여대상도 역시 아니기 때문에 할인을 통한 환자 유인행위가 성립될 여지는 없지만[278], 의료법인·의료기관 또는 의료인이 소비자를 속이거나 소비자로 하여금 잘못 알게 할 우려가 있는 방법으로 제45조에 따른 비급여 진료비용을 할인하거나 면제하는 내용의 광고를 하면 의료법 위반이 된다(제56조 제②항 제11호).

타. 시행령상 금지 광고

(1) 의료법인·의료기관 또는 의료인은 의료광고의 내용이 국민건강에 중대한 위해를 발생하게 하거나 발생하게 할 우려가 있는 것으로서 대통령령으로 정하는 내용의 광고를 하지 못한다(제56조 제②항 제12호). 제12호 규정은 법치행정의 원리 중 위임입법의 형식적 원리에는 충실한 규정이지만 원칙 허용방식(negative system)에는 반하는 규정이다. 의료법 제56조 제②항의 내용들(제9호 제외)은 국민

---

[278] 대법원 2008. 2. 28. 선고 2007도10542 판결

건강에 중대한 위해를 발생하게 하거나 발생하게 할 우려가 있음을 입법자가 확인한 것이다. 이것도 부족하다는 노파심으로 금지규정을 하위법령에 위임하는 것은 실질적 법치행정원리에 맞지 않는다. 금지되는 의료광고의 구체적인 기준 등 의료광고에 필요한 사항만을 의료법 제56조 제⑤항에 따라 대통령령으로 정하면 족할 뿐이다. 삭제되어야 할 부분이다. 같은 맥락으로 위임입법의 근거가 없고 법과 시행령의 범위를 초월한 보건복지부의 의료광고심의기준 역시 폐지되어야 할 것이다[279].

(2) 전술한 나. 미평가 신의료기술에 관한 광고, 다. 소비자 현혹 광고, 라. 비교·비방 광고, 마. 시술행위 노출 광고, 바. 중요 정보 누락 광고, 사. 객관적 근거 결여 광고, 아. 기사 형식 등의 광고, 자. 심의 상이 내용 광고 해당 내용에 의료법 시행령 제23조 제①항(의료광고의 금지 기준)의 내용이 있다.

(3) 보건복지부장관은 의료법인·의료기관 또는 의료인 자신이 운영하는 인터넷 홈페이지에 의료광고를 하는 경우에 금지되는 의료광고의 세부적인 기준을 정하여 고시할 수 있다(의료법 시행령 제23조 제②항).

4 거짓광고·과장광고 금지

가. 내용

(1) 의료법인·의료기관 또는 의료인은 거짓이나 과장된 내용의 의료광고를 하지 못한다(제56조 제③항). '거짓 또는 과장된 광고'란 진실이 아니거나 실제보다 지나치게 부풀려진 내용을 담고 있어 의료지식이 부족한 일반인으로 하여금 오인·혼동하게 할 염려가 있는 광고를 의미한다.

(2) 실제 예를 들면, 유인물에 의하여 광고를 하면서 그 기재에 병원이 아닌 의원을 병원으로 기재하고 진료과목인 신경외과와 전문과목인 정형외과를 따로 표시하지 아니하고 '정형외과, 신경외과병원장, 전문의'라고 표시하여 마치 정형외과와 신경외과 양과의 전문의인 것처럼 오인·혼동을 일으키게 할 수 있는 기재를 하였다면 이러한 광고는 허위·과대광고에 해당한다[280]. 그러나 의학박사학위를 가진 자가 그의 의원 출입문 상단에 "의학박사전문의 ○○○ 피부비뇨기과의원"이라고 쓴 아크릴 간판을 걸어 놓은 행위는 과대광고에 해당되지 않는다[281]. 의원을 개설하면서 개업광고란을 통하여 경력소개를 하고 병원진료과목표시간판에는 시설도 갖추지 아니한 채 '병리검사실·엑스선실'이라고 표시한 행위는 과대광고에 해당되며[282], 한의원과 내과의원을 각자 별도로 운영하면서도 같은 건물 내에 있다는 것만으로 2개의 의료기관 개설을 안내하는 1장의 광고전단지에 '양·한방 협진 검

---

279) 전술한 의료광고심의기준은 금지되는 의료광고인지를 판단할 때 참고할 자료에 불과하다.

280) 대법원 1983. 4. 12. 선고 82누408 판결

281) 대법원 1979. 1. 23. 선고 78누190 판결

282) 대법원 1985. 2. 26. 선고 84누695 판결. 그러나 위와 같은 방식의 개원인사는 일반화 되어 있고 또 개원후 조만간 병리검사실 및 엑스선실을 갖춘다는 뜻에서 진료과목표시판에 이를 표시한 것 뿐이라면 위와 같은 광고는 의료혜택을 받고자 하는 사람들에게 혼동을 일으킬 염려가 없어 의료법 위반의 정도가 경미함에도 이를 이유로 원고에 대해 의료기관업무정지처분을 한 것은 이로 인하여 원고가 입게 될 신용상실 및 재산적 손해가 큼에 비추어 이는 재량권의 범위를 일탈한 것으로서 위법하다고 판시하였다.

사 안내'라는 문구 등을 넣어 광고한 것은 의료법이 금지하는 과대광고에 해당한다[283].

(3) 보건복지부 의료광고심의기준

○ 과장된 내용의 광고

◇ 질병에 대하여 과도하게 불안감, 공포감 등을 조성하는 문구는 심의위원회에서 그 정도를 판단하여 과도한 경우 소비자를 현혹하는 행위로 간주함

○ 양·한방 협진

◇ 양·한방 협진 문구는 의원급 의료기관에서는 양·한방 복수면허 소지자가 아니면 사용할 수 없다.

※ 대학병원 등에서 양·한방 협진 광고를 신청한 경우에는 해당되는 심의위원회의 심의를 모두 받아야 한다.

나. 입법론

거짓광고·과장광고 금지 조항의 입법적 타당성을 검토하기 전에 두 가지 사실이 전제되어야 한다. 첫째, 현재 의료업은 서비스업으로 분류되고 있다. 그리고 둘째로, 의료인은 전문직종에 종사하는 직업군이라는 점이다. 여기에 현행 표시·광고의 공정화에 관한 법률 제3조와 제5조가 기만적이거나 부당하게 비교하는 표시·광고를 금지하며, 표시·광고 내용에 관한 실증이 필요할 경우 공정거래위원회가 당해 사업자에게 관련 자료의 제출을 요청할 수 있게 하고 있다는 점, 현행 소비자보호법 제9조가 소비자가 오인할 우려가 있는 특정용어 및 특정표현의 사용을 제한할 필요가 있는 경우나 광고의 매체 및 시간대에 대하여 제한이 필요한 경우 국가가 광고의 내용 및 방법에 관한 기준을 정할 수 있도록 하고 있다는 점, 그리고 현행 독점 규제 및 공정거래에 관한 법률 제23조 제①항 제3호가 부당하게 경쟁자의 고객을 자기와 거래하도록 유인하거나 강제하는 행위를 금지하고 있다는 점을 고려하면 의료법 제56조 제③항의 독자적인 존재의미가 있는지 의문이 들 수밖에 없다. 위 법규정들만으로도 허위 또는 과대한 내용의 의료광고를 금지하는데 충분하므로 삭제를 요하는 부분이다.

---

283) 대법원 2003. 4. 11. 선고 2002두12342 판결

5 의료광고 매체

(1) 의료광고는 방송법 제2조 제1호[284]의 방송(텔레비전방송, 라디오방송, 데이터방송, 이동멀티미디어방송)이나 그 밖에 국민의 보건과 건전한 의료경쟁의 질서를 유지하기 위하여 제한할 필요가 있는 경우로서 대통령령으로 정하는 방법으로는 하지 못한다(제56조 제④항). 불특정 다수의 소비자를 대상으로 가장 큰 광고효과를 볼 수 있는 영상매체를 공익적인 목적에서 광고수단에서 배제시키는 취지이지만 이론적 당위성은 의문이다.

(2) 정기간행물(신문, 잡지 등), 인터넷신문, 간판, 애드벌룬, 현수막, 벽보, 전단, 교통시설이용 광고물, 교통수단이용 광고물, 공공시설물이용 광고물, 인터넷신문이 아닌 인터넷 매체(의료기관 홈페이지, 포털 사이트 배너 광고 등), 원내 비치 목적의 병원보 · 소책자, LCD 모니터 등을 통한 영상 광고, LED 전광판을 이용한 문자 광고, 음성광고 등의 광고매체를 통하여 의료광고를 할 수 있다.

---

284) **방송법 제2조(용어의 정의)** 이 법에서 사용하는 용어의 정의는 다음과 같다.
  1. "방송"이라 함은 방송프로그램을 기획 · 편성 또는 제작하여 이를 공중(개별계약에 의한 수신자를 포함하며, 이하 "시청자"라 한다)에게 전기통신설비에 의하여 송신하는 것으로서 다음 각목의 것을 말한다.
    가. 텔레비전방송 : 정지 또는 이동하는 사물의 순간적 영상과 이에 따르는 음성 · 음향 등으로 이루어진 방송프로그램을 송신하는 방송
    나. 라디오방송 : 음성 · 음향 등으로 이루어진 방송프로그램을 송신하는 방송
    다. 데이터방송 : 방송사업자의 채널을 이용하여 데이터(문자 · 숫자 · 도형 · 도표 · 이미지 그 밖의 정보체계를 말한다)를 위주로 하여 이에 따르는 영상 · 음성 · 음향 및 이들의 조합으로 이루어진 방송프로그램을 송신하는 방송(인터넷 등 통신망을 통하여 제공하거나 매개하는 경우를 제외한다. 이하 같다)
    라. 이동멀티미디어방송 : 이동중 수신을 주목적으로 다채널을 이용하여 텔레비전방송 · 라디오방송 및 데이터방송을 복합적으로 송신하는 방송

6 위헌적인 사전심의제

(1) 의료법인·의료기관·의료인이 ① 신문 등의 진흥에 관한 법률 제2조에 따른 신문·인터넷신문 또는 잡지 등 정기간행물의 진흥에 관한 법률 제2조에 따른 정기간행물, ② 옥외광고물 등 관리법 제2조 제1호에 따른 옥외광고물 중 현수막, 벽보, 전단 및 교통시설·교통수단에 표시되는 것, ③ 전광판 또는 ④ 대통령령으로 정하는 인터넷 매체를 이용하여 의료광고를 하려는 경우 미리 광고의 내용과 방법 등에 관하여 보건복지부장관의 심의를 받아야 했었는데 실무상 사전심의제도라고 칭하였다.

(2) 사전심의를 간접적으로 강제하고 위반시 처벌하는 의료법상의 조항들(제56조 제②항 제9호, 제89조)이 사전검열금지원칙에 위배되는 위헌적인 조항으로 헌법재판소가 위헌 결정함으로써[285] 위 조항들은 2015. 12. 23.부터 효력을 상실하였고 비록 심판대상 조항은 아니었지만 관련조항으로 제57조(광고의 심의)의 위헌성이 설시되었으므로 제57조는 마땅히 삭제되어야 할 조문이기에 설명을 생략한다.

7 위반 시 책임

(1) 의료광고 주체가 아니면서 의료광고를 하거나 금지된 의료광고를 한 경우(제56조 제②항 제9호 중 '제57조에 따른 심의를 받지 아니한 광고'에 관한 부분은 제외) 또는 거짓이나 과장된 내용의 의료광고를 하거나 허용되지 않은 광고매체를 이용하여 의료광고를 하면(제56조를 위반하면) 1년 이하의 징역 또는 1천만원 이하의 벌금에 처해질 수 있으며(제89조), 보건복지부장관 또는 시장·군수·구청장이 일정한 기간을 정하여 그 시설·장비 등의 전부 또는 일부의 사용을 제한 또는 금지하거나 위반한 사항을 시정하도록 명할 수 있는데(제63조), 명령을 위반하거나 제56조를 위반 또는 시정명령을 이행하지 않으면 보건복지부장관 또는 시장·군수·구청장이 그 의료업을 1년의 범위에서 정지시키거나 개설허가를 취소하거나 의료기관 폐쇄를 명할 수 있다(제64조 제①항 제3호, 제5호, 제6호). 실무상으로는 제56조 제②항(의료광고 금지사항, 제7호와 제9호는 제외)을 위반하여 의료광고를 한 경우에는 의료관계 행정처분규칙 별표 2. 개별 기준 나. 20)에 따라 업무정지 1개월을, 의료광고의 내용 및 방법 등에 대하여 사전에 보건복지부장관의 심의를 받은 내용과 다른 내용의 광고를 한 경우에는 의료관계 행정처분규칙 별표 2. 개별 기준 나. 21)에 따라 1차 위반시 경고를, 2차 위반시 업무정지 15일을, 3차 위반시 업무정지 1개월을, 객관적으로 인정되지 아니 하거나 근거가 없는 내용을 포함하는 광고를 하여서 거짓된 내용의 광고를 한 경우에는 의료관계 행정처분규칙 별표 2. 개별 기준 나. 22)에 따라 업무정지 2개월을, 객관적으로 인정되지 아니 하거나 근거가 없는 내용을 포함하는 광고를 하여서 과장된 내용의 광고를 한 경우에는 의료관계 행정처분규칙 별표 2. 개별 기준 나. 23)에 따라 업무정지 1개월을, 허

---

285) 헌법재판소 2015. 12. 23. 선고 2015헌바75 결정

용되지 않은 광고매체를 이용하여 의료광고를 한 경우(제56조 제④항 위반)에는 의료관계 행정처분규칙 별표 2. 개별 기준 나. 24)에 따라 업무정지 1개월을 각 처분한다. 보건복지부장관이나 시장·군수·구청장은 정지 처분에 갈음하여 5천만원 이하의 과징금을 부과할 수 있다(제67조 제①항). 제63조에 따른 명령을 위반하면 500만원 이하의 벌금에 처해질 수 있다(제90조). 보건복지부장관, 시장·군수·구청장이 제②항 제2호부터 제4호까지 및 제6호·제7호와 제③항을 위반한 의료법인·의료기관 또는 의료인에 대하여 제63조, 제64조 및 제67조에 따른 처분을 하려는 경우에는 지체 없이 그 내용을 공정거래위원회에 통보하여야 한다(제56조 제⑥항).

(2) 2012. 8. 7. 이전에는 제56조를 위반한 의료인에게 제66조 제①항을 적용시키어 자격정지 처분을 하였으나 의료광고는 의료인 개인의 자격이 아니라 의료기관 업무와 관련성이 있다는 점과 의료인에 대한 가중 처벌이 될 수 있다는 점을 고려하여 2012. 8. 7. 의료관계 행정처분규칙 별표 2. 개별 기준 가. 24) 내지 27)의 삭제로 자격정지 처분을 하지 않는다.

(3) 의료광고금지 위반행위와 환자유인행위는 상상적 경합관계이다. 따라서 중복적으로 적용이 가능하며 형사책임에 있어서는 가중처벌이 된다.

8 제언(提言)

(1) 의료광고 금지 조항은 다른 전문 직종과의 평등성 면에서 문제가 있다. 변호사법 제23조는 변호사·법무법인 또는 공증인가합동법률사무소가 자기 또는 그 구성원의 학력·경력·주요취급업무·업무실적 기타 그 업무의 홍보에 필요한 사항을 신문·잡지·방송·컴퓨터통신 등의 매체를 이용하여 광고할 수 있음을 인정하고 대한변호사협회에게 광고매체의 종류, 광고회수, 광고료의 총액, 광고내용 등을 제한할 수 있는 권한을 부여하고 있다. 실적과 업무를 광고할 수 있고 방송매체를 이용할 수 있으며 자율적 통제권을 인정하고 있다는 점에서 의료법과 차이점이 있으며 시사하는 바가 크다. 의료서비스의 공공성 못지않게 법률서비스의 공공성도 중요하다는 점은 재론의 필요가 없는 부분이다. 양자를 다르게 차별할 본질적인 이유는 없다.

(2) 잠재적 범죄인을 양산하는 의료광고 규제의 폐단을 고민하여야 한다. 규제방식이 형식적인 원칙허용 방식(negative system)에 머물렀기 때문에 소비자에 대한 정보제공과 의료인간의 경쟁을 지나치게 제한하고 있는 것이 현실이다. 의료인에게 사업가적 소양(business mind)을 강요하는 인력배출구조를 만들어 놓고서 그 활동 폭을 좁혀 버리는 것은 이율배반적이다. 이런 상황이 계속된다면 우리나라 개원의들은 모두가 잠재적 범죄인이 될 수밖에 없으며 명절 전에 시행되고 있는 보건범죄 특별단속 기간의 희생양으로 전락할 것이다. 의사들이 일선 수사기관의 명절 보너스 지급창구로 전락하고 있다는 것을 애써 부인할 필요는 없다. 따라서 의료광고를 제한하는 법령이나 심의기준이 없는 미국처럼 변화할 필요가 있다. 우리나라 임상의료의 수준이 미국의 그것과 비슷하다면 규제법률의 수준도 이에 걸맞아야 한다.

.

II

본론

제6장

감독

1 의료기관 평가

제58조【의료기관 인증】 ① 보건복지부장관은 의료의 질과 환자 안전의 수준을 높이기 위하여 병원급 의료기관에 대한 인증(이하 "의료기관 인증"이라 한다)을 할 수 있다.

② 보건복지부장관은 대통령령으로 정하는 바에 따라 의료기관 인증에 관한 업무를 관계 전문기관(이하 "인증전담기관"이라 한다)에 위탁할 수 있다. 이 경우 인증전담기관에 대하여 필요한 예산을 지원할 수 있다.

③ 보건복지부장관은 다른 법률에 따라 의료기관을 대상으로 실시하는 평가를 통합하여 인증전담기관으로 하여금 시행하도록 할 수 있다.

제58조의 2【의료기관인증위원회】 ① 보건복지부장관은 의료기관 인증에 관한 주요 정책을 심의하기 위하여 보건복지부장관 소속으로 의료기관인증위원회(이하 이 조에서 "위원회"라 한다)를 둔다.

② 위원회는 위원장 1명을 포함한 15인 이내의 위원으로 구성한다.

③ 위원회의 위원장은 보건복지부차관으로 하고, 위원회의 위원은 다음 각 호의 사람 중에서 보건복지부장관이 임명 또는 위촉한다.

  1. 제28조에 따른 의료인 단체 및 제52조에 따른 의료기관단체에서 추천하는 자

  2. 노동계, 시민단체(「비영리민간단체지원법」 제2조에 따른 비영리민간단체를 말한다), 소비자단체(「소비자기본법」 제29조에 따른 소비자단체를 말한다)에서 추천하는 자

  3. 보건의료에 관한 학식과 경험이 풍부한 자

  4. 시설물 안전진단에 관한 학식과 경험이 풍부한 자

  5. 보건복지부 소속 3급 이상 공무원 또는 고위공무원단에 속하는 공무원

④ 위원회는 다음 각 호의 사항을 심의한다.

  1. 인증기준 및 인증의 공표를 포함한 의료기관 인증과 관련된 주요 정책에 관한 사항

  2. 제58조 제③항에 따른 의료기관 대상 평가제도 통합에 관한 사항

  3. 제58조의 7 제②항에 따른 의료기관 인증 활용에 관한 사항

  4. 그 밖에 위원장이 심의에 부치는 사항

⑤ 위원회의 구성 및 운영, 그 밖에 필요한 사항은 대통령령으로 정한다.

제58조의 3【의료기관 인증기준 및 방법 등】 ① 의료기관 인증기준은 다음 각 호의 사항을 포함하여야 한다.

  1. 환자의 권리와 안전

  2. 의료기관의 의료서비스 질 향상 활동

  3. 의료서비스의 제공과정 및 성과

  4. 의료기관의 조직 · 인력관리 및 운영

  5. 환자 만족도

② 보건복지부장관은 인증을 신청한 의료기관에 대하여 제1항에 따른 인증기준의 충족 여부를 평가하여야 한다.

③ 보건복지부장관은 제②항에 따라 평가한 결과와 인증등급을 지체 없이 해당 의료기관의 장에게 통보하여야 한다.

④ 인증등급은 인증, 조건부인증 및 불인증으로 구분한다.

⑤ 인증의 유효기간은 4년으로 한다. 다만, 조건부인증의 경우에는 유효기간을 1년으로 한다.

⑥ 조건부인증을 받은 의료기관의 장은 유효기간 내에 보건복지부령으로 정하는 바에 따라 재인증을 받아야 한다.

⑦ 제①항에 따른 인증기준의 세부 내용은 보건복지부장관이 정한다.

제58조의 4 【의료기관 인증의 신청】 ① 의료기관 인증을 받고자 하는 의료기관의 장은 보건복지부령으로 정하는 바에 따라 보건복지부장관에게 신청할 수 있다.

② 제①항에도 불구하고 제3조 제②항 제3호에 따른 요양병원(「장애인복지법」 제58조 제①항 제2호에 따른 의료재활시설로서 제3조의 2에 따른 요건을 갖춘 의료기관은 제외한다)의 장은 보건복지부령으로 정하는 바에 따라 보건복지부장관에게 인증을 신청하여야 한다.

③ 인증전담기관은 보건복지부장관의 승인을 받아 의료기관 인증을 신청한 의료기관의 장으로부터 인증에 소요되는 비용을 징수할 수 있다.

제58조의 5 【이의신청】 ① 의료기관 인증을 신청한 의료기관의 장은 평가결과 또는 인증등급에 관하여 보건복지부장관에게 이의신청을 할 수 있다.

② 제①항에 따른 이의신청은 평가결과 또는 인증등급을 통보받은 날부터 30일 이내에 하여야 한다. 다만, 책임질 수 없는 사유로 그 기간을 지킬 수 없었던 경우에는 그 사유가 없어진 날부터 기산한다.

③ 제①항에 따른 이의신청의 방법 및 처리 결과의 통보 등에 필요한 사항은 보건복지부령으로 정한다.

제58조의 6 【인증서와 인증마크】 ① 보건복지부장관은 인증을 받은 의료기관에 인증서를 교부하고 인증을 나타내는 표시(이하 "인증마크"라 한다)를 제작하여 인증을 받은 의료기관이 사용하도록 할 수 있다.

② 누구든지 제58조 제①항에 따른 인증을 받지 아니하고 인증서나 인증마크를 제작·사용하거나 그 밖의 방법으로 인증을 사칭하여서는 아니 된다.

③ 인증마크의 도안 및 표시방법 등에 필요한 사항은 보건복지부령으로 정한다.

제58조의 7 【인증의 공표 및 활용】 ① 보건복지부장관은 인증을 받은 의료기관에 관하여 인증기준, 인증 유효기간 및 제58조의 3 제②항에 따라 평가한 결과 등 보건복지부령으로 정하는 사항을 인터넷 홈페이지 등에 공표하여야 한다.

② 보건복지부장관은 제58조의 3 제③항에 따른 평가 결과와 인증등급을 활용하여 의료기관에 대하여 다음 각 호에 해당하는 행정적·재정적 지원 등 필요한 조치를 할 수 있다.

　1. 제3조의 4에 따른 상급종합병원 지정

　2. 제3조의 5에 따른 전문병원 지정

　3. 그 밖에 다른 법률에서 정하거나 보건복지부장관이 필요하다고 인정한 사항

③ 제①항에 따른 공표 등에 필요한 사항은 보건복지부령으로 정한다.

제58조의 8 【자료의 제공요청】 ① 보건복지부장관은 인증과 관련하여 필요한 경우에는 관계 행정기관, 의료기관, 그 밖의 공공단체 등에 대하여 자료의 제공 및 협조를 요청할 수 있다.

② 제①항에 따른 자료의 제공과 협조를 요청받은 자는 정당한 사유가 없는 한 요청에 따라야 한다.

제58조의 9【의료기관 인증의 취소】 ① 보건복지부장관은 다음 각 호의 어느 하나에 해당하는 경우에는 의료기관 인증 또는 조건부인증을 취소할 수 있다. 다만, 제1호 및 제2호에 해당하는 경우에는 인증 또는 조건부인증을 취소하여야 한다.

1. 거짓이나 그 밖의 부정한 방법으로 인증 또는 조건부인증을 받은 경우
2. 제64조 제①항에 따라 의료기관 개설 허가가 취소되거나 폐쇄명령을 받은 경우
3. 의료기관의 종별 변경 등 인증 또는 조건부인증의 전제나 근거가 되는 중대한 사실이 변경된 경우

② 제①항 제1호에 따라 인증이 취소된 의료기관은 인증 또는 조건부인증이 취소된 날부터 1년 이내에 인증 신청을 할 수 없다.

제63조【시정 명령 등】 보건복지부장관 또는 시장·군수·구청장은 의료기관이 ──중략── 제58조의 4 제②항, ──중략──을 위반한 때 또는 ──중략── 아니하게 된 때에는 일정한 기간을 정하여 그 시설·장비 등의 전부 또는 일부의 사용을 제한 또는 금지하거나 위반한 사항을 시정하도록 명할 수 있다.

제64조【개설 허가 취소 등】 ① 보건복지부장관 또는 시장·군수·구청장은 의료기관이 다음 각 호의 어느 하나에 해당하면 그 의료업을 1년의 범위에서 정지시키거나 개설 허가를 취소하거나 의료기관 폐쇄를 명할 수 있다. 다만, 제8호에 해당하는 경우에는 의료기관 개설 허가를 취소하거나 의료기관 폐쇄를 명하여야 하며, 의료기관 폐쇄는 제33조 제③항과 제35조 제①항 본문에 따라 신고한 의료기관에만 명할 수 있다.

3. 제61조에 따른 관계 공무원의 직무 수행을 기피 또는 방해하거나 제59조 또는 제63조에 따른 명령을 위반한 때
6. 제63조에 따른 시정명령(제4조 제⑤항 위반에 따른 시정명령을 제외한다)을 이행하지 아니한 때

제67조【과징금 처분】 ① 보건복지부장관이나 시장·군수·구청장은 의료기관이 제64조 제①항 각 호의 어느 하나에 해당할 때에는 대통령령으로 정하는 바에 따라 의료업 정지 처분을 갈음하여 5천만원 이하의 과징금을 부과할 수 있으며, 이 경우 과징금은 3회까지만 부과할 수 있다. 다만, 제①항 제8호에 따라 의료기관 개설 허가를 취소당하거나 폐쇄 명령을 받은 자는 취소당한 날이나 폐쇄 명령을 받은 날부터 3년 안에는 의료기관을 개설·운영하지 못한다.

제84조【청문】 보건복지부장관, 시·도지사 또는 시장·군수·구청장은 다음 각 호의 어느 하나에 해당하는 처분을 하려면 청문을 실시하여야 한다.

2. 제58조의 9에 따른 의료기관 인증 또는 조건부인증의 취소

제89조【벌칙】 다음 각 호의 어느 하나에 해당하는 자는 1년 이하의 징역이나 1천만원 이하의 벌금에 처한다.

1. ──중략── 제58조의 6 제②항을 위반한 자

제90조【벌칙】 ──중략── 제63조에 따른 명령을 위반한 자와 ──중략── 한 자는 500만원 이하의 벌금에 처한다.

제91조【양벌규정】

가. 서 설

(1) 의료기관이 환자 안전과 의료 서비스의 질 향상을 위해 자발적이고 지속적인 노력을 하도록 하여 국민에게 양질의 의료 서비스를 제공하도록 하는 제도가 의료기관 인증제이다. 인증제는 순위를 정하는 상대평가가 아니라 의료기관의 인증기준 충족 여부를 조사하는 절대평가의 성격을 가진 제도로서 공표된 인증조사 기준의 일정수준을 달성한 의료기관에 대하여 4년간 유효한 인증마크를 부여하는 제도이다.

(2) 의료기관 인증제의 장점은 지금까지의 공급자 중심 의료문화에서 소비자(환자 및 보호자) 중심의 의료문화로 전환시킨 제도라는 점이다. 환자 입장에서 의료기관들이 의료 서비스의 제공 과정에 관한 규정을 만들어 일관되게 수행할 것을 요구하는 의료기관 인증제는 소비자를 위한 의료서비스 제공의 계기를 마련하였다는 점에서 큰 의의가 있다.

나. 의료기관 인증

(1) 보건복지부장관은 의료의 질과 환자 안전의 수준을 높이기 위하여 병원급 의료기관에 대한 인증(의료기관 인증)을 할 수 있고(제58조 제①항) 대통령령으로 정하는 바에 따라 의료기관 인증에 관한 업무를 관계 전문기관(인증전담기관)에 위탁할 수 있다. 이 경우 인증전담기관에 대하여 필요한 예산을 지원할 수 있다(제58조 제②항).

(2) 보건복지부장관은 의료기관 인증을 목적으로 보건복지부장관의 허가를 받아 설립된 비영리법인(인증전담기관)에 ① 법 제58조의 3 제②항에 따른 인증기준의 충족 여부 평가, ② 법 제58조의 3 제③항에 따른 평가결과와 인증등급의 통보, ③ 법 제58조의 3 제⑥항에 따른 조건부인증을 받은 의료기관에 대한 재인증, ④ 법 제58조의 4 제①항 및 제②항에 따른 인증신청의 접수, ⑤ 법 제58조의 5에 따른 이의신청의 접수 및 처리 결과의 통보, ⑥ 법 제58조의 6 제①항에 따른 인증서 교부, ⑦ 법 제58조의 7 제①항에 따른 인증을 받은 의료기관의 인증기준, 인증 유효기간 및 법 제58조의 3 제②항에 따라 평가한 결과 등의 인터넷 홈페이지 등에의 공표의 업무를 위탁한다(의료법 시행령 제29조 제①항). 인증전담기관의 장은 위탁받은 업무의 처리 내용을 보건복지부령[286]으로 정하는 바에 따라 보건복지부장관에게 보고하여야 한다(의료법 시행령 제29조 제②항).

(3) 보건복지부장관은 다른 법률에 따라 의료기관을 대상으로 실시하는 평가를 통합하여 인증전담기관으로 하여금 시행하도록 할 수 있다(제58조 제③항).

---

[286] **의료법 시행규칙 제62조(수탁사업 실적 보고)** ① 법 제58조 제②항 및 영 제29조 제①항에 따라 업무를 위탁받은 인증전담기관(이하 "인증전담기관"이라 한다)의 장은 영 제29조 제②항에 따라 인증신청 접수 · 평가결과 등 인증업무의 처리 내용을 별지 제23호의 2 서식에 따라, 이의신청 처리결과에 관한 내용을 별지 제23호의 3 서식에 따라 매 분기마다 보건복지부장관에게 보고하여야 한다.
② 영 제29조 제②항에 따라 인증전담기관의 장은 법 제58조의 3 제②항 및 제④항에 따른 의료기관별 인증기준의 충족 여부에 대한 평가 결과와 인증등급을 지체없이 보건복지부장관에게 보고하여야 한다.

다. 의료기관인증위원회

(1) 보건복지부장관은 의료기관 인증에 관한 주요 정책을 심의하기 위하여 보건복지부장관 소속으로 의료기관인증위원회를 둔다(제58조의 2 제①항).

(2) 의료기관인증위원회는 위원장 1명을 포함한 15인 이내의 위원으로 구성하며(제58조의 2 제②항), 위원장은 보건복지부차관으로 하고, 위원은 ① 제28조에 따른 의료인 단체 및 제52조에 따른 의료기관단체에서 추천하는 사람, ② 노동계, 시민단체(비영리민간단체지원법 제2조에 따른 비영리민간단체를 말한다), 소비자단체(소비자기본법 제29조에 따른 소비자단체를 말한다)에서 추천하는 사람, ③ 보건의료에 관한 학식과 경험이 풍부한 사람, ④ 시설물 안전진단에 관한 학식과 경험이 풍부한 사람, ⑤ 보건복지부 소속 3급 이상 공무원 또는 고위공무원단에 속하는 공무원 중에서 보건복지부장관이 임명 또는 위촉한다(제58조의 2 제③항).

(3) 의료기관인증위원회는 ① 인증기준 및 인증의 공표를 포함한 의료기관 인증과 관련된 주요 정책에 관한 사항, ② 제58조 제③항에 따른 의료기관 대상 평가제도 통합에 관한 사항, ③ 제58조의 7 제②항에 따른 의료기관 인증 활용에 관한 사항, ④ 그 밖에 위원장이 심의에 부치는 사항을 심의하며(제58조의 2 제④항), 구성 및 운영, 그 밖에 필요한 사항은 대통령령[287]으로 정한다(제58조의 2 제⑤항).

라. 의료기관 인증기준 및 방법 등

(1) 의료기관 인증기준은 ① 환자의 권리와 안전, ② 의료기관의 의료서비스 질 향상 활동, ③ 의료서비스의 제공과정 및 성과, ④ 의료기관의 조직ㆍ인력관리 및 운영 그리고 ⑤ 환자 만족도의 사항을 포함하여야 하며(제58조의 3 제①항), 인증기준의 세부 내용은 보건복지부장관이 정한다(제58조의 3 제⑦항).

(2) 보건복지부장관은 인증을 신청한 의료기관에 대하여 위 인증기준의 충족 여부를 평가하여야 하고(제58조의 3 제②항), 평가한 결과와 인증등급을 지체 없이 해당 의료기관의 장에게 통보하여야 한다(제58조의 3 제③항).

(3) 인증등급은 인증, 조건부인증 및 불인증으로 구분되며(제58조의 3 제④항), 인증의 유효기간은 4년으로 한다. 다만, 조건부인증의 경우에는 유효기간을 1년으로 한다(제58조의 3 제⑤항). 조건부인증을 받은 의료기관의 장은 유효기간 내에 보건복지부령[288]으로 정하는 바에 따라 재인증을 받아야 한다(제58조의 3 제⑥항).

---

[287] **의료법 시행령 제30조(의료기관인증위원회의 구성)** 법 제58조의 2 제①항에 따른 의료기관인증위원회(이하 "인증위원회"라 한다)의 위원은 다음 각 호의 구분에 따라 보건복지부장관이 임명하거나 위촉한다.
   1. 법 제28조에 따른 의료인 단체 및 법 제52조에 따른 의료기관단체에서 추천하는 사람 5명
   2. 노동계, 시민단체(「비영리민간단체지원법」 제2조에 따른 비영리민간단체를 말한다), 소비자단체(「소비자기본법」 제29조에 따른 소비자단체를 말한다)에서 추천하는 사람 5명
   3. 보건의료에 관한 학식과 경험이 풍부한 사람 3명
   4. 보건복지부 소속 3급 이상 공무원 또는 고위공무원단에 속하는 공무원 1명
   제31조(위원의 임기) ① 제30조 제1호부터 제3호까지의 위원의 임기는 2년으로 한다.
   ② 위원의 사임 등으로 새로 위촉된 위원의 임기는 전임 위원 임기의 남은 기간으로 한다.

[288] **의료법 시행규칙 제63조(의료기관의 재인증)** ① 법 제58조의 3 제⑥항에 따라 재인증을 받으려는 의료기관의 장은 별지 제23호의 4 서식의 인증신청서와 별지 제23호의 5 서식의 의료기관 운영현황을 인증전담기관의 장에게 제출하여야 한다.
   ② 의료기관의 재인증 절차는 다음 각 호와 같으며, 재인증 절차의 세부적인 사항은 보건복지부장관의 승인을 받아 인증전담기관의 장이

마. 의료기관 인증의 신청

(1) 의료기관 인증을 받고자 하는 의료기관의 장은 보건복지부령[289]으로 정하는 바에 따라 보건복지부장관에게 신청할 수 있다(제58조의 4 제①항). 그러나 제3조 제②항 제3호에 따른 요양병원(장애인복지법 제58조 제①항 제2호에 따른 의료재활시설로서 제3조의 2에 따른 요건을 갖춘 의료기관은 제외)의 장은 보건복지부령으로 정하는 바에 따라 보건복지부장관에게 인증을 신청하여야 한다(신청의무, 제58조의 4 제②항). 제58조의 4 제②항을 위반하면 보건복지부장관 또는 시장·군수·구청장이 일정한 기간을 정하여 그 시설·장비 등의 전부 또는 일부의 사용을 제한 또는 금지하거나 위반한 사항을 시정하도록 명할 수 있다(제63조). 명령을 위반하거나 시정명령을 이행하지 않으면 보건복지부장관 또는 시장·군수·구청장이 그 의료업을 1년의 범위에서 정지시키거나 개설 허가를 취소하거나 의료기관 폐쇄를 명할 수 있는데(제64조 제①항 제3호, 제6호), 실무상으로는 의료관계 행정처분규칙 별표 2. 개별 기준 나. 27)에 따라 업무정지 15일을 처분한다. 보건복지부장관이나 시장·군수·구청장은 정지 처분에 갈음하여 5천만원 이하의 과징금을 부과할 수 있다(제67조 제①항). 제63조에 따른 명령을 위반하면 500만원 이하의 벌금에 처해질 수 있다(제90조).

(2) 인증전담기관은 보건복지부장관의 승인[290]을 받아 의료기관 인증을 신청한 의료기관의 장으로부터 인증에 소요되는 비용을 징수할 수 있다(제58조의 4 제③항).

바. 이의신청

(1) 의료기관 인증을 신청한 의료기관의 장은 평가결과 또는 인증등급에 관하여 보건복지부장관에게 이의신청을 할 수 있다(제58조의 5 제①항). 이의신청은 평가결과 또는 인증등급을 통보받은 날부터

정한다.
  1. 인증신청
  2. 조사계획 수립
  3. 서면 및 현지조사 실시
  4. 평가결과 분석 및 인증등급 결정
  5. 이의신청 심의 및 처리결과 통보
  6. 평가결과 및 인증등급 확정 및 공표

[289] **의료법 시행규칙 제64조(의료기관 인증의 신청 등)** ① 법 제58조의 4 제①항에 따라 인증을 받으려는 의료기관의 장은 별지 제23호의 4 서식의 인증신청서와 별지 제23호의 5 서식의 의료기관 운영현황을 인증전담기관의 장에게 제출하여야 한다.
② 제①항에 따른 인증 절차는 제63조 제②항을 준용한다.
③ 보건복지부장관은 법 제58조의 4 제②항에 따른 요양병원의 장에게 인증신청기간 1개월 전에 인증신청 대상 및 기간 등 조사계획을 수립·통보하여야 한다.
④ 제③항에 따라 조사계획을 통보받은 요양병원의 장은 신청기간 내에 인증전담기관의 장에게 별지 제23호의 4 서식의 인증신청서와 별지 제23호의 5 서식의 의료기관 운영현황을 인증전담기관의 장에게 제출하여야 한다.
⑤ 인증전담기관의 장은 별지 제23호의 6 서식의 인증신청 접수대장과 별지 제23호의 7 서식의 인증서 교부대장을 작성하여 최종 기재일로부터 5년간 보관하여야 한다. 이 경우 해당 기록은 전자문서로 작성·보관할 수 있다.

[290] **의료법 시행규칙 제64조의 3(인증비용의 승인)** 법 제58조의 4 제③항에 따라 인증전담기관의 장은 의료기관의 종류 및 규모별로 인증에 소요되는 비용을 다음 각 호에 따라 산정하여 보건복지부장관의 승인을 받아야 한다.
  1. 조사수당, 여비 등 현지조사에 드는 직접비용
  2. 인건비, 기관운영비 등 인증전담기관 운영에 드는 간접비용
  3. 그 밖에 의료기관 인증기준을 충족하도록 지원하는 전문가의 진단 및 기술 지원 등에 드는 컨설팅 비용

30일 이내에 하여야 한다. 다만, 책임질 수 없는 사유로 그 기간을 지킬 수 없었던 경우에는 그 사유가 없어진 날부터 기산한다(제58조의 5 제②항).

(2) 이의신청의 방법 및 처리 결과의 통보 등에 필요한 사항은 보건복지부령[291]으로 정한다(제58조의 5 제③항).

사. 인증서와 인증마크

(1) 보건복지부장관은 인증을 받은 의료기관에 인증서를 교부하고[292] 인증을 나타내는 표시(인증마크)를 제작하여 인증을 받은 의료기관이 사용하도록 할 수 있다(제58조의 6 제①항).

(2) 누구든지 제58조 제①항에 따른 인증을 받지 아니하고 인증서나 인증마크를 제작·사용하거나 그 밖의 방법으로 인증을 사칭하여서는 아니 된다(제58조의 6 제②항). 이를 위반하면 1년 이하의 징역이나 1천만원 이하의 벌금에 처해질 수 있다(제89조).

(3) 인증마크의 도안 및 표시방법 등에 필요한 사항은 보건복지부령[293]으로 정한다(제58조의 6 제③항).

아. 인증의 공표 및 활용

(1) 보건복지부장관은 인증을 받은 의료기관에 관하여 인증기준, 인증 유효기간 및 제58조의 3 제②항에 따라 평가한 결과 등 보건복지부령[294]으로 정하는 사항을 인터넷 홈페이지 등에 공표하여야 한다(제58조의 7 제①항). 공표 등에 필요한 사항은 보건복지부령[295]으로 정한다(제58조의 7 제③항).

---

291) **의료법 시행규칙 제64조의 4(이의신청의 방법 및 처리 결과 통보)** ① 의료기관의 장은 법 제58조의 3 제③항에 따라 통보받은 평가결과 및 인증등급에 대하여 이의가 있는 경우에는 그 통보받은 날부터 30일 이내에 이의신청의 내용 및 사유가 포함된 별지 제23호의 8 서식의 이의신청서에 주장하는 사실을 증명할 수 있는 서류를 첨부하여 인증전담기관의 장에게 제출하여야 한다.
② 인증전담기관의 장은 제①항에 따른 이의신청을 받은 경우 그 이의신청 내용을 조사한 후 처리 결과를 이의신청을 받은 날부터 30일 이내에 해당 의료기관의 장에게 통보하여야 한다.

292) **의료법 시행규칙 제64조의 5(인증서 교부 및 재교부)** ① 인증전담기관의 장은 법 제58조의 6 제①항에 따라 의료기관 인증을 받은 의료기관에 별지 제23호의 9 서식의 의료기관 인증서를 교부하여야 한다.
② 제①항에 따라 의료기관 인증서를 교부받은 자가 다음 각 호의 어느 하나의 사유로 의료기관 인증서의 재교부를 받으려는 경우에는 별지 제23호의 10 서식의 의료기관 인증서 재발급 신청서에 의료기관 인증서(의료기관 인증서를 잃어버린 경우는 제외한다)와 증명서류(제2호의 경우만 해당한다)를 첨부하여 인증전담기관의 장에게 제출하여야 한다.
  1. 인증서를 잃어버리거나 헐어 사용하지 못하게 된 경우
  2. 개설자 변경
③ 제②항에 따른 의료기관 인증서 재교부 신청을 받은 인증전담기관의 장이 의료기관 인증서를 재교부한 때에는 별지 제23호의 7 서식의 인증서 교부대장에 그 내용을 적어야 한다.

293) **의료법 시행규칙 제64조의 6(인증마크의 도안 및 표시방법)** ① 제58조의 6 제③항에 따른 인증을 나타내는 표시(이하 "인증마크"라 한다)의 도안 및 표시방법은 별표 9와 같다.
② 인증마크의 사용기간은 법 제58조의 3 제⑤항에 따른 의료기관 인증의 유효기간으로 한다.

294) **의료법 시행규칙 제64조의 7(의료기관 인증의 공표)** 인증전담기관의 장은 법 제58조의 7 제①항에 따라 다음 각 호의 사항을 인터넷 홈페이지 등에 공표하여야 한다.
  1. 해당 의료기관의 명칭, 종별, 진료과목 등 일반현황
  2. 인증등급 및 인증의 유효기간
  3. 인증기준에 따른 평가결과
  4. 그 밖에 의료의 질과 환자 안전의 수준을 높이기 위하여 보건복지부장관이 정하는 사항

295) **의료법 시행규칙 제64조의 7(의료기관 인증의 공표)** 인증전담기관의 장은 법 제58조의 7 제①항에 따라 다음 각 호의 사항을 인터넷 홈페이지 등에 공표하여야 한다.

(2) 보건복지부장관은 제58조의 3 제③항에 따른 평가 결과와 인증등급을 활용하여 의료기관에 대하여 ① 제3조의 4에 따른 상급종합병원 지정, ② 제3조의 5에 따른 전문병원 지정, ③ 그 밖에 다른 법률에서 정하거나 보건복지부장관이 필요하다고 인정한 사항에 해당하는 행정적 · 재정적 지원 등 필요한 조치를 할 수 있다(제58조의 7 제②항).

자. 자료의 제공요청과 인증의 취소

(1) 보건복지부장관은 인증과 관련하여 필요한 경우에는 관계 행정기관, 의료기관, 그 밖의 공공단체 등에 대하여 자료의 제공 및 협조를 요청할 수 있다(제58조의 8 제①항). 자료의 제공과 협조를 요청받은 관계 행정기관, 의료기관, 그 밖의 공공단체 등은 정당한 사유가 없는 한 요청에 따라야 한다(제58조의 8 제②항).

(2) 보건복지부장관은 ① 거짓이나 그 밖의 부정한 방법으로 인증 또는 조건부인증을 받은 경우이거나 ② 제64조 제①항에 따라 의료기관 개설 허가가 취소되거나 폐쇄명령을 받은 경우 또는 ③ 의료기관의 종별 변경 등 인증 또는 조건부인증의 전제나 근거가 되는 중대한 사실이 변경된 경우에는 의료기관 인증 또는 조건부인증을 취소할 수 있다. 다만, ① 거짓이나 그 밖의 부정한 방법으로 인증 또는 조건부인증을 받은 경우 및 ② 제64조 제①항에 따라 의료기관 개설 허가가 취소되거나 폐쇄명령을 받은 경우에는 인증 또는 조건부인증을 취소하여야 한다(제58조의 9 제①항). 보건복지부장관, 시 · 도지사 또는 시장 · 군수 · 구청장이 의료기관 인증 또는 조건부인증을 취소하는 처분을 하려면 청문을 실시하여야 한다(제84조 제2호). 인증이 취소된 의료기관은 인증 또는 조건부인증이 취소된 날부터 1년 이내에 인증 신청을 할 수 없다(제58조의 9 제②항).

---

1. 해당 의료기관의 명칭, 종별, 진료과목 등 일반현황
2. 인증등급 및 인증의 유효기간
3. 인증기준에 따른 평가결과
4. 그 밖에 의료의 질과 환자 안전의 수준을 높이기 위하여 보건복지부장관이 정하는 사항

2 지도와 명령

제59조【지도와 명령】 ① 보건복지부장관 또는 시·도지사는 보건의료정책을 위하여 필요하거나 국민보건에 중대한 위해(危害)가 발생하거나 발생할 우려가 있으면 의료기관이나 의료인에게 필요한 지도와 명령을 할 수 있다.

② 보건복지부장관, 시·도지사 또는 시장·군수·구청장은 의료인이 정당한 사유 없이 진료를 중단하거나 의료기관 개설자가 집단으로 휴업하거나 폐업하여 환자 진료에 막대한 지장을 초래하거나 초래할 우려가 있다고 인정할 만한 상당한 이유가 있으면 그 의료인이나 의료기관 개설자에게 업무개시 명령을 할 수 있다.

③ 의료인과 의료기관 개설자는 정당한 사유 없이 제②항의 명령을 거부할 수 없다.

제64조【개설 허가 취소 등】 ① 보건복지부장관 또는 시장·군수·구청장은 의료기관이 다음 각 호의 어느 하나에 해당하면 그 의료업을 1년의 범위에서 정지시키거나 개설 허가를 취소하거나 의료기관 폐쇄를 명할 수 있다. 다만, 제8호에 해당하는 경우에는 의료기관 개설 허가를 취소하거나 의료기관 폐쇄를 명하여야 하며, 의료기관 폐쇄는 제33조 제③항과 제35조 제①항 본문에 따라 신고한 의료기관에만 명할 수 있다.

3. ——중략—— 제59조 또는 제63조에 따른 명령을 위반한 때

제67조【과징금 처분】 ① 보건복지부장관이나 시장·군수·구청장은 의료기관이 제64조 제①항 각 호의 어느 하나에 해당할 때에는 대통령령으로 정하는 바에 따라 의료업 정지 처분을 갈음하여 5천만원 이하의 과징금을 부과할 수 있으며, 이 경우 과징금은 3회까지만 부과할 수 있다. 다만, 동일한 위반행위에 대하여「표시·광고의 공정화에 관한 법률」제9조에 따른 과징금 부과처분이 이루어진 경우에는 과징금(의료업 정지 처분을 포함한다)을 감경하여 부과하거나 부과하지 아니할 수 있다.

제88조【벌칙】 다음 각 호의 어느 하나에 해당하는 자는 3년 이하의 징역이나 3천만원 이하의 벌금에 처한다.

1. ——중략—— 제59조 제③항, ——중략—— 을 위반한 자.

제91조【양벌규정】

(1) 보건복지부장관 또는 시·도지사는 보건의료정책을 위하여 필요하거나 국민보건에 중대한 위해가 발생하거나 발생할 우려가 있으면 의료기관이나 의료인에게 필요한 지도와 명령을 할 수 있다(제59조 제①항).

(2) 보건복지부장관, 시·도지사 또는 시장·군수·구청장은 의료인이 정당한 사유 없이 진료를 중단하거나 의료기관 개설자가 집단으로 휴업하거나 폐업하여 환자 진료에 막대한 지장을 초래하거나 초래할 우려가 있다고 인정할 만한 상당한 이유가 있으면 그 의료인이나 의료기관 개설자에게 업무개시 명령을 할 수 있다(제59조 제②항). 의료기관들이 정당한 사유 없이 집단으로 휴·폐업하거나 진료를 중단하는 경우에 업무개시를 명령할 수 있는 법률적 근거를 마련하기 위한 조항이다. 업무개시 명령권자에 시장·군수·구청장이 포함되는 점이 특징이다.

(3) 의료인과 의료기관 개설자는 정당한 사유 없이 업무개시명령을 거부할 수 없다(제59조 제③항). 정당한 사유 없이 거부하면 3년 이하의 징역이나 3천만원 이하의 벌금에 처해질 수 있다(제88조).

(4) 제59조에 따른 명령을 위반하면 보건복지부장관 또는 시장·군수·구청장이 그 의료업을 1년의 범

위에서 정지시키거나 개설 허가를 취소하거나 의료기관 폐쇄를 명할 수 있다(제64조 제①항 제3호). 실무상으로는 의료관계 행정처분규칙 별표 2. 개별 기준 나. 27)에 따라 업무정지 15일을 처분한다. 보건복지부장관이나 시장·군수·구청장은 정지 처분에 갈음하여 5천만원 이하의 과징금을 부과할 수 있다(제67조 제①항).

3 병상 수급계획의 수립 등

제60조【병상 수급계획의 수립 등】 ① 보건복지부장관은 병상의 합리적인 공급과 배치에 관한 기본시책을 수립하여야 한다.

② 시·도지사는 제①항에 따른 기본시책에 따라 지역 실정을 고려하여 특별시·광역시 또는 도 단위의 병상 수급계획을 수립한 후 보건복지부장관에게 제출하여야 한다.

③ 보건복지부장관은 제②항에 따라 제출된 병상 수급계획이 제①항에 따른 기본시책에 맞지 아니하는 등 보건복지부령으로 정하는 사유가 있으면 시·도지사에게 보건복지부령으로 정하는 바에 따라 그 조정을 권고할 수 있다.

제60조의 2【의료인 수급계획 등】 ① 보건복지부장관은 우수한 의료인의 확보와 적절한 공급을 위한 기본시책을 수립하여야 한다.

② 제①항에 따른 기본시책은 「보건의료기본법」 제15조에 따른 보건의료발전계획과 연계하여 수립한다.
[본조신설 2015. 12. 29.] [시행일 : 2016. 9. 30.]

제60조의 3【간호인력 취업교육센터 설치 및 운영】 ① 보건복지부장관은 간호·간병통합서비스 제공·확대 및 간호인력의 원활한 수급을 위하여 다음 각 호의 업무를 수행하는 간호인력 취업교육센터를 지역별로 설치·운영할 수 있다.

1. 지역별, 의료기관별 간호인력 확보에 관한 현황 조사
2. 제7조 제①항 제1호에 따른 간호학을 전공하는 대학이나 전문대학[구제(舊制) 전문학교와 간호학교를 포함한다] 졸업예정자와 신규 간호인력에 대한 취업교육 지원
3. 간호인력의 지속적인 근무를 위한 경력개발 지원
4. 유휴 및 이직 간호인력의 취업교육 지원
5. 그 밖에 간호인력의 취업교육 지원을 위하여 보건복지부령으로 정하는 사항

② 보건복지부장관은 간호인력 취업교육센터를 효율적으로 운영하기 위하여 그 운영에 관한 업무를 대통령령으로 정하는 절차·방식에 따라 관계 전문기관 또는 단체에 위탁할 수 있다.

③ 국가 및 지방자치단체는 제②항에 따라 간호인력 취업교육센터의 운영에 관한 업무를 위탁한 경우에는 그 운영에 드는 비용을 지원할 수 있다.

④ 그 밖에 간호인력 취업교육센터의 운영 등에 필요한 사항은 보건복지부령으로 정한다.
[본조신설 2015. 12. 29.] [시행일 : 2016. 9. 30.] 제60조의 3

가. 병상 수급계획의 수립 등

보건복지부장관은 병상의 합리적인 공급과 배치에 관한 기본시책을 수립하여야 한다(제60조 제①항). 시·도지사는 보건복지부장관이 수립한 기본시책에 따라 지역 실정을 고려하여 특별시·광역시 또는 도 단위의 병상 수급계획을 수립한 후 보건복지부장관에게 제출하여야 한다(제60조 제②항). 보건복지부장관은 제출된 병상 수급계획이 기본시책에 맞지 아니하는 등 보건복지부령296)으로 정하는 사유가 있으면 시·도지사에게 보건복지부령으로 정하는 바에 따라 그 조정을 권고할 수 있다(제60조 제③항).

나. 의료인 수급계획 등

보건복지부장관은 우수한 의료인의 확보와 적절한 공급을 위한 기본시책을 수립하여야 한다(제60조의 2 제①항). 기본시책은 보건의료기본법 제15조297)에 따른 보건의료발전계획과 연계하여 수립한다(제60조의 2 제②항). 2015. 12. 29.자 개정으로 신설되었으며 2016. 9. 30.부터 시행된다.

---

296) **병상 수급계획의 수립 및 조정에 관한 규칙 제1조(목적)** 이 규칙은 병상(病床)을 합리적으로 공급·배치하기 위하여 「의료법」 제60조에서 위임된 사항과 그 시행에 필요한 사항을 규정함을 목적으로 한다.
제2조(병상 수급 기본시책) ① 「의료법」(이하 "법"이라 한다) 제60조 제①항에 따른 기본시책에는 다음 각 호의 사항이 포함되어야 한다.
 1. 병상 수급계획의 추진목적
 2. 병상 수급계획의 추진방향
 3. 특별시·광역시·도·특별자치도 단위의 병상 수급계획(이하 "지역병상수급계획"이라 한다)의 수립방법
 4. 지역병상수급계획에 포함되어야 할 사항
② 보건복지부장관은 기본시책을 수립한 후 지체 없이 특별시장·광역시장·도지사·특별자치도지사(이하 "시·도지사"라 한다)에게 통보하여야 한다.
제3조(지역병상수급계획의 수립 협조) 시·도지사는 법 제60조 제②항에 따라 지역병상수급계획을 수립하는 경우 필요하면 관할 시장·군수·구청장(자치구의 구청장을 말한다. 이하 같다) 및 보건의료기관·단체 등에 대하여 자료 제공을 요청할 수 있다.
제4조(지역병상수급계획 자문위원회) ① 제3조에 따른 지역병상수급계획의 수립 등에 관한 자문에 응하기 위하여 시·도지사 소속으로 지역병상수급계획 자문위원회(이하 "위원회"라 한다)를 둘 수 있다.
② 제①항에 따른 위원회의 구성과 운영 등에 필요한 사항은 해당 시·도지사가 정한다.
제5조(지역병상수급계획의 평가 및 조정권고) ① 보건복지부장관은 법 제60조 제②항에 따라 시·도지사가 제출한 지역병상수급계획이 기본시책에 맞는지와 타당성이 있는지 등을 평가하여야 한다.
② 보건복지부장관은 제①항에 따른 지역병상수급계획에 대한 평가를 보건의료 관계 전문기관에 의뢰할 수 있다.
③ 법 제60조 제③항에 따라 보건복지부장관이 시·도지사에게 조정을 권고할 수 있는 사유는 다음 각 호와 같다.
 1. 지역병상수급계획의 내용이 기본시책에 맞지 아니하는 경우
 2. 지방자치단체의 생활권역과 행정구역이 서로 다른데도 해당 지방자치단체에서 이를 고려하지 아니한 경우
 3. 둘 이상의 지방자치단체에 걸쳐 있는 광역의료행정을 해당 지방자치단체에서 고려하지 아니한 경우
 4. 지방자치단체 간 지역병상수급계획이 현저하게 불균형한 경우
④ 보건복지부장관은 제①항에 따라 지역병상수급계획을 평가하는 경우 필요하면 관할 시장·군수·구청장 및 보건의료 기관 또는 단체 등에 자료 제공과 협력을 요청할 수 있다.
제6조(지역병상수급계획의 집행실적 제출) 시·도지사는 지역병상수급계획의 집행실적에 관한 자료를 보건복지부장관에게 제출하여야 한다.

297) **보건의료기본법 제15조(보건의료발전계획의 수립 등)** ① 보건복지부장관은 관계 중앙행정기관의 장과의 협의와 제20조에 따른 보건의료정책심의위원회의 심의를 거쳐 보건의료발전계획을 5년마다 수립하여야 한다.
② 보건의료발전계획에 포함되어야 할 사항은 다음 각 호와 같다.
 1. 보건의료 발전의 기본 목표 및 그 추진 방향
 2. 주요 보건의료사업계획 및 그 추진 방법
 3. 보건의료자원의 조달 및 관리 방안
 4. 보건의료의 제공 및 이용체계 등 보건의료의 효율화에 관한 시책
 5. 중앙행정기관 간의 보건의료 관련 업무의 종합·조정
 6. 노인·장애인 등 보건의료 취약계층에 대한 보건의료사업계획
 7. 보건의료 통계 및 그 정보의 관리 방안
 8. 그 밖에 보건의료 발전을 위하여 특히 필요하다고 인정되는 사항
③ 보건의료발전계획은 국무회의의 심의를 거쳐 확정한다.

다. 간호인력 취업교육센터 설치 및 운영

　　보건복지부장관은 간호·간병통합서비스 제공·확대 및 간호인력의 원활한 수급을 위하여 ① 지역별, 의료기관별 간호인력 확보에 관한 현황 조사, ② 제7조 제①항 제1호에 따른 간호학을 전공하는 대학이나 전문대학(구제 전문학교와 간호학교를 포함) 졸업예정자와 신규 간호인력에 대한 취업교육 지원, ③ 간호인력의 지속적인 근무를 위한 경력개발 지원, ④ 유휴 및 이직 간호인력의 취업교육 지원, ⑤ 그 밖에 간호인력의 취업교육 지원을 위하여 보건복지부령으로 정하는 사항의 업무를 수행하는 간호인력 취업교육센터를 지역별로 설치·운영할 수 있으며(제60조의 3 제①항), 간호인력 취업교육센터를 효율적으로 운영하기 위하여 그 운영에 관한 업무를 대통령령으로 정하는 절차·방식에 따라 관계 전문기관 또는 단체에 위탁할 수 있다(제60조의 3 제②항). 국가 및 지방자치단체는 보건복지부장관이 간호인력 취업교육센터의 운영에 관한 업무를 위탁한 경우에는 그 운영에 드는 비용을 지원할 수 있다(제60조의 3 제③항). 그 밖에 간호인력 취업교육센터의 운영 등에 필요한 사항은 보건복지부령으로 정한다(제60조의 3 제④항). 2015. 12. 29.자 개정으로 신설되었으며 2016. 9. 30.부터 시행된다.

4 　행정조사(보고와 업무 검사 등)

제61조【보고와 업무 검사 등】 ① 보건복지부장관 또는 시장·군수·구청장은 의료기관이나 의료인에게 필요한 사항을 보고하도록 명할 수 있고, 관계 공무원을 시켜 그 업무 상황, 시설 또는 진료기록부·조산기록부·간호기록부 등 관계 서류를 검사하게 하거나 관계인에게서 진술을 들어 사실을 확인받게 할 수 있다. 이 경우 의료인이나 의료기관은 정당한 사유 없이 이를 거부하지 못한다.

② 제①항의 경우에 관계 공무원은 권한을 증명하는 증표 및 조사기간, 조사범위, 조사담당자, 관계 법령 등이 기재된 조사명령서를 지니고 이를 관계인에게 내보여야 한다.
③ 제①항의 보고 및 제②항의 조사명령서에 관한 사항은 보건복지부령으로 정한다.

제64조【개설 허가 취소 등】 ① 보건복지부장관 또는 시장·군수·구청장은 의료기관이 다음 각 호의 어느 하나에 해당하면 그 의료업을 1년의 범위에서 정지시키거나 개설 허가를 취소하거나 의료기관 폐쇄를 명할 수 있다. 다만, 제8호에 해당하는 경우에는 의료기관 개설 허가를 취소하거나 의료기관 폐쇄를 명하여야 하며, 의료기관 폐쇄는 제33조 제③항과 제35조 제①항 본문에 따라 신고한 의료기관에만 명할 수 있다.
　3. 제61조에 따른 관계 공무원의 직무 수행을 기피 또는 방해하거나 ──중략──

제67조【과징금 처분】 ① 보건복지부장관이나 시장·군수·구청장은 의료기관이 제64조 제①항 각 호의 어느 하나에 해당할 때에는 대통령령으로 정하는 바에 따라 의료업 정지 처분을 갈음하여 5천만원 이하의 과징금을 부과할 수 있으며, 이 경우 과징금은 3회까지만 부과할 수 있다. 다만, 동일한 위반행위에 대하여 「표시·광고의 공정화에 관한 법률」 제9조에 따른 과징금 부과처분이 이루어진 경우에는 과징금(의료업 정지 처분을 포함한다)을 감경하여 부과하거나 부과하지 아니할 수 있다.

제92조 【과태료】 ② 다음 각 호의 어느 하나에 해당하는 자에게는 200만원 이하의 과태료를 부과한다.

   3. 제61조 제①항에 따른 보고를 하지 아니하거나 검사를 거부 · 방해 또는 기피한 자

(1) 보건복지부장관 또는 시장 · 군수 · 구청장은 의료기관이나 의료인에게 필요한 사항을 보고하도록 명할 수 있고, 관계 공무원을 시켜 그 업무 상황, 시설 또는 진료기록부 · 조산기록부 · 간호기록부 등 관계 서류를 검사하게 하거나 관계인에게서 진술을 들어 사실을 확인받게 할 수 있다. 이 경우 의료인이나 의료기관은 정당한 사유 없이 이를 거부하지 못한다(제61조 제①항). 보고를 하지 아니하거나 검사를 거부 · 방해 또는 기피한 자에게는 200만원 이하의 과태료를 부과한다(제92조 제②항). 보고명령을 이행하지 아니하거나 관계 공무원의 검사 등을 거부하면 보건복지부장관 또는 시장 · 군수 · 구청장이 그 의료업을 1년의 범위에서 정지시키거나 개설 허가를 취소하거나 의료기관 폐쇄를 명할 수 있다(제64조 제①항 제3호). 실무상으로는 의료관계 행정처분규칙 별표 2. 개별 기준 나. 26)에 따라 업무정지 15일을 처분한다. 보건복지부장관이나 시장 · 군수 · 구청장은 정지 처분에 갈음하여 5천만원 이하의 과징금을 부과할 수 있다(제67조 제①항).

(2) 의료인이나 의료기관의 업무 상황, 시설 또는 진료기록부 · 조산기록부 · 간호기록부 등 관계 서류를 검사하게 하거나 관계인에게서 진술을 들어 사실을 확인받게 하는 경우에 관계 공무원은 권한을 증명하는 증표 및 조사기간, 조사범위, 조사담당자, 관계 법령 등이 기재된 조사명령서를 지니고 이를 관계인에게 내보여야 한다(제61조 제②항). 보고 및 조사명령서에 관한 사항은 보건복지부령으로 정한다(제61조 제③항).

(3) 제61조는 강학상 행정조사에 해당하는 근거 조문이다. 행정조사란 행정기관이 궁극적으로 행정작용을 적정하게 실행함을 목적으로 필요로 하는 자료와 정보 등을 수집하기 위하여 행하는 권력적 조사활동이다. 권력적 조사활동이므로 증표제시의무, 조사의 목적 · 일시 · 장소 · 범위 등에 관한 사전통지와 조사 이유의 고지 그리고 합리적 시간대의 조사가 절차적 요건이고 이를 결하면 위법한 행정조사가 된다. 행정조사의 위법이 바로 행정행위를 위법하게 만들지는 않지만 위법한 행정조사에 의하여 수집된 정보 · 자료 자체가 위법한 것이고 이에 기초한 행정행위는 사실의 기초에 흠이 있는 행정행위로 위법한 처분이 된다. 소송 실무에서 중요하게 주장 · 입증되는 쟁점이다.

5 의료기관 회계기준

제62조 【의료기관 회계기준】 ① 의료기관 개설자는 의료기관 회계를 투명하게 하도록 노력하여야 한다.

② 보건복지부령으로 정하는 일정 규모 이상의 종합병원 개설자는 회계를 투명하게 하기 위하여 의료기관 회계기준을 지켜야 한다.

③ 제②항에 따른 의료기관 회계기준은 보건복지부령으로 정한다.

제63조 【시정 명령 등】 보건복지부장관 또는 시장 · 군수 · 구청장은 의료기관이 ——중략—— 제62조 제②항, ——중략—— 을 위반한 때 또는 ——중략—— 때에는 일정한 기간을 정하여 그 시설 · 장비 등의 전부 또는 일부의 사용을 제한 또는 금지하거나 위반한 사항을 시정하도록 명할 수 있다.

제64조 【개설 허가 취소 등】 ① 보건복지부장관 또는 시장 · 군수 · 구청장은 의료기관이 다음 각 호의 어느 하나에 해당하면 그 의료업을 1년의 범위에서 정지시키거나 개설 허가를 취소하거나 의료기관 폐쇄를 명할 수 있다. 다만, 제8호에 해당하는 경우에는 의료기관 개설 허가를 취소하거나 의료기관 폐쇄를 명하여야 하며, 의료기관 폐쇄는 제33조 제③항과 제35조 제①항 본문에 따라 신고한 의료기관에만 명할 수 있다.

3. 제61조에 따른 관계 공무원의 직무 수행을 기피 또는 방해하거나 제59조 또는 제63조에 따른 명령을 위반한 때

6. 제63조에 따른 시정명령(제4조 제⑤항 위반에 따른 시정명령을 제외한다)을 이행하지 아니한 때

제67조 【과징금 처분】 ① 보건복지부장관이나 시장 · 군수 · 구청장은 의료기관이 제64조 제①항 각 호의 어느 하나에 해당할 때에는 대통령령으로 정하는 바에 따라 의료업 정지 처분을 갈음하여 5천만원 이하의 과징금을 부과할 수 있으며, 이 경우 과징금은 3회까지만 부과할 수 있다. 다만, 제①항 제8호에 따라 의료기관 개설 허가를 취소당하거나 폐쇄 명령을 받은 자는 취소당한 날이나 폐쇄 명령을 받은 날부터 3년 안에는 의료기관을 개설 · 운영하지 못한다.

[1] 의료기관 개설자는 의료기관 회계를 투명하게 하도록 노력하여야 한다(제62조 제①항). 보건복지부령으로 정하는 일정 규모 이상의 종합병원 개설자[298]는 회계를 투명하게 하기 위하여 의료기관 회계기준을 지켜야 한다(제62조 제②항). 의료기관 회계기준은 보건복지부령으로 정한다(제62조 제③항).

[2] 의료기관 회계기준을 지키지 않으면 보건복지부장관 또는 시장 · 군수 · 구청장이 일정한 기간을 정하여 그 시설 · 장비 등의 전부 또는 일부의 사용을 제한 또는 금지하거나 위반한 사항을 시정하도록 명할 수 있는데(제63조), 실무상으로는 의료관계 행정처분규칙 별표 2. 개별 기준 나. 14)에 따라 시정명령을 처분한다. 시정명령을 이행하지 않으면 보건복지부장관 또는 시장 · 군수 · 구청장이 그 의료업을 1년의 범위에서 정지시키거나 개설 허가를 취소하거나 의료기관 폐쇄를 명할 수 있다(제64조 제①항 제3호, 제6호). 실무상으로는 의료관계 행정처분규칙 별표 2. 개별 기준 나. 27)에 따라

---

298) **의료기관 회계기준 규칙 제2조(의료기관 회계기준의 준수대상)** ① 「의료법」 제62조 제②항에 따라 의료기관 회계기준을 준수하여야 하는 의료기관의 개설자는 100병상 이상의 종합병원(이하 "병원"이라 한다)의 개설자를 말한다.

② 제①항에 따른 병상 수는 해당 병원의 직전 회계연도의 종료일을 기준으로 산정한다.

업무정지 15일을 처분한다. 보건복지부장관이나 시장·군수·구청장은 정지 처분에 갈음하여 5천만원 이하의 과징금을 부과할 수 있다(제67조 제①항).

6 의료법 위반행위에 대한 행정처분

가. 서설

(1) 의료법에 위반되는 행위를 하면 행정책임(제63조 내지 제68조, 제92조)과 형사책임(제87조 내지 제91조)이 병과될 수 있다. 의료인들은 두 책임이 병과된다는 점, 즉 하나의 위반행위에 행정책임과 형사책임을 모두 부담할 수 있다는 점을 이해하지 못한다. 하지만 우리나라는 삼권분립제를 취하고 있기 때문에 행정부와 사법부가 각각 기능에 맞는 제재를 가할 수 있다. 뿐만 아니라 행정책임과 형사책임은 그 존재 의의가 다르다. 국가적 생활에 있어서의 생활질서는 기본적 생활질서 즉 현대 시민사회의 기본적 생활구조를 규제하는 질서와 그와 관련은 있으나 직접 결합되지는 않는 파생적 생활질서로 구분될 수 있다. 형사책임은 기본적 생활질서에 위반하는 행위에 대한 책임이고 행정책임은 파생적 생활질서에 위반한 행위에 대한 책임이라는 점에서 구별되며 사회윤리적 비난가능성의 유무라는 측면에서도 구별된다.

(2) 의료법상의 행정책임은 의료기관에 대한 행정처분인 사용제한명령·사용금지명령·시정명령(제63조), 업무정지·개설허가취소·기관폐쇄명령(제64조), 과징금(제67조)이 있고 의료인에 대한 행정처분인 면허취소(제65조), 자격정지(제66조), 과태료(제92조)[299]가 있다.

(3) 사용제한명령·사용금지명령·시정명령(제63조), 업무정지·개설허가취소·기관폐쇄명령(제64조 제①항), (제65조 제①항), 자격정지(제66조 제①항) 행정처분의 세부적인 기준은 보건복지부령[300]으로 정한다(제68조). 의료기관에 대한 행정처분과 의료인에 대한 행정처분은 별개의 처분이기 때문에 병과되는 경우도 있다. 이에 형사책임까지 병과되면 하나의 위반행위에 업무정지, 자격정지, 벌금이라는 삼중고가 형성될 수 있다[301]. 규제 입법을 정비하거나 완화하여야 할 이유이다.

(4) 의료법 위반행위에 대한 행정처분에는 시효가 없었다. 입법의 공백이었다. 변호사에 대한 징계 청구 시효는 3년이고(변호사법 제98조의 6), 공익의 봉사자인 국가공무원에 대한 징계사유의 시효도 2년 내지 3년이다(국가공무원법 제83조의 2 제①항). 그럼에도 불구하고 의료법에만 시효제도를 두

---

299) **과태료는 대통령령(의료법 시행령 제45조와 별표2)으로 정하는 바에 따라 보건복지부장관 또는 시장·군수·구청장이 부과·징수하는 행정질서벌(제92조 제④항)이고 면허취소·자격정지처분은 보건복지부령(의료관계 행정처분 규칙)으로 정하는 행정처분이다(제68조). 따라서 과태료를 별도의 항목에서 설명하기로 한다.

300) 의료관계 행정처분 규칙

301) 진료비를 거짓으로 청구하면 형벌과는 별도로 ① 제66조 제①항 제7호에 따른 자격정지 1개월 내지 10개월, ② 제66조 제③항에 따른 업무정지, ③ 금고 이상의 형을 선고받고 그 형이 확정되면 제64조 제①항 제8호에 따른 개설허가취소 또는 기관폐쇄와 제65조 제①항 제1호, 제8조 제4호에 따른 면허취소 그리고 ④ 국민건강보험법 제98조 제①항 제1호에 따른 1년의 범위 내의 업무정지(업무정지 처분이 해당 요양기관을 이용하는 사람에게 심한 불편을 주거나 보건복지부장관이 정하는 특별한 사유가 있다고 인정되면 업무정지 처분을 갈음하여 속임수나 그 밖의 부당한 방법으로 부담하게 한 금액의 5배 이하의 금액을 과징금으로 부과·징수, 국민건강보험법 제99조 제①항) 처분을 받는다.

지 않은 것은 헌법상의 평등권을 침해하는 위법한 입법 부작위이었다. 실무상 담당 공무원의 실수로 장기간 행정처분을 하지 않다가 대상 의료인에게 불의타가 되는 행정처분을 하는 경우도 있었다. 오랜 시간 행정처분을 하지 못한 국가의 책임을 의료인에게 전가시키는 것은 부당하다는 하급심 판결도 있었다. 이에 2016. 5. 29.자 개정을 통하여 제66조 제①항에 따른 자격정지처분은 그 사유가 발생한 날부터 5년(제①항 제5호 · 제7호에 따른 자격정지처분의 경우에는 7년으로 한다)이 지나면 처분하지 못하는 시효제도를 도입하였다(제66조 제⑥항). 다만, 그 사유에 대하여 형사소송법 제246조에 따른 공소가 제기된 경우에는 공소가 제기된 날부터 해당 사건의 재판이 확정된 날까지의 기간은 시효 기간에 산입하지 않는다(제66조 제⑥항 단서).

(5) 의료관계 행정처분 규칙 별표 행정처분기준 공통기준

(가) 동시에 둘 이상의 위반사항이 있는 경우에는 다음의 구분에 따라 처분한다.

1) 가장 중한 위반행위에 대한 처분의 기준이 면허자격취소, 허가취소, 등록취소 또는 의료기관 폐쇄인 경우에는 면허자격취소, 허가취소, 등록취소 또는 의료기관 폐쇄처분을 한다.

2) 각 위반행위에 대한 처분의 기준이 면허자격정지와 면허자격정지, 업무정지와 업무정지, 영업정지와 영업정지인 경우에는 그 중 더 중한 처분기준에 나머지 처분기준의 2분의 1을 각각 더하여 처분한다.

3) 2)의 규정에도 불구하고 다음의 경우에는 개별 위반행위에 대한 행정처분기준 중 더 중한 행정처분기준을 적용하여 처분하고 행정처분기준을 합산 · 가중하여 처분하지 않는다.

가) 제2호 가목 15)의 위반행위를 하여 진료기록부 등을 보존하지 아니한 자가 제2호 가목 5)[302], 6)[303] 또는 11)[304]의 위반행위를 한 경우

나) 제2호 가목 15)의 위반행위를 하여 진료기록부 등을 거짓으로 작성한 자가 제2호 가목 38)[305]의 위반행위를 한 경우

(나) 제2호 각 목의 행정처분기준란에 규정된 경고처분을 받은 의료인등 또는 의료기관등이 그 처분일부터 1년 이내에 같은 위반사항(제2호 각 목에 열거된 위반사항을 기준으로 한다. 이하 같다)을 다시 위반하거나 6개월 이내에 경고처분에 해당하는 다른 위반행위를 한 경우에는 1개월의 면허자격정지처분 또는 1개월의 업무정지처분을 한다. 다만, 같은 위반사항에 대하여 제2호 각목의 행정처분기준에 2차 처분기준이 있는 경우에는 그 처분기준에 따른다.

(다) 위반사항의 횟수에 따른 행정처분(가중처분)의 기준은 최근에 행한 행정처분을 받은 후 1년[제2호 가목 16)의 위반행위는 5년] 이내에 다시 개별기준의 같은 위반행위를 하여 행정처분을 행하

---

302) 진단서 · 검안서 또는 증명서를 거짓으로 작성하여 발급한 경우

303) 정당한 이유 없이 진단서 · 검안서 또는 증명서의 발급 요구를 거절한 경우

304) 환자에 관한 기록 열람, 사본 발급 등 그 내용 확인 요청에 따르지 아니한 경우 및 진료기록의 내용확인 요청이나 진료경과에 대한 소견 등의 송부 요청에 따르지 아니하거나 환자나 환자보호자의 동의를 받지 않고 진료기록의 내용을 확인할 수 있게 하거나 진료경과에 대한 소견 등을 송부한 경우

305) 관련 서류를 위조 · 변조하거나 속임수 등 부정한 방법으로 진료비를 거짓 청구한 경우

는 경우에 적용한다. 이 경우 기준 적용일은 같은 위반사항에 대하여 최근에 실제 행정처분의 효력이 발생한 날(업무정지처분에 갈음하여 과징금을 부과하는 경우에는 최근에 과징금처분을 한 날)과 다시 같은 위반행위를 적발한 날을 기준으로 한다.

(라) 행정처분기관은 의료관계법령의 위반행위가 다음 각 호의 어느 하나에 해당하면 이 규칙에서 정하는 행정처분기준에도 불구하고 그 사정을 고려하여 해당 처분의 감경기준 범위에서 감경하여 처분할 수 있다. 다만, 제2호 가목 8)[306]·10)[307]과 같은 호 다목 7)[308]의 위반행위가 다음 2)에 해당하거나 같은 호 가목 16)[309]의 위반행위가 다음 1)부터 3)까지의 규정에 해당하는 경우에는 해당 처분을 감경할 수 없다.

감경대상	감경기준		
	자격정지/업무정지/영업정지	면허취소	허가취소 등록취소 폐쇄
1) 해당 사건에 관하여 검사로부터 기소유예[1]의 처분을 받은 경우	해당 처분기준의 2분의 1의 범위에서 감경하되, 최대 3개월까지만 감경	4개월 이상의 자격정지처분	4개월 이상의 업무정지 또는 영업정지 처분
2) 해당 사건에 관하여 법원으로부터 선고유예[2]의 판결을 받은 경우	해당 처분기준의 3분의 1의 범위에서 감경하되, 최대 2개월까지만 감경	6개월 이상의 자격정지처분	6개월 이상의 업무정지 또는 영업정지처분
3) 농어촌 등의 의료기관으로서 그 지역주민이 이용할 수 있는 의료기관이 1개소만 있는 경우 또는 그 밖에 행정처분기관이 보건의료 시책상 필요하다고 인정하는 경우	1차 위반 : 면제 2차 위반 : 해당 처분기준의 2분의 1의 범위에서 감경	1차 위반 : 면제 2차 위반 : 4개월 이상의 자격정지처분	1차 위반 : 면제 2차 위반 : 4개월 이상의 업무정지 또는 영업정지 처분
4) 다음의 위반행위가 발각되기 전에 수사기관 또는 감독청에 위반행위를 자진하여 신고하고, 관련된 조사·소송 등에서 진술·증언하거나 자료를 제공한 경우 가) 의료기관 개설자가 될 수 없는 자에게 고용되어 의료행위를 한 경우 나) 제2호가목16)의 위반행위를 한 경우	해당 처분기준의 3분의 2의 범위에서 감경		
5) 의료인등이 국민의료에 기여한 공로를 인정받아 「상훈법」 또는 「정부표창규정」에 따라 훈장, 포장 또는 표창을 받고, 위반행위의 발생일을 기준으로 수여일부터 5년이 지나지 아니한 경우(위반행위가 여러 날에 걸쳐 이루어진 경우에는 위반행위가 최초로 발생한 날을 기준으로 한다). 다만, 제2호 가목 3), 19), 20), 31), 32), 34), 35), 36), 38), 같은 호 나목, 같은 호 다목2), 4), 10), 14) 및 같은 호 라목은 제외한다. 가) 훈장 또는 포장을 받은 경우 나) 대통령 표창 또는 국무총리 표창을 받은 경우 다) 보건복지부장관 표창을 받은 경우	1차 위반: 해당 처분기준의 3분의 2범위에서 감경 1차 위반: 해당 처분기준의 2분의 1범위에서 감경 1차 위반: 해당 처분기준의 3분의 1범위에서 감경		

1) 검사가 범죄의 객관적 혐의가 충분하고 소송조건을 구비하고 있더라도 범인의 연령, 성질, 지능, 피해자에 대한 관계, 범행의 동기·수단·결과·범행 후의 정황 등을 참작하여 기소하지 않을 수 있도록 하는 불기소처분이다(형사소송법 제247조 제①항).

2) 법원이 1년 이하의 징역이나 금고, 자격정지 또는 벌금의 형을 선고할 경우에 개전의 정상이 현저한 때에는 그 선고를 유예할 수 있는 제도이다(제59조 제①항).

306) 의료·조산 또는 간호를 하면서 알게 된 다른 사람의 비밀을 누설하거나 발표하여 선고유예의 판결을 받거나 벌금형의 선고를 받은 경우

307) 환자에 관한 기록의 열람, 사본 발급 등 그 내용을 확인할 수 있게 하여 선고유예의 판결을 받거나 벌금형의 선고를 받은 때

308) 처방전을 환자에게 발급하지 아니한 경우

309) 부당한 경제적 이익등을 받은 경우

(마) 간호조무사 및 의료유사업자에 대한 처분기준에 관하여는 의료인에 대한 처분기준을, 접골시술소 및 침구시술소에 대한 처분기준에 관하여는 의료기관에 대한 처분기준을 각각 준용한다.

(바) 행정처분을 하기 위한 절차가 끝나기 전에 반복하여 같은 사항을 위반한 경우에는 그 위반 횟수를 기준으로 그 중 더 중한 처분기준에 나머지 처분기준의 2분의 1을 더하여 처분한다.

(사) 자격정지 · 업무정지 또는 영업정지기간의 일수를 산정하는 경우 그 소수점 이하의 기간은 버린다.

나. 의료기관에 대한 행정처분

제63조 【시정 명령 등】 보건복지부장관 또는 시장 · 군수 · 구청장은 의료기관이 제15조 제①항, 제16조 제②항, 제21조 제①항 후단 및 같은 조 제②항 · 제③항, 제23조 제②항, 제34조 제②항, 제35조 제②항, 제36조, 제36조의 2, 제37조 제①항 · 제②항, 제38조 제①항 · 제②항, 제41조부터 제43조까지, 제45조, 제46조, 제47조 제①항, 제56조 제②항부터 제④항까지, 제57조 제①항, 제58조의 4 제②항, 제62조 제②항을 위반한 때, 종합병원 · 상급종합병원 · 전문병원이 각각 제3조의 3 제①항 · 제3조의 4 제①항 · 제3조의 5 제②항에 따른 요건에 해당하지 아니하게 된 때 또는 의료기관의 장이 제4조 제⑤항을 위반한 때에는 일정한 기간을 정하여 그 시설 · 장비 등의 전부 또는 일부의 사용을 제한 또는 금지하거나 위반한 사항을 시정하도록 명할 수 있다.

제64조 【개설 허가 취소 등】 ① 보건복지부장관 또는 시장 · 군수 · 구청장은 의료기관이 다음 각 호의 어느 하나에 해당하면 그 의료업을 1년의 범위에서 정지시키거나 개설 허가를 취소하거나 의료기관 폐쇄를 명할 수 있다. 다만, 제8호에 해당하는 경우에는 의료기관 개설 허가를 취소하거나 의료기관 폐쇄를 명하여야 하며, 의료기관 폐쇄는 제33조 제③항과 제35조 제①항 본문에 따라 신고한 의료기관에만 명할 수 있다.

1. 개설 신고나 개설 허가를 한 날부터 3개월 이내에 정당한 사유 없이 업무를 시작하지 아니한 때

2. 의료인이나 의료기관 종사자가 무자격자에게 의료행위를 하게 하거나 의료인에게 면허 사항 외의 의료행위를 하게 한 때

3. 제61조에 따른 관계 공무원의 직무 수행을 기피 또는 방해하거나 제59조 또는 제63조에 따른 명령을 위반한 때

4. 제33조 제②항 제3호부터 제5호까지의 규정에 따른 의료법인 · 비영리법인, 준정부기관 · 지방의료원 또는 한국보훈복지의료공단의 설립허가가 취소되거나 해산된 때

4의 2. 제33조 제②항을 위반하여 의료기관을 개설한 때

5. 제33조 제⑤항 · 제⑨항 · 제⑩항, 제40조 또는 제56조를 위반한 때

6. 제63조에 따른 시정명령(제4조 제⑤항 위반에 따른 시정명령을 제외한다)을 이행하지 아니한 때

7. 「약사법」 제24조 제②항을 위반하여 담합행위를 한 때

8. 의료기관 개설자가 거짓으로 진료비를 청구하여 금고 이상의 형을 선고받고 그 형이 확정된 때

② 제①항에 따라 개설 허가를 취소당하거나 폐쇄 명령을 받은 자는 그 취소된 날이나 폐쇄 명령을 받은 날부터 6개월 이내에, 의료업 정지처분을 받은 자는 그 업무 정지기간 중에 각각 의료기관을 개설 · 운영하지 못한다. 다만, 제①항 제8호에 따라 의료기관 개설 허가를 취소당하거나 폐쇄 명령을 받은 자는 취소당한 날이나 폐쇄 명령을 받은 날부터 3년 안에는 의료기관을 개설 · 운영하지 못한다.

제67조【과징금 처분】 ① 보건복지부장관이나 시장·군수·구청장은 의료기관이 제64조 제①항 각 호의 어느 하나에 해당할 때에는 대통령령으로 정하는 바에 따라 의료업 정지 처분을 갈음하여 5천만원 이하의 과징금을 부과할 수 있으며, 이 경우 과징금은 3회까지만 부과할 수 있다. 다만, 동일한 위반행위에 대하여 「표시·광고의 공정화에 관한 법률」 제9조에 따른 과징금 부과처분이 이루어진 경우에는 과징금(의료업 정지 처분을 포함한다)을 감경하여 부과하거나 부과하지 아니할 수 있다.

② 제①항에 따른 과징금을 부과하는 위반 행위의 종류와 정도 등에 따른 과징금의 액수와 그 밖에 필요한 사항은 대통령령으로 정한다.

③ 보건복지부장관이나 시장·군수·구청장은 제①항에 따른 과징금을 기한 안에 내지 아니한 때에는 지방세 체납처분의 예에 따라 징수한다.

제68조【행정처분의 기준】 제63조, 제64조 제①항, 제65조 제①항, 제66조 제①항에 따른 행정처분의 세부적인 기준은 보건복지부령으로 정한다.

제84조【청문】 보건복지부장관, 시·도지사 또는 시장·군수·구청장은 다음 각 호의 어느 하나에 해당하는 처분을 하려면 청문을 실시하여야 한다.

　3. 제63조에 따른 시설·장비 등의 사용금지 명령

　4. 제64조 제①항에 따른 개설허가 취소나 의료기관 폐쇄 명령

제88조【벌칙】 다음 각 호의 어느 하나에 해당하는 자는 3년 이하의 징역이나 3천만원 이하의 벌금에 처한다.

　1. ──중략── 제64조 제②항(제82조 제③항에서 준용하는 경우를 포함한다), ──중략── 을 위반한 자

제90조【벌칙】 ──중략── 제63조에 따른 시정명령을 위반한 자와 ──중략── 한 자는 500만원 이하의 벌금에 처한다.

제91조【양벌규정】

[1] 사용제한명령·사용금지명령·시정명령

　(가) 보건복지부장관 또는 시장·군수·구청장은 의료기관이 제15조 제①항, 제16조 제②항, 제21조 제①항 후단 및 같은 조 제②항·제③항, 제23조 제②항, 제34조 제②항, 제35조 제②항, 제36조, 제36조의 2, 제37조 제①항·제②항, 제38조 제①항·제②항, 제41조부터 제43조까지, 제45조, 제46조, 제47조 제①항, 제56조 제②항부터 제④항까지, 제57조 제①항, 제58조의 4 제②항, 제62조 제②항을 위반한 때, 종합병원·상급종합병원·전문병원이 각각 제3조의 3 제①항·제3조의 4 제①항·제3조의 5 제②항에 따른 요건에 해당하지 아니하게 된 때 또는 의료기관의 장이 제4조 제⑤항을 위반한 때에는 일정한 기간을 정하여 그 시설·장비 등의 전부 또는 일부의 사용을 제한 또는 금지하거나 위반한 사항을 시정하도록 명할 수 있다(제63조). 보건복지부장관 또는 시장·군수·구청장이 시설·장비 등의 사용금지 명령을 처분하려면 청문을 실시하여야 한다(제84조 제3호).

(나) 실무상으로는 의료관계 행정처분규칙 별표 2. 개별 기준 나.에 따라 1) 종합병원·상급종합병원·전문병원이 각각 법 제3조의 3 제①항, 법 제3조의 4 제①항 및 법 제3조의 5 제②항에 따른 요건에 해당하지 아니하게 된 경우, 2) 법 제16조 제②항을 위반하여 세탁물을 적법하게 처리하지 아니한 경우, 7) 법 제35조 제②항을 위반하여 부속 의료기관의 운영에 관하여 정한 사항을 지키지 아니한 경우, 8) 법 제36조를 위반하여 의료기관의 종류에 따른 시설·장비의 기준 및 규격, 의료인의 정원, 그 밖에 의료기관의 운영에 관하여 정한 사항을 지키지 아니한 경우, 9) 법 제37조를 위반하여 의료기관에 진단용 방사선 발생장치를 설치·운영하면서 신고하지 아니하고 설치·운영한 경우, 안전관리기준에 맞게 설치·운영하지 아니한 경우, 안전관리책임자를 선임하지 아니한 경우, 정기적으로 검사와 측정을 받지 아니한 경우, 종사자에 대한 피폭관리를 실시하지 아니한 경우, 13) 법 제41조를 위반하여 병원에 당직의료인을 두지 아니한 경우, 14) 법 제42조를 위반하여 의료기관의 명칭 표시를 위반한 경우, 15) 법 제43조를 위반하여 의료기관의 진료과목 표시를 위반한 경우, 16) 법 제45조를 위반하여 환자 또는 환자의 보호자에게 비급여 진료비용을 고지하지 아니한 경우, 제증명수수료의 비용을 게시하지 아니한 경우, 비급여 진료비용의 고지 방법을 위반하거나 제증명수수료 비용의 게시 방법을 위반한 경우, 고지·게시한 금액을 초과하여 징수한 경우, 17) 법 제46조를 위반하여 선택진료에 관한 규칙 제4조 제①항을 위반하여 선택진료 담당 의사 등을 지정한 경우, 선택진료에 관한 규칙 제4조 제②항 각 호에 해당하는 자를 선택진료 담당 의사 등으로 지정한 경우, 선택진료에 관한 규칙 제4조 제③항을 위반하여 추가비용을 징수하지 아니하는 의사 등을 진료과목별로 1명 이상 두지 아니하거나 보건복지부장관이 지정하여 고시하는 필수진료과목에 전 진료시간 동안 추가비용을 징수하지 아니하는 의사 등을 1명 이상 두지 아니하는 경우, 선택진료에 관한 규칙 제6조를 위반하여 선택진료 의료기관의 장이 안내문을 게시 또는 비치하지 아니하거나 선택진료 신청서의 사본을 발급해 주지 아니하는 경우, 선택진료에 관한 규칙 제7조를 위반하여 선택진료의료기관의 장이 신청서 등의 서류를 보존기간까지 보존하지 아니한 경우, 선택진료에 관한 규칙 제8조를 위반하여 선택진료 담당 의사 등의 지정 내용 등을 건강보험심사평가원장에게 통보하지 아니한 경우, 18) 법 제46조 제①항 후단을 위반하여 특별한 사유 없이 환자 또는 그 보호자의 선택진료 요청을 거부한 경우, 19) 법 제46조 제②항을 위반하여 선택진료를 받는 환자 또는 그 보호자의 선택진료의 변경 또는 해지 요청에 따르지 아니한 경우에는 시정명령을 처분한다.

(다) 사용제한명령·사용금지명령·시정명령(제63조)을 위반하면 500만원 이하의 벌금에 처해질 수 있으며(제90조), 명령을 위반하거나 시정명령을 이행하지 않으면 보건복지부장관 또는 시장·군수·구청장이 그 의료업을 1년의 범위에서 정지시키거나 개설 허가를 취소하거나 의료기관 폐쇄를 명할 수 있다(제64조 제①항 제3호, 제6호). 실무상으로는 의료관계 행정처분규칙 별표 2. 개별 기준 나. 27)에 따라 업무정지 15일을 처분한다. 보건복지부장관이나 시장·군수·구청장은 정지 처분에 갈음하여 5천만원 이하의 과징금을 부과할 수 있다(제67조 제①항).

(2) 업무정지 · 개설허가취소 · 기관폐쇄명령

    (가) 보건복지부장관 또는 시장 · 군수 · 구청장은 의료기관이 ① 개설 신고나 개설 허가를 한 날부터 3개월 이내에 정당한 사유 없이 업무를 시작하지 아니한 때, ② 의료인이나 의료기관 종사자가 무자격자에게 의료행위를 하게 하거나 의료인에게 면허 사항 외의 의료행위를 하게 한 때[310], ③ 제61조에 따른 관계 공무원의 직무 수행을 기피 또는 방해하거나 제59조 또는 제63조에 따른 명령을 위반한 때, ④ 제33조 제②항 제3호부터 제5호까지의 규정에 따른 의료법인 · 비영리법인, 준정부기관 · 지방의료원 또는 한국보훈복지의료공단의 설립허가가 취소되거나 해산된 때, ⑤ 제33조 제②항을 위반하여 의료기관을 개설한 때, ⑥ 제33조 제⑤항 · 제⑨항 · 제⑩항, 제40조 또는 제56조를 위반한 때, ⑦ 제63조에 따른 시정명령(제4조 제⑤항 위반에 따른 시정명령을 제외한다)을 이행하지 아니한 때, ⑧ 약사법 제24조 제②항을 위반하여 담합행위를 한 때 또는 ⑨ 의료기관 개설자가 거짓으로 진료비를 청구하여 금고 이상의 형을 선고받고 그 형이 확정된 때에 해당하면 그 의료업을 1년의 범위에서 정지시키거나 개설 허가를 취소하거나 의료기관 폐쇄를 명할 수 있다. 다만, 의료기관 개설자가 거짓으로 진료비를 청구하여 금고 이상의 형을 선고받고 그 형이 확정된 때(제8호)에 해당하는 경우에는 의료기관 개설 허가를 취소하거나 의료기관 폐쇄를 명하여야 하며(필요적 개설허가취소, 의료기관폐쇄명령), 의료기관 폐쇄는 제33조 제③항과 제35조 제①항 본문에 따라 신고한 의료기관에만 명할 수 있다(제64조 제①항). 개설 허가를 취소당하거나 폐쇄 명령을 받은 자는 그 취소된 날이나 폐쇄 명령을 받은 날부터 6개월 이내에, 의료업 정지처분을 받은 자는 그 업무 정지기간 중에 각각 의료기관을 개설 · 운영하지 못한다. 다만, 의료기관 개설자가 거짓으로 진료비를 청구하여 금고 이상의 형을 선고받고 그 형이 확정된 때(제8호)에 해당되어 의료기관 개설 허가를 취소당하거나 폐쇄 명령을 받은 자는 취소당한 날이나 폐쇄 명령을 받은 날부터 3년 안에는 의료기관을 개설 · 운영하지 못한다(제64조 제②항). 의료법상의 업무정지처분은 해당 의료기관의 모든 의료업무를 하지 못한다는 점과 업무정지처분의 효과가 해당 의료기관을 양수한 자 또는 합병 후 존속하는 법인이나 합병으로 설립되는 법인에 승계되지 않는다는 점에서 국민건강보험법상의 업무정지처분과 구별된다[311]. 보건

---

310) 대법원 1985. 3. 26. 선고 84누758 판결 ; 무자격자로 하여금 의료행위를 하게 한 것이라 함은 의료기관을 개설한 의료인 또는 의료법인이 고의로 무자격자로 하여금 의료행위를 하게 한 경우 뿐만 아니라 감독상 과실이나 기타 부주의등 책임 있는 사유로 당해 의료기관에서 무자격자의 의료행위가 자행되는 것을 방임한 경우도 포함한다.

311) **국민건강보험법 제98조(업무정지)** ① 보건복지부장관은 요양기관이 다음 각 호의 어느 하나에 해당하면 그 요양기관에 대하여 1년의 범위에서 기간을 정하여 업무정지를 명할 수 있다.
  1. 속임수나 그 밖의 부당한 방법으로 보험자 · 가입자 및 피부양자에게 요양급여비용을 부담하게 한 경우
  2. 제97조 제②항에 따른 명령에 위반하거나 거짓 보고를 하거나 거짓 서류를 제출하거나, 소속 공무원의 검사 또는 질문을 거부 · 방해 또는 기피한 경우
② 제①항에 따라 업무정지 처분을 받은 자는 해당 업무정지기간 중에는 요양급여를 하지 못한다.
③ 제①항에 따른 업무정지 처분의 효과는 그 처분이 확정된 요양기관을 양수한 자 또는 합병 후 존속하는 법인이나 합병으로 설립되는 법인에 승계되고, 업무정지 처분의 절차가 진행 중인 때에는 양수인 또는 합병 후 존속하는 법인이나 합병으로 설립되는 법인에 대하여 그 절차를 계속 진행할 수 있다. 다만, 양수인 또는 합병 후 존속하는 법인이나 합병으로 설립되는 법인이 그 처분 또는 위반사실을 알지 못하였음을 증명하는 경우에는 그러하지 아니하다.

복지부장관 또는 시장·군수·구청장이 개설허가 취소나 의료기관 폐쇄 명령을 처분하려면 청문을 실시하여야 한다(제84조 제4호).

(나) 업무정지처분을 받은 의료기관의 개설의가 업무정지 기간 중에 다른 의료기관에서 대진의 또는 봉직의로 의료행위를 할 수 있는지가 문제된다. 의료법에 따른 의료기관을 개설하지 아니하고는 의료업을 할 수 없으며 그 의료기관 내에서 의료업을 하는 것이 원칙이기 때문이다(제33조 제①항). 의료업 장소의 제한과 관련하여 실무는 개설의는 개설한 의료기관에서만 의료행위를 할 수 있다고 해석한다. 반면에 업무정지처분을 받은 의료기관의 개설의가 업무정지 기간 중에 다른 의료기관에서 대진의 또는 봉직의로 의료행위를 할 수 있다는 실무례도 있다. 의료업으로 하지 않는 의료행위가 존재하기 때문에 의료행위와 의료업은 구별되는 개념이라는 점, 제33조 제①항의 제한은 의료행위가 아니라 의료업을 행할 수 없다고 규정한 점에서 업무정지처분의 존재 여부에 관계없이 개설의는 개설한 의료기관 이외의 의료기관에서도 의료행위를 할 수 있다고 해석함이 의료 현실이나 논리적으로 타당하다[312].

(다) 실무상으로는 의료관계 행정처분규칙 별표 2. 개별 기준 나.에 따라 4) 법 제33조 제②항 제3호부터 제5호까지의 규정에 따라 의료기관을 개설한 의료법인·비영리법인·준정부기관·지방의료원 또는 한국보훈복지의료공단이 그 설립허가가 취소되거나 해산된 경우, 5) 법 제33조 제③항 및 제④항에 따른 의료기관의 개설신고 또는 개설허가를 한 날부터 3개월 이내에 정당한 사유 없이 그 업무를 시작하지 아니한 경우, 11) 법 제40조 제①항을 위반하여 폐업한 뒤 신고하지 아니한 경우, 28) 약사법 제24조 제②항을 위반하여 담합행위를 하여 3차 위반(2차 처분일부터 2년 이내에 다시 위반한 경우에만 해당한다)한 경우 또는 29) 의료기관의 개설자가 거짓으로 진료비를 청구하여 금고 이상의 형을 선고받아 그 형이 확정된 경우에는 허가취소 또는 폐쇄명령을 처분하고, 3) 법 제27조 제①항을 위반하여 의료인이나 의료기관 종사자가 무자격자에게 의료행위를 하게 하거나 의료인에게 면허사항 외의 의료행위를 하게 한 경우, 28) 약사법 제24조 제②항을 위반하여 담합행위를 하여 2차 위반(1차 처분일부터 2년 이내에 다시 위반한 경우에만 해당한다)한 경우에는 업무정지 3개월을, 22) 법 제56조 제③항(제56조 제②항 제7호를 포함한다)을 위반하여 거짓된 내용의 광고를 한 경우에는 업무정지 2개월을, 20) 법 제56조 제②항(제7호와 제9호는 제외한다)을 위반하여 의료광고를 한 경우, 21) 법 제56조 제②항 제9호를 위반하여 의료광고의 내용 및 방법 등에 대하여 심의받은 내용과 다른 내용의 광고를 하여 3차 위반한 경우, 23) 법 제56조 제③항(제56조 제②항 제7호를 포함한다)을 위반하여 과장된 내용의 광고를 한 경우, 24) 법 제56조 제④항을 위반하여 의료광고를 한 경우, 28) 약사법 제24조 제②항을 위반하여 담합행위를 하여 1차 위반한 경우에는 업무정지 1개월을, 21) 법 제56조 제②항 제9호를

---

312) 대법원 1974. 3. 12. 선고 73다1736 판결 ; 병원을 개설하지 않은 자는 의료업을 할 수 없다는 의료법의 규정은 의료행위를 할 수 있는 의사가 의료행위를 하는 것까지 금지하는 취지는 아니므로 의료법에 위반된 치료행위가 의료법에 의한 제재적인 조치를 받은 것은 별론으로 하고 치료비 청구권 행사에는 지장이 없다.

위반하여 의료광고의 내용 및 방법 등에 대하여 심의받은 내용과 다른 내용의 광고를 하여 2차 위반한 경우, 25) 법 제59조에 따른 명령을 이행하지 아니하거나 정당한 사유 없이 그 명령을 거부한 경우, 26) 법 제61조에 따른 보고명령을 이행하지 아니하거나 관계 공무원의 검사 등을 거부한 경우, 27) 법 제63조에 따른 명령을 위반하거나 그 명령을 이행하지 아니한 경우에는 업무정지 15일을 처분한다.

(라) 개설 허가를 취소당하거나 폐쇄 명령을 받은 자가 그 취소된 날이나 폐쇄 명령을 받은 날부터 6개월 이내에, 의료업 정지처분을 받은 자가 그 업무 정지기간 중에 각각 의료기관을 개설·운영하거나 의료기관 개설자가 거짓으로 진료비를 청구하여 금고 이상의 형을 선고받고 그 형이 확정되어 의료기관 개설 허가를 취소당하거나 폐쇄 명령을 받은 자가 취소당한 날이나 폐쇄 명령을 받은 날부터 3년 안에 의료기관을 개설·운영하면(제64조 제②항 위반) 3년 이하의 징역이나 1천만원 이하의 벌금에 처한다(제88조). 보건복지부장관이나 시장·군수·구청장은 업무정지 처분에 갈음하여 5천만원 이하의 과징금을 부과할 수 있다(제67조 제①항).

[3] 과징금

(가) 과징금이란 행정법상의 의무위반에 대하여 행정청이 의무위반자에게 부과·징수하는 금전적 제재이다. 과징금 제도는 주로 경제법상의 의무위반행위로 인한 불법적인 이익을 박탈하기 위해서 그 이익액에 따라 부과하는 일종의 행정제재금의 성격을 가진 것으로서 형벌인 벌금이나 행정질서벌인 과태료와 구별된다.

(나) 보건복지부장관이나 시장·군수·구청장은 의료기관이 업무정지처분 사유(제64조 제①항 각 호)에 해당할 때에는 대통령령으로 정하는 바에 따라 의료업 정지 처분을 갈음하여 5천만원 이하의 과징금을 부과할 수 있으며, 이 경우 과징금은 3회까지만 부과할 수 있다(제67조 제①항). 다만, 동일한 위반행위에 대하여 표시·광고의 공정화에 관한 법률 제9조에 따른 과징금 부과처분이 이루어진 경우에는 과징금(의료업 정지 처분을 포함한다)을 감경하여 부과하거나 부과하지 않을 수 있다(제67조 제①항 단서). 업무정지처분에 갈음하는 과징금 부과만 가능하며 실무상으로는 과징금 처분을 선호하는 경향이 있다.

(다) 과징금의 금액은 위반행위의 종류와 위반 정도 등을 고려하여 보건복지부령으로 정하는 의료업 정지처분 기준에 따라 별표 1의 과징금 산정 기준을 적용하여 산정한다(의료법 시행령 제43조).

별표 1 과징금 산정 기준(제43조 관련)

1. 일반기준

가. 의료업 정지 1개월은 30일을 기준으로 한다.

나. 위반행위 종별에 따른 과징금의 금액은 의료업 정지기간에 라목에 따라 산정한 1일당 과징금 금액을 곱한 금액으로 한다.

다. 나목의 의료업 정지기간은 법 제68조에 따라 산정된 기간(가중 또는 감경을 한 경우에는 그에 따라 가중 또는 감경된 기간을 말한다)을 말한다.

라. 1일당 과징금의 금액은 위반행위를 한 의료기관의 연간 총수입액을 기준으로 제2호의 표에 따라 산정한다.

마. 과징금 부과의 기준이 되는 총수입액은 의료기관 개설자에 따라 다음과 같이 구분하여 산정한 금액을 기준으로 한다. 다만, 신규 개설, 휴업 또는 재개업 등으로 1년간의 총수입액을 산출할 수 없거나 1년간의 총수입액을 기준으로 하는 것이 불합리하다고 인정되는 경우에는 분기별, 월별 또는 일별 수입금액을 기준으로 산출 또는 조정한다.

    1) 의료인인 경우에는 「소득세법」 제24조에 따른 처분일이 속하는 연도의 전년도의 의료업에서 생기는 총수입금액

    2) 의료법인, 「민법」이나 다른 법률에 따라 설립된 비영리법인인 경우에는 「법인세법 시행령」 제11조 제1호에 따른 처분일이 속하는 연도의 전년도의 의료업에서 생기는 총수입금액

    3) 법 제35조에 따른 부속 의료기관인 경우에는 처분일이 속하는 연도의 전년도의 의료기관 개설자의 의료업에서 생기는 총수입금액

바. 나목에도 불구하고 과징금 산정금액이 5천만원을 넘는 경우에는 5천만원으로 한다.

2. 과징금 부과 기준

등급	연간 총수입액 (단위 : 100만원)	1일당 과징금 금액(단위 : 원)
1	50 이하	75,000
2	50 초과 ~ 100 이하	112,500
3	100 초과 ~ 200 이하	150,000
4	200 초과 ~ 300 이하	187,500
5	300 초과 ~ 400 이하	225,000
6	400 초과 ~ 500 이하	287,500
7	500 초과 ~ 600 이하	325,000
8	600 초과 ~ 700 이하	350,000
9	700 초과 ~ 800 이하	375,000
10	800 초과 ~ 900 이하	400,000
11	900 초과 ~ 1,000 이하	425,000
12	1,000 초과 ~ 2,000 이하	437,500
13	2,000 초과 ~ 3,000 이하	450,000
14	3,000 초과 ~ 4,000 이하	462,500
15	4,000 초과 ~ 5,000 이하	475,000
16	5,000 초과 ~ 6,000 이하	487,500
17	6,000 초과 ~ 7,000 이하	500,000
18	7,000 초과 ~ 8,000 이하	512,500
19	8,000 초과 ~ 9,000 이하	525,000
20	9,000 초과	537,500

(라) 과징금을 부과하는 위반 행위의 종류와 정도 등에 따른 과징금의 액수와 그 밖에 필요한 사항은 대통령령으로 정한다(제67조 제②항).

(마) 보건복지부장관, 시 · 도지사 또는 시장 · 군수 · 구청장은 과징금을 부과하려면 그 위반행위의 종

류와 과징금의 금액을 서면으로 명시하여 이를 낼 것을 통지하여야 한다(의료법 시행령 제44조 제①항). 과징금의 징수 절차는 보건복지부령[313]으로 정한다(의료법 시행령 제44조 제②항).

(바) 보건복지부장관이나 시장·군수·구청장은 과징금을 기한 안에 내지 아니한 때에는 지방세 체납처분의 예에 따라 징수한다(제67조 제③항).

(사) 국민건강보험법상의 과징금은 보건복지부장관이 속임수나 그 밖의 부당한 방법으로 보험자·가입자 및 피부양자에게 요양급여비용을 부담하게 한 요양기관에 대하여 1년의 범위에서 기간을 정하여 업무정지를 명하는 경우(국민건강보험법 제98조 제①항 제1호)에 그 업무정지 처분이 해당 요양기관을 이용하는 사람에게 심한 불편을 주거나 보건복지부장관이 정하는 특별한 사유가 있다고 인정되면 업무정지 처분을 갈음하여 속임수나 그 밖의 부당한 방법으로 부담하게 한 금액의 5배 이하의 금액을 과징금으로 부과·징수할 수 있는 제도인데 이 경우 보건복지부장관은 12개월의 범위에서 분할납부[314]를 하게 할 수 있다(국민건강보험법 제99조 제①항). 과징금으로의 전환 요건이 법정되어 있고 분할 납부가 가능하다는 점에서 의료법상의 과징금과 다른 점이 있다.

다. 의료인에 대한 행정처분

제65조 【면허 취소와 재교부】 ① 보건복지부장관은 의료인이 다음 각 호의 어느 하나에 해당할 경우에는 그 면허를 취소할 수 있다. 다만, 제1호의 경우에는 면허를 취소하여야 한다. 〈개정 2015. 12. 29.〉

1. 제8조 각 호의 어느 하나에 해당하게 된 경우
2. 제66조에 따른 자격 정지 처분 기간 중에 의료행위를 하거나 3회 이상 자격 정지 처분을 받은 경우
3. 제11조 제①항에 따른 면허 조건을 이행하지 아니한 경우
4. 제4조 제④항을 위반하여 면허증을 빌려준 경우
5. 삭제〈2016. 12. 20.〉
6. 제4조 제⑥항을 위반하여 사람의 생명 또는 신체에 중대한 위해를 발생하게 한 경우

② 보건복지부장관은 제①항에 따라 면허가 취소된 자라도 취소의 원인이 된 사유가 없어지거나 개전(改悛)의 정이 뚜렷하다고 인정되면 면허를 재교부할 수 있다. 다만, 제①항 제3호에 따라 면허가 취소된 경우에는 취소된 날부터 1년 이내, 제①항 제2호·제4호 또는 제5호에 따라 면허가 취소된 경우에는 취소된 날부터 2년 이내, 제8조 제4호에 따른 사유로 면허가 취소된 경우에는 취소된 날부터 3년 이내에는 재교부하지 못한다.

제66조 【자격정지 등】 ① 보건복지부장관은 의료인이 다음 각 호의 어느 하나에 해당하면 1년의 범위에서 면허 자격을 정지시킬 수 있다. 이 경우 의료기술과 관련한 판단이 필요한 사항에 관하여는 관계 전문가의 의견을 들어 결정할 수 있다.

1. 의료인의 품위를 심하게 손상시키는 행위를 한 때
2. 의료기관 개설자가 될 수 없는 자에게 고용되어 의료행위를 한 때

---

313) **의료법 시행규칙 제79조(과징금의 징수 절차)** 영 제44조 제②항에 따른 과징금의 징수 절차에 관하여는 「국고금관리법 시행규칙」을 준용한다. 이 경우 납입고지서에는 이의 제기 방법 및 이의 제기 기간을 함께 적어 넣어야 한다.

314) 특단의 사정이 없는 한 12개월 분납을 허용하는 것이 실무이다.

2의 2. 제4조 제⑥항을 위반한 때

3. 제17조 제①항 및 제②항에 따른 진단서 · 검안서 또는 증명서를 거짓으로 작성하여 내주거나 제22조 제①항에 따른 진료기록부등을 거짓으로 작성하거나 고의로 사실과 다르게 추가기재 · 수정한 때

4. 제20조를 위반한 경우

5. 제27조 제①항을 위반하여 의료인이 아닌 자로 하여금 의료행위를 하게 한 때

6. 의료기사가 아닌 자에게 의료기사의 업무를 하게 하거나 의료기사에게 그 업무 범위를 벗어나게 한 때

7. 관련 서류를 위조 · 변조하거나 속임수 등 부정한 방법으로 진료비를 거짓 청구한 때

8. 삭제 〈2011. 8. 4.〉

9. 제23조의 3을 위반하여 경제적 이익등을 제공받은 때

10. 그 밖에 이 법 또는 이 법에 따른 명령을 위반한 때

② 제①항 제1호에 따른 행위의 범위는 대통령령으로 정한다.

③ 의료기관은 그 의료기관 개설자가 제①항 제7호에 따라 자격정지 처분을 받은 경우에는 그 자격정지 기간 중 의료업을 할 수 없다.

④ 보건복지부장관은 의료인이 제25조에 따른 신고를 하지 아니한 때에는 신고할 때까지 면허의 효력을 정지할 수 있다.

⑤ 제①항 제2호를 위반한 의료인이 자진하여 그 사실을 신고한 경우에는 제①항에도 불구하고 보건복지부령으로 정하는 바에 따라 그 처분을 감경하거나 면제할 수 있다.

⑥ 제①항에 따른 자격정지처분은 그 사유가 발생한 날부터 5년(제①항 제5호 · 제7호에 따른 자격정지처분의 경우에는 7년으로 한다)이 지나면 하지 못한다. 다만, 그 사유에 대하여 「형사소송법」 제246조에 따른 공소가 제기된 경우에는 공소가 제기된 날부터 해당 사건의 재판이 확정된 날까지의 기간은 시효 기간에 산입하지 아니한다.

제66조의 2【중앙회의 자격정지 처분 요구 등】 각 중앙회의 장은 의료인이 제66조 제①항 제1호에 해당하는 경우에는 각 중앙회의 윤리위원회의 심의 · 의결을 거쳐 보건복지부장관에게 자격정지 처분을 요구할 수 있다.

제68조【행정처분의 기준】 ──중략── , 제65조 제①항, 제66조 제①항에 따른 행정처분의 세부적인 기준은 보건복지부령으로 정한다.

제84조【청문】 보건복지부장관, 시 · 도지사 또는 시장 · 군수 · 구청장은 다음 각 호의 어느 하나에 해당하는 처분을 하려면 청문을 실시하여야 한다.

5. 제65조 제①항에 따른 면허의 취소

[1] 면허취소와 재교부

(가) 보건복지부장관은 의료인이 ① 제8조 각 호의 어느 하나에 해당하게 된 경우, ② 제66조에 따른 자격 정지 처분 기간 중에 의료행위를 하거나 3회 이상 자격 정지 처분을 받은 경우[315], ③ 제

---

315) 대법원 2005. 3. 25. 선고 2004두14106 판결 ; 행정처분에 그 효력기간이 정하여져 있는 경우 그 기간의 경과로 그 행정처분의 효력은 상실되는 것이므로 그 기간경과 후에는 그 처분이 외형상 잔존함으로 인하여 어떠한 법률상의 이익이 침해되고 있다고 볼 만한 별다른 사정이 없는 한 그 처분의 취소 또는 무효확인을 구할 법률상의 이익이 없다고 하겠으나, 위와 같은 행정처분의 전력이 장래에 불이익하게 취급되는 것으로 법에 규정되어 있어 법정의 가중요건으로 되어 있고, 이후 그 법정가중요건에 따라 새로운 제재적인 행정처분이 가해지고 있다면, 선행행정처분의 효력기간이 경과하였다 하더라도 선행행정처분의 잔존으로 인하여 법률상의 이익이 침해되고 있다고 볼 만한 특별한 사정이 있는 경우에 해당한다. 의료법 제65조 제①항은 보건복지부장관으로 하여금 일정한 요건에 해당하는 경우 의료인의 면허 자격을 정지시킬 수 있도록 하는 근거 규정을 두고 있고, 한편 같은 법 제65조 제①항 제3호는 보건복지부장관은 의료인이 3회 이상 자격 정지처분을 받은 때에는 그 면허를 취소할 수 있다고 규정하고 있는바, 이와 같이 의료법에서 의료인에 대한 제재적인 행정처분으로서 면

11조 제①항에 따른 면허 조건을 이행하지 아니한 경우, ④ 제4조 제④항을 위반하여 발급받은 면허증을 빌려준 경우[316, 317] 또는 ⑤ 제4조 제⑥항을 위반하여 사람의 생명 또는 신체에 중대한 위해를 발생하게 한 경우에는 그 면허를 취소할 수 있다(임의적 취소)[318]. 다만, 제8조 각 호의 어느 하나의 결격사유에 해당된 경우(제1호)에는 면허를 취소하여야 한다(필요적 취소, 제65조 제①항). 보건복지부장관 또는 시장 · 군수 · 구청장이 면허 취소를 처분하려면 청문을 실시하여야 한다(제84조 제5호).

(나) 실무상으로는 의료관계 행정처분규칙 별표 2. 개별 기준 가.에 따라 1) 법 제8조 각 호의 어느 하나의 결격사유에 해당된 경우, 2) 법 제11조 제①항에 따른 면허의 조건을 이행하지 아니한 경우, 28) 법 제66조에 따른 자격정지처분기간 중에 의료행위를 하거나 3회 이상 자격정지처분을 받은 경우 또는 30) 면허증을 빌려준 경우에는 면허를 취소한다.

(다) 보건복지부장관은 면허가 취소된 자라도 취소의 원인이 된 사유가 없어지거나 개전(改悛)의 정이 뚜렷하다고 인정되면 면허를 재교부할 수 있다. 다만, 제11조 제①항에 따른 면허 조건을 이행하지 않아서(제①항 제3호) 면허가 취소된 경우에는 취소된 날부터 1년 이내, 제66조에 따른 자격 정지 처분 기간 중에 의료행위를 하거나 3회 이상 자격 정지 처분을 받은 경우 또는 제4조 제④항을 위반하여 발급받은 면허증을 빌려준 경우이거나 면허를 빌려준(대여한) 경우에 해당하여(제①항 제2호 · 제4호 또는 제5호) 면허가 취소된 경우에는 취소된 날부터 2년 이내, 제8조 제4호에 따른 결격 사유로 면허가 취소된 경우에는 취소된 날부터 3년 이내에는 재교부하지 못한다(제65조 제②항).

허자격정지처분과 면허취소처분이라는 2단계 조치를 규정하면서 전자의 제재처분을 보다 무거운 후자의 제재처분의 기준요건으로 규정하고 있는 이상 자격정지처분을 받은 의사로서는 면허자격정지처분에서 정한 기간이 도과되었다 하더라도 그 처분을 그대로 방치하여 둠으로써 장래 의사면허취소라는 가중된 제재처분을 받게 될 우려가 있는 것이어서 의사로서의 업무를 행할 수 있는 법률상 지위에 대한 위험이나 불안을 제거하기 위하여 면허자격정지처분의 취소를 구할 이익이 있다.

316) **제87조(벌칙)** ① 다음 각 호의 어느 하나에 해당하는 자는 5년 이하의 징역이나 5천만원 이하의 벌금에 처한다.
　1. 제4조 제④항을 위반하여 면허증을 빌려준 사람

317) 대법원 1994. 12. 23. 선고 94도1937 판결 ; 의료의 적정을 기하여 국민의 건강을 보호증진하는 것을 목적으로 하는 의료법의 입법취지나, 이러한 목적을 달성하기 위하여 의료인의 자격에 관하여 엄격한 요건을 정하여 두는 한편 의료인이 아니면 의료행위를 할 수 없다는 것을 그 본질적 · 핵심적 내용으로 하는 의료법 관계규정의 내용 및 면허증이란 "의료인으로서의 자격이 있음을 증명하는 증명서"인 점 등에 비추어 보면, 의료법에서 금지하고 있는 "면허증 대여"라 함은 "타인이 그 면허증을 이용하여 의료인으로 행세하면서 의료행위를 하려는 것을 알면서도 면허증 자체를 빌려 주는 것"이라고 해석함이 상당하다. 따라서 의료인이 무자격자가 자금을 투자하여 시설을 갖추고 그 의료인 명의로 의료기관 개설신고를 하는 데에 자신의 면허증을 이용하도록 하였다고 하더라도 그 개설 후 의료인 자신이 그 의료기관에서 의료행위를 할 의사 그리하였고, 또 실제로 개설 후 의료인이 의료행위를 계속하여 왔으며 무자격자가 의료행위를 한 바 없다면, 면허증을 대여한 것으로 볼 수 없다.

318) 대법원 2001. 10. 9. 선고 2001두953 판결 ; 구 의료법(2000. 1. 12. 법률 제6157호로 개정되기 전의 것) 제52조 제①항은 의료인이 제1호 내지 제6호에 해당하게 된 경우에 면허를 '취소할 수 있다'라고 규정하고, 제②항은 면허가 취소된 자라 할지라도 그 취소의 원인이 된 사유가 소멸하거나 개전의 정이 현저하다고 인정될 때에는 그 면허를 재교부할 수 있도록 규정하고 있으며(다만 일정한 경우에는 그 재교부의 기간을 제한하고 있다), 같은 법 제53조 제①항은, 일정기간 의료인 면허자격을 정지시킬 수 있는 사유를 규정하면서 그 제6호에서 '기타 이 법 또는 이 법에 의한 명령에 위반한 때'를 들고 있고, 같은 법 제53조의 3은 이상의 규정에 의한 행정처분의 세부적인 기준을 보건복지부령으로 정하도록 위임하고 있는바, 이러한 규정들을 종합하여 보면, 같은 법 제19조의 2의 규정에 위반한 행위가 행하여진 경우에 보건복지부장관이 같은 법 제52조 제①항의 규정에 따라 당해 의료인의 면허를 취소할 수 있음은 물론이지만, 재량에 의하여 같은 법 제53조 제①항 제6호에 해당하는 것으로 보아 면허자격을 정지하는 것이 같은 법에 의하여 반드시 금지되어 있다고 해석할 것은 아니므로, 구 의료관계행정처분규칙(1996. 10. 19. 보건복지부령 제35호로 개정되기 전의 것) 제4조의 [별표] 2. 개별기준. (가)목 (7)이 의료법 제19조의 2의 규정의 1차 위반행위에 대하여 7월 내지 12월의 면허자격정지처분을 하도록 규정한 것은 위와 같은 위임 범위 내에서 이루어진 유효한 규정이라 할 것이고, 이를 모법의 위임 범위를 벗어난 무효의 규정으로 볼 수 없다.

(2) 자격정지

(가) 보건복지부장관은 의료인이 ① 의료인의 품위를 심하게 손상시키는 행위를 한 때, ② 의료기관 개설자가 될 수 없는 자에게 고용되어 의료행위를 한 때, ③ 제4조 제⑥항을 위반한 때, ④ 제17조 제①항 및 제②항에 따른 진단서 · 검안서 또는 증명서를 거짓으로 작성하여 내주거나 제22조 제①항에 따른 진료기록부등을 거짓으로 작성하거나 고의로 사실과 다르게 추가기재 · 수정한 때, ⑤ 제20조를 위반한 경우, ⑥ 제27조 제①항을 위반하여 의료인이 아닌 자로 하여금 의료행위를 하게 한 때, ⑦ 의료기사가 아닌 자에게 의료기사의 업무를 하게 하거나 의료기사에게 그 업무 범위를 벗어나게 한 때, ⑧ 관련 서류를 위조 · 변조하거나 속임수 등 부정한 방법으로 진료비를 거짓 청구한 때, ⑨ 제23조의 3을 위반하여 경제적 이익등을 제공받은 때 또는 ⑩ 그 밖에 이 법 또는 이 법에 따른 명령을 위반한 때[319]에 해당하면 1년의 범위에서 면허자격을 정지시킬 수 있다. 이 경우 의료기술과 관련한 판단이 필요한 사항에 관하여는 관계 전문가의 의견을 들어 결정할 수 있다(제66조 제①항). 보건복지부장관은 의료인이 제25조에 따른 신고를 하지 아니한 때에는 신고할 때까지 면허의 효력을 정지할 수 있다(제66조 제④항). 자격정지처분은 그 사유가 발생한 날부터 5년(제①항 제5호 · 제7호에 따른 자격정지처분의 경우에는 7년으로 한다)이 지나면 하지 못한다. 다만, 그 사유에 대하여 형사소송법 제246조에 따른 공소가 제기된 경우에는 공소가 제기된 날부터 해당 사건의 재판이 확정된 날까지의 기간은 시효 기간에 산입하지 않는다(제66조 제⑥항).

(나) 의료인의 품위를 심하게 손상시키는 행위(제①항 제1호)의 범위는 대통령령으로 정하는데(제66조 제②항), ① 학문적으로 인정되지 아니하는 진료행위(조산 업무와 간호 업무를 포함한다. 이하 같다) ② 비도덕적 진료행위, ③ 거짓 또는 과대 광고행위, ④ 방송법 제2조 제1호에 따른 방송, 신문 등의 진흥에 관한 법률 제2조 제1호 · 제2호에 따른 신문 · 인터넷신문 또는 잡지 등 정기간행물의 진흥에 관한 법률 제2조 제1호에 따른 정기간행물의 매체에서 식품위생법 제2조 제1호에 따른 식품에 대한 건강 · 의학정보, 건강기능식품에 관한 법률 제3조 제1호에 따른 건강기능식품에 대한 건강 · 의학정보, 약사법 제2조 제4호부터 제7호까지의 규정에 따른 의약품, 한약, 한약제제 또는 의약외품에 대한 건강 · 의학정보, 의료기기법 제2조 제1항에 따른 의료기기에 대한 건강 · 의학정보, 화장품법 제2조 제1호부터 제3호까지의 규정에 따른 화장품, 기능성화장품 또는 유기농화장품에 대한 건강 · 의학정보에 대하여 거짓 또는 과장하여 제공하는 행위, ⑤ 불필요한 검사 · 투약(投藥) · 수술 등 지나친 진료행위를 하거나 부당하게 많은 진료비를 요구하는 행위, ⑥ 전공의(專攻醫)의 선발 등 직무와 관련하여 부당하게 금품을 수수하는 행위, ⑦ 다른 의료기관을 이용하려는 환자를 영리를 목적으로 자신이 종사하거나 개설한 의료기관으로 유인하거나 유인하게 하는 행위

---

319) 대법원 1993. 4. 13. 선고 92누2141 판결 ; 의료법 제22조 제①항에 의하면 의사는 진료기록부를 비치하여 의료행위에 관한 사항과 소견을 상세히 기록하고 서명하여야 하도록 되어 있으므로 당초 진료기록부에 기재하지 않았던 병명이 발견된 때에는 진단서의 발급에 앞서 이를 진료기록부에 기재하여야 함에도 이에 이르지 아니하고 진료기록부에 기재하지 않은 병명을 추가하여 진단서를 발급한 것은 진료기록부의 성실한 유지, 보존을 규정한 위 규정을 위반한 것으로 볼 수 있어 의료법 제65조 제①항 제10호의 "이 법에 위반한 때"에 해당한다.

또는 ⑧ 자신이 처방전을 발급하여 준 환자를 영리를 목적으로 특정 약국에 유치하기 위하여 약국 개설자나 약국에 종사하는 자와 담합하는 행위가 의료인의 품위 손상 행위이다(의료법 시행령 제32조 제①항). 옥상옥의 내용이라서 정비가 필요한 부분이다.

(다) 실무상으로는 의료관계 행정처분규칙 별표 2. 개별 기준 가.에 따라 16) 법 제23조의 3을 위반하여 부당한 경제적 이익등을 받은 경우에는 부표 2와 같이 위반차수와 수수금액에 따라 경고부터 자격정지 12개월을, 38) 관련 서류를 위조·변조하거나 속임수 등 부정한 방법으로 진료비를 거짓 청구한 경우 부표 1과 같이 거짓 청구금액과 비율에 따라 자격정지 1개월부터 10개월까지, 5) 법 제17조 제①항 또는 제②항에 따른 진단서·검안서 또는 증명서를 거짓으로 작성하여 발급한 경우, 9) 법 제20조를 위반하여 태아의 성 감별 행위 등을 한 경우, 19) 법 제27조 제①항을 위반하여 의료인이 아닌 자로 하여금 의료행위를 하게 하거나 의료인이 면허된 것 외의 의료행위를 한 경우, 22) 법 제33조 제①항을 위반하여 의료기관을 개설하지 아니하고 의료업을 하거나 의료기관 외에서 의료업을 한 경우, 법 제35조 제①항을 위반하여 부속 의료기관을 개설하지 아니하고 의료업을 한 경우, 법 제33조 제⑧항을 위반하여 의료기관을 개설·운영한 경우, 34) 부당하게 많은 진료비를 요구하여 2차 위반한 경우, 36) 의료기관의 개설자가 될 수 없는 자에게 고용되어 의료행위를 한 경우에는 자격정지 3개월을, 4) 법 제17조 제①항 또는 제②항을 위반하여 진단서·검안서·증명서 또는 처방전을 발급한 경우, 8) 법 제19조를 위반하여 의료·조산 또는 간호를 하면서 알게 된 다른 사람의 비밀을 누설하거나 발표하여 선고유예의 판결을 받거나 벌금형의 선고를 받은 경우, 10) 법 제21조 제①항을 위반하여 환자에 관한 기록의 열람, 사본 발급 등 그 내용을 확인할 수 있게 하여 선고유예의 판결을 받거나 벌금형의 선고를 받은 때, 20) 법 제27조 제③항을 위반하여 영리를 목적으로 환자를 의료기관이나 의료인에게 소개·알선, 그 밖에 유인하거나 이를 사주하는 행위를 한 경우, 35) 전공의 선발 등 직무와 관련하여 부당하게 금품을 수수한 경우에는 자격정지 2개월을, 3) 법 제15조를 위반하여 정당한 사유 없이 진료 또는 조산의 요청을 거부하거나 응급환자에 대한 응급조치를 하지 아니한 경우, 6) 법 제17조 제③항 또는 제④항을 위반하여 정당한 이유 없이 진단서·검안서 또는 증명서의 발급 요구를 거절한 경우, 7) 법 제18조를 위반하여 처방전을 환자에게 발급하지 않아서 2차 위반(1차 처분일부터 2년 이내에 다시 위반한 경우에만 해당한다)한 경우, 15) 법 제22조를 위반하여 진료기록부등을 거짓으로 작성하거나 고의로 사실과 다르게 추가기재·수정한 경우 또는 진료기록부등을 보존하지 아니한 경우, 31) 학문적으로 인정되지 아니하는 진료행위를 한 경우, 32) 비도덕적 진료행위를 한 경우, 34) 부당하게 많은 진료비를 요구하여 1차 위반한 경우에는 자격정지 1개월을, 7) 법 제18조를 위반하여 처방전을 환자에게 발급하지 않아서 1차 위반한 경우, 11) 법 제21조 제②항을 위반하여 환자에 관한 기록 열람, 사본 발급 등 그 내용 확인 요청에 따르지 아니한 경우 및 법 제21조 제③항을 위반하여 진료기록의 내용확인 요청이나 진료경과에 대한 소견 등의 송부 요청에 따르지 아니하거나 환자나 환자보호자의 동의를 받지 않고 진료기록의 내용을 확인할

수 있게 하거나 진료경과에 대한 소견 등을 송부한 경우, 13) 법 제22조 제①항을 위반하여 진료기록부등을 기록하지 아니한 경우, 37) 의료기사가 아닌 자에게 의료기사의 업무를 하게 하거나 의료기사에게 그 업무의 범위를 벗어나게 한 경우에는 자격정지 15일을, 21) 법 제30조 제③항에 따른 보수교육을 받지 않아서 2차 위반(1차 처분일부터 2년 이내에 다시 위반한 경우에만 해당한다)한 경우에는 자격정지 7일을, 17) 법 제25조에 따른 신고를 하지 아니한 경우 신고할 때까지 면허정지를, 12) 법 제21조 제⑤항을 위반하여 응급환자의 내원 당시 작성된 진료기록의 사본 등을 이송하지 아니한 경우, 14) 법 제22조 제①항을 위반하여 진료기록부등에 서명하지 아니한 경우, 18) 법 제26조를 위반하여 변사체를 신고하지 아니한 경우, 23) 법 제33조 제⑥항을 위반하여 조산원 개설자가 지도의사를 정하지 아니한 경우, 29) 법 제77조 제②항을 위반하여 전문의의 자격인정을 받지 아니한 자가 전문과목을 표시한 경우, 33) 불필요한 검사·투약·수술 등 과잉 진료를 한 경우에는 경고를 처분한다.

[부표 1]

비고

1. 월평균 거짓청구금액은 조사의 대상이 된 기간 동안 관련 서류를 위조·변조하거나 거짓 또는 그 밖의 부정한 방

진료비를 거짓청구한 경우의 처분기준

(단위 : 월)

월평균 거짓청구금액		거짓청구비율					
의료기관	보건의료원/보건원/ 보건지소/보건진료소	0.5% 이상 1% 미만	1% 이상 2% 미만	2% 이상 3% 미만	3% 이상 4% 미만	4% 이상 5% 미만	5% 이상
12만원 미만	4만원 미만	–	–	1	2	3	4
12만원 이상 20만원 미만	4만원 이상 7만원 미만	–	1	2	3	4	5
20만원 이상 40만원 미만	7만원 이상 10만원 미만	1	2	3	4	5	6
40만원 이상 160만원 미만	10만원 이상 20만원 미만	2	3	4	5	6	7
160만원 이상 700만원 미만	20만원 이상 35만원 미만	3	4	5	6	7	8
700만원 이상 2,500만원 미만	35만원 이상 50만원 미만	4	5	6	7	8	9
2,500만원 이상	50만원 이상	5	6	7	8	9	10

법으로 국민건강보험공단 또는 의료보장기관에 진료급여비용을 거짓으로 청구한 금액과 가입자·피부양자 또는 수급권자에게 본인부담액을 거짓으로 청구한 금액을 합산한 금액을 조사의 대상이 된 기간의 월수로 나눈 금액으로 한다.

2. 거짓청구비율(%)은 (총 거짓청구금액/진료급여비용총액)×100으로 산출한다. 다만, 총 거짓청구금액은 확정되었으나 진료급여비용총액을 산출할 수 없는 경우에는 총 거짓청구금액을 기준으로 처분하되, 그 행정처분기준은 다음 표와 같다.

3. 진료급여비용 총액은 조사의 대상이 된 기간 동안 건강보험심사평가원이나 근로복지공단에서 심사·결정하여 국민건강보험공단 또는 의료보장기관에 통보한 진료급여비용을 모두 합산한 금액으로 한다.

총 거짓청구금액	행정처분기준
2,500만원 이상	자격정지 10개월
1,700만원 이상 ~ 2,500만원 미만	자격정지 9개월
1,200만원 이상 ~ 1,700만원 미만	자격정지 8개월
800만원 이상 ~ 1,200만원 미만	자격정지 7개월
550만원 이상 ~ 800만원 미만	자격정지 6개월
350만원 이상 ~ 550만원 미만	자격정지 5개월
200만원 이상 ~ 350만원 미만	자격정지 4개월
100만원 이상 ~ 200만원 미만	자격정지 3개월
30만원 이상 ~ 100만원 미만	자격정지 2개월
30만원 미만	자격정지 1개월

[부표 2] 부당한 경제적 이익등을 받은 경우의 행정처분기준

위반차수	수수액	행정처분기준
1차	2,500만원 이상	자격정지 12개월
	2,000만원 이상 ~ 2,500만원 미만	자격정지 10개월
	1,500만원 이상 ~ 2,000만원 미만	자격정지 8개월
	1,000만원 이상 ~ 1,500만원 미만	자격정지 6개월
	500만원 이상 ~ 1,000만원 미만	자격정지 4개월
	300만원 이상 ~ 500만원 미만	자격정지 2개월
	300만원 미만	경고
2차	2,500만원 이상	자격정지 12개월
	2,000만원 이상 ~ 2,500만원 미만	자격정지 12개월
	1,500만원 이상 ~ 2,000만원 미만	자격정지 10개월
	1,000만원 이상 ~ 1,500만원 미만	자격정지 8개월
	500만원 이상 ~ 1,000만원 미만	자격정지 6개월
	300만원 이상 ~ 500만원 미만	자격정지 4개월
	300만원 미만	자격정지 1개월
3차	2,500만원 이상	자격정지 12개월
	2,000만원 이상 ~ 2,500만원 미만	자격정지 12개월
	1,500만원 이상 ~ 2,000만원 미만	자격정지 12개월
	1,000만원 이상 ~ 1,500만원 미만	자격정지 12개월
	500만원 이상 ~ 1,000만원 미만	자격정지 8개월
	300만원 이상 ~ 500만원 미만	자격정지 6개월
	300만원 미만	자격정지 3개월
4차 이상	-	자격정지 12개월

(라) 의료기관은 그 의료기관 개설자가 관련 서류를 위조·변조하거나 속임수 등 부정한 방법으로 진료비를 거짓 청구하여(제①항 제7호) 자격정지 처분을 받은 경우에는 그 자격정지 기간 중 의료업을 할 수 없다(제66조 제③항). 원래 자격정지는 자격이 정지되는 처분이므로 대상 의료인이 면허에 따른 의료행위를 정지 기간 동안만 할 수 없을 뿐이고 대상 의료인이 개설한 의료기관의 운영을 정지하는 효력(업무정지)까지 있는 것은 아니다. 따라서 자격정지 처분 대상 의료인은 다른 의료인을 고용하여 6개월을 초과하지 않는 범위 내[320]에서 의료기관을 운영할 수 있다. 그러나 진료비를 거짓으로 청구하면 형벌과는 별도로 ① 제66조 제①항 제7호에 따른 자격정지 1개월 내지 10개월, ② 제66조 제③항에 따른 업무정지, ③ 금고 이상의 형을 선고받고 그 형이 확정되면 제64조 제①항 제8호에 따른 개설허가취소 또는 기관폐쇄와 제65조 제①항 제1호, 제8조 제4호에 따른 면허취소 그리고 ④ 국민건강보험법 제98조 제①항 제1호에 따른 1년의 범위 내의 업무정지(업무정지 처분이 해당 요양기관을 이용하는 사람에게 심한 불편을 주거나 보건복지부장관이 정하는 특별한 사유가 있다고 인정되면 업무정지 처분을 갈음하여 속임수나 그 밖의 부당한 방법으로 부담하게 한 금액의 5배 이하의 금액을 과징금으로 부과·징수, 국민건강보험법 제99조 제①항) 처분을 받으므로 매우 강력한 행정책임을 부담한다.

(마) 의료기관 개설자가 될 수 없는 자에게 고용되어 의료행위를 한(제①항 제2호 위반) 의료인이 자진하여 그 사실을 신고한 경우에는 보건복지부령으로 정하는 바에 따라 그 처분을 감경하거나 면제할 수 있다(제66조 제⑤항). 이른바 사무장 병원의 내부 고발자를 보호하기 위한 규정으로서 의료인에 한하여 임의적으로 감면된다.

(사) 각 중앙회의 장은 의료인이 의료인의 품위를 심하게 손상시키는 행위를 한(제66조 제①항 제1호) 경우에는 각 중앙회의 윤리위원회의 심의·의결을 거쳐 보건복지부장관에게 자격정지 처분을 요구할 수 있다(제66조의 2). 중앙회의 자격정지 처분 요구권으로서 선언적인 의미만 있을 뿐이고 보건복지부장관이 이에 기속되지는 않는다.

---

320) **의료법 시행규칙 제30조(폐업·휴업의 신고)** ① 법 제40조에 따라 의료기관의 개설자가 의료업을 폐업하거나 휴업하려면 별지 제18호 서식의 신고서를 관할 시장·군수·구청장에게 제출하여야 한다.
② 시장·군수·구청장은 매월의 의료기관 폐업신고의 수리 상황을 그 다음달 15일까지 보건복지부장관에게 보고하여야 한다.
③ 법 제33조 제②항 및 제⑧항에 따라 의원·치과의원·한의원 또는 조산원을 개설한 의료인이 부득이한 사유로 6개월을 초과하여 그 의료기관을 관리할 수 없는 경우 그 개설자는 폐업 또는 휴업 신고를 하여야 한다.

7 의료지도원

제69조 【의료지도원】 ① 제61조에 따른 관계 공무원의 직무를 행하게 하기 위하여 보건복지부, 시·도 및 시·군·구에 의료지도원을 둔다.

② 의료지도원은 보건복지부장관, 시·도지사 또는 시장·군수·구청장이 그 소속 공무원 중에서 임명하되, 자격과 임명 등에 필요한 사항은 보건복지부령으로 정한다.

③ 의료지도원 및 그 밖의 공무원은 직무를 통하여 알게 된 의료기관, 의료인, 환자의 비밀을 누설하지 못한다.

제88조 【벌칙】 ──중략── 제69조 제③항을 위반한 자 또는 ──중략── 한 자는 3년 이하의 징역이나 1천만원 이하의 벌금에 처한다. 다만, 제19조, 제21조 제①항 또는 제69조 제③항을 위반한 자에 대한 공소는 고소가 있어야 한다.

제91조 【양벌규정】

(1) 보건복지부장관 또는 시장·군수·구청장은 관계 공무원을 시켜 의료기관이나 의료인의 업무 상황, 시설 또는 진료기록부·조산기록부·간호기록부 등 관계 서류를 검사하게 하거나 관계인에게서 진술을 들어 사실을 확인받게 할 수 있는데(제61조), 이에 따른 관계 공무원의 직무를 행하게 하기 위하여 보건복지부, 시·도 및 시·군·구에 의료지도원을 둔다(제69조 제①항).

(2) 의료지도원은 보건복지부장관, 시·도지사 또는 시장·군수·구청장이 그 소속 공무원 중에서 임명하되, 자격과 임명 등에 필요한 사항은 보건복지부령[321]으로 정한다(제69조 제②항).

(3) 의료지도원 및 그 밖의 공무원은 직무를 통하여 알게 된 의료기관, 의료인, 환자의 비밀을 누설하지 못한다(제69조 제③항). 이를 위반하면 3년 이하의 징역 또는 1천만원 이하의 벌금에 처해 질 수 있으며 친고죄이다(제88조).

---

321) **의료법 시행규칙 제65조(의료지도원의 자격)** 법 제69조 제②항에 따라 보건복지부장관, 시·도지사 또는 시장·군수·구청장이 의료지도원을 임명하려는 경우에는 다음 각 호의 어느 하나에 해당하는 자 중에서 하여야 한다.
  1. 의료인 면허를 가진 자
  2. 의료 관계 업무에 관한 지식과 경험이 풍부한 자
제66조(의료지도원의 담당 구역) ① 보건복지부 소속 의료지도원의 담당 구역은 전국으로 한다.
② 특별시·광역시·도·특별자치도(이하 "시·도"라 한다) 또는 시·군·구(자치구를 말한다) 소속 의료지도원의 담당 구역은 해당 행정 구역으로 한다.
제67조(의료지도기록부 비치) 의료지도원은 의료지도기록부를 갖추어 두고 그 직무집행 상황을 기록하여야 한다.
제68조(의료지도에 관한 보고) 의료지도원이 의료지도를 한 결과 법령에 위반된 사실을 발견한 경우에는 지체 없이 이를 그 소속 기관의 장에게 보고하여야 한다.
제69조(의료지도원의 증표) 의료지도원임을 증명하는 증표는 별지 제24호 서식에 따른다.

제7장

분쟁의 조정[322)]

---

322) 의료사고로 인한 피해를 신속 · 공정하게 구제하고 의료분쟁을 원활하게 조정하기 위하여 '의료사고 피해구제 및 의료분쟁 조정 등에 관한 법률'이 제정됨에 따라 의료배상공제조합의 설립 근거가 마련되어서 2011. 4. 7.자 개정으로 의료법의 공제사업 해당 조문(제31조)을 삭제하고 분쟁조정기구인 의료심사조정위원회 관련 조문(제70조부터 제76조까지)을 삭제하였다.

본론

제8장

보칙

1 전문의

제77조【전문의】 ① 의사 · 치과의사 또는 한의사로서 전문의가 되려는 자는 대통령령으로 정하는 수련을 거쳐 보건복지부장관에게 자격 인정을 받아야 한다.

② 제①항에 따라 전문의 자격을 인정받은 자가 아니면 전문과목을 표시하지 못한다. 다만, 보건복지부장관은 의료체계를 효율적으로 운영하기 위하여 전문의 자격을 인정받은 치과의사와 한의사에 대하여 종합병원 · 치과병원 · 한방병원 중 보건복지부령으로 정하는 의료기관에 한하여 전문과목을 표시하도록 할 수 있다.

③ 전문의 자격 인정과 전문과목에 관한 사항은 대통령령으로 정한다.

[법률 제9386호(2009. 1. 30.) 부칙 제2조의 규정에 의하여 이 조 제②항 단서의 개정규정 중 치과의사에 대한 부분은 2013년 12월 31일까지, 한의사에 대한 부분은 2009년 12월 31일까지 유효함]

제63조【시정 명령 등】 보건복지부장관 또는 시장 · 군수 · 구청장은 의료기관이 ——중략—— 제77조 제③항을 위반한 때 또는 ——중략—— 아니하게 된 때에는 일정한 기간을 정하여 그 시설 · 장비 등의 전부 또는 일부의 사용을 제한 또는 금지하거나 위반한 사항을 시정하도록 명할 수 있다.

제64조【개설 허가 취소 등】 ① 보건복지부장관 또는 시장 · 군수 · 구청장은 의료기관이 다음 각 호의 어느 하나에 해당하면 그 의료업을 1년의 범위에서 정지시키거나 개설 허가를 취소하거나 의료기관 폐쇄를 명할 수 있다. 다만, 제8호에 해당하는 경우에는 의료기관 개설 허가를 취소하거나 의료기관 폐쇄를 명하여야 하며, 의료기관 폐쇄는 제33조 제③항과 제35조 제①항 본문에 따라 신고한 의료기관에만 명할 수 있다.

　　3. 제61조에 따른 관계 공무원의 직무 수행을 기피 또는 방해하거나 제59조 또는 제63조에 따른 명령을 위반한 때

　　6. 제63조에 따른 시정명령을 이행하지 아니한 때

제67조【과징금 처분】 ① 보건복지부장관이나 시장 · 군수 · 구청장은 의료기관이 제64조 제①항 각 호의 어느 하나에 해당할 때에는 대통령령으로 정하는 바에 따라 의료업 정지 처분을 갈음하여 5천만원 이하의 과징금을 부과할 수 있으며, 이 경우 과징금은 3회까지만 부과할 수 있다.

제90조【벌칙】 ——중략—— 제77조 제②항을 위반한 자나 제63조에 따른 명령을 위반한 자와 의료기관 개설자가 될 수 없는 자에게 고용되어 의료행위를 한 자는 500만원 이하의 벌금에 처한다.

제91조【양벌규정】

(1) 의사 · 치과의사 또는 한의사로서 전문의가 되려면 대통령령으로 정하는 수련을 거쳐 보건복지부장관에게 자격 인정을 받아야 하고(제77조 제①항), 전문의 자격 인정과 전문과목에 관한 사항은 대통령령으로 정한다(제77조 제④항). 대통령령으로 전문의의 수련 및 자격 인정 등에 관한 규정(이하 '전문의 규정'이라 함), 치과의사전문의의 수련 및 자격 인정 등에 관한 규정(이하 '치과의사전문의 규정'이라 함), 한의사전문의의 수련 및 자격 인정 등에 관한 규정(이하 '한의사전문의 규정'이라 함)이 있다.

(2) 전문의 자격을 인정받은 자가 아니면 전문과목을 표시하지 못한다. 다만, 보건복지부장관은 의료체계를 효율적으로 운영하기 위하여 전문의 자격을 인정받은 치과의사와 한의사에 대하여 종합병원 ·

치과병원·한방병원 중 보건복지부령[323]으로 정하는 의료기관에 한하여 전문과목을 표시하도록 할 수 있다(제77조 제②항). 전문의는 진료과목 표시판에 진료과목 외에 '전문과목'이라는 글자와 전문과목의 명칭을 표시할 수 있다(전문의 규정 제20조). 전문의가 아니면서 전문과목을 표시하면 500만원 이하의 벌금에 처해질 수 있다(제90조). 전문의의 전문과목은 내과, 신경과, 정신건강의학과, 외과, 정형외과, 신경외과, 흉부외과, 성형외과, 마취통증의학과, 산부인과, 소아청소년과, 안과, 이비인후과, 피부과, 비뇨기과, 영상의학과, 방사선종양학과, 병리과, 진단검사의학과, 결핵과, 재활의학과, 예방의학과, 가정의학과, 응급의학과, 핵의학 및 직업환경의학과이고(전문의 규정 제3조) 치과의사전문의의 전문과목은 구강악안면외과, 치과보철과, 치과교정과, 소아치과, 치주과, 치과보존과, 구강내과, 구강악안면방사선과, 구강병리과 및 예방치과이며(치과의사전문의 규정 제3조) 한의사전문의의 전문과목은 한방내과, 한방부인과, 한방소아과, 한방신경정신과, 침구과, 한방안·이비인후·피부과, 한방재활의학과 및 사상체질과이다(한의사전문의 규정 제3조).

[3] 전문과목을 표시한 치과의원은 의료인이 진료나 조산 요청을 받으면 정당한 사유 없이 거부하지 못함(제15조 제①항)에도 불구하고 표시한 전문과목에 해당하는 환자만을 진료하여야 한다. 다만, 응급환자인 경우에는 그러하지 아니하다(제77조 제③항). 이를 위반하면 보건복지부장관 또는 시장·군수·구청장이 일정한 기간을 정하여 그 시설·장비 등의 전부 또는 일부의 사용을 제한 또는 금지하거나 위반한 사항을 시정하도록 명할 수 있다(제63조). 명령을 위반하거나 시정명령을 이행하지 않으면 보건복지부장관 또는 시장·군수·구청장이 그 의료업을 1년의 범위에서 정지시키거나 개설 허가를 취소하거나 의료기관 폐쇄를 명할 수 있다(제64조 제①항 제3호, 제6호). 실무상으로는 의료관계 행정처분규칙 별표 2. 개별 기준 나. 27)에 따라 업무정지 15일을 처분한다. 보건복지부장관이나 시장·군수·구청장은 정지 처분에 갈음하여 5천만원 이하의 과징금을 부과할 수 있다(제67조 제①항). 제77조 제③항은 치과전문의의 역할과 업무 범위를 명확하게 하기 위하여 1차 진료기관인 치과의원에서 전문과목을 표시하는 경우에는 전문과목에 해당하는 환자와 응급환자만을 진료하도록 하기 위함인데 전문의가 전문과목 이외의 다른 진료과목에 대한 의료행위를 함에 아무런 제한을 받지 않는다는 점에서는 논란의 여지가 있다[324].

---

323) **의료법 시행규칙 제74조(치과의사 및 한의사 전문과목 표시)** 법 제77조 제②항 단서에 따라 치과의사전문의 또는 한의사전문의 자격을 인정받은 자에 대하여 전문과목을 표시할 수 있는 의료기관은 다음 각 호와 같다.

1. 병상이 300개 이상인 종합병원
2. 「치과의사전문의의 수련 및 자격인정 등에 관한 규정」에 따른 수련치과병원
3. 「한의사전문의의 수련 및 자격인정 등에 관한 규정」에 따른 수련한방병원

324) **헌법재판소 2015. 5. 28. 선고 2013헌마799 결정**; 의료법 제77조 제③항은 치과전문의가 1차 의료기관인 치과의원에서 진료하는 것을 가급적 억제하고 그들이 2차 의료기관에서 진료하는 것을 유도함으로써 적정한 치과 의료전달체계를 정립하고, 특정 전문과목에만 치과전문의가 편중되는 현상을 방지함으로써 치과 전문과목 간의 균형 있는 발전을 도모하고자 하는 것인바, 이와 같은 입법목적은 정당하다. 그러나 치과의원의 치과전문의가 자신의 전문과목을 표시하는 경우 그 진료범위를 제한하여 현실적으로 전문과목의 표시를 매우 어렵게 하고 있는바, 이는 치과전문의 자격 자체의 의미를 현저히 감소시키고, 이로 인해 치과의원의 치과전문의들이 대부분 전문과목을 표시하지 않음에 따라 치과전문의 제도를 유명무실하게 만들 위험이 있다. 또한 치과전문의는 표시한 전문과목 이외의 다른 모든 전문과목에 해당하는 환자를 진료할 수 없게 되므로 기본권 제한의 정도가 매우 크다. 1차 의료기관의 전문과목 표시에 대해 불이익을 주어 치과전문의들이 2차 의료기관에 근무하도록 유도하는 것은 적정한 치과 의료 전달체계의 정립을 위해 적절한 방안이 될 수 없다. 또한 심판대상조항은 자신의 전문과목 환자만 진료해도 충분한 수익을 올릴 수 있는 전문과목에의 편중현상을 심화시킬 수 있다. 따라서 심판대상조

(4) 전공의는 의료기관을 개설하거나 다른 의료기관 또는 보건관계 기관에 근무할 수 없다(전문의 규정 제14조 본문, 치과전문의 규정 제14조 본문[325], 한의사전문의 규정 제14조 본문[326]). 다만, 전문의 규정 제13조에 따라 해당 전공의의 수련병원 또는 수련기관이 변경되는 과정에서 다른 수련병원이나 수련기관에 임용된 경우는 겸직으로 보지 아니한다(전문의 규정 제14조 단서).

2 전문간호사

제78조【전문간호사】
① 보건복지부장관은 간호사에게 간호사 면허 외에 전문간호사 자격을 인정할 수 있다.
② 제①항에 따른 전문간호사의 자격 구분, 자격 기준, 자격증, 그 밖에 필요한 사항은 보건복지부령으로 정한다.

(1) 보건복지부장관은 간호사에게 간호사 면허 외에 전문간호사 자격을 인정할 수 있다(제78조 제① 항). 전문간호사는 전문 간호분야의 전문적인 교육과정을 이수하여 해당 분야에 대한 전문적인 수준의 지식과 기술을 가지고 보건복지부장관으로부터 전문간호사 자격을 인정 받은 의료기관 및 지역사회 내에서 간호 대상자에게 전문적 간호를 수행하는 의료인이다. 간호서비스의 질적 수준 향상과 의료자원 배분의 효율성 제고를 위하여 2000. 1. 12.자 개정으로 도입되었다.

(2) 전문간호사의 자격 구분, 자격 기준, 자격증, 그 밖에 필요한 사항은 보건복지부령으로 정하는데(제78조 제②항), 전문간호사 자격인정 등에 관한 규칙이 있으며 전문간호사 자격을 보건 · 마취 · 정신 · 가정 · 감염관리 · 산업 · 응급 · 노인 · 중환자 · 호스피스 · 종양 · 임상 및 아동분야로 구분한다(규칙 제2조).

항은 수단의 적절성과 침해의 최소성을 갖추지 못하였다. 심판대상 조항이 달성하고자 하는 적정한 치과 의료전달체계의 정립 및 치과전문의의 특정 전문과목에의 편중 방지라는 공익은 중요하나, 심판대상조항으로 그러한 공익이 얼마나 달성될 수 있을 것인지 의문인 반면, 치과의원의 치과전문의가 표시한 전문과목 이외의 영역에서 치과일반의로서의 진료도 전혀 하지 못하는 데서 오는 사적인 불이익은 매우 크므로, 심판대상조항은 과잉금지원칙에 위배되어 청구인들의 직업수행의 자유를 침해한다. 그리고 1차 의료기관의 전문과목 표시와 관련하여 의사전문의, 한의사전문의와 치과전문의 사이에 본질적인 차이가 있다고 볼 수 없으므로, 의사전문의, 한의사전문의와 달리 치과전문의의 경우에만 전문과목의 표시를 이유로 진료범위를 제한하는 것은 합리적인 근거를 찾기 어렵고, 치과일반의는 전문과목을 불문하고 모든 치과 환자를 진료할 수 있음에 반하여, 치과전문의는 치과의원에서 전문과목을 표시하였다는 이유로 자신의 전문과목 이외의 다른 모든 전문과목의 환자를 진료할 수 없게 되는바, 이는 보다 상위의 자격을 갖춘 치과의사에게 오히려 훨씬 더 좁은 범위의 진료행위만을 허용하는 것으로서 합리적인 이유를 찾기 어렵다. 따라서 심판대상조항은 청구인들의 평등권을 침해한다.

[325] **제14조(겸직 금지)** 치과의사전공의는 의료기관을 개설하거나 다른 직무를 겸직하지 못한다.

[326] **제14조(겸직 금지)** 한방전공의는 의료기관을 개설하거나 다른 직무를 겸하지 못한다.

3 한지의료인

> **제79조 【한지 의료인】** ① 이 법이 시행되기 전의 규정에 따라 면허를 받은 한지 의사(限地 醫師), 한지 치과의사 및 한지 한의사는 허가받은 지역에서 의료업무에 종사하는 경우 의료인으로 본다.
> ② 보건복지부장관은 제①항에 따른 의료인이 허가받은 지역 밖에서 의료행위를 하는 경우에는 그 면허를 취소할 수 있다.
> ③ 제①항에 따른 의료인의 허가지역 변경, 그 밖에 필요한 사항은 보건복지부령으로 정한다.
> ④ 한지 의사, 한지 치과의사, 한지 한의사로서 허가받은 지역에서 10년 이상 의료업무에 종사한 경력이 있는 자 또는 이 법 시행 당시 의료업무에 종사하고 있는 자 중 경력이 5년 이상인 자에게는 제5조에도 불구하고 보건복지부령으로 정하는 바에 따라 의사, 치과의사 또는 한의사의 면허를 줄 수 있다.

(1) 의료법이 시행되기 전의 규정에 따라 면허를 받은 한지 의사(限地 醫師), 한지 치과의사 및 한지 한의사는 허가받은 지역에서 의료업무에 종사하는 경우 의료인으로 본다(제79조 제①항). 한지 의료인이란 의료 인력이 부족하던 시대에 의료 여건이 열악한 지역에서 의료행위를 하던 인력에게 지역적인 범위 내에서만 예외적으로 의료행위를 할 수 있도록 허용하는 제도인데 현재는 그 존재 의의가 미미하다.

(2) 보건복지부장관은 한지 의료인이 허가받은 지역 밖에서 의료행위를 하는 경우에는 그 면허를 취소할 수 있다(제79조 제②항). 한지 의료인의 허가지역 변경, 그 밖에 필요한 사항은 보건복지부령[327]으로 정한다(제79조 제③항).

(3) 한지 의사, 한지 치과의사, 한지 한의사로서 허가받은 지역에서 10년 이상 의료업무에 종사한 경력이 있는 자 또는 이 법 시행 당시 의료업무에 종사하고 있는 자 중 경력이 5년 이상인 자에게는 제5조에도 불구하고 보건복지부령[328]으로 정하는 바에 따라 의사, 치과의사 또는 한의사의 면허를 줄 수 있다(제79조 제④항).

---

[327] **의료법 시행규칙 제75조(한지 의료인의 허가지역 변경)** ① 법 제79조 제③항에 따라 한지(限地) 의료인이 그 허가지역을 변경하려는 경우에는 그 소재지를 관할하는 시·도지사의 허가를 받아야 한다. 다만, 다른 시·도로 변경하거나 2개 시·도 이상에 걸쳐있는 지역으로 변경하려는 경우에는 보건복지부장관의 허가를 받아야 한다.
② 제①항에 따른 한지 의료인의 허가지역 변경에 관한 허가를 할 때에는 다음 각 호에서 정하는 바에 따라야 한다.
  1. 의료취약지인 읍·면으로 한정하여 허가하되, 인구·교통, 그 밖의 지리적 여건에 따라 그 진료구역을 제한할 수 있다.
  2. 허가 대상은 변경 전의 허가지역에서 3년 이상 계속하여 의료기관을 개설하고 의료행위를 한 자로 한정한다. 다만, 허가지역에 같은 업종에 해당하는 다른 의료인이 있거나 벽지(僻地), 오지(奧地) 또는 도서(島嶼) 등 보건복지부장관이 정하는 지역으로 변경하려는 경우에는 그 기간의 제한을 받지 아니한다.
③ 제①항에 따라 허가지역 변경허가를 받으려는 자는 변경 희망지와 그 사유를 적은 신청서에 면허증을 첨부하여 허가관청에 제출하여야 한다.
제76조(한지 의료인의 허가지역 변경 보고 등) ① 시·도지사가 한지의료인에 대하여 그 허가지역의 변경허가를 한 경우에는 그 사실을 해당 면허증에 적어 신청인에게 발급하고, 허가한 날부터 5일 이내에 변경허가사항을 보건복지부장관에게 보고하여야 한다.
② 시·도지사는 한지 의료인별 허가지역 일람표를 작성하여 갖추어 두어야 한다.

[328] **의료법 시행규칙 제77조(한지 의료인의 의사면허 등의 신청)** ① 법 제79조 제④항에 따라 한지 의료인이 의사, 치과의사 또는 한의사 면허를 받으려는 경우에는 별지 제28호 서식의 신청서(전자문서로 된 신청서를 포함한다)에 다음 각 호의 서류(전자문서를 포함한다)를 첨부하여 현재의 근무지 또는 최종 근무지의 관할 시·도지사를 거쳐 보건복지부장관에게 제출하여야 한다.
  1. 한지 의료인 면허증
  2. 법 제79조 제④항에 따른 경력을 증명하는 서류 각 1부

4 간호조무사

제80조 【간호조무사 자격】 ① 간호조무사가 되려는 사람은 다음 각 호의 어느 하나에 해당하는 사람으로서 보건복지부령으로 정하는 교육과정을 이수하고 간호조무사 국가시험에 합격한 후 보건복지부장관의 자격인정을 받아야 한다. 이 경우 자격시험의 제한에 관하여는 제10조를 준용한다.

1. 초·중등교육법령에 따른 특성화고등학교의 간호 관련 학과를 졸업한 사람(간호조무사 국가시험 응시일로부터 6개월 이내에 졸업이 예정된 사람을 포함한다)
2. 「초·중등교육법」 제2조에 따른 고등학교 졸업자(간호조무사 국가시험 응시일로부터 6개월 이내에 졸업이 예정된 사람을 포함한다) 또는 초·중등교육법령에 따라 같은 수준의 학력이 있다고 인정되는 사람(이하 이 조에서 "고등학교 졸업학력 인정자"라 한다)으로서 보건복지부령으로 정하는 국·공립 간호조무사양성소의 교육을 이수한 사람
3. 고등학교 졸업학력 인정자로서 평생교육법령에 따른 평생교육시설에서 고등학교 교과 과정에 상응하는 교육과정 중 간호 관련 학과를 졸업한 사람(간호조무사 국가시험 응시일로부터 6개월 이내에 졸업이 예정된 사람을 포함한다)
4. 고등학교 졸업학력 인정자로서 「학원의 설립·운영 및 과외교습에 관한 법률」 제2조의 2 제②항에 따른 학원의 간호조무사 교습과정을 이수한 사람
5. 고등학교 졸업학력 인정자로서 보건복지부장관이 인정하는 외국의 간호조무사 교육과정을 이수하고 해당 국가의 간호조무사 자격을 취득한 사람
6. 제7조 제①항 제1호 또는 제2호에 해당하는 사람

② 제①항 제1호부터 제4호까지에 따른 간호조무사 교육훈련기관은 보건복지부장관의 지정·평가를 받아야 한다. 이 경우 보건복지부장관은 간호조무사 교육훈련기관의 지정을 위한 평가업무를 대통령령으로 정하는 절차·방식에 따라 관계 전문기관에 위탁할 수 있다.

③ 보건복지부장관은 제②항에 따른 간호조무사 교육훈련기관이 거짓이나 그 밖의 부정한 방법으로 지정받는 등 대통령령으로 정하는 사유에 해당하는 경우에는 그 지정을 취소할 수 있다.

④ 간호조무사는 최초로 자격을 받은 후부터 3년마다 그 실태와 취업상황 등을 보건복지부장관에게 신고하여야 한다.

⑤ 제①항에 따른 간호조무사의 국가시험·자격인정, 제②항에 따른 간호조무사 교육훈련기관의 지정·평가, 제④항에 따른 자격신고 및 간호조무사의 보수교육 등에 관하여 필요한 사항은 보건복지부령으로 정한다.

[전문개정 2015. 12. 29.] [시행일 : 2019. 1. 1.] 제80조 제②항의 개정규정(이 법 시행 당시 설치·운영 중인 간호조무사 교육훈련기관에 한한다)

[시행일 : 2017. 1. 1.] 제80조

---

3. 법 제8조 제1호 본문에 해당하는 자가 아님을 증명하는 의사의 진단서 또는 법 제8조 제1호 단서에 해당하는 자임을 증명하는 전문의의 진단서
4. 법 제8조 제2호에 해당하는 자가 아님을 증명하는 의사의 진단서
5. 사진(신청 전 6개월 이내에 촬영한 탈모 정면 상반신 명함판) 5장
② 삭제
③ 제①항의 신청서를 받은 시·도지사는 신청인에게 별지 제28호 서식의 접수증을 발급하여야 한다.
④ 제①항에 따라 면허증 발급신청을 한 자는 그 신청일부터 면허증을 받는 날까지 제③항의 접수증을 한지 의료인 면허증을 갈음하여 사용할 수 있다.

제80조의 2【간호조무사 업무】 ① 간호조무사는 제27조에도 불구하고 간호사를 보조하여 제2조 제②항 제5호 가목부터 다목까지의 업무를 수행할 수 있다.

② 제①항에도 불구하고 간호조무사는 제3조 제②항에 따른 의원급 의료기관에 한하여 의사, 치과의사, 한의사의 지도하에 환자의 요양을 위한 간호 및 진료의 보조를 수행할 수 있다.

③ 제①항 및 제②항에 따른 구체적인 업무의 범위와 한계에 대하여 필요한 사항은 보건복지부령으로 정한다.
[본조신설 2015. 12. 29.] [시행일 : 2017. 1. 1.]

제80조의 3【준용규정】 간호조무사에 대하여는 제8조, 제9조, 제12조, 제16조, 제19조, 제20조, 제22조, 제23조, 제59조 제①항, 제61조, 제65조, 제66조, 제68조, 제83조 제①항, 제84조, 제85조, 제87조, 제88조, 제88조의 2, 제88조의 3 및 제91조를 준용하며, 이 경우 "면허"는 "자격"으로, "면허증"은 "자격증"으로 본다.
[본조신설 2015. 12. 29.] [시행일 : 2017. 1. 1.] 제80조의 3

가. 간호조무사의 자격

(1) 간호조무사가 되려는 사람은 아래의 어느 하나에 해당하는 사람으로서 보건복지부령[329]으로 정하는 교육과정을 이수하고 간호조무사 국가시험에 합격한 후 보건복지부장관의 자격인정을 받아야 한다. 이 경우 자격시험의 제한에 관하여는 제10조(응시자격의 제한 등)를 준용한다(제80조 제①항).

① 초 · 중등교육법령에 따른 특성화고등학교의 간호 관련 학과를 졸업한 사람(간호조무사 국가시험 응시일로부터 6개월 이내에 졸업이 예정된 사람을 포함한다)

②「초 · 중등교육법」제2조에 따른 고등학교 졸업자(간호조무사 국가시험 응시일로부터 6개월 이내에 졸업이 예정된 사람을 포함한다) 또는 초 · 중등교육법령에 따라 같은 수준의 학력이 있다고 인정되는 사람(이하 이 조에서 "고등학교 졸업학력 인정자"라 한다)으로서 보건복지부령으로 정하는 국 · 공립 간호조무사양성소의 교육을 이수한 사람

③ 고등학교 졸업학력 인정자로서 평생교육법령에 따른 평생교육시설에서 고등학교 교과 과정에 상응하는 교육과정 중 간호 관련 학과를 졸업한 사람(간호조무사 국가시험 응시일로부터 6개월 이내에 졸업이 예정된 사람을 포함한다)

④ 고등학교 졸업학력 인정자로서「학원의 설립 · 운영 및 과외교습에 관한 법률」제2조의 2 제②항에 따른 학원의 간호조무사 교습과정을 이수한 사람

⑤ 고등학교 졸업학력 인정자로서 보건복지부장관이 인정하는 외국의 간호조무사 교육과정을 이수하고 해당 국가의 간호조무사 자격을 취득한 사람

⑥ 제7조 제①항 제1호 또는 제2호에 해당하는 사람

---

[329] 간호조무사 및 의료유사업자에 관한 규칙

(2) 위 ① 내지 ④의 간호조무사 교육훈련기관은 보건복지부장관의 지정 · 평가를 받아야 한다[330]. 이 경우 보건복지부장관은 간호조무사 교육훈련기관의 지정을 위한 평가업무를 대통령령으로 정하는 절차 · 방식에 따라 관계 전문기관에 위탁할 수 있다(제80조 제②항).

(3) 보건복지부장관은 간호조무사 교육훈련기관이 거짓이나 그 밖의 부정한 방법으로 지정받는 등 대통령령으로 정하는 사유에 해당하는 경우에는 그 지정을 취소할 수 있다(제80조 제③항).

(4) 간호조무사는 최초로 자격을 받은 후부터 3년마다 그 실태와 취업상황 등을 보건복지부장관에게 신고하여야 하며(제80조 제④항), 간호조무사의 국가시험 · 자격인정, 간호조무사 교육훈련기관의 지정 · 평가, 자격신고 및 간호조무사의 보수교육 등에 관하여 필요한 사항은 보건복지부령으로 정한다(제80조 제⑤항).

나. 간호조무사의 업무

(1) 간호조무사는 무면허 의료행위 등 금지 규정(제27조)에도 불구하고 간호사를 보조하여 간호사의 임무(업무) 중 ① 환자의 간호요구에 대한 관찰, 자료수집, 간호판단 및 요양을 위한 간호, ② 의사, 치과의사, 한의사의 지도하에 시행하는 진료의 보조 그리고 ③ 간호 요구자에 대한 교육 · 상담 및 건강증진을 위한 활동의 기획과 수행, 그 밖의 대통령령으로 정하는 보건활동(제2조 제②항 제5호 가목부터 다목까지의 업무) 업무를 수행할 수 있다(제80조의 2 제①항). 다만, 의원급 의료기관(제3조 제②항)에 근무하는 간호조무사는 의사, 치과의사, 한의사의 지도하에 환자의 요양을 위한 간호 및 진료의 보조를 수행할 수 있다(제80조의 2 제②항).

(2) 의료계와 개원가의 현실을 반영하여 2015. 12. 29.자 개정으로 신설된 규정이다[331]. 간호조무사의 구체적인 업무의 범위와 한계에 대하여 필요한 사항은 보건복지부령으로 정한다(제80조의 2 제③항).

다. 의료인 관련 규정의 준용

간호조무사에 대하여는 제8조(결격사유), 제9조(국가시험 등), 제12조(의료기술 등에 대한 보호), 제16조(세탁물 처리), 제19조(비밀 누설 금지), 제20조(태아 성 감별 행위 등 금지), 제22조(진료기록부 등), 제23조(전자의무기록), 제59조(지도와 명령) 제①항, 제61조(보고와 업무 검사 등), 제65조(면허 취소와 재교부), 제66조(자격정지 등), 제68조(행정처분의 기준), 제83조(경비 보조 등) 제①항, 제84조(청문), 제85조(수수료), 제87조(벌칙), 제88조(벌칙), 제88조의 2(벌칙), 제88조의 3(벌칙) 및 제91조(양벌규정)를 준용하며, 이 경우 '면허'는 '자격'으로, '면허증'은 '자격증'으로 본다(제80조의 3). 간호조무사 업무가 확장됨에 따라 의료인에 준하는 의료법상의 책임과 권리(의료인 보호조항)를 규정하는 내용으로 2015. 12. 29.자 개정으로 신설되었다[332].

---

330) 시행일 : 2019. 1. 1. 제80조 제②항의 개정규정(이 법 시행 당시 설치 · 운영 중인 간호조무사 교육훈련기관에 한한다)

331) 시행일 : 2017. 1. 1.

332) 시행일 : 2017. 1. 1.

라. 판례

(1) 의료법 제80조(2007. 4. 11. 법률 제8366호로 전부 개정되기 전의 제58조) 및 그 위임에 따른 간호조무사 및 의료유사업자에 관한 규칙 제2조에 의하면 간호조무사는 의료인이 아님에도 간호보조와 진료보조의 업무에 종사할 수 있는데, 이때 말하는 진료의 보조는 어디까지나 의사가 주체가 되어 진료행위를 함에 있어서 그의 지시에 따라 종속적인 지위에서 조력하는 것을 가리키므로, 의사가 환자를 전혀 진찰하지 않은 상태에서 간호조무사가 단독으로 진료행위를 하는 것은 진료보조행위에 해당한다고 볼 수 없다. 간호조무사가 의료인이 아니면서 의사의 처방 없이 그 판시와 같이 산통으로 내원한 임산부에 대하여 임의로 무통주사와 수액주사를 처치하고 내진을 하는 등 의료행위를 한 것은 간호조무사가 할 수 있는 진료보조행위의 범위를 벗어났다[333].

(2) 구 약사법(2007. 4. 11. 법률 제8365호로 전문 개정되기 전의 것) 제21조 제⑤항에 따라 의사의 의약품 직접 조제가 허용되는 경우에, 비록 의사가 자신의 손으로 의약품을 조제하지 아니하고 간호사 또는 간호조무사로 하여금 의약품을 배합하여 약제를 만들도록 하였다 하더라도 실질적으로는 간호사 등을 기계적으로 이용한 것에 불과하다면 의사 자신이 직접 조제한 것으로 볼 수도 있지만, 의약 분업 제도의 목적과 취지, 이를 달성하기 위한 약사법의 관련 규정, 국민건강에 대한 침해 우려, 약화(藥禍) 사고의 발생가능성 등 여러 사정을 종합적으로 고려해 볼 때, '의사의 지시에 따른 간호사 등의 조제행위'를 '의사 자신의 직접 조제행위'로 법률상 평가할 수 있으려면 의사가 실제로 간호사 등의 조제행위에 대하여 구체적이고 즉각적인 지휘·감독을 하였거나 적어도 당해 의료기관의 규모와 입원환자의 수, 조제실의 위치, 사용되는 의약품의 종류와 효능 등에 비추어 그러한 지휘·감독이 실질적으로 가능하였던 것으로 인정되고, 또 의사의 환자에 대한 복약지도도 제대로 이루어진 경우라야만 한다. 의사가 입원환자의 진료기록지에 의약품의 종류와 용량을 적어 처방을 하면 간호조무사들이 위 의사의 특별한 지시나 감독 없이 진료기록지의 내용에 따라 원무과 접수실 옆 약품진열장에서 종류별로 용기에 들어 있는 약을 꺼내어 배합·밀봉하는 등의 행위를 한 경우, 구 약사법 제21조 제⑤항에 따라 위 의사가 의약품을 직접 조제한 것으로 볼 수 없다[334].

(3) 구 의료법은, '의료인'이란 보건복지부장관의 면허를 받은 의사·치과의사·한의사·조산사 및 간호사를 말하고(제2조 제①항), 의료인은 각각 진료기록부·조산기록부 또는 간호기록부를 비치하여 그 의료행위에 관한 사항과 소견을 상세히 기록하고 서명하여야 하며(제21조 제①항), 의료인이 아니면 누구든지 의료행위를 할 수 없다(제25조)고 규정하고 있어, 간호기록부는 간호사가 비치·작성하여야 하는 것이나, 한편 구 의료법 제58조는 "간호조무사는 제25조의 규정에 불구하고 간호보조업무에 종사할 수 있고, 이 경우에는 이 법의 적용에 있어 간호사에 관한 규정을 준용한다."라고 규정하고 있으므로 간호조무사가 간호보조업무에 종사하는 경우에는 구 의료법 제21조 제①항에 의

---

333) 대법원 2011. 7. 14. 선고 2010도1444 판결
334) 대법원 2007. 10. 25. 선고 2006도4418 판결

하여 간호기록부를 비치·작성하여야 할 의무가 있다고 보아야 한다[335].

(4) 의사가 속눈썹이식시술을 하면서 간호조무사로 하여금 피시술자의 후두부에서 채취한 모낭을 속눈썹 시술용 바늘에 일정한 각도로 끼우고 바늘을 뽑아낸 뒤 이식된 모발이 위쪽을 향하도록 모발의 방향을 수정하도록 한 행위나, 모발이식시술을 하면서 간호조무사로 하여금 식모기(식모기)를 피시술자의 머리부위 진피층까지 찔러 넣는 방법으로 수여부에 모낭을 삽입하도록 한 행위가 진료보조행위의 범위를 벗어나 의료행위에 해당한다[336].

(5) 간호조무사 자격시험에 응시하기 위하여 국·공립 간호조무사 양성소 또는 '학원의 설립·운영 및 과외교습에 관한 법률'의 규정에 의한 간호조무사 양성학원에서 학과교육을 받고 있거나 간호조무사 양성학원장 등의 위탁에 따라 의료기관에서 실습교육을 받고 있는 사람은 의료법 제25조 제①항 단서 제3호에서 규정하고 있는 '의학·치과의학·한방의학 또는 간호학을 전공하는 학교의 학생'이라고 볼 수 없다[337].

(6) 주사약인 에폰톨은 3, 4분 정도의 단시간형 마취에 흔히 이용되는 마취제로서 점액성이 강한 유액성분이어서 반드시 정맥에 주사하여야 하며, 정맥에 투여하다가 근육에 새면 유액성분으로 인하여 조직괴사, 일시적인 혈관수축등의 부작용을 일으킬 수 있으므로 위와 같은 마취제를 정맥주사할 경우 의사로서는 스스로 주사를 놓든가 부득이 간호사나 간호조무사에게 주사케 하는 경우에도 주사할 위치와 방법 등에 관한 적절하고 상세한 지시를 함과 함께 스스로 그 장소에 입회하여 주사 시행과정에서의 환자의 징후 등을 계속 주시하면서 주사가 잘못없이 끝나도록 조치하여야 할 주의의무가 있고, 또는 위와 같은 마취제의 정맥주사 방법으로서는 수액세트에 주사침을 연결하여 정맥내에 위치하게 하고 수액을 공급하면서 주사제를 기존의 수액세트를 통하여 주사하는 이른바 사이드 인젝션(Side Injection)방법이 직접 주사방법 보다 안전하고 일반적인 것이라 할 것인 바, 산부인과 의사인 피고인이 피해자에 대한 임신중절수술을 시행하기 위하여 마취주사를 시주함에 있어 피고인이 직접 주사하지 아니하고, 만연히 간호조무사로 하여금 직접방법에 의하여 에폰톨 500밀리그램이 함유된 마취주사를 피해자의 우측 팔에 놓게 하여 피해자에게 상해를 입혔다면 이에는 의사로서의 주의의무를 다하지 아니한 과실이 있다고 할 것이다[338].

(7) 치과의사인 피고인 갑이 간호조무사인 피고인 을에게 환자 병을 상대로 '치아 본뜨기' 시술을 시행하도록 교사하였다고 하여 의료법 위반으로 기소된 사안에서, 치아 본뜨기란 치과 진단 및 치료를 위해 구강 내 조직의 모습을 본뜨는 과정 혹은 그 결과물을 가리키는 것인데, 치아 본뜨기 시술은 가의치나 크라운, 브릿지, 임플란트 등 보철물의 정교한 제작이나 정확한 진단을 위해 필수적인 과정에 해당하는 것으로 의학적 전문지식을 기초로 하는 경험과 기능을 요구하는 치료행위의 일부로

---

335) 대법원 2007. 8. 23. 선고 2007도2872 판결
336) 대법원 2007. 6. 28. 선고 2005도8317 판결
337) 대법원 2005. 12. 9. 선고 2005도5652 판결
338) 대법원 1990. 5. 22. 선고 90도579 판결

서 의료행위에 해당하고, 나아가 피고인 을은 치과위생사도 아닌 간호조무사인 점, 피고인 을이 치아 본뜨기 시술을 할 당시 피고인 갑은 다른 환자를 진료하고 있었던 점 등 제반 사정을 종합할 때 의료행위인 치아 본뜨기 시술을 피고인 을이 한 행위는 진료보조업무의 범위를 일탈한 것으로서 간호조무사의 진료보조행위에 포함될 수 없다[339].

5 의료유사업자

> **제81조【의료유사업자】** ① 이 법이 시행되기 전의 규정에 따라 자격을 받은 접골사(接骨士), 침사(鍼士), 구사(灸士)(이하 "의료유사업자"라 한다)는 제27조에도 불구하고 각 해당 시술소에서 시술(施術)을 업(業)으로 할 수 있다.
> ② 의료유사업자에 대하여는 이 법 중 의료인과 의료기관에 관한 규정을 준용한다. 이 경우 "의료인"은 "의료유사업자"로, "면허"는 "자격"으로, "면허증"은 "자격증"으로, "의료기관"은 "시술소"로 한다.
> ③ 의료유사업자의 시술행위, 시술업무의 한계 및 시술소의 기준 등에 관한 사항은 보건복지부령으로 정한다.

[1] 의료법이 시행되기 전의 규정에 따라 자격을 받은 접골사, 침사, 구사(이하 '의료유사업자'라 함)는 의료인이 아니면 누구든지 의료행위를 할 수 없음(제27조)에도 불구하고 각 해당 시술소에서 시술을 업으로 할 수 있다(제81조 제①항). 접골사는 외과적 수술을 하지 않고 주로 부목, 안마, 석고 붕대 따위의 방법으로 골절 따위를 치료하는 것을 전문적으로 하는 사람이다. 침사는 침으로, 구사는 뜸으로 치료하는 것을 전문적으로 하는 사람으로서 보통 침구사라 칭한다. 침구사 제도는 일제강점기 초기인 1914년 10월 29일 '안마술(按摩術), 침술(鍼術), 구술영업취체규칙(灸術營業取締規則)'이 제정되면서 태동되었다. 의료유사업자에게 신규자격을 부여할 수 있었던 근거 조항인 국민의료법 제59조가 1962. 3. 20.자 개정으로 삭제되어 유사의료업자는 없어지고 기존에 면허를 취득한 기득권자만을 인정하였다[340].

[2] 의료유사업자에 대하여는 이 법 중 의료인과 의료기관에 관한 규정을 준용한다. 이 경우 '의료인'은 '의료유사업자'로, '면허'는 '자격'[341]으로, '면허증'은 '자격증'으로, '의료기관'은 '시술소'로 한다(제81조 제②항). 의료인과 의료기관에 준하는 의료법상의 책임과 권리(의료인 보호조항)를 규정하는 내용이다.

---

339) 대전지방법원 2015. 5. 28. 선고 2014노3568 판결

340) 대법원 1979. 5. 22. 선고 79누39 판결 ; 의료법 부칙 제7조의 의료유사업자 자격증 갱신발급행위는 의료유사업자의 자격을 부여 내지 확인하는 것은 아니고, 그 자격의 존재를 증명하는 공증행위이므로 소정기간 내에 자격증 갱신발급을 받지 못하여도 자격 자체는 아무런 영향이 없다.

341) 대법원 1982. 9. 14. 선고 82누77 판결 ; 의료법 시행 후 외국에서 침사등 의료유사업자의 면허 또는 자격을 얻었다 하더라도 국내에서는 다시 소정의 시험을 거치지 않으면 그 면허(자격)를 바로 인정할 수 없다.

(3) 의료유사업자의 시술행위, 시술업무의 한계 및 시술소의 기준 등에 관한 사항은 보건복지부령[342]으로 정한다(제81조 제③항)[343].

6 안마사

제82조【안마사】 ① 안마사는「장애인복지법」에 따른 시각장애인 중 다음 각 호의 어느 하나에 해당하는 자로서 시·도지사에게 자격인정을 받아야 한다.

1.「초·중등교육법」제2조 제5호에 따른 특수학교 중 고등학교에 준한 교육을 하는 학교에서 제④항에 따른 안마사의 업무한계에 따라 물리적 시술에 관한 교육과정을 마친 자

2. 중학교 과정 이상의 교육을 받고 보건복지부장관이 지정하는 안마수련기관에서 2년 이상의 안마수련과정을 마친 자

② 제①항의 안마사는 제27조에도 불구하고 안마업무를 할 수 있다.

③ 안마사에 대하여는 이 법 중 제8조, 제25조, 제28조부터 제32조까지, 제33조 제②항 제1호·제③항·제⑤항·제⑧항 본문, 제36조, 제40조, 제59조 제①항, 제61조, 제63조(제36조를 위반한 경우만을 말한다), 제64조부터 제66조까지, 제68조, 제83조, 제84조를 준용한다. 이 경우 "의료인"은 "안마사"로, "면허"는 "자격"으로, "면허증"은 "자격증"으로, "의료기관"은 "안마시술소 또는 안마원"으로, "해당 의료관계단체의 장"은 "안마사 회장"으로 한다.

④ 안마사의 업무한계, 안마시술소나 안마원의 시설 기준 등에 관한 사항은 보건복지부령으로 정한다.

제87조【벌칙】 ① 다음 각 호의 어느 하나에 해당하는 자는 5년 이하의 징역이나 5천만원 이하의 벌금에 처한다.

2. ――중략―― 제33조 제②항·제⑧항(제82조 제③항에서 준용하는 경우를 포함한다)·제⑩항을 위반한 자

제88조【벌칙】 다음 각 호의 어느 하나에 해당하는 자는 3년 이하의 징역이나 3천만원 이하의 벌금에 처한다.

3. 제82조 제①항에 따른 안마사의 자격인정을 받지 아니하고 영리를 목적으로 안마를 한 자

제90조【벌칙】 ――중략―― 제33조 제①항·제③항(제82조 제③항에서 준용하는 경우를 포함한다)·제⑤항(허가의 경우만을 말한다) ――중략―― 을 위반한 자나 ――중략―― 한 자는 500만원 이하의 벌금에 처한다.

제91조【양벌규정】

---

342) 간호조무사 및 의료유사업자에 관한 규칙 제12조(준용규정) 이 규칙에 규정된 것 외에 간호조무사에 대하여는「의료법 시행령」과「의료법 시행규칙」중 간호사에 관한 규정을 준용하고, 의료유사업자에 대하여는「의료법 시행령」중 제11조부터 제15조까지 및 제32조와「의료법 시행규칙」중 제6조 제②항, 제8조, 제14조 제1호, 제15조, 제17조, 제20조부터 제24조까지, 제30조, 제40조, 제47조, 제73조 및 제78조를 준용한다. 이 경우 "보건복지부장관"은 "시·도지사"로 한다.

343) 헌법재판소 1991. 11. 25. 선고 90헌마19 결정 ; 외국에서 침구사 자격을 얻은 사람들을 위하여 국내에서도 그들의 침구사 자격을 인정하는 법률을 제정하여야 한다는 헌법상의 명시적 위임은 없으며 달리 그러한 내용의 법을 제정함으로써 그들의 기본권을 보호하여야 할 입법자의 행위의무 내지 보호의무가 존재한다고 볼 아무런 근거도 없으므로, 이의 존재를 전제로 한 이 사건 심판청구는 부적법하다.
헌법재판소 2010. 7. 29. 선고 2008헌가19, 2008헌바108, 2009헌마269, 736, 2010헌바38, 2010헌마275 결정 ; 비의료인도 침구술 및 대체의학 시술을 할 수 있도록 그 자격 및 요건을 법률로 정하지 아니한 입법부작위에 대한 심판청구는 비의료인의 침구술 및 대체의학 시술과 관련하여 헌법의 명시적인 입법위임이 존재하지 아니하고, 헌법해석상 그러한 입법의무가 새롭게 발생하는 것도 아니므로 작위의무를 인정할 수 없어 부적법하다.

제92조【과태료】 ③ 다음 각 호의 어느 하나에 해당하는 자에게는 100만원 이하의 과태료를 부과한다.

    2. 제33조 제⑤항(제82조 제③항에서 준용하는 경우를 포함한다)에 따른 변경신고를 하지 아니한 자

    3. 제40조 제①항(제82조 제③항에서 준용하는 경우를 포함한다)에 따른 휴업 또는 폐업 신고를 하지 아니하거나 제40조 제②항을 위반하여 진료기록부등을 이관(移管)하지 아니한 자

[1] 의료법상의 안마는 국민의 건강 증진을 목적으로 손이나 특수한 기구로 몸을 주무르거나 누르거나 잡아당기거나 두드리거나 하는 등의 안마·마사지 또는 지압 등 각종 수기요법과 전기기구의 사용 그 밖의 자극 요법[344]에 의하여 인체에 대한 물리적 시술을 하여, 혈액의 순환을 촉진시킴으로써 뭉쳐진 근육을 풀어주는 등에 이를 정도의 행위이고 보건위생상 위해가 생길 우려가 있는 행위만으로 한정되지 않는다[345]. 그리고 제88조의 '영리를 목적으로 한 안마행위'는 영리를 목적으로 한 행위가 '안마행위' 그 자체이거나 적어도 '안마행위'가 주된 행위이다. 따라서 마사지업소에서 종업원이 대가를 받고 손님들의 몸을 손으로 문지르는 등의 행위가 사실관계 등에 비추어 윤락행위를 위하여 성적 흥분을 일으키게 하는 행위이지 의료법 제88조의 '영리를 목적으로 한 안마행위'에 해당하지 않는다[346].

[2] 안마사는 장애인복지법에 따른 시각장애인 중 초·중등교육법 제2조 제5호에 따른 특수학교 중 고등학교에 준한 교육을 하는 학교에서 제④항에 따른 안마사의 업무한계에 따라 물리적 시술에 관한 교육과정을 마쳤거나 중학교 과정 이상의 교육을 받고 보건복지부장관이 지정하는 안마수련기관에서 2년 이상의 안마수련과정을 마친 사람으로서 시·도지사에게 자격인정을 받아야 하며(제82조 제①항)[347], 의료인이 아니면 누구든지 의료행위를 할 수 없음(제27조)에도 불구하고 안마업무를 할 수 있다(제82조 제②항). 시각장애인에 한하여 안마사 자격인정을 받을 수 있도록 하는, 이른바 비맹제외기준을 설정하였던 구 안마사에 관한 규칙 제3조[348]가 법률유보원칙이나 과잉금지원칙에 위배되어 일반인의 직업선택의 자유를 침해한 규정이라는 헌법재판소의 위헌 결정[349]에 따라 2006. 9.

344) 대법원 1996. 7. 30. 선고 94도1297 판결 ; 시각장애자 복지향상을 위한 시각장애자 현안문제 해결대책으로 시각장애자 무면허 침구행위에 대하여 잠정적으로 단속을 완화하라는 행정지침이 있다거나 안마사에 관한 규칙상 안마사가 안마, 마사지 또는 지압 등 각종 수기요법에 의하거나 전기기구의 사용 그 밖의 자극요법에 의하여 인체에 대한 물리적 시술행위를 하는 것을 업무로 한다고 규정하고 있다고 하여 시각장애자 및 안마사가 행하는 의료행위로서의 침술행위가 각 허용된다고는 볼 수 없다.

345) 대법원 2009. 5. 14. 선고 2007도5531 판결

346) 대법원 2001. 6. 1. 선고 2001도1568 판결

347) 대법원 2004. 1. 27. 선고 2000도2977 판결 ; 스포츠마사지사 자격증을 취득한 자의 스포츠마사지 시술행위는 의료법상 금지되는 안마사 자격 인정 없는 안마행위이다.

348) 모법인 의료법 제61조 제①항은 "안마사가 되고자 하는 자는 시·도지사의 자격인정을 받아야 한다."는 내용이었다.

349) 헌법재판소 2006. 5. 25. 선고 2003헌마715, 2006헌마368 결정

27.자 개정으로 자격 요건을 신설하였다[350)351)].

(3) 안마사에 대하여는 이 법 중 제8조(결격사유 등), 제25조(신고), 제28조(중앙회와 지부)부터 제32조(감독)까지, 제33조(개설 등) 제②항 제1호 · 제③항 · 제⑤항 · 제⑧항 본문, 제36조(준수사항), 제40조(폐업 · 휴업 신고와 진료기록부등의 이관), 제59조(지도와 명령) 제①항, 제61조(보고와 업무검사 등), 제63조(시정 명령 등, 제36조를 위반한 경우만을 말한다), 제64조(개설 허가 취소 등)부터 제66조(자격정지 등)까지, 제68조(행정처분의 기준), 제83조(경비 보조 등), 제84조(청문)를 준용한다. 이 경우 '의료인'은 '안마사'로, '면허'는 "자격"으로, '면허증'은 '자격증'으로, '의료기관'은 '안마시술소 또는 안마원'으로, '해당 의료관계단체의 장'은 '안마사회장'으로 한다(제82조 제③항). 제87조 제①항 제1호와 제90조가 준용되지 않으므로 자격증을 대여하거나 안마시술소 또는 안마원을 개설할 수 없는 사람에게 고용되어 안마를 하는 경우는 불벌이다.

---

350) 대법원 2010. 3. 25. 선고 2010도1824 판결 : 의료법 제82조 제①항은 시각장애인에게 삶의 보람을 얻게 하고 인간다운 생활을 할 권리를 실현시키려는 데에 그 목적이 있으므로 입법목적이 정당하고, 다른 직종에 비해 공간이동과 기동성을 거의 요구하지 않을 뿐더러 촉각이 발달한 시각장애인이 영위하기에 용이한 안마업의 특성 등에 비추어 시각장애인에게 안마업을 독점시킴으로써 그들의 생계를 지원하고 직업활동에 참여할 수 있는 기회를 제공하는 이 사건 법률조항의 경우 이러한 입법목적을 달성하는 데 적절한 수단임을 인정할 수 있다. 나아가 시각장애인에 대한 복지정책이 미흡한 현실에서 안마사가 시각장애인이 선택할 수 있는 거의 유일한 직업이라는 점, 안마사 직역을 비시각장애인에게 허용할 경우 시각장애인의 생계를 보장하기 위한 다른 대안이 충분하지 않다는 점, 시각장애인은 역사적으로 교육, 고용 등 일상생활에서 차별을 받아온 소수자로서 실질적인 평등을 구현하기 위해서 이들을 우대하는 조치를 취할 필요가 있는 점 등에 비추어 최소침해성 원칙에 반하지 아니하고, 이 사건 법률조항으로 인해 얻게 되는 시각장애인의 생존권 등 공익과 그로 인해 잃게 되는 일반국민의 직업선택의 자유 등 사익을 비교해 보더라도, 공익과 사익 사이에 법익 불균형이 발생한다고 단정할 수도 없다. 따라서 위 법조항의 내용이 헌법 제37조 제②항에서 정한 기본권 제한 입법의 한계를 벗어나서 비시각장애인의 직업선택의 자유의 본질적 내용을 침해하여 헌법에 위반된다는 상고이유의 주장은 받아들일 수 없다.

351) 헌법재판소 2010. 7. 29. 선고 2008헌마664 등, 2009헌마583, 644 결정 : 의료법 제82조 제①항의 자격 조항은 신체장애자 보호에 대한 헌법적 요청, 장애인복지정책의 원칙 등에 바탕을 두고서 시각장애인의 생계를 보장하기 위한 것으로서, 궁극적으로는 그들에게 삶의 보람을 얻게 하고 인간다운 생활을 할 권리를 실현시키려는 데에 그 목적이 있으므로 입법 목적이 정당하고, 다른 직종에 비해 공간이동과 기동성을 거의 요구하지 않을 뿐더러 촉각이 발달한 시각장애인이 영위하기에 용이한 안마업의 특성 등에 비추어 시각장애인에게 안마업을 독점시킴으로써 그들의 생계를 지원하고 직업활동에 참여할 수 있는 기회를 제공하는 이 사건 자격 조항은 이러한 입법목적을 달성하는 데 적절한 수단이 된다. 나아가 안마업은 시각장애인이 선택할 수 있는 거의 유일한 직업이므로 시각장애인 안마사 제도는 시각장애인의 생존권 보장을 위한 불가피한 선택인 점 등에 비추어 이 사건 자격 조항은 최소침해성 원칙에 반하지 아니하고, 이 사건 자격 조항은 시각장애인의 생존권 보장이라는 헌법적 요청에 따라 시각장애인과 비시각장애인을 둘러싼 여러 상황을 적절하게 형량한 것으로서 이 사건 자격 조항으로 인해 얻게 되는 시각장애인의 생존권 등 공익과 그로 인해 잃게 되는 일반 국민의 직업선택의 자유 등 사익 사이에 법익 불균형이 발생한다고 할 수도 없다. 또한 시각장애인 안마사 제도는 생활전반에 걸쳐 시각장애인에게 가해진 유, 무형의 사회적 차별을 보상해주고 실질적인 평등을 이룰 수 있는 수단이다. 그러므로 이 사건 자격 조항이 비시각장애인을 시각장애인에 비하여 비례의 원칙에 반하여 차별하는 것이라고 할 수 없을 뿐 아니라, 비시각장애인의 직업선택의 자유를 과도하게 침해하여 헌법에 위반된다고 보기도 어렵다.

(4) 안마사의 업무한계, 안마시술소나 안마원의 시설 기준 등에 관한 사항은 보건복지부령[352]으로 정한다(제82조 제④항)[353].

(5) 안마사 자격이 없는 사람이 안마시술소 또는 안마원을 개설하거나(제33조 제②항, 제82조 제③항) 안마사가 둘 이상의 안마시술소 또는 안마원을 개설·운영하면(제33조 제⑧항, 제82조 제③항) 5년 이하의 징역이나 5천만원 이하의 벌금에 처해질 수 있고(제87조 제①항 제2호), 개설 허가가 취소된 날이나 폐쇄 명령을 받은 날부터 6개월 이내에, 업무 정지기간 중에 안마시술소·안마원을 개설·운영한 안마사(제64조 제②항, 제82조 제③항) 또는 안마사의 자격인정을 받지 아니하고 영리를 목적으로 안마를 한 사람은 3년 이하의 징역이나 3천만원 이하의 벌금에 처해질 수 있으며(제88조), 안마사가 안마시술소 또는 안마원을 개설하지 않고 또는 개설 신고를 하지 않고 안마업을 하거나 제33조 제①항 각 호의 사유 없이 개설 장소 이외에서 안마업을 하면(제33조 제①항, 제③항, 제82조 제③항) 500만원 이하의 벌금에 처해질 수 있다(제90조). 제33조 제⑤항(제82조 제③항에서 준용하는 경우를 포함)에 따른 변경신고를 하지 아니한 안마사나 제40조 제①항(제82조 제③항에서 준용하는 경우를 포함)에 따른 휴업 또는 폐업 신고를 하지 아니한 안마사에게는 100만원 이하의 과태료를 부과한다(제92조 제③항 제2호, 제3호).

---

352) **안마사에 관한 규칙 제2조(안마사의 업무 한계)** 안마사의 업무는 안마·마사지·지압 등 각종 수기요법(手技療法)이나 전기기구의 사용, 그 밖의 자극요법으로 인체에 물리적 시술행위를 하는 것으로 한다.
제11조(준용규정) 안마사에 관하여는 「의료법 시행규칙」 중 다음 각 호의 규정을 준용한다. 이 경우 "보건복지부장관"은 "시·도지사"로, "의료인"은 "안마사"로 보며, 「의료법 시행규칙」 제25조에 따른 안마시술소개설신고서의 처리기간에는 제10조 후단에 따라 실제로 의견을 제출하는 데에 걸린 기간은 산입되지 아니하는 것으로 본다.
  1. 면허등록대장 등에 관한 제5조
  2. 면허증의 재발급에 관한 제6조
  3. 면허증의 반환에 관한 제8조
  4. 의료기관 개설신고에 관한 제25조
  5. 의료기관 개설신고사항의 변경신고에 관한 제26조(제①항 제2호는 제외한다)
  6. 「의료법」 제28조의 중앙회에 대한 의료법인 규정의 준용에 관한 제73조

353) 대법원 2004. 1. 29. 선고 2001도6554 판결 : 안마사에 관한 규칙 제2조는 안마사의 업무한계에 관하여 안마, 마사지 또는 지압 등 각종 수기요법에 의하거나 전기기구의 사용 그 밖의 자극요법에 의하여 인체에 대한 물리적 시술행위를 하는 것을 업무로 한다고 규정하고 있고, 위 규칙 제3조는 안마사의 자격인정을 받을 수 있는 사람을 앞을 보지 못하는 사람에 한정하고 있는데, 여기에서 안마사의 업무한계 중 각종 수기요법이란 안마·마사지·지압 등 명칭에 불구하고 손으로 사람의 근육·관절·피부 등 신체 부위를 두드리거나 주무르거나 문지르거나 누르거나 잡아당기는 등의 방법으로 혈액순환을 촉진시키고 근육을 풀어줌으로써 통증 등 증상의 완화·건강증진·피로회복 등을 도모하기 위한 물리적인 시술을 통칭하는 것으로 봄이 상당하다. 따라서 이발소에서의 안마행위는 의료법상 무자격 안마영업에 해당한다.

7 기타

제83조【경비 보조 등】 ① 보건복지부장관 또는 시·도지사는 국민보건 향상을 위하여 필요하다고 인정될 때에는 의료인·의료기관·중앙회 또는 의료 관련 단체에 대하여 시설, 운영 경비, 조사·연구 비용의 전부 또는 일부를 보조할 수 있다.

② 보건복지부장관은 다음 각 호의 의료기관이 인증을 신청할 때 예산의 범위에서 인증에 소요되는 비용의 전부 또는 일부를 보조할 수 있다.

  1. 제58조의 4 제②항에 따라 인증을 신청하여야 하는 의료기관
  2. 300병상 미만인 의료기관(종합병원은 제외한다) 중 보건복지부장관이 정하는 기준에 해당하는 의료기관

제84조【청문】 보건복지부장관, 시·도지사 또는 시장·군수·구청장은 다음 각 호의 어느 하나에 해당하는 처분을 하려면 청문을 실시하여야 한다.

  1. 제23조의 2 제④항에 따른 인증의 취소
  2. 제51조에 따른 설립 허가의 취소
  3. 제58조의 9에 따른 의료기관 인증 또는 조건부인증의 취소
  4. 제63조에 따른 시설·장비 등의 사용금지 명령
  5. 제64조 제①항에 따른 개설허가 취소나 의료기관 폐쇄 명령
  6. 제65조 제①항에 따른 면허의 취소

제85조【수수료】 ① 이 법에 따른 의료인의 면허나 면허증을 재교부 받으려는 자, 국가시험등에 응시하려는 자, 진단용 방사선 발생 장치의 검사를 받으려는 자는 보건복지부령으로 정하는 바에 따라 수수료를 내야 한다.

② 제9조 제②항에 따른 한국보건의료인국가시험원은 제①항에 따라 납부받은 국가시험등의 응시수수료를 보건복지부장관의 승인을 받아 시험 관리에 필요한 경비에 직접 충당할 수 있다.

제86조【권한의 위임 및 위탁】 ① 이 법에 따른 보건복지부장관 또는 시·도지사의 권한은 그 일부를 대통령령으로 정하는 바에 따라 시·도지사, 질병관리본부장 또는 시장·군수·구청장이나 보건소장에게 위임할 수 있다.

② 보건복지부장관은 이 법에 따른 업무의 일부를 대통령령으로 정하는 바에 따라 관계 전문기관에 위탁할 수 있다.

가. 경비 보조 등

(1) 보건복지부장관 또는 시·도지사는 국민보건 향상을 위하여 필요하다고 인정될 때에는 의료인·의료기관·중앙회 또는 의료 관련 단체에 대하여 시설, 운영 경비, 조사·연구 비용의 전부 또는 일부를 보조할 수 있다(제83조 제①항).

(2) 보건복지부장관은 제3조 제②항 제3호에 따른 요양병원(장애인복지법 제58조 제①항 제2호에 따른 의료재활시설로서 제3조의 2에 따른 요건을 갖춘 의료기관은 제외)의 장이 보건복지부령으로 정하는 바에 따라 보건복지부장관에게 인증을 신청하거나 300병상 미만인 의료기관(종합병원은 제외) 중 보건복지부장관이 정하는 기준에 해당하는 의료기관이 인증을 신청할 때 예산의 범위에서 인증에 소요되는 비용의 전부 또는 일부를 보조할 수 있다(제83조 제②항).

나. 청문

(1) 청문이란 행정청이 어떠한 처분을 하기 전에 당사자등의 의견을 직접 듣고 증거를 조사하는 절차를 말한다(행정절차법 제2조 제5호). 보건복지부장관, 시·도지사 또는 시장·군수·구청장은 ① 제23조의 2 제④항에 따른 인증의 취소, ② 제51조에 따른 설립 허가의 취소, ③ 제58조의 9에 따른 의료기관 인증 또는 조건부인증의 취소, ④ 제63조에 따른 시설·장비 등의 사용금지 명령, ⑤ 제64조 제①항에 따른 개설허가 취소나 의료기관 폐쇄 명령 그리고 ⑥ 제65조 제①항에 따른 면허의 취소에 해당하는 처분을 하려면 청문을 실시하여야 한다(필요적 청문, 제84조).

(2) 청문은 행정절차에 관한 공통적인 사항을 규정하여 국민의 행정 참여를 도모함으로써 행정의 공정성·투명성 및 신뢰성을 확보하고 국민의 권익을 보호함을 목적으로 제정된 행정절차법 제22조와 제28조 내지 제37조에 따른다. 행정절차법 제22조 제①항 제1호[354]에 정한 청문제도는 행정처분의 사유에 대하여 당사자에게 변명과 유리한 자료를 제출할 기회를 부여함으로써 위법사유의 시정가능성을 고려하고 처분의 신중과 적정을 기하려는 데 그 취지가 있으므로 행정청이 특히 침해적 행정처분을 할 때 그 처분의 근거 법령 등에서 청문을 실시하도록 규정하고 있다면, 행정절차법 등 관련 법령상 청문을 실시하지 않아도 되는 예외적인 경우에 해당하지 않는 한 반드시 청문을 실시하여야 하며, 그러한 절차를 결여한 처분은 위법한 처분으로서 취소사유에 해당한다[355].

다. 수수료

의료법에 따른 의료인의 면허나 면허증을 재교부 받으려는 사람, 국가시험등에 응시하려는 사람, 진단용 방사선 발생 장치의 검사를 받으려는 사람은 보건복지부령[356]으로 정하는 바에 따라 수수료를 내야 한다(제85조 제①항). 한국보건의료인국가시험원은 납부받은 국가시험등의 응시수수료를 보건복지부장관의 승인을 받아 시험 관리에 필요한 경비에 직접 충당할 수 있다(제85조 제②항).

---

354) **행정절차법 제22조(의견청취)** ① 행정청이 처분을 할 때 다음 각 호의 어느 하나에 해당하는 경우에는 청문을 한다.
　1. 다른 법령등에서 청문을 하도록 규정하고 있는 경우
355) 대법원 2007. 11. 16. 선고 2005두15700 판결
356) **의료법 시행규칙 제7조(수수료 등)** ① 의료인의 면허에 관한 수수료는 다음 각 호와 같다.
　1. 면허증 발급 수수료 : 2천원
　2. 면허증의 갱신 또는 재발급 수수료 : 2천원
　3. 등록증명 수수료 : 500원(정보통신망을 이용하여 발급받는 경우 무료)
② 제4조에 따라 면허증을 발급하는 경우에는 제①항 제1호의 수수료를 징수하지 아니한다.
③ 국가시험등에 응시하려는 자는 법 제85조 제①항에 따라 국가시험등 관리기관의 장이 보건복지부장관의 승인을 받아 결정한 수수료를 현금으로 내야 한다. 이 경우 수수료의 금액 및 납부방법 등은 영 제4조 제③항에 따라 국가시험등 관리기관의 장이 공고한다.
④ 제①항의 수수료는 면허관청이 보건복지부장관인 경우에는 수입인지로 내고, 시·도지사인 경우에는 해당 지방자치단체의 수입증지로 내야 한다.
⑤ 제③항 및 제④항에 따른 수수료는 정보통신망을 이용하여 전자화폐나 전자결제 등의 방법으로 낼 수 있다.

라. 권한의 위임 및 위탁

(1) 의료법에 따른 보건복지부장관 또는 시·도지사의 권한은 그 일부를 대통령령으로 정하는 바에 따라 시·도지사, 질병관리본부장 또는 시장·군수·구청장이나 보건소장에게 위임할 수 있다(제86조 제①항). 기관위임사무의 근거규정이다. 지방자치단체 기관이 처리하는 기관위임사무는 자신의 사무가 아니라 남의 사무이므로 지방자치단체 기관이 기관위임사무를 처리하기 위해서는 당연히 법률에 의한 수권이 있어야 한다.

(2) 보건복지부장관은 의료법에 따른 업무의 일부를 대통령령으로 정하는 바에 따라 관계 전문기관에 위탁할 수 있다(제86조 제②항). 보건복지부장관은 의료법 제27조의 2 제①항 및 제②항에 따른 등록 업무(등록 요건 검토는 포함하되, 등록 여부 결정 및 등록증 발행·재발행은 제외한다)와 의료법 제27조의 2 제③항에 따른 사업실적 보고 업무를 한국보건산업진흥원법에 따른 한국보건산업진흥원에 위탁한다(의료법 시행령 제42조 제②항). 업무를 위탁받은 한국보건산업진흥원은 위탁받은 업무의 처리 내용을 보건복지부령으로 정하는 바에 따라 보건복지부장관에게 보고하여야 한다(의료법 시행령 제42조 제③항).

II

본론

의료법 해설 – 쟁점과 판례 중심

제9장

벌칙

1 형벌

제87조【벌칙】 ① 다음 각 호의 어느 하나에 해당하는 자는 5년 이하의 징역이나 5천만원 이하의 벌금에 처한다. 〈개정 2015. 12. 29.〉

1. 제4조 제④항을 위반하여 면허증을 빌려준 사람
2. 제12조 제②항 및 제③항, 제18조 제③항, 제21조의 2 제⑤항·제⑧항, 제23조 제③항, 제27조 제①항, 제33조 제②항·제⑧항(제82조 제③항에서 준용하는 경우를 포함한다)·제⑩항을 위반한 자. 다만, 제12조 제③항의 죄는 피해자의 명시한 의사에 반하여 공소를 제기할 수 없다.

② 삭제

제88조【벌칙】 다음 각 호의 어느 하나에 해당하는 자는 3년 이하의 징역이나 3천만원 이하의 벌금에 처한다.

1. 제19조, 제21조 제②항, 제22조 제③항, 제27조 제③항·제④항, 제33조 제④항, 제35조 제①항 단서, 제38조 제③항, 제59조 제③항, 제64조 제②항(제82조 제③항에서 준용하는 경우를 포함한다), 제69조 제③항을 위반한 자. 다만, 제19조, 제21조 제②항 또는 제69조 제③항을 위반한 자에 대한 공소는 고소가 있어야 한다.
2. 제23조의 3을 위반한 자. 이 경우 취득한 경제적 이익등은 몰수하고, 몰수할 수 없을 때에는 그 가액을 추징한다.
3. 제82조 제①항에 따른 안마사의 자격인정을 받지 아니하고 영리를 목적으로 안마를 한 자

제88조의 2【벌칙】 제20조를 위반한 자는 2년 이하의 징역이나 2천만원 이하의 벌금에 처한다.

제89조【벌칙】 다음 각 호의 어느 하나에 해당하는 자는 1년 이하의 징역이나 1천만원 이하의 벌금에 처한다.

1. 제15조 제①항, 제17조 제①항·제②항(제①항 단서 후단과 제②항 단서는 제외한다), 제23조의 2 제③항 후단, 제33조 제⑨항, 제56조 제①항부터 제④항까지, 제57조 제①항, 제58조의 6 제②항을 위반한 자
2. 정당한 사유 없이 제40조 제④항에 따른 권익보호조치를 하지 아니한 자

제90조【벌칙】 제16조 제①항·제②항, 제17조 제③항·제④항, 제18조 제④항, 제21조 제①항 후단, 제21조의 2 제①항·제②항, 제22조 제①항·제②항, 제26조, 제27조 제②항, 제33조 제①항·제③항(제82조 제③항에서 준용하는 경우를 포함한다)·제⑤항(허가의 경우만을 말한다), 제35조 제①항 본문, 제41조, 제42조 제①항, 제48조 제③항·제④항, 제77조 제②항을 위반한 자나 제63조에 따른 시정명령을 위반한 자와 의료기관 개설자가 될 수 없는 자에게 고용되어 의료행위를 한 자는 500만원 이하의 벌금에 처한다.

제91조【양벌규정】 법인의 대표자나 법인 또는 개인의 대리인, 사용인, 그 밖의 종업원이 그 법인 또는 개인의 업무에 관하여 제87조, 제88조, 제88조의 2, 제89조 또는 제90조의 위반행위를 하면 그 행위자를 벌하는 외에 그 법인 또는 개인에게도 해당 조문의 벌금형을 과(科)한다. 다만, 법인 또는 개인이 그 위반행위를 방지하기 위하여 해당 업무에 관하여 상당한 주의와 감독을 게을리하지 아니한 경우에는 그러하지 아니하다.

가. 5년 이하 징역이나 5천만원 이하 벌금의 법정형(제87조 제①항)

(1) 면허대여죄(면허증 대여행위, 제87조 제①항 제1호 위반)

(2) 진료방해 · 교사 · 방조죄(제12조 제②항 위반)

(3) 의료인 등 폭행 · 협박죄(제12조 제③항 위반, 반의사불벌죄)

(4) 전자처방전 개인정보 탐지 · 누출 · 변조 · 훼손죄(제18조 제③항 위반)

(5) 진료기록전송지원시스템 업무 위탁전문기관 의무 불이행죄(제21조의 2 제⑤항 위반)

(6) 진료기록전송지원시스템 저장 정보 누출 · 변조 · 훼손죄(제21조의 2 제⑧항 위반)

(7) 전자의무기록 개인정보 탐지 · 누출 · 변조 · 훼손죄(제23조 제③항 위반)

(8) 무면허 의료행위죄(제27조 제①항 위반)

(9) 비적격자 개설죄(제33조 제②항 위반)[357]

(10) 복수 개설 · 운영죄(제33조 제⑧항 위반)[358]

(11) 의료법인 명의대여죄(제33조 제⑩항 위반)

나. 3년 이하 징역 또는 3천만원 이하 벌금의 법정형(제88조)

(1) 업무상 비밀누설 · 발표죄(제19조 위반, 친고죄)

(2) 의무기록 공개죄(제21조 제②항 위반, 친고죄)

(3) 진료기록부등 허위작성 · 추가기재 · 수정죄(제22조 제③항 위반)

(4) 환자 소개 · 알선 · 유인 · 사주죄(제27조 제③항 위반)

(5) 보험업자 외국인환자 유치죄(제27조 제④항 위반)

(6) 의료기관 개설허가미필죄(제33조 제④항 위반)

(9) 병원급 부속 의료기관 개설허가미필죄(제35조 제①항 단서 위반)

(10) 부적합 판정 특수의료장비 사용죄(제38조 제③항 위반)

(11) 업무개시명령 거부죄(제59조 제③항 위반)

(12) 비업무기간중[359] 의료기관 개설 · 운영죄(제64조 제②항 위반)[360]

(13) 의료지도원 등 업무상 비밀누설죄(제69조 제③항 위반, 친고죄)

(14) 부당한 경제적 이익등 취득죄(리베이트금지위반죄, 제23조의 3 위반, 필요적 몰수 · 추징)

(15) 비안마사 영리 목적 안마죄(안마사의 자격인정을 받지 않고 영리를 목적으로 안마를 한 행위, 제88조 제3호 위반)

---

357) 제82조 제③항의 준용규정으로 안마사 자격이 없는 사람에게도 적용된다.

358) 제82조 제③항의 준용규정으로 안마사에게도 적용된다.

359) 개설 허가를 취소당하거나 폐쇄 명령을 받은 자는 그 취소된 날이나 폐쇄 명령을 받은 날부터 6개월 이내에, 의료업 정지처분을 받은 자는 그 업무 정지기간 중에 각각 의료기관을 개설 · 운영하지 못한다. 다만, 의료기관 개설자가 거짓으로 진료비를 청구하여 금고 이상의 형을 선고받고 그 형이 확정됨에 따라 의료기관 개설 허가를 취소하거나 폐쇄 명령을 받은 자는 취소당한 날이나 폐쇄 명령을 받은 날부터 3년 안에는 의료기관을 개설 · 운영하지 못한다(제64조 제②항).

360) 제82조 제③항의 준용규정으로 안마사에게도 적용된다.

다. 2년 이하 징역이나 2천만원 이하 벌금의 법정형(제88조의 2)

(1) 태아 성 감별행위 · 누설죄(제20조 위반)

라. 1년 이하 징역이나 1천만원 이하 벌금의 법정형(제89조)

(1) 진료 · 조산 거부죄(제15조 제①항 위반)

(2) 비직접 진찰 · 검안의 진단서 · 검안서 · 증명서 · 처방전 작성교부죄(제17조 제①항 위반)

(3) 비직접 조산의 출생 · 사망 · 사산 증명서 작성교부죄(제17조 제②항 위반)

(4) 미인증 전자의무기록시스템 표시죄(제23조의 2 제③항 후단 위반)

(5) 정관변경미허가죄(제33조 제⑨항 위반)

(6) 금지내용 의료광고죄(제56조 제①항부터 제④항까지 위반³⁶¹⁾)

(7) 의료광고 사전심의미필죄(제57조 제①항 위반³⁶²⁾)

(8) 부정인증서 · 인증마크 제작 · 사용 · 사칭죄(제58조의 6 제②항 위반)

마. 500만원 이하 벌금의 법정형(제90조)

(1) 세탁물 처리 신고미필죄(제16조 제①항 위반)

(2) 비위생적 세탁물 보관 · 운반 · 처리죄(제16조 제②항 위반)

(3) 진단서 · 검안서 · 증명서 교부거부죄(제17조 제③항 위반)

(4) 출생 · 사망 · 사산 증명서 교부거부죄(제17조 제④항 위반)

(5) 의심 처방전 문의 불응죄(제18조 제④항 위반)

(6) 진료기록 열람 등 거부죄(제21조 제①항 위반)

(7) 진료기록 · 진료결과소견 등 비동의 송부죄(제21조의 2 제①항 위반)

(8) 응급환자 진료기록 사본 등 미이송죄(제21조의 2 제②항 위반)

(9) 진료기록부등 부실기록 · 서명죄(제22조 제①항 위반)

(10) 진료기록부등 미보존죄(제22조 제②항 위반)

(11) 변사체 신고미필죄(제26조 위반)

(12) 의료인 (유사)명칭 사용죄(제27조 제②항 위반)

(13) 미개설 의료업죄(제33조 제①항 전문 위반)

(14) 개설 장소외 의료업죄(제33조 제①항 후문 위반)

---

361) 헌법재판소 2015. 12. 23. 선고 2015헌바75 결정 ; 의료법(2010. 7. 23. 법률 제10387호로 개정된 것) 제89조 가운데 제56조 제②항 제9호 중 '제57조에 따른 심의를 받지 아니한 광고'에 관한 부분은 헌법에 위반된다.

362) 사전심의를 간접적으로 강제하고 위반시 처벌하는 의료법상의 조항들(제56조 제②항 제9호, 제89조)이 사전검열금지원칙에 위배되는 위헌적인 조항으로 헌법재판소가 위헌 결정함으로써 위 조항들은 2015. 12. 23.부터 효력을 상실하였다(헌법재판소 2015. 12. 23. 선고 2015헌바75 결정).

(15) 의료기관 개설신고미필죄(제33조 제③항 위반)[363]

(16) 중요사항 변경허가미필죄(제33조 제⑤항[364] 위반)

(17) 부속 의료기관 개설신고미필죄(제35조 제①항 본문 위반)

(18) 당직의료인 부재죄(제41조 위반)

(19) 의료기관 종류별 명칭 외의 명칭사용죄(제42조 제①항 위반)

(20) 의료법인 재산처분ㆍ정관변경 허가미필죄(제48조 제③항 위반)

(21) (유사)의료법인 명칭 사용죄(제48조 제④항 위반)

(22) 비전문의 전문과목 표시죄(제77조 제②항 위반)

(23) 사용제한ㆍ금지ㆍ시정 명령 위반죄(제90조 위반)[365]

(24) 비의료인 피고용 의료행위죄(제90조 위반)[366]

바. 양벌규정

(1) 법인의 대표자나 법인 또는 개인의 대리인, 사용인, 그 밖의 종업원이 그 법인 또는 개인의 업무에 관하여 제87조(벌칙), 제88조(벌칙), 제88조의 2(벌칙), 제89조(벌칙) 또는 제90조(벌칙)의 위반행위를 하면 그 행위자를 벌하는 외에 그 법인 또는 개인에게도 해당 조문의 벌금형을 과한다. 다만, 법인 또는 개인이 그 위반행위를 방지하기 위하여 해당 업무에 관하여 상당한 주의와 감독을 게을리하지 아니한 경우에는 그러하지 아니하다(제91조). 양벌규정이다. 양벌규정은 위법행위에 대하여 행위자를 처벌하는 외에 그 업무의 주체인 법인 또는 개인도 함께 처벌하는 규정으로 행정법규의 실효성을 확보하기 위하여 인정된다. 양벌규정을 두는 경우에 행위자 이외의 자가 지는 책임의 본질은 타인의 책임을 대신하여 지는 대위책임이나 무과실책임이 아니고, 자기의 지배범위 내에 있는 자에 대하여 위법행위를 하지 않도록 하여야 할 주의의무ㆍ감독의무를 해태한 과실책임이다.

(2) 헌법재판소는 2009. 7. 30. 의료법(2007. 4. 11. 법률 제8366호로 전부 개정된 것) 제91조 제①항 중 "법인의 대리인ㆍ사용인 그 밖의 종업원이 제87조 제①항 제2호 중 제27조 제①항의 규정에 따른 위반행위를 하면 그 법인에도 해당 조문의 벌금형을 과한다"는 부분이 형벌에 관한 헌법상 원칙, 즉 법치주의와 죄형법정주의로부터 도출되는 책임주의원칙에 반하므로 위헌이라고 결정하였다[367]. 이에 2009. 12. 31.자 전문개정으로 법인이 종업원 등의 위반행위와 관련하여 선임ㆍ감독상의 주의의무를 다하여 아무런 잘못이 없는 경우에는 책임을 면하는 책임주의원칙에 충실한 내용의 단서를 신설하였다.

---

363) 제82조 제③항의 준용규정으로 안마사에게도 적용된다.

364) 허가의 경우에만 적용된다.

365) 제63조에 따른 명령을 위반한 경우이다.

366) 의료기관 개설자가 될 수 없는 자에게 고용되어 의료행위를 한 경우이다.

367) 헌법재판소 2009. 7. 30. 선고 2008헌가16 결정

2 과태료

제92조【과태료】 ① 다음 각 호의 어느 하나에 해당하는 자에게는 300만원 이하의 과태료를 부과한다.

　　1. 제16조 제③항에 따른 교육을 실시하지 아니한 자

　　1의 2. 제24조의 2 제①항을 위반하여 환자에게 설명을 하지 아니하거나 서면 동의를 받지 아니한 자

　　1의 3. 제24조의 2 제④항을 위반하여 환자에게 변경 사유와 내용을 서면으로 알리지 아니한 자

　　2. 제37조 제①항에 따른 신고를 하지 아니하고 진단용 방사선 발생장치를 설치 · 운영한 자

　　3. 제37조 제②항에 따른 안전관리책임자를 선임하지 아니하거나 정기검사와 측정 또는 방사선 관계 종사자
　　　에 대한 피폭관리를 실시하지 아니한 자

　　4. 제46조 제③항을 위반하여 선택진료에 관한 정보를 제공하지 아니한 자

　　5. 제49조 제③항을 위반하여 신고하지 아니한 자

② 다음 각 호의 어느 하나에 해당하는 자에게는 200만원 이하의 과태료를 부과한다.

　　1. 제21조의 2 제⑥항 후단을 위반하여 자료를 제출하지 아니하거나 거짓 자료를 제출한 자

　　2. 제45조의 2 제②항을 위반하여 자료를 제출하지 아니하거나 거짓으로 제출한 자

　　3. 제61조 제①항에 따른 보고를 하지 아니하거나 검사를 거부 · 방해 또는 기피한 자

③ 다음 각 호의 어느 하나에 해당하는 자에게는 100만원 이하의 과태료를 부과한다.

　　1. 제16조 제③항에 따른 기록 및 유지를 하지 아니한 자

　　1의 2. 제16조 제④항에 따른 변경이나 휴업 · 폐업 또는 재개업을 신고하지 아니한 자

　　2. 제33조 제⑤항(제82조 제③항에서 준용하는 경우를 포함한다)에 따른 변경신고를 하지 아니한 자

　　3. 제40조 제①항(제82조 제③항에서 준용하는 경우를 포함한다)에 따른 휴업 또는 폐업 신고를 하지 아니하
　　　거나 제40조 제②항을 위반하여 진료기록부등을 이관(移管)

　　4. 제42조 제③항을 위반하여 의료기관의 명칭 또는 이와 비슷한 명칭을 사용한 자

　　5. 제43조 제⑤항에 따른 진료과목 표시를 위반한 자

　　6. 제4조 제③항에 따라 환자의 권리 등을 게시하지 아니한 자

　　7. 제52조의 2 제⑥항을 위반하여 대한민국의학한림원 또는 이와 유사한 명칭을 사용한 자

　　8. 제4조 제⑤항을 위반하여 그 위반행위에 대하여 내려진 제63조에 따른 시정명령을 따르지 아니한 사람

④ 제①항부터 제③항까지의 과태료는 대통령령으로 정하는 바에 따라 보건복지부장관 또는 시장 · 군수 · 구청
　장이 부과 · 징수한다.

가. 서설

[1] 과태료는 벌금이나 과료와 달리 형벌의 성질을 가지지 않는 법령위반에 대하여 과해지는 금전벌[368]
　로서 질서벌, 징계벌, 집행벌로 구분된다. 질서벌로서의 과태료는 법률에 의하여 과해진 형식적인
　의무위반자에 대한 제재로서 의료기관이 아니면서 의료기관의 명칭이나 이와 비슷한 명칭을 사용한
　경우(제42조 제③항 위반)에 부과되는 과태료(제92조 제③ 제4호)가 예이다. 징계벌로서의 과태료

---

[368] 대법원 1994. 8. 26. 선고 94누6949 판결 ; 과태료와 같은 행정질서벌은 행정질서유지를 위하여 행정법규위반이라는 객관적 사실에
대하여 과하는 제재이므로 반드시 현실적인 행위자가 아니라도 법령상 책임자로 규정된 자에게 부과되고 또한 특별한 규정이 없는 한 원
칙적으로 위반자의 고의 · 과실을 요하지 아니한다.

는 일정한 직업을 가진 사람이 직무상의 의무에 위반하였을 경우에 과해지는 것으로서 직업을 감독하는 관청이 과하는 것이 통례인데 의료법상 과태료(제92조)가 대표적이다. 집행벌로서의 과태료는 행정상의 의무이행을 게을리하는 사람에게 그 의무의 이행을 강제하기 위하여 과하는 것인데 의료법상 그 예가 없다.

(2) 과태료는 형벌이 아니므로 형사소송법 절차에 의하지 않으며 대통령령으로 정하는 바에 따라 보건복지부장관 또는 시장·군수·구청장이 부과·징수한다(제90조 제④항).

나. 300만원 이하의 과태료(제92조 제①항)

(1) 세탁물의 처리업무에 종사하는 사람에게 보건복지부령으로 정하는 바에 따른 감염 예방에 관한 교육을 실시하지 아니한 의료기관 개설자 또는 세탁물처리업자(제16조 제③항 위반)

(2) 제24조의 2 제①항을 위반하여 환자에게 설명을 하지 아니하거나 서면 동의를 받지 아니한 자

(3) 제24조의 2 제④항을 위반하여 환자에게 변경 사유와 내용을 서면으로 알리지 아니한 자

(4) 시장·군수·구청장에게 신고를 하지 아니하고 진단용 방사선 발생장치를 설치·운영한 의료기관(제37조 제①항 위반)

(5) 안전관리책임자를 선임하지 아니하거나 정기검사와 측정 또는 방사선 관계 종사자에 대한 피폭관리를 실시하지 아니한 의료기관 개설자나 관리자(제37조 제②항 위반)

(6) 선택진료에 관한 정보를 제공하지 아니한 의료기관의 장(제46조 제③항 위반)

(7) 미리 의료기관의 소재지를 관할하는 시·도지사에게 신고하지 아니하고 부대사업을 하거나 신고사항을 변경한 의료법인(제49조 제③항 위반)

다. 200만원 이하의 과태료(제92조 제②항)

(1) 제21조의 2 제⑥항 후단을 위반하여 진료기록전송지원시스템의 구축·운영에 필요한 자료를 제출하지 아니하거나 거짓 자료를 제출한 자

(2) 제45조의 2 제②항을 위반하여 비급여진료비용등의 현황에 대한 조사·분석을 위한 관련 자료의 제출을 자료를 제출하지 아니하거나 거짓으로 제출한 자

(3) 보건복지부장관 또는 시장·군수·구청장이 의료기관이나 의료인에게 필요한 사항을 보고하도록 명하였는데 보고하지 아니한 의료기관이나 의료인(제61조 제①항 위반)

(4) 관계 공무원의 관계 서류 검사를 거부·방해 또는 기피한 의료기관이나 의료인(제61조 제①항 위반)

라. 100만원 이하의 과태료(제92조 제③항)

(1) 세탁물의 처리업무에 종사하는 사람에게 보건복지부령으로 정하는 바에 따른 감염 예방에 관한 교육을 실시하고 그 결과를 기록 및 유지를 하지 아니한 의료기관 개설자 또는 세탁물처리업자(제16조 제③항 위반)

(2) 변경이나 휴업·폐업 또는 재개업을 신고하지 아니한 세탁물처리업자(제16조 제④항 위반)

(3) 변경신고를 하지 않고 개설 장소를 이전하거나 개설에 관한 신고사항 중 보건복지부령으로 정하는 중요사항을 변경한 개설 의료기관(제33조 제⑤항 위반)[369]

(4) 휴업 또는 폐업 신고를 하지 아니한 의료기관 개설자(제40조 제①항 위반)[370]

(5) 진료기록부등을 이관하지 아니한 의료기관 개설자(제40조 제②항 위반)

(6) 의료기관의 명칭 또는 이와 비슷한 명칭을 사용한 비의료기관(제42조 제③항 위반)

(7) 진료과목 표시를 위반한 의료기관(제43조 제⑤항 위반)

(8) 환자의 권리 등을 게시하지 아니한 의료기관의 장(제4조 제③항 위반)

(9) 대한민국의학한림원 또는 이와 유사한 명칭을 사용한 자(제52조의 2 제⑥항 위반)

(10) 위반행위에 대하여 내려진 제63조에 따른 시정명령을 따르지 아니한 사람(제4조 제⑤항 위반)

마. 부과·징수 절차

(1) 과태료는 대통령령으로 정하는 바에 따라 보건복지부장관 또는 시장·군수·구청장이 부과·징수한다(제92조 제④항).

(2) 과태료의 부과기준은 별표 2와 같다(의료법 시행령 제45조).

[별표 2] 과태료의 부과기준(제45조 관련)

1. 일반기준

    가. 위반행위의 횟수에 따른 과태료의 부과기준은 최근 1년간 같은 위반행위로 과태료 부과처분을 받은 경우에 적용한다. 이 경우 위반횟수는 위반행위에 대하여 과태료 부과처분을 한 날과 다시 같은 위반행위(과태료 부과처분 후의 위반행위만 해당한다)를 적발한 날을 기준으로 하여 계산한다.

    나. 보건복지부장관 또는 시장·군수·구청장(이하 "부과권자"라 한다)은 다음의 어느 하나에 해당하는 경우에는 제2호의 개별기준에 따른 과태료 금액의 2분의 1 범위에서 그 금액을 줄일 수 있다. 다만, 과태료를 체납하고 있는 위반행위자에 대해서는 그러하지 아니하다.

        1) 위반행위자가 「질서위반행위규제법 시행령」 제2조의2제1항 각 호의 어느 하나에 해당하는 경우

        2) 위반행위가 사소한 부주의나 오류로 인한 것으로 인정되는 경우

        3) 위반의 내용·정도가 경미하다고 인정되는 경우

        4) 위반행위자가 법 위반상태를 시정하거나 해소하기 위하여 노력한 것이 인정되는 경우

        5) 그 밖에 위반행위의 정도, 위반행위의 동기와 그 결과 등을 고려하여 감경할 필요가 있다고 인정되는 경우

    다. 부과권자는 위반행위의 정도, 위반행위의 동기와 그 결과 등을 고려하여 제2호의 개별기준에 따른 과태료 금액의 2분의 1 범위에서 그 금액을 늘려 부과할 수 있다. 다만, 늘려 부과하는 경우에도 법 제92조제1항부터 제3항까지에 따른 과태료 금액의 상한을 넘을 수 없다.

---

[369] 제82조 제③항의 준용규정으로 안마사에게도 적용된다.

[370] 제82조 제③항의 준용규정으로 안마사에게도 적용된다.

2. 개별기준

위반행위	근거 법조문	과태료 금액 (단위: 만원)		
		1차 위반	2차 위반	3차 이상 위반
가. 법 제16조제3항에 따른 교육을 실시하지 않은 경우	법 제92조제1항제1호	50	75	100
나. 법 제16조제3항에 따른 기록 및 유지를 하지 않은 경우	법 제92조제3항제1호	15	30	60
다. 법 제16조제4항에 따른 변경이나 휴업·폐업 또는 재개업을 신고하지 않은 경우	법 제92조제3항제1호의2			
1. 변경·휴업 또는 재개업 신고를 하지 않은 경우		30	40	50
2. 폐업 신고를 하지 않은 경우		50	75	100
라. 법 제33조제5항(법 제82조제3항에서 준용하는 경우를 포함한다)에 따른 변경신고를 하지 않은 경우	법 제92조제3항제2호	50	75	100
마. 법 제37조제1항에 따른 신고를 하지 않고 진단용 방사선 발생장치를 설치·운영한 경우	법 제92조제1항제2호			
1. 진단용 방사선 발생장치의 안전관리기준에 적합하지 않게 설치·운영한 경우		300	300	300
2. 진단용 방사선 발생장치의 안전관리기준에 적합하게 설치·운영한 경우		50	75	100
바. 법 제37조제2항에 따른 안전관리책임자를 선임하지 않거나 정기검사와 측정 또는 방사선 관계 종사자에 대한 피폭관리를 실시하지 않은 경우	법 제92조제1항제3호			
1. 안전관리책임자를 선임하지 않은 경우		50	75	100
2. 진단용 방사선 발생장치에 대한 검사를 검사기간 이내에 실시하지 않은 경우		100	150	200
3. 방사선 방어시설에 대한 검사를 하지 않은 경우		100	150	200
4. 방사선 관계 종사자에 대한 피폭선량을 측정하지 않은 경우		30	45	60
5. 방사선 관계 종사자에 대한 피폭선량 측정에 있어 선량한도를 넘은 사람에 대한 안전조치를 하지 않은 경우		100	150	200
6. 방사선 관계 종사자의 피폭선량 측정에 영향을 미치는 피폭선량계의 파손·분실 등 피폭선량계를 2회 이상 적정하게 관리하지 않은 경우		50	75	100
사. 법 제40조제1항(법 제82조제3항에서 준용하는 경우를 포함한다)에 따른 휴업 또는 폐업 신고를 하지 않거나, 법 제40조제2항을 위반하여 진료기록부등을 이관하지 않은 경우	법 제92조제3항제3호			
1. 휴업 신고를 하지 않은 경우		50	75	100
2. 폐업 신고를 하지 않은 경우		80	90	100
3. 진료기록부등을 이관하지 않은 경우		80	90	100
아. 법 제42조제3항을 위반하여 의료기관의 명칭 또는 이와 비슷한 명칭을 사용한 경우	법 제92조제3항제4호	80	90	100
자. 법 제43조제5항에 따른 진료과목 표시를 위반한 경우	법 제92조제3항제5호	80	90	100
차. 법 제46조제3항을 위반하여 선택진료에 관한 정보를 제공하지 않은 경우	법 제92조제1항제4호	150	225	300
카. 법 제49조제3항을 위반하여 신고하지 않은 경우	법 제92조제1항제5호	50	75	100
타. 법 제61조제1항에 따른 보고를 하지 않거나 검사를 거부·방해 또는 기피한 경우	법 제92조제2항			
1. 보고를 하지 않은 경우		100	150	200
2. 검사를 거부·방해 또는 기피한 경우		200	200	200

결론

結論

Conclusion

의료법의 존재 목적과 이유는 국민의 건강 보호와 증진이다(제1조). 이를 이루기 위해서 국민의료에 필요한 사항을 규정하는 것(제1조)이 의료법의 규정이다. 따라서 불필요하거나 국민의 건강 보호·증진과 무관한 내용은 삭제되거나 정비되어야 한다. 의료계를 규제 대상으로만 보는 근대 경찰국가적 시각, 즉 의료법을 금지와 제재 규정으로만 도구적으로 해석하는 자세에서 벗어나 조정·조화와 지원이라는 복지국가적 시각으로 의료법을 입법하고 해석하는 노력이 필요하다.

구강이 치과와 동일 개념이 아니라는 점에서 구강을 치과로 개정할 필요성이 있다는 점(제2조 제②항 제2호), 제65조 제①항 4호와 제5호(면허증을 빌려준 경우)는 구별의 실익이 없고 중복 규정이므로 삭제 대상이라는 점, 외국 치과대학 졸업자에게 국내면허취득을 위한 국가시험 응시자격으로 '예비시험의 합격'을 추가로 요구하는 것(제5조)은 우리나라에서 의학사·치과의학사·한의학사의 학위를 받은 사람에 대하여는 실기시험을 면제하면서 외국에서 의사·치과의사·한의사의 면허를 취득한 사람에 대해서는 실기시험을 요구하는 합리적인 이유를 찾을 수 없다는 점, 진단서 등 교부 요구 거부 금지의 주체를 직접 진찰·검안 후 진단서 등 교부 의무의 주체와 일치시키는 개정이 필요한 부분이라는 점, 태아성감별행위 금지 기간(임신 32주 이전)을 모자보건법 시행령상의 기간과 동일하게 개정하거나 금지규정 자체를 폐지할 필요성이 있다는 점, 제21조 제①항은 비밀누설·발표금지(제19조)와 같은 취지로 누설의 방법이 기록 열람 또는 사본 교부로 구체화된 경우로서 벌칙과 자격정지 내용이 서로 같다는 점에서 삭제되어야 한다는 점, 제88조에 제21조 제②항이 규정되지 못한 오류가 있다는 점, 리베이트 벌칙 조항(제88조의 2)에 대한 양벌규정(제91조)의 적용이 없다는 점, 환자 유인행위 금지조항을 열거(列擧) 규정이 아니라 예시(例示) 규정이라고 해석하는 입장은 위헌적이라는 점, 제33조 제⑧항(1인 1개소 조항)은 위헌인 조항이라는 점, 환자에 대한 원격진료를 오지나 도서 지역과 같이 첨단 의료 혜택을 받지 못하는 지역의 환자 또는 특수 구역의 환자에 대한 원격진료 허용은 입법론으로 고려할 가치가 있다는 점, 제56조 제②항이 "하는 등", "현혹", "근거없이 비교", "발생하게 할 우려"라는 형식을 취함으로써 예시적 성격에 치우친 경향이 강하고 제56조 제③항으로 허위 또는 과대한 내용의 의료광고를 금지함으로써 옥상옥의 예시적 성격이 한층 더 강화되어 입법의 간판사기로 오해될 여지가 있다는 점, 보건복지부장관이 할 수 있는 신의료기술의 평가 결과 공포를 재량에 일임하는 것보다는 관보 내지는 의료인단체 관련지에 당연히 공포하게 하는 것이 입법취지에 맞다는 점, 위임입법의 근거가 없고 법과 시행령의 범위를 초월한 보건복지부의 의료광고심의기준은 폐지되어야 한다는 점, 불특정 다수의 소비자를 대상으로 가장 큰 광고효과를 볼 수 있는 영상매체를 광고수단에서 배제시키는 것은 이론적 당위성이 없다는 점, 의료기관에 대한 행정처분과 의료인에 대한 행정처분 그리고 형사책임까지 병과되면 하나의 위반행위에 업무정지, 자격정지, 벌금이라는 삼중고가 형성될 수 있으므로 규제 입법을 정비하거나 완화하여야 한다는 점, 의료인의 품위를 심하게 손상시키는 행위(제①항 제1호)의 범위를 정한 의료법 시행령(제32조 제①항)의 내용이 모법인 의료법의 내용과 옥상옥이라서 정비가 필요하다는 점 등은 향후 입법 과정에서 반영되었으면 한다.

탈고 시점까지의 현행 의료법은 의료 경찰의 행정법이라는 성격이 강하다. 수익적·급부적 행정법으로의 발전을 희망한다.

색인

索引
Index

判例 索引 | 판례 색인